DICCIONARIO
de
TÉRMINOS
de
COMPUTACIÓN

DICCIONARIO
— *de* —
TÉRMINOS
— *de* —
COMPUTACIÓN

Bryan Pfaffenberger

Traducción:
César Germán Romero Solís
Rebeca Alicia Sánchez López

Revisión Técnica:
Edgar Emmanuel Vallejo Clemente

PEARSON
PEARSON EDUCACIÓN LATINOAMÉRICA

PRENTICE
HALL

Addison
Wesley
Longman

MÉXICO · ARGENTINA · BOLIVIA · BRASIL · COLOMBIA · COSTA RICA · CHILE · ECUADOR
EL SALVADOR · ESPAÑA · GUATEMALA · HONDURAS · NICARAGUA · PANAMÁ
PARAGUAY · PERÚ · PUERTO RICO · REPÚBLICA DOMINICANA · URUGUAY · VENEZUELA

AMSTERDAM · HARLOW · MIAMI · MUNICH · NUEVA DELHI · MENLO PARK · NUEVA JERSEY
NUEVA YORK · ONTARIO · PARÍS · SINGAPUR · SYDNEY · TOKIO · TORONTO · ZURICH

| Datos de catalogación bibliográfica |

PFAFFENBERGER, BRYAN

Diccionario de términos de computación

PRENTICE HALL, México, 1999

ISBN: 970-17-0200-X
ÁREA: COMPUTACIÓN

Formato: 12 × 20.5 cm.　　　　　Páginas: 576

EDICIÓN EN ESPAÑOL

EDITOR DE DIVISIÓN COMPUTACIÓN:　　MARÍA ELENA GÓMEZ CARBAJAL
SUPERVISOR DE TRADUCCIÓN:　　　　　ANTONIO NÚÑEZ RAMOS
SUPERVISOR DE PRODUCCIÓN:　　　　　JOSÉ D. HERNÁNDEZ GARDUÑO

DICCIONARIO DE TÉRMINOS DE COMPUTACIÓN

Traducido del inglés de la obra: **WEBSTER'S NEW WORLD DICTIONARY OF COMPUTER TERMS**. 6TH EDITION
Authorized translation from the English Language edition published by
Simon & Schuster Inc.

Traducción autorizada de la edición en inglés publicada por: Simon & Schuster Inc.
Copyright © 1997

Edición en español publicada por:
Prentice-Hall Hispanoamericana, S.A.
Derechos Reservados © 1999

Calle 4 Núm. 25, 2o. Piso, Fracc. Industrial Alce Blanco
53370 Naucalpan de Juárez, Edo. de México.

ISBN 970-17-0200-X

Miembro de la Cámara Nacional de la Industria Editorial, Reg. Núm. 1524
Original English Language Edition Published by Simon & Schuster.
Copyright © 1997
All Rights Reserved

ISBN 0-02-861890-4

Impreso en México/Printed in Mexico

Advertencia y aclaración de responsabilidad

Dedicatoria

A mi familia

Acerca del autor

Bryan Pfaffenberger, autor de más de 50 obras sobre temas de PC e Internet, es maestro de redacción técnica y sociología de la tecnología en la División de Tecnología, Cultura y Comunicación, área pionera de la Universidad de Virginia. En su tiempo libre le gusta pasear por el campo, catar vino, laquear y barnizar muebles y también conducir su Probe GT blanco. Vive con su familia en las afueras de Charlottesville, Virginia.

Introducción

Vivimos en una sociedad computarizada y, en forma cada vez más creciente, el conocimiento de los términos de computación prepara el terreno para el progreso personal y profesional.

- El comercio en Internet, valuado en 1998 en menos de 1,000 millones de dólares al año, tiene una proyección de crecimiento de 5,000 a 10,000 millones de dólares para el año 2000. Si quiere ser parte de ello, requerirá conocer el porqué de la necesidad de una *autenticación fuerte*, cómo diferenciar entre una *firma digital* y un *certificado*, y por qué se requieren las *cookies* para implementar *canastas de compras* virtuales.

- La experiencia y el conocimiento en computación ofrecen grandes utilidades en el mercado laboral. Los mayores aumentos salariales en 1996, según *Money Magazine*, se dieron a todos los niveles entre personal de computación. Sin embargo, las habilidades anteriores en computación ya no rendirán igual. Usted debe estar bien informado de la diferencia entre *Java* y *Javascript*, por qué las *redes privadas virtuales (VPN)* están reemplazando a las *líneas rentadas*, y cuál de entre *ActiveX* o *JavaBeans* es la mejor elección para agregar contenido activo a una página Web.

- De hecho se estima que tan sólo en Estados Unidos alrededor de 100 millones de personas utilizan Internet. De mayor empuje es el correo electrónico, un método preferido más cada día para entablar comunicaciones. A menos que se quiera quedar en la oscuridad, deberá saber a ciencia cierta a qué se refiere alguien cuando dice: *S/MIME, POP, IMAP, X.509, LDAP* y una lista interminable de acrónimos.

- Casi en el 40% de los hogares en Estados Unidos hay una PC y dicha cifra crece de 10 a 15 por ciento al año. Si piensa comprar una computadora o actualizar la que ya tiene, deberá optar entre cosas tan crípticas como *EDO RAM* y *SDRAM*, una *Pentium Pro* o una *Pentium II* y (desde luego, si quiere un dispositivo SCSI) *Fast SCSI, Wide SCSI* o bien *Ultra Wide SCSI*. Si ya le da vueltas la cabeza, bienvenido al club.

Este diccionario le ayudará. Le ofrece miles de definiciones sobre la tecnología de computación e Internet en un lenguaje claro y sencillo. Incluso va más allá de la mera definición de términos; aquí encontrará información adicional que reforzará su comprensión de *por qué* un término en particular es importante y *cómo* se relaciona con otros. Por ejemplo, la definición de *ActiveX* explica lo que es ActiveX pero *también* en qué forma se relaciona con *Java* y, aún más, con las inclinaciones competitivas del mercado de Internet.

Utilícelo como una herramienta de aprendizaje siguiendo las abundantes referencias cruzadas. Por ejemplo, vea la definición de *Unix*, donde sabrá por qué algunas personas piensan que este *sistema operativo* tiene futuro. Siga la referencia cruzada a *Rhapsody* y conocerá los recientes problemas de Apple Computer, sobre todo la falla de *MacOS* para implementar una característica vital llamada *multitareas por preferencias*. Siga ese vínculo y se enterará por qué *Microsoft Windows 95* y *Microsoft Windows NT* tienen tanto éxito.

Sus características especiales hacen que este diccionario sea más fácil de utilizar. Algunas palabras tienen más de un significado y por lo mismo aparecen numeradas.

Utilizar así las referencias cruzadas le permitirá ampliar su conocimiento en una gran variedad de temas relacionados con la computación e Internet. Aprenda sobre inteligencia artificial, programación orientada a objetos (OOP), interfaces de programación de aplicaciones (APIs), estructuras de control, seguridad en computación, arquitecturas de redes de computadoras, criptografía de clave pública, entre otros.

Bryan Pfaffenberger
Charlottesville, Virginia

Reconocimientos

Ningún proyecto de este alcance se habría intentado sin una gran ayuda y este diccionario no es la excepción. Si los lectores encuentran excelencia en él, se debe a la visión y guía de Marie Butler-Knight. Un especial agradecimiento a Faithe Wempen, editora de desarrollo, cuya crítica esmerada de los manuscritos se basó en su dedicación a los requerimientos de los lectores tanto como a su impresionante experiencia técnica. También fue muy grato trabajar con las editoras Sydney Jones y Judy Brunetti, cuya atención a los detalles va de la mano con su amor por el idioma inglés. Las diseñadoras Holly Wittenberg y Dana Davis y los correctores de pruebas Linda Quigley, Ángel Perez y Natalie Hollifield trabajaron largas y tediosas horas para tener la certeza de que este libro fuera tan preciso como lo queríamos. Si encontrara algunos errores u omisiones, la culpa es mía y sólo mía.

Símbolos

^ (*acento circunflejo*)   Vea *caret.*

@   Símbolo utilizado en una dirección de correo electrónico para separar el nombre del usuario del nombre de la computadora en la cual reside su buzón de correo (como en frodo@bagend.org). Se conoce como símbolo de arroba o simplemente arroba.

@function *@función*   Vea *built-in function.*

0.25 micron technology *tecnología de 0.25 micrones*   Tecnología avanzada inferior a un micrón, mediante la cual es posible reducir las distancias entre compuertas (circuitos lógicos) a un cuarto de *micrón.* Esta tecnología es necesaria para la construcción de los *microprocesadores* más rápidos de la actualidad, los cuales pueden operar a velocidades de 300 *MHz* o más (quizá hasta a 700 MHz).

0.35 micron technology *tecnología de 0.35 micrones*   Tecnología inferior a un micrón que reduce a un tercio de *micrón,* aproximada- mente, la distancia entre compuertas (circuitos lógicos). Mediante esta tecnología es posible producir *microprocesadores* capaces de operar a 233 o 266 *MHz*; para velocidades mayores a *300* MHz es necesaria la *tecnología de 0.25 micrones.*

0.5 micron technology *tecnología de 0.5 micrones*   Tecnología estándar inferior a un micrón mediante la cual es posible colocar una compuerta a solamente 0.5 micrones una de otra, para producir *microprocesadores* capaces de operar a velocidades de hasta 200 *MHz.*

100% column graph *gráfico porcentual de columnas*   *Gráfico de columnas,* que asemeja a uno de tipo circular, en cuanto a que cada "rebanada" está representada por una columna que muestra el porcentaje de ese elemento en relación con el total. Vea *stacked column graph.*

100% Pure Java *Java 100% Puro*   Certificación de *JavaSoft* (la empresa de *Sun Microsystems* fundada para promover el lenguaje de programación Java) de que un producto específico en *Java* cumple con las especificaciones actuales de *plataforma cruzada* de este lenguaje, contenidas en el *Kit de Desarrollo de Java (JDK)* actual y, por consiguiente, se ejecutará en cualquier plataforma que disponga de un *intérprete* Java. El programa Java 100% Puro pretende proteger la filosofía "escrito para correr en cualquier plataforma" que se opone a las versiones propietarias del lenguaje, las cuales podrían contener extensiones que restringirían a los programas de Java a ejecutarse en una sola plataforma.

100 Base-T *Red de área local* (LAN)   *Ethernet* capaz de transmitir 100 megabits de datos por segundo, a través de cable de *par trenzado.* El término es sinónimo de *Fast Ethernet.*

101-key keyboard *teclado de 101 teclas*   Vea *extended keyboard.*

104-key keyboard *teclado de 104 teclas*   Teclado que contiene tres teclas adicionales además de las incluidas en el *teclado extendido.* Dichas teclas pueden variar según el fabricante; por ejemplo, el teclado Microsoft Natural contiene teclas adicionales que realizan funciones especiales en *Windows 95.* Gateway 2000, una compañía líder en la fabricación de computadoras, también tiene un teclado de 104 teclas, donde las adicionales se utilizan para programar *macros* de teclado.

10 Base-2 *Red de área local (LAN)*   *Ethernet* capaz de transmitir 10 megabits de datos por segundo, a través de *cables coaxiales* delgados, a una longitud máxima de 200 metros.

10 Base-5 *Red de área local (LAN)*   *Ethernet* capaz de transmitir 10 megabits de datos por segundo, a través de *cables coaxiales* gruesos, a una longitud máxima de 500 metros.

10 Base-T *Red de área local (LAN)*   *Ethernet* capaz de transmitir 10 megabits de datos por segundo, a través de un cableado de *par trenzado.*

10x   En *unidades de CD-ROM,* modelo que puede transferir datos a una velocidad de hasta 1,500 kilobytes por segundo, alrededor de diez veces más rápido que las primeras unidades de CD-ROM.

128-bit video adapter *adaptador de video de 128 bits*   *Adaptador de video* con *bus interno de datos* de 128 bits de ancho, que lo convierte en el adaptador de video más rápido disponible en la actualidad para *monitores* de computadora personal. Un adaptador de 128 bits puede acelerar en forma significativa tareas intensivas en gráficos, como el *diseño asistido por computadora (CAD)* y la animación.

12x   En *unidades* de CD-ROM, un modelo que puede transferir datos a una velocidad de hasta 1,800 kilobytes por segundo, alrededor de doce veces más rápido que las primeras unidades de CD-ROM.

12x minimum/16x maximum CD-ROM drive   *Unidad de CD-ROM a 12x mínimo/16x máximo* Unidad de CD-ROM comercializada con una descripción honesta de sus capacidades de procesamiento. Este tipo de unidad emplea el sistema de *velocidad angular constan-te (CAV),* en el cual el disco gira a velocidad constante, de manera que los datos se leen más rápidamente en las pistas internas que en las externas. Muchas unidades CAV clasificadas como *16x* son superadas por modelos *12x* que emplean el sistema de *velocidad lineal constante (CLV),* en el cual la unidad aumenta la velocidad de rotación del disco a medida que la cabeza de lectura se desplaza hacia el borde externo del disco.

14-inch monitor *monitor de 14 pulgadas*   *Monitor* con una medida diagonal total de 14 pulgadas de *pantalla*. No obstante, los bordes de la pantalla están ocultos por la cubierta del monitor y el área de pantalla realmente mide de 12.8 a 13.5 pulgadas en diagonal. Los monitores de 14 pulgadas son demasiado pequeños para las altas *resoluciones* y las grandes áreas de despliegue que exigen las *interfaces gráficas de usuario (GUIs)*.

15-inch monitor *monitor de 15 pulgadas*   *Monitor* con una medida diagonal total de 15 pulgadas de *pantalla* y un área real para tareas de despliegue definida por una diagonal de entre 13.3 y 14 pulgadas. Aunque los de 15 pulgadas son mejores que los *monitores de 14 pulgadas*, se prefieren los de 17 pulgadas a los dos anteriores.

16450   Chip *Receptor/Transmisor Universal Asíncrono (UART)* contenido en las Computadoras Personales AT de IBM y compatibles. El 16450 puede manejar *módems* más rápidos que su antecesor, el *8250*, pero es técnicamente inferior al *16550A* por su tendencia a causar *errores de saturación* en condiciones de transferencia rápida de datos. Para los módems actuales de alta velocidad es necesario el *16550A UART*.

16550A   Chip *Receptor/Transmisor Universal Asíncrono (UART)* contenido en los rápidos y modernos sistemas de computación. El 16550A, que representa lo más novedoso de la tecnología en UARTs, cuenta con un búfer de almacenamiento de mayor capacidad que los obsoletos 8250 y 16450, que lo convierte en menos propenso a cometer *errores de saturación*.

16-bit application *aplicación de 16 bits*   En Microsoft Windows, una aplicación diseñada para utilizar el modo de procesamiento de 16 bits de los microprocesadores de Intel. La mayoría de las aplicaciones de 16 bits para Windows están diseñadas para su ejecución en el popular sistema operativo *Microsoft Windows 3.1*. La versión más reciente para el usuario final, *Microsoft Windows 95*, es un sistema operativo híbrido de 16 y 32 bits, capaz de ejecutar aplicaciones de 16 bits tan eficientemente como las más recientes *aplicaciones de 32 bits*, las cuales aprovechan al máximo los *microprocesadores de 32 bits* de Intel.

16-bit color *color de 16 bits*   *Profundidad de color* que permite el despliegue de hasta 65,536 colores. Vea *8-bit color* y *24-bit color*.

16-bit microprocessor *microprocesador de 16 bits*   *Microprocesador* que puede manejar dos *bytes* de datos a la vez, con lo cual es significativamente más rápido que un *microprocesador de 8 bits*. El *Intel 8086* y el *80286* son ejemplos de microprocesadores de 16 bits. Vea *external data bus*, *internal data bus* y *register*.

16-bit operating system *sistema operativo de 16 bits*   *Sistema operativo* que emplea el modo de procesamiento de 16 bits de un *microprocesador*, donde es posible procesar dos *bytes* de datos simultáneamente. *Microsoft Windows 3.1* es un sistema operativo de 16 bits. Vea *32-bit operating system*.

16-bit sound board *tarjeta de sonido de 16 bits*   *Tarjeta de sonido* capaz de procesar y reproducir sonidos y música grabada a una *resolución* de 16 bits, la cual corresponde al estándar *Disco Compacto de Audio Digital (CD-DA)*. La mayoría de las tarjetas de sonido de 16 bits también pueden procesar sonidos grabados a menores resoluciones.

16x   En *unidades de CD-ROM*, modelo capaz de transferir datos a una velocidad aproximada de hasta 2,400 kilobytes por segundo, es decir, alrededor de 16 veces más rápido que las primeras unidades de CD-ROM. Las unidades a 16x que utilizan el sistema de *velocidad angular constante (CAV)* pueden ser más lentas que las de *12x* que usan el sistema de *velocidad lineal constante (CLV)*.

17-inch monitor *monitor de 17 pulgadas*   *Monitor* con una medida diagonal total de 17 pulgadas de *pantalla* y un área disponible real para tareas de despliegue definida por una diagonal de entre 15.4 y 16.6 pulgadas. Los monitores de 17 pulgadas están convirtiéndose en el estándar para computadoras de escritorio, gracias a sus altas *resoluciones* y a que facilitan el despliegue de dos o más ventanas al mismo tiempo.

2½-inch disk *disco de 2 pulgadas y media*   Estándar para *discos flexibles* que se utilizaba en algunas *computadoras portátiles* Zenith. Curiosamente, muchos *discos duros* para *computadoras portátiles* miden dos pulgadas y media de diámetro.

20-inch monitor *monitor de 20 pulgadas*   *Monitor* con una medida diagonal total de 20 pulgadas de *pantalla* y un área disponible real para tareas de despliegue definida por una diagonal de aproximadamente 19 pulgadas. Los monitores de 20 pulgadas son un poco menos costosos que los *monitores de 21 pulgadas*, pero aun así pueden desplegar dos páginas de un documento en forma simultánea, característica que los hace adecuados para aplicaciones de *autoedición (DTP)*.

21-inch monitor *monitor de 21 pulgadas*   *Monitor* con una medida diagonal total de 21 pulgadas de *pantalla* y un área disponible real para tareas de despliegue definida por una diagonal de aproximadamente 20 pulgadas. Los monitores de 21 pulgadas son ideales para las aplicaciones de *autoedición (DTP)* y de tratamiento de imágenes, en las cuales es necesario ver dos páginas al mismo tiempo.

24-bit color *color de 24 bits*   *Profundidad de color* de 24 bits que permite el despliegue de más de 16 millones de colores simultáneamente. Con un *adaptador de video* y un *monitor* capaz de procesar y desplegar color a 24 bits, los usuarios pueden ver hermosas imágenes con calidad fotográfica en altas *resoluciones*. El despliegue de color de 24 bits en *resoluciones* mayores al estándar *VGA* (650x480) requiere 2 MB o más de *memoria de video*.

2x   Vea *double-speed drive*.

3½-inch disk *disco de 3 pulgadas y media*   *Disco flexible*, desarrollado originalmente por Sony Corporation, utilizado para almacenar datos magnéticamente. El disco se encuentra contenido dentro de una *cubierta* de plástico rígido con una puerta de acceso deslizable de metal. Los discos de 3 pulgadas y media de alta densidad, con capacidad de almacenamiento de 1.44 MB, son los más comunes; los antiguos, de doble densidad, almacenaban hasta 720 KB. Ahora existen discos de 3 pulgadas y media capaces de contener hasta 2.88 MB, aunque son escasos. Los discos de 3 pulgadas y media para *Macintosh* contienen 800 KB (*doble densidad*) o 1.4 MB (*alta densidad*).

30-pin SIMM *SIMM de 30 pines*   Pequeña tarjeta rectangular con chips de *memoria*, diseñada para insertarse en una *ranura para SIMMs de 30 pines*. SIMM son las siglas de *módulo sencillo de memoria en línea*, un sistema de mejoramiento de memoria que representa un avance significativo en relación con el sistema predecesor (la inserción de chips individuales de memoria en sockets individuales). Aunque ya son obsoletos, todavía es posible utilizar esos chips adquiriendo un convertidor para SIMMs de 30 a 72 pines, el cual es un accesorio que permite modificar los sockets para SIMMs de 30 pines.

30-pin SIMM slot *ranura para SIMMs de 30 pines*   Socket ubicado generalmente en la *tarjeta madre*, cuyo fin es alojar *módulos sencillos de memoria en línea (SIMMs)* de 30 pines. En la actualidad estos SIMMs son obsoletos y han sido sustituidos por versiones de 72 pines. Vea *72- pin SIMM slot*.

32-bit application *aplicación de 32 bits*   Programa diseñado para aprovechar al máximo las capacidades de procesamiento de los *microprocesadores de 32 bits*, los cuales pueden manejar cuatro *bytes* de datos al mismo tiempo. *Microsoft Windows 3.1* es un *sistema operativo de 16 bits (OS)* y no puede manejar programas de 32 bits sin una modificación. *Microsoft Windows 95* y *Windows NT* pueden manejar aplicaciones de 32 bits.

32-bit computer *computadora de 32 bits*   Computadora capaz de procesar 32 bits de datos (cuatro bytes) al mismo tiempo, gracias a su bus de datos que cuenta con un ancho de 32 bits.

32-bit microprocessor *microprocesador de 32 bits*   *Microprocesador* que puede manejar cuatro *bytes* de datos a la vez, capacidad que lo hace mucho más rápido que los *microprocesadores de 16 bits*. Los microprocesadores de 32 bits como el *Intel 486* y el *386DX* tienen *buses internos de datos* de 32 bits de ancho que se conectan con *buses externos de datos* de 32 bits, en tanto que el Intel *386SX*, otro microprocesador de 32 bits, constituye un diseño de término medio que se conecta con un bus externo de datos de 16 bits, menos costoso.

32-bit operating system *sistema operativo de 32 bits*   *Sistema operativo* que aprovecha al máximo los *microprocesadores de 32 bits*, los cuales pueden efectuar operaciones en 32 bits de datos al mismo tiempo. Entre las múltiples ventajas de los sistemas operativos de 32 bits está su capacidad para establecer un *espacio plano de direcciones*, donde el sistema operativo puede asignar la memoria disponible sin las restricciones impuestas por la segmentación (vea *segmented memory architecture*). *Microsoft Windows NT* y *Unix* son verdaderos sistemas de 32 bits; *Microsoft Windows 95* es un híbrido que conserva algo de código en 16 bits, con el propósito de que los usuarios puedan seguir ejecutando sus aplicaciones de Windows 3.1.

32-bit video adapter *adaptador de video de 32 bits*   Tipo obsoleto de *adaptador de video* con *coprocesador de gráficos,* el cual es capaz de procesar 32 bits de datos al mismo tiempo. Los adaptadores de video de 32 bits no pueden producir las altas resoluciones que hacen a *Microsoft Windows 95* tan fácil de usar, y son demasiado lentos para la mayoría de las tareas con despliegue de *gráficos*. Los *adaptadores de video de 64 bits* y los *de 128 bits* han sustituido a los modelos de 32 bits.

3-D graph *gráfico tridimensional*   Vea *three-dimensional graph.*

4x   Vea *quad-speed drive.*

5¼-inch disk *disco de 5 pulgadas y cuarto*   *Disco flexible* contenido en una *cubierta* de plástico flexible. Era el disco flexible más usado antes de 1987. En la actualidad han sido reemplazados, casi totalmente, por los *discos de 3 pulgadas y media*.

64-bit microprocessor *microprocesador de 64 bits*   El *microprocesador* (capaz de manejar ocho *bytes* de datos al mismo tiempo) más rápido que se ha producido en masa para uso en computadoras personales (es mucho más veloz que los *microprocesadores de 8, 16 o 32 bits*). El *Pentium* es un microprocesador de 64 bits cuyo *bus interno de datos* de 64 bits se conecta con un *bus externo de datos* de 32 bits. La diferencia en el ancho de los buses, a nivel de 64 bits, no causa una disminución significativa de rendimiento.

64-bit operating system *sistema operativo de 64 bits*   *Sistema operativo* capaz de aprovechar al máximo las capacidades de procesamiento de datos de los *microprocesadores de 64 bits*. Un microprocesador de 64 bits al 100% tiene un *bus externo de datos* de 64 bits, lo cual incrementa de manera impresionante el rendimiento de *entrada/salida (E/S)*. En la actualidad hay poco software disponible para los sistemas operativos de 64 bits, y se utilizan principalmente en aplicaciones científicas y de ingeniería, pero es probable que a medida que se incremente el uso de *Internet*, se haga más común el uso de servidores Web de 64 bits.

64-bits video adapter *adaptador de video de 64 bits*   *Adaptador de video* con *coprocesador de gráficos* capaz de procesar 64 bits de datos al mismo tiempo. Aunque los *adaptadores de video de 128 bits*

AAMOF Abreviatura en inglés para la expresión "de hecho", que se utiliza frecuentemente en *Internet Relay Chat (IRC)*, *correo electrónico* y *Usenet*.

abandon *abandonar* Quitar un *documento*, *hoja de cálculo* u otro trabajo de la pantalla, y por tanto, de la memoria de la computadora, *sin guardarlo en disco*. El trabajo se pierde de manera irreversible.

abbreviation *abreviatura* Expresiones cortas, generalmente siglas, utilizadas con frecuencia en *Internet Relay Chat (IRC)*, *salones de conversación*, *correo electrónico* y *Usenet*.

Abreviaturas comunes utilizadas en Internet Relay Chat (IRC) y Usenet

Abreviatura	Significado
AAMOF	De hecho
AFAIK	Hasta donde yo sé
AFK	Lejos del teclado
BBIAF	Regreso en un momento
BBL	Regreso más tarde
BRB	Regreso en seguida
CUL8R	Te veo después
DIIK	Realmente no lo sé
EG	Sonrisa perversa
FYI	Para que lo sepa
GMTA	Las grandes mentes piensan de la misma manera
IMHO	En mi humilde opinión
K	De acuerdo
LOL	Riendo estruendosamente
OIC	Ya veo
PPL	Gente
RE	Saludos
ROFL	Rodando en el suelo de risa
RUMOF	¿Eres hombre o mujer?

continúa

Abreviaturas comunes utilizadas en Internet Relay Chat (IRC) y Usenet (continuación)

Abreviatura	Significado
TIA	Gracias de antemano
TTYL	Después me comunico contigo
WB	Bienvenido de regreso
YMMV	Tu kilometraje puede variar

A-B roll editing *edición A-B*   En *multimedia*, método para crear una cinta maestra de video editada, para lo cual se dirigen partes seleccionadas de las señales de dos fuentes de video (videograbadoras o cámaras de video) a un dispositivo de grabación, por lo general una videograbadora.

abort *abortar*   Cancelar un *programa, comando* o procedimiento mientras se está ejecutando. El usuario puede abortar el procedimiento en forma manual, o bien, este hecho puede ocurrir debido a un *error* en el programa, una falla en el suministro de corriente u otra causa inesperada.

absolute address *dirección absoluta*   En un programa, modo de especificar una localidad en la *memoria de acceso aleatorio (RAM),* definiendo su dirección en vez de usar una expresión para calcularla.

absolute cell reference *referencia de celda absoluta*   En una *hoja de cálculo*, referencia de celda que no se ajusta al *copiar* o mover una *fórmula*. Una referencia de celda absoluta incluye el símbolo $ antes de la letra de la *columna* y del número de *fila* (A6). Use referencias de celda absolutas al consultar celdas que contienen *variables clave*, como la tasa de inflación o un descuento estándar. Vea *relative cell reference*.

absolute link *vínculo absoluto*   En un documento *HTML*, un *hipervínculo* que especifica completa y precisamente la ubicación del archivo en el documento remoto referido. Un vínculo absoluto especifica el *protocolo* (como http:// o ftp://), así como el nombre de la computadora y la ubicación del archivo referido dentro de la estructura de directorios de la máquina. Vea *relative URL (RELURL)*.

absolute path *ruta de acceso absoluta*   En un *sistema de archivos jerárquico,* como el de MS-DOS o el de Unix, una especificación de *ruta de acceso* que incluye toda la información necesaria para localizar el archivo a partir del *directorio raíz*. Vea *relative path*.

absolute value *valor absoluto*   Valor positivo de un número, sin importar su signo (positivo o negativo). Por ejemplo, el valor absoluto de −357 es 357. En *Microsoft Excel*, y muchos otros programas de *hojas de cálculo* semejantes, la *función integrada @ABS* regresa el valor absoluto de un número.

Abstract Syntax Notation One (ASN.1**)** *Notación Uno de Sintaxis Abstracta*   Estándar internacional que especifica la forma como se pueden codificar los tipos variables de datos, de manera que las aplicaciones sean capaces de reconocer con cuál tipo de dato están tratando. Las reglas que expresan cómo debe llevarse a cabo esta codificación se llaman *Reglas Básicas de Codificación (BER)*. Algunos ejemplos de tipos de datos incluyen números telefónicos y citas bibliográficas. El estándar es parte fundamental del *Grupo de protocolos OSI*, pero ha tenido un impacto relativamente pequeño en otros estándares de redes, con la excepción de los correspondientes al correo electrónico, como *X.400* y *X.500*.

ACAP   Vea *Application Configuration Access Protocol*.

Accelerated Graphics Port (AGP) *Puerto Acelerado de Gráficos* Especificación de *puerto* desarrollada por Intel Corporation, para producir gráficos de alta resolución y alta velocidad, incluyendo imágenes en tercera dimensión.

accelerator board *tarjeta aceleradora*   Tarjeta de circuitos diseñada para acelerar alguna función de su computadora. Por ejemplo, una *tarjeta aceleradora de gráficos* contiene un *microprocesador* que aligera la carga de trabajo de la *unidad central de procesamiento (CPU)*, realizando muchas tareas de video y permitiéndole llevar a cabo otras más pronto.

accent *acento*   Marca con la que se forman los caracteres acentuados de numerosas lenguas. A continuación se presenta un listado de los acentos de uso más frecuente:

ç	Cedilla
`	Acento grave
¯	Macrom
~	Tilde

Los caracteres acentuados se incluyen en la mayoría de los conjuntos de *tipos de letra*, y algunos programas de aplicación incluyen comandos o combinaciones de teclas que insertan los caracteres acentuados por usted. Vea *compose sequence* y *extended character set*.

Acceptable Use Policy (AUP) *Política de Uso Aceptable*   Política de un *proveedor de servicios de Internet (ISP)* que indica los usos permitidos. Las AUPs de *redes* financiadas públicamente, sintetizadas en la *AUP de NSFnet*, la red vertebral anteriormente financiada por la *Fundación Estadounidense para la Ciencia (NSF)*, claramente restringe los usos comerciales. Con frecuencia, los ISPs independientes prohíben el comportamiento abusivo en la red, como el envío de *publicidad no deseada*.

acceptance test *prueba de aceptación*   Demostración final de un nuevo producto de *software* o *hardware* que ilustra las capacidades y características especiales del producto. Cuando las compañías u otras organizaciones contratan *analistas de sistemas* o a otros consultores de computadoras para que realicen el trabajo, la prueba de aceptación sirve para demostrar que los consultores han satisfecho sus obligaciones contractuales.

access *acceder, accesar*   1. Derecho o facultad para entrar a un sistema de computación y utilizar sus recursos. 2. En un sistema de computación, abrir o recuperar cualquier clase de datos o documento. 3. Recuperar *información* o instrucciones de *programas* desde una *unidad de disco duro* o *flexible* o desde otra computadora conectada a la suya por medio de una *red* o un *módem*.

Access   Vea *Microsoft Access*.

access arm *brazo de acceso*   Vea *head arm*.

access code *código de acceso*   Número de identificación o *contraseña* que debe emplear el usuario para lograr el acceso a un sistema de computación.

access control *control de acceso*   En una *red*, un medio de proteger la *seguridad* del sistema exigiendo a los usuarios que suministren un *nombre de inicio de sesión* y una *contraseña*.

access control list (ACL) *lista de control de acceso*   En una *red*, la *base de datos* que enlista los usuarios autorizados de los sistemas y el nivel de acceso a la red que se les ha otorgado.

access hole *ranura de acceso*   Vea *head access aperture*.

access privileges *privilegios de acceso*   En una *red*, el alcance de la capacidad de un usuario para usar y modificar *directorios, archivos* y *programas* localizados en otras computadoras de la red. Vea *local area network (LAN)*.

access time *tiempo de acceso*   Lapso que transcurre entre una solicitud de información en *memoria* y la entrega de dicha información. El tiempo de acceso se aplica a discos y a la *memoria de acceso aleatorio (RAM)*. Los tiempos de acceso a la RAM son mucho menores que los correspondientes al acceso a disco, de manera que agregar RAM adicional puede mejorar notablemente el desempeño general de una computadora.

accesory slot *ranura para accesorio*   Sinónimo de *ranura de expansión*.

account *cuenta*   En una *red*, un acuerdo contractual entre el usuario y el proveedor de servicios. En retribución al acceso a la red, el usuario se obliga a cumplir con el reglamento del proveedor y, en algunos casos, a pagar una cuota.

accounting package *paquete de contabilidad* Conjunto de *programas* cuyo propósito es auxiliar a propietarios de pequeños negocios a automatizar las funciones de contabilidad. Aunque los paquetes de contabilidad son más fáciles de utilizar, en ocasiones exigen un cierto nivel de experiencia en contabilidad, del que carecen los propietarios de pequeños negocios y requieren de tediosas capturas de *datos*. Vea *integrated accounting package* y *modular accounting package*.

accumulator *acumulador* Registro ubicado en la *unidad central de procesamiento* (*CPU*) que retiene valores para usarlos posteriormente en un cálculo. Por ejemplo, la multiplicación por computadora en ocasiones se realiza mediante una serie de sumas; el acumulador retiene los valores intermedios hasta que se completa el proceso.

accuracy *exactitud* Declaración acerca de lo correcto de una medida; es diferente de *precisión*, que describe el número de lugares decimales para los que se calcula una medida.

ACK 1. Abreviatura usada comúnmente para el carácter de reconocimiento (*código ASCII* 6) del conjunto estándar de caracteres ASCII. 2. Abreviatura usada por lo común para el mensaje de reconocimiento utilizado en operaciones de *acuerdo de conexión* entre dos dispositivos de comunicación como los *módems*.

ACL Vea *access control list*.

ACM Vea *Association for Computer Machinery*.

acoustic coupler *acoplador acústico* *Módem* con ventosas que se ajustan alrededor de la bocina y el auricular de un aparato telefónico estándar (no celular). Estas ventosas contienen un *micrófono* y una bocina que convierten las señales digitales de la computadora en sonido, y viceversa. Con el uso cada vez mayor de *conectores modulares*, en general los *módems de conexión directa* han desplazado a los módems acústicos.

acoustical sound enclosure *cubierta acústica* Gabinete aislante para las ruidosas *impresoras de impacto*.

acronym *acrónimo, siglas* Palabra formada con las primeras letras (a veces más de una) de las palabras de una frase descriptiva para ayudar a las personas a recordar frases técnicas; por ejemplo, *RAM*, son las siglas de *memoria de acceso aleatorio*.

ACT! *Programa de administración de contactos* de *Symantec* que permite a las empresas crear bases de datos de clientes. El programa, disponible para sistemas Windows, contiene un calendario que rastrea llamadas telefónicas y alerta al usuario acerca de los compromisos en su agenda.

active area *área activa*   En una *hoja de cálculo* de *Lotus 1-2-3* o *Microsoft Excel*, área limitada entre la *celda* A1 y la última celda del extremo inferior derecho que contenga *información*.

active cell *celda activa*   En una *hoja de cálculo*, *celda* donde se encuentra el *cursor de celda*. Sinónimo de *celda actual*.

active configuration *configuración activa*   Manera como se configura un *módem*, generalmente con una *cadena de inicialización*, al comienzo de una sesión de comunicaciones. La configuración activa sustituye a la *configuración de fábrica* y queda en operación hasta que se apaga el módem o se *reinicia* la computadora.

active database *base de datos activa*   En *administración de bases de datos*, archivo de *base de datos* activo y presente en la *memoria de acceso aleatorio (RAM)*.

active file *archivo activo*   Documento que aparece en pantalla al trabajar con un programa de aplicación.

active index *índice activo*   En sistemas de *administración de bases de datos (DBMSs)*, archivo de *índice* que se utiliza para determinar el orden en que aparecerán en pantalla los *registros de datos*.

active matrix display *pantalla de matriz activa*   Pantalla de cristal líquido *(LCD)* a color donde cada uno de los *pixeles* de la pantalla está controlado por su propio transistor. Las pantallas de matriz activa ofrecen mejor *resolución, contraste* y *frecuencia de actualización vertical* que las de *matriz pasiva*, menos costosas. Aunque las pantallas de matriz activa se encuentran con mayor frecuencia en las computadoras portátiles, la tecnología ha evolucionado lo suficiente para que ahora los modelos más grandes se incluyan en sistemas para escritorio.

active sensing *detección activa*   En *multimedia*, mensaje *MIDI* que instruye a un dispositivo para que revise los canales, a fin de determinar si hay mensajes en un lapso máximo predeterminado (llamado ventana de tiempo).

active termination *terminación activa*   Al igual que la *terminación pasiva* y la *terminación perfecta forzada*, es un medio de finalizar una cadena de dispositivos conectados mediante *Interfaz pequeña para Sistemas de Computación (SCSI)*. A la terminación activa se le reconoce por su capacidad para reducir la interferencia eléctrica en una cadena larga de dispositivos SCSI.

active window *ventana activa*   En un *programa* o *sistema operativo* que presenta numerosas ventanas, aquélla donde se encuentra el *cursor* y donde aparece el texto si se escribe algo. Vea *windowing environment*.

ActiveX   Versión más reciente de la tecnología de *Vinculación e Incrustación de Objetos* (OLE) de Microsoft Corporation, la cual permite a las aplicaciones comunicarse entre sí por medio de mensajes transferidos con la ayuda del *sistema operativo (OS)* de la computadora (vea *interprocess communication [IPC]*). La versión previa fue el *Modelo de Objetos Componentes (COM)*. ActiveX agrega características diseñadas para permitir la distribución de programas ejecutables, llamados *controles*, a través de Internet. Para usarlos, una computadora debe estar ejecutando un sistema operativo que soporte OLE, como *Microsoft Windows 3.1, Windows 95, Windows NT* o *MacOS*. A diferencia de los *applets de Java*, los cuales corren en una *caja de arena* que protege al sistema de archivos de la computadora, los controles ActiveX pueden afectar directamente a los archivos. Por esta razón, los controles ActiveX se empacan con *certificados diseñados digitalmente*, los cuales prueban que el programa fue desarrollado por una compañía de software respetable (y que supuestamente no hará cosas desagradables a nuestra computadora). Vea *Java*.

ActiveX control *control ActiveX*   Programa ejecutable diseñado para su distribución en el paquete *ActiveX* de Microsoft, el cual incluye *certificados diseñados digitalmente*. Para ejecutar los controles ActiveX el usuario debe estar ejecutando un *navegador Web* que soporte ActiveX, así como un sistema operativo que soporte la tecnología de *Vinculación e Incrustación de Objetos (OLE)* de Microsoft para *comunicación entre procesos (IPC)*; lo que en la práctica, reduce las opciones a Microsoft Windows y *MacOS*.

activity light *señal de actividad*   Pequeña señal luminosa en el panel frontal de una computadora que indica cuando una *unidad de disco duro o flexible* está leyendo o escribiendo datos.

actuator *actuador*   Vea *head actuator*.

Ada   *Lenguaje de programación de alto nivel* desarrollado por el Departamento de Defensa de Estados Unidos y requerido por éste en todas las aplicaciones de programación militares. Ada usa los principios de la *programación estructurada*, como los *módulos* de programa que pueden compilarse de forma independiente. Los programas de Ada están diseñados para una legibilidad óptima a fin de que su mantenimiento sea más fácil. Las últimas versiones incluyen ADA++, orientada a objetos y ADA 95, la más reciente de ellas. Vea *compiler, high-level programming language, Modula-2, object-oriented programming (OOP) language, Pascal* y *structured programming*.

adapter *adaptador*   1. *Tarjeta de circuitos* que se conecta en una *ranura de expansión* de una computadora para agregarle capacidades adicionales. El término es sinónimo de tarjeta. Entre los adaptadores más populares para computadoras personales están los *adaptadores de pantalla* que producen salida en video, las tarjetas de expansión de memoria, los *módems* internos y las *tarjetas de sonido*. 2. Transformador que permite a una computadora o periférico trabajar con voltaje diferente al especificado por sus requerimientos eléctricos.

adapter segment *segmento del adaptador*   Vea *upper memory area*.

adaptive answering *contestación adaptativa*   En *módems*, característica que permite a un *fax módem* determinar si una llamada entrante contiene datos para fax o para computadora.

Adaptive Differential Pulse Code Modulation (ADPCM) *Modulación Adaptativa Diferencial de Código de Pulsos*   En *multimedia*, método de compresión de formas de onda digitales donde se codifica la diferencia entre varias muestras sucesivas en vez de sus valores reales. Por medio de la ADPCM, la cantidad de información sonora que puede almacenarse en un disco compacto aumenta de una a casi 16 horas, manteniendo o mejorando la fidelidad. La ADPCM es la técnica de almacenamiento que emplean los estándares *CD-ROM/XA y Disco Compacto Interactivo (CD-I)*. Vea *pulse code modulation (PCM)*.

ADB   Vea *Apple Desktop Bus*.

A/D converter *convertidor A/D*   Vea *analog-to-digital converter.*

add-in *complemento*   *Programa* accesorio o *de utilería* diseñado para trabajar con una *aplicación* principal y ampliar sus capacidades. Los complementos pueden crearlos otras compañías de desarrollo de *software*, como Allways de Funk Software, o incluirse con la aplicación, como los auditores, revisores de archivos y programas de análisis incluidos en muchos programas de *hojas de cálculo*. Este término se usa frecuentemente como sinónimo de *plug-in*, el cual aprovecha *ganchos* integrados a programas para agregar nuevos comandos a los menús de una aplicación. Dos programas comunes que tienen esos ganchos son *Adobe Photoshop* y *Netscape Navigator*.

address *dirección*   1. Posición precisa de un recurso de cualquier tipo (como un archivo, un sitio Web o espacio de almacenamiento) en una computadora o red (vea *memory address*). 2. En *correo electrónico*, una *dirección de correo electrónico*. 3. En *Internet*, la ubicación de un *host* en la red. Vea *IP address*.

addressability *direccionalidad*   Medida de desempeño para *monitores*. La direccionalidad describe el número de posiciones en la pantalla hacia las cuales se puede apuntar el *cañón de electrones* de un monitor. *Tamaño de punto, resolución* y *frecuencia de actualización* son especificaciones más importantes para el desempeño de estos dispositivos.

address book *libreta de direcciones*   En un programa de *correo electrónico*, una utilería que permite a los usuarios almacenar y recuperar *direcciones de correo electrónico* e información adicional para hacer contacto.

address bus *bus de direcciones*   Canal electrónico interno, proveniente del *microprocesador* hacia la *memoria de acceso aleatorio (RAM)*, por donde se transmiten las direcciones de las localidades de almacenamiento de memoria. Al igual que en una oficina postal, cada localidad de memoria tiene un número o una dirección distinta; el bus de direcciones proporciona el medio con el cual la *unidad central de procesamiento (CPU)* puede acceder al contenido de cada localidad en la memoria.

addressing *direccionamiento*   En *arquitectura de microprocesador*, el método usado para determinar cómo se almacenará temporalmente el *operando* de una instrucción, para propósitos de procesamiento. Por ejemplo, un método común es almacenar los operandos en un *registro*.

address mask *máscara de direcciones*   Vea *subnet mask*.

address resolution *resolución de dirección*   En una *red de área local (LAN)* conectada a *Internet*, el proceso automático mediante el cual la dirección de LAN de cada estación de trabajo se convierte en una *dirección IP*. Esta traducción es necesaria porque Internet y la LAN manejan las direcciones de estaciones de trabajo en forma diferente. Los programas basados en el *Protocolo de Resolución de Direcciones (ARP)* se encargan de la traducción.

Address Resolution Protocol (ARP) *Protocolo de Resolución de Direcciones*   Estándar de *Internet* que proporciona *direcciones IP* a las estaciones de trabajo pertenecientes a una *red de área local (LAN)*.

ADI   Vea *Apple Desktop Interface*.

adjacency operator *operador de adyacencia*   En búsquedas en *bases de datos*, un *operador* (generalmente abreviado ADJ) que permite al usuario que realiza una consulta, especificar que no se recuperen los registros, a menos que los términos vinculados por el operador estén contiguos. Por ejemplo, la *consulta* "Hale ADJ Bopp" rechaza un registro a menos que esos dos términos estén adyacentes el uno al otro. Vea *proximity operator*.

Adobe Acrobat   Programa para distribución de documentos en *plataformas cruzadas* creado por *Adobe Systems*. Con Adobe Acrobat, el editor de un documento puede crear un archivo en el *Formato de Documento Portable (PDF)* de Adobe. Este archivo puede leerse en cualquier computadora capaz de ejecutar un *lector* Acrobat de Adobe. Hay versiones del lector disponibles para la mayoría de los sistemas operativos más populares, como Windows, Macintosh y Unix.

Adobe FrameMaker   Programa de *autoedición* creado por *Adobe Systems* y pensado para manejar manuscritos muy grandes (del tamaño de un libro). El programa incluye capacidades de procesamiento de texto, así como un conjunto completo de herramientas de autoedición. Está disponible en versiones para Windows, Macintosh y Unix.

Adobe Illustrator   Programa de *gráficas vectoriales,* apropiado para aplicaciones de diseño profesional de imágenes. Creado por *Adobe Systems*, el programa está disponible en versiones para Windows y Macintosh.

Adobe PageMaker   Programa de *autoedición* creado por Aldus, Inc. y adquirido posteriormente por *Adobe Systems*. Está pensado para producir documentos desde pequeños a medianos con calidad profesional, incluyendo boletines, folletos y volantes. El programa está disponible en versiones para Windows y Macintosh. Vea *Adobe FrameMaker.*

Adobe PageMill   Programa de *autoedición* para Web creado por *Adobe Systems*. PageMill es un editor *WYSIWYG*, que permite a los autores crear páginas Web sin conocer *HTML*. El programa está disponible en versiones para Windows y Macintosh.

Adobe Photoshop   Complejo programa con características completas para retoque fotográfico y de ilustraciones, desarrollado por *Adobe Systems*. Este programa lo utilizan ampliamente diseñadores profesionales y creadores de páginas Web y está disponible tanto para Windows como para Macintosh.

Adobe PostScript   Vea *PostScript.*

Adobe Systems   Fabricante de software cuyas oficinas centrales residen en San José, California, enfocado al desarrollo de software de autoedición (vea *Adobe FrameMaker* y *Adobe PageMaker*) y tecnologías conexas, como formatos para documentos portables (vea *Adobe Acrobat*), procesamiento de imágenes (vea *Adobe Illustrator* y *Adobe Photoshop*), software para publicaciones en *World Wide Web* (*Adobe PageMill*), lenguajes de descripción de páginas (vea *PostScript*) y tecnologías de despliegue.

Adobe Type Manager (ATM)   *Utilería de fuentes* que permite a los usuarios de Windows y Macintosh desplegar en pantalla fuentes *PostScript* Type 1. El programa se encuentra disponible en versiones para Windows y Macintosh. Vea *True Type.*

ADPCM   Vea *Adaptive Differential Pulse Code Modulation.*

ADSL   Siglas de Línea Digital Asimétrica de Suscriptor. Estándar de telefonía digital, disponible sólo en algunos mercados selectos, que permite velocidades de descarga (*download*) de hasta 6 *Mbps*. El estándar es asimétrico porque las velocidades de carga (*upload*) son bastante menores, lo cual refleja la noción (común entre los proveedores comerciales de Internet) de que la mayoría de los usuarios residenciales de Internet desean consumir, más que originar contenido.

Advanced Interactive eXecutive (AIX)   Versión de *IBM* del sistema operativo *UNIX*. AIX se ejecuta en computadoras PS/2 con microprocesador *Intel 80386, estaciones de trabajo* de IBM, *minicomputadoras* y *mainframes*.

Advanced Micro Devices (AMD)   Fabricante de *microprocesadores* y otros *circuitos integrados (ICs)*. Con sede en Sunnyvale, California, AMD es el quinto fabricante más grande de circuitos en Estados Unidos. Se le conoce por el *Am386*, el *Am486* y el *AMD K5*.

Advanced Power Management (APM) *Administración Avanzada de Energía*   En *computadoras portátiles*, una función para ahorro de energía que desconecta la pantalla después de un periodo de inactividad determinado.

Advanced Research Projects Agency (ARPA) *Agencia de Proyectos de Investigación Avanzada*   Dependencia del Departamento de Defensa de Estados Unidos (DoD), llamada ahora Agencia de Proyectos de Investigación Avanzada de la Defensa (DARPA), que ha sido fuente importante de financiamiento para innovaciones significativas en el área de computación. A finales de los años sesenta y principios de los setenta, ARPA financió el desarrollo de la *ARPANET*, la antecesora de *Internet*, y los protocolos *TCP/IP*, los cuales han sido los cimientos para el surgimiento de una *red de área amplia (WAN)* de proporciones globales.

Advanced Run-Length Limited (ARLL) *Almacenamiento de Ejecución-Longitud Limitada Avanzada*   Método para guardar y recuperar información en un *disco duro* que incrementa en más de un 25 por ciento la densidad del almacenamiento de *Ejecución-Longitud Limitada (RLL)* y ofrece una tasa de transferencia de datos más rápida (9 megabits por segundo). Vea *data encoding scheme*.

Advanced SCSI Programming Interface (ASPI) *Interfaz Avanzada de Programación SCSI*   Estándar que define la forma como los dispositivos de *Interfaz Pequeña para Sistemas de Computación (SCSI)* se articulan entre sí y con el resto de la computadora.

advanced setup options *opciones avanzadas de configuración*
Opciones de configuración del programa BIOS, las cuales permiten seleccionar interrupciones PCI, direcciones de puerto y opciones para la configuración del *disco duro*.

Advanced Technology Attachment Packet Interface (ATAPI) *Interfaz de Tecnología Avanzada para Anexión de Paquetes* Estándar que facilita la conexión de una *unidad de CD-ROM* con un adaptador host *IDE Mejorado*.

AFAIK Abreviatura de la expresión "hasta donde yo sé"; usada comúnmente en *Internet Relay Chat (IRC), salones de conversación, correo electrónico* y *Usenet.*

AFK Abreviatura de la expresión "lejos del teclado"; usada comúnmente en *Internet Relay Chat (IRC)* y *salones de conversación.*

aftermarket *mercado complementario* Mercado adicional de *software* y *periféricos* creado para la venta de grandes cantidades de computadoras de una marca específica o de paquetes de software. Vea *add-in.*

agate *ágata* Tipo de 5.5 *puntos* que aún se emplea en la sección de anuncios clasificados de los periódicos, aunque demasiado pequeño para otros usos.

agent *agente* 1. Programa específicamente diseñado para interactuar con un *servidor* y acceder a datos en nombre del usuario; sinónimo de *cliente.* 2. *Programa* automático diseñado para operar en nombre del usuario, efectuando una función específica en segundo plano. Cuando el agente ha cumplido su objetivo, se lo informa al usuario. En el futuro, los agentes podrán recorrer las redes mundiales de computación en busca de información y avisarán sólo cuando ésta se haya recuperado.

aggregate function *función de agregado* En programas de *administración de bases de datos*, comando que realiza operaciones aritméticas en los valores de un *campo* específico, en todos los *registros* de una base de datos, o en una *vista* de la base de datos.

aggregate operator *operador de agregado* En un programa *de administración de bases de datos*, comando que instruye al programa para que realice una *función de agregado.*

AGP Vea *Accelerated Graphics Port.*

AI Vea *artificial intelligence.*

AIFF *Formato monofónico para archivo de sonido* en 8 bits desarrollado por *Apple Computer* para almacenar *sonidos de onda* digitalizados. El formato también se encuentra ampliamente difundido en *estaciones de trabajo* Silicon Graphics y en *Internet.*

AIX Vea *Advanced Interactive eXecutive (AIX).*

alert box *cuadro de alerta* En una *interfaz gráfica de usuario (GUI), cuadro de diálogo* que aparece en pantalla para alertarlo que el *comando* que ha accionado podría ocasionar la pérdida del trabajo u otros errores, o explica la razón por la que no se puede terminar una acción. Los cuadros de alerta permanecen en pantalla hasta que usted realiza alguna acción (generalmente oprimiendo el botón Aceptar [OK]) para eliminar el cuadro o cancelar la operación.

ALGOL   Uno de los primeros lenguajes de programación, poco usado en la actualidad, diseñado para cálculos con propósitos científicos.

algorithm *algoritmo*   Procedimiento matemático o lógico para resolver un problema. Un algoritmo es un método para encontrar la respuesta correcta a un problema difícil, para lo cual separa el problema en un número específico de pasos sencillos. Los algoritmos también se usan para mejorar el desempeño de su computadora. Por ejemplo, se emplean en los *cachés*, para determinar los *datos* que se sustituirán con los datos que están por llegar.

alias *alias*   l. Nombre secundario o simbólico para un *archivo*, un conjunto de *datos*, un usuario o dispositivo de computadora. Por ejemplo, en una *hoja de cálculo*, un nombre de rango, como Ingresos, es un alias para un rango, como el A3..K3.2. En *redes*, los alias de grupo proporcionan una forma práctica de enviar mensajes a dos o más personas al mismo tiempo.

aliasing *distorsión*   Apariencia sesgada o dentada de líneas diagonales en imágenes generadas por computadora. Este problema lo causa una pantalla de baja resolución. Los caracteres de mapa de bits tienen este efecto, especialmente cuando se amplían. También se conoce como *bordes dentados*. Vea *anti-aliasing*.

alignment *alineación*   Colocación precisa de las *cabezas de lectura/escritura* sobre las *pistas* de un disco duro o flexible donde deben leer o escribir. En *autoedición* es sinónimo de *justificación*.

allocate *asignar*   Reservar suficiente *memoria* para la operación de un *programa*.

all points addressable (APA) graphic *gráfico direccionable desde todos los puntos*   Vea *bit-mapped graphic*.

AltaVista   Sistema para búsqueda de *palabras clave* en *World Wide Web (WWW)* creado por Digital Electronics Corp. (DEC) y considerado por muchos como el más poderoso entre los disponibles. Mediante la combinación de una enorme base de datos de recursos de Web con un programa de búsqueda muy rápido y flexible, AltaVista permite a los usuarios efectuar una búsqueda sencilla usando *lenguaje natural*, o una avanzada utilizando *operadores booleanos*. Un inconveniente de AltaVista es que los usuarios inexpertos pueden recuperar muchos documentos sin importancia (*resultados irrelevantes*). Al utilizar las funciones restrictivas de AltaVista es posible obtener mejores resultados incluyendo la búsqueda *sensible a mayúsculas y minúsculas, búsquedas basadas en campos y búsquedas de frases.* Vea *HotBot, Lycos.*

alt hierarchy *jerarquía alt*   En *Usenet,* una de las diversas clasificaciones (jerarquías) de alto nivel de los *grupos de noticias.* Cualquiera que conozca los comandos de creación puede generar grupos de discusión Alt (abreviatura de "alternativo"), saltándose los procedimientos de votación requeridos para originarlos en las *jerarquías estándar de grupos de noticias* (como *comp, soc* y *talk*). Sin embargo, los administradores de *Usenet* no están obligados a atender grupos de noticias alternativos, y no están disponibles en todos los sitios Usenet.

Alt key *tecla Alt*   En *teclados compatibles con IBM-PC,* una tecla utilizada en combinación con otras para seleccionar comandos del menú o como métodos abreviados para ejecutarlos. En *WordPerfect,* por ejemplo, oprimir Alt+F2 inicia una operación de búsqueda y reemplazo. Vea *Control key (Ctrl)* y *Shift key.*

alphanumeric characters *caracteres alfanuméricos*   Cualquier carácter disponible en un *teclado,* incluyendo las letras mayúsculas y minúsculas de la A a la Z, los números del 0 al 9, los signos de puntuación y los símbolos especiales del teclado. Vea *data type.*

alpha software *software alfa*   Versión temprana de un programa, generalmente plagada de errores que debe probarse internamente, antes de pasar a una etapa más amplia de *pruebas beta.* Vea *alpha test.*

alpha test *prueba alfa*   Primera etapa de prueba de un producto de computación antes de que salga a la venta. En general, el fabricante del *hardware* o del *software* es quien realiza las pruebas alfa. Las pruebas posteriores, llamadas *pruebas beta,* las llevan a cabo usuarios seleccionados. Vea *alpha software* y *beta software.*

ALU   Vea *arithmetic-logic unit.*

Am386   *Microprocesador* fabricado por *Advanced Micro Devices (AMD),* el cual presenta *compatibilidad binaria* y *de pines* con el *Intel 80386.*

Am486   *Microprocesador* fabricado por *Advanced Micro Devices (AMD),* el cual presenta *compatibilidad binaria* y *de pines* con el *Intel 80486.* Vea *Am486DX2* y *Am486DX4.*

Am486DX2   Versión con *duplicación de reloj* del *Am486* que compite con el *Intel 486DX2.* El *Am486DX2* más rápido corre a 80 *megahertz (MHz).*

Am486DX4   Versión con *triplicación de reloj* del *Am486* que compite con el *Intel 486DX4*. El *Am486DX4* más rápido corre a 100 *megahertz (MHz)*.

Am5x86   *Microprocesador,* fabricado por *Advanced Micro Devices (AMD)*, que presenta *compatibilidad binaria* y *de pines* con el microprocesador *Pentium* P75 de Intel.

AMD   Vea *Advanced Micro Devices.*

AMD K5   Familia de microprocesadores, creados por *Advanced Micro Devices (AMD)*, que presenta *compatibilidad binaria* con el *Pentium.* A diferencia de éste, que puede iniciar el procesamiento de dos instrucciones simultáneamente, el K5 es un *microprocesador cuádruple*, capaz de iniciar cuatro instrucciones al mismo tiempo. Mediante el empleo de un diseño de *Computadora con Conjunto Reducido de Instrucciones (RISC)* y un esquema de *cambio de nombre de registros* que permite 40 *registros*, el K5 funciona a velocidades iguales o mayores que los Pentium con *velocidades de reloj* similares.

AMD K6   Avanzado *microprocesador* fabricado por *Advanced Micro Devices (AMD)* que rivaliza en desempeño con el *Pentium Pro*. El AMD K6 corre a 200 MHz, pero cuesta aproximadamente 25 por ciento menos, y además ofrece capacidades de procesamiento de *gráficos MMX*. El chip contiene el equivalente a 8.8 millones de transistores.

American National Standards Institute (ANSI) *Instituto Estadounidense de Estándares Nacionales*   Organismo no lucrativo dedicado al desarrollo de normas voluntarias, diseñadas para mejorar la productividad y competitividad internacional de las empresas industriales de Estados Unidos. Los comités ANSI han desarrollado recomendaciones para lenguajes de computadora como *COBOL, C* y *FORTRAN* y de *ANSI.SYS*, el *controlador de dispositivos* del DOS. ANSI es el representante de la *Organización Internacional de Estándares (ISO)* en Estados Unidos.

American Standard Code for Information Interchange   *Código Estándar Estadounidense para el Intercambio de Información* Vea *ASCII.*

America Online (AOL)   El mayor *servicio de información en línea* (con 2 millones y medio de suscriptores), cuyas oficinas centrales se ubican en Vienna, Virginia. Los ingresos de la firma en 1996 excedieron los mil millones de dólares. AOL se enfoca hacia nuevos usuarios de computadoras al ofrecer una combinación de noticias, deportes, *salones de conversación*, *correo electrónico*, soporte de computación, acceso a *Internet* y otros servicios pagados. Entre los competidores principales de AOL están *CompuServe* y *Microsoft Network*.

Amiga   Computadora personal desarrollada por Commodore International y basada en el *microprocesador Motorola 68000*. Aunque ya no se fabrica, tiene fieles seguidores entre artistas gráficos y músicos, quienes alaban sus excelentes imágenes y sus capacidades de sonido. La Amiga, con el hardware *agregado* de Video Toaster se utiliza ampliamente en producción televisiva. Vea *MIDI*.

Ami Pro   Vea *Lotus Word Pro*.

ampersand (&)   Carácter empleado a veces en lugar de la conjunción en inglés *and* (y); el ampersand estaba originalmente ligado a et, que es el equivalente en latín para "and". Se usa como operador en los programas de *hojas de cálculo* para incluir texto en una *fórmula*.

analog *analógico*   Basado en valores o voltajes que varían continuamente. Un velocímetro es un dispositivo analógico que muestra los cambios en la velocidad por medio de una aguja indicadora, que se puede mover en un rango infinito de velocidades hasta el límite máximo del vehículo. Un termómetro es otro ejemplo de un dispositivo analógico, donde el mercurio es el indicador de la temperatura. También se emplean técnicas analógicas para la reproducción de música en los discos estándar de larga duración y en los audiocasetes. Vea *digital*.

analog computer *computadora analógica*   Computadora empleada para medir condiciones que cambian constantemente, como la temperatura, el ritmo cardiaco o la presión atmosférica. La computación analógica se emplea ampliamente en ambientes de laboratorio para controlar el proceso de cambios continuos y registrar éstos en *tablas* o *gráficos*. Vea *digital computer*.

analog device *dispositivo analógico*   *Periférico* de computadora que maneja información en cantidades que varían continuamente, en vez de digitalizarla en representaciones *digitales* discretas. Por ejemplo, un *monitor analógico* puede desplegar miles de colores con tonos tenues y uniformes.

analog modem *módem analógico*   Tipo más común de *módem* disponible en la actualidad. Los módems analógicos, a diferencia de los *módems digitales,* están diseñados para comunicarse a través de líneas del *Servicio Telefónico Convencional (POTS)*. Un módem analógico convierte los datos digitales de una computadora en sonido analógico y lo envía a través de las líneas telefónicas a otro módem, el cual convierte nuevamente los datos al formato digital.

analog monitor *monitor analógico*   *Monitor* que acepta la entrada de una señal de video que varía continuamente y que, por ende, exhibe una gama continua de colores limitada únicamente por la *profundidad del color* (el número de bits) utilizados para codificar la *paleta* de colores. Con una profundidad de color de 24 bits, por ejemplo, un monitor analógico puede desplegar 16.7 millones de colores. En contraste, un *monitor digital* despliega sólo un número finito de colores. La mayoría de los monitores analógicos están diseñados para aceptar señales de entrada a una frecuencia exacta; sin embargo, se requieren frecuencias más altas para lograr imágenes de mayor resolución en los monitores. Ésta es la razón por la que se han desarrollado *monitores multisincrónicos*, que se ajustan automáticamente a la frecuencia de entrada. Los monitores de tipo *Matriz de Gráficos de Video (VGA)* son analógicos.

analog-to-digital converter (A/D converter) *convertidor analógico/ digital* Adaptador que permite a una *computadora digital* aceptar entradas *analógicas* como las provenientes de instrumentos de laboratorio. Los convertidores analógicos/digitales se emplean con frecuencia para verificaciones de temperatura, movimiento y otras condiciones que varían continuamente.

analog transmission *transmisión analógica* Esquema de comunicación que utiliza una señal continua que varía con la amplificación. Vea *broadband* y *digital transmission*.

analogical reasoning *razonamiento analógico* Forma de *análisis* en donde la dinámica de un fenómeno del mundo real, como la aerodinámica de un aeroplano determinado, se entiende por medio de la construcción de un modelo y el análisis de su comportamiento. Una de las aportaciones más importantes de la computadora ha sido reducir el costo (e incrementar la conveniencia) del razonamiento analógico. Vea *model*.

analysis *análisis* Método de investigación que divide una situación o problema en las partes que lo componen y luego estudia éstas para tratar de entender cómo se afectan entre sí. En computación personal, una forma común de análisis es la prueba de sensibilidad o análisis de: qué pasaría si..., empleada en programas de *hojas de cálculo*. En este tipo de prueba, usted altera variables en una fórmula para ver cómo afecta la modificación el resultado del cálculo.

analytical graphics *gráficos analíticos* Elaboración de *tablas* y *gráficos* para ayudar a comprender e interpretar *datos*. Los gráficos disponibles en los programas de hojas de cálculo pertenecen a esta categoría: sirven para aclarar las tendencias de las cifras de las hojas de cálculo, pero los paquetes de *gráficos para presentaciones* siguen marcando la pauta, pues permiten crear gráficos impresionantes.

anchor *ancla* En *hipertexto*, palabra, frase o imagen (generalmente señalada con color, subrayado o ambos) que proporciona el puente (llamado *vínculo* o *hipervínculo*) hacia otro documento.

anchor cell *celda anclada*   En un *programa de hoja de cálculo*, celda dentro de un rango, donde se encuentra el *puntero de celda.*

anchored graphic *gráfico anclado*   *Gráfico* o dibujo que se fija en una posición absoluta dentro de la página en vez de anexarse a un texto específico. Vea *floating graphic* y *wrap-around type.*

AND   1. En *lógica booleana, operador* que especifica que una instrucción es verdadera sólo si sus dos argumentos son verdaderos. 2. En búsquedas en bases de datos, operador de consultas que recupera un registro sólo si éste contiene los dos términos vinculados con AND (por ejemplo, la consulta "computadoras AND Internet", recupera un término sólo si un registro contiene ambos términos). Por convención, los operadores booleanos se escriben en mayúsculas; no son siglas. Vea *NOT* y *OR.*

angle bracket *paréntesis angulares*   Los caracteres menor que (<) o mayor que (>) del teclado *ASCII* estándar, cuando se utilizan en lugar de los paréntesis, para encerrar una cadena de caracteres, por ejemplo, <NOMBRE>.

animated GIF *GIF animado*   Archivo *GIF* que contiene múltiples imágenes. Los GIFs animados permiten a los diseñadores la creación de animaciones sencillas, pero efectivas que requieren poco espacio de almacenamiento. Cuando una aplicación despliega las múltiples imágenes en una secuencia repetitiva, el resultado es una animación, si bien un tanto tosca. Dado que la mayor parte de los navegadores Web pueden descargar animaciones GIF rápidamente y desplegar los archivos contenidos en secuencia, sin la ayuda de *aplicaciones auxiliares* o *conectores,* el uso de animaciones GIF se ha popularizado en las publicaciones Web. Las animaciones GIF requieren software que acepte el estándar *GIF89a.*

animation *animación*   Creación de una ilusión de movimiento en un programa de computadora. Para ello, se registra una serie de imágenes que presentan ligeros cambios en la posición de los objetos mostrados; después se despliegan esas imágenes con la suficiente velocidad para que el ojo perciba un movimiento suave. La ilusión es convincente sólo si la *tasa de cuadros* (cuadros desplegados por segundo) es suficientemente rápida para crear la ilusión de movimiento continuo. Vea *cell animation.*

annotation *anotación*   Nota aclaratoria o comentario que se inserta en un *documento.* Hay *aplicaciones* en las que puede insertarse una anotación en forma de *icono,* que al ser activado por la persona que lee el *documento* abre una *ventana* independiente con la anotación. Los usuarios de computadoras personales equipadas con *tarjetas de sonido* y *micrófonos* pueden agregar anotaciones de voz a sus documentos.

anonymous *anónimo*   Originado en una fuente oculta o desconocida. En *Usenet* y *correo electrónico*, no se puede asegurar el anonimato mediante la simple omisión de la firma propia, o escribiendo datos falsos; el *encabezado* del artículo o mensaje muestra dónde se originó el mensaje. El anonimato sólo puede garantizarse mediante el envío de mensajes a través de un *emisor de correo anónimo*.

anonymous FTP *FTP anónimo*   En sistemas conectados a *Internet*, uso del programa FTP para hacer contacto con un sistema de computación distante al que no se tienen derechos para acceder a sus *directorios* públicos y transferir archivos de esa computadora al área de almacenamiento en disco de la propia computadora. Al registrar la entrada en un servidor FTP anónimo, usted debe escribir *anonymous* como su nombre de inicio de sesión y su dirección de *correo eléctronico* como contraseña. Si necesita ayuda para encontrar archivos a los que puede tener acceso mediante *anonymous* FTP, puede usar *Archie, Gopher, Servidor de Información de Área Amplia (WAIS)* y *World Wide Web (WWW)*.

anonymous post *mensaje anónimo*   En *Usenet*, un artículo enviado a través de un *emisor de correo anónimo*, de manera que es imposible determinar la identidad de quien publicó el artículo.

anonymous remailer *emisor de correo anónimo*   Servicio de correo *Internet* que elimina la información del *encabezado* original de un mensaje de *correo electrónico*, de manera que su procedencia no se puede determinar fácilmente. Los emisores de correo anónimo auténticos no conservan ninguno de los datos de origen de los mensajes que transmiten; éstos deben distinguirse de los *emisores pseudoanónimos*, los cuales retienen algunos de esos datos con el fin de que pueda recibir respuesta el creador del mensaje.

ANSI   Vea *American National Standards Institute*.

ANSI graphics *gráficos ANSI*   Conjunto de códigos para el control del *cursor*, desarrollado por el *Instituto Estadounidense de Estándares Nacionales (ANSI)*, que permite el despliegue de *gráficos* y colores en el *monitor* de una computadora remota.

ANSI/ISO C++   Versión estandarizada del lenguaje de programación C++, desarrollada por un comité afiliado al *Instituto Estadounidense de Estándares Nacionales (ANSI)* y la *Organización Internacional de Estándares (ISO)*. La opinión general es que este estándar es necesario para eliminar las incompatibilidades introducidas por los desarrolladores de compiladores C++ propietarios.

ANSI screen control *control de pantalla ANSI*   Conjunto de estándares desarrollado por el *Instituto Estadounidense de Estándares Nacionales (ANSI)* para controlar el despliegue de información en las pantallas de computadoras y habilitar *gráficos ANSI*. Vea *ANSI.SYS*.

ANSI.SYS   En *MS-DOS*, archivo de configuración que contiene las instrucciones necesarias para desplegar *gráficos ANSI* y controlar la posición del *cursor*, el ajuste de las líneas y el comportamiento del *teclado*, según las recomendaciones del *Instituto Estadounidense de Estándares Nacionales (ANSI)*. En algunos programas es necesario incluir la instrucción DEVICE=ANSI.SYS en el archivo *CONFIG.SYS* para que el programa se despliegue correctamente.

answer mode *modo de contestación*   Vea *auto-dial/autoanswer modem*.

answer/originate *contestar/originar*   En comunicación de datos (*módems*), la capacidad de un dispositivo de comunicación para recibir (contestar) y enviar (*originar*) mensajes.

anti-aliasing *suavizado*   Retiro o reducción automática de la *distorsión* en una imagen generada por computadora. Esto se lleva a cabo rellenando los bordes dentados con gris u otro color para que la distorsión no se distinga tanto. Lamentablemente, el resultado es una pantalla borrosa.

anticipatory paging *paginación anticipada*   En *memoria virtual*, método para incrementar la velocidad de las operaciones de memoria virtual donde el *sistema operativo* intenta predecir cuáles páginas de memoria se necesitarán, adelantándose a la demanda real, por parte de las aplicaciones. Vea *demand paging*.

anti-glare *antirreflejante*   Cualquier procedimiento o tratamiento utilizado para reducir la reflexión de fuentes luminosas externas a un *monitor*, los cuales van desde la reubicación de éste en relación con las ventanas, hasta cubrir la *pantalla* con un producto químico que amortigüe la luminosidad. Los tratamientos químicos antirreflejantes pueden reducir la *brillantez* de una pantalla.

antistatic mat *tapete antiestático*   Tapete colocado sobre o cerca de un dispositivo de computadora. Sirve para absorber la electricidad estática, que daña los dispositivos *semiconductores* que no están conectados a tierra apropiadamente.

antivirus program *programa antivirus*   Utilería diseñada para verificar y eliminar los *virus* de computadora de la *memoria* y de los discos. Para detectar un virus, el programa antivirus busca las señales de identificación de virus, que son un código de programación reconocido, perteneciente a alguno de los miles de virus conocidos y que afectan a muchos sistemas de computación. Vea *Trojan horse, vaccine y worm*.

AOL   Vea *America Online*.

APA graphic *gráfico APA*   Vea *bit-mapped graphic*.

aperture grille *rejilla de apertura*   Equivalente a la *máscara de sombra* de los *monitores Trinitron* de Sony y otros *monitores* de

diseño semejante. Las rejillas de apertura utilizan alambres verticales
para dirigir los haces de electrones hacia el *fósforo* de determinado
color. El *paso de ranura* y el *paso de pantalla* son los equivalentes
Trinitron de *tamaño de punto,* de manera que los monitores pueden
compararse con esas especificaciones.

API   Vea *application programming interface.*

APL (A Programming Language)   *Lenguaje de programación de alto
nivel* ideal para aplicaciones científicas y matemáticas. APL usa
caracteres griegos y requiere de un dispositivo de despliegue que
pueda *mostrar* dichas letras. Empleado en los *mainframes* de IBM,
ahora también está disponible para computadoras personales
IBM y compatibles.

APM   Vea *Advanced Power Management.*

app   Expresión coloquial para *aplicación* o *applet.*

append *anexar*   Agregar datos al final de un *archivo* o *base de
datos.* Por ejemplo, en *administración de bases de datos,* anexar
un registro consiste en adjuntar uno nuevo enseguida de todos los
registros existentes.

Apple Computer   Compañía con oficinas centrales en Cupertino,
California, conocida por la fabricación de la línea Macintosh de
computadoras, que en 1996 obtuvo ingresos de 9,800 millones
de dólares. A diferencia de *International Business Machines (IBM),*
su principal competidor, Apple se mantuvo como *propietaria* de la
arquitectura de sus computadoras; una estrategia que según indican
los analistas, le hizo perder una gran parte del mercado. Sin
embargo, Apple logró hacer grandes cantidades de adeptos entre los
diseñadores gráficos, para cuyos propósitos las Macintosh son
especialmente adecuadas; a medida que las computadoras *compatibles con IBM* han mejorado, su participación en el mercado se ha
ido reduciendo. Recientemente, Apple otorgó licencias a varias
compañías para fabricar *clones* de la Macintosh, lo cual puede
reactivar su participación en el mercado, aunque no necesariamente
sus finanzas. Entre los retrocesos recientes de Apple pueden
contarse su fracaso en la creación del sistema operativo *Copland;* al
quedar atrás en cuanto a su tecnología, la firma adquirió NeXT,
Inc., y planea adaptar el complejo software del sistema NeXT para
la siguiente generación de máquinas Macintosh. Vea *Rhapsody.*

Apple Desktop Bus (ADB)   Interfaz para conectar teclados, *ratones,
trackballs* y otros dispositivos de entrada para computadoras
Macintosh. Estas computadoras vienen con un *puerto serial* ADB
capaz de *transmitir* a una *velocidad* máxima de 4.5 *kilobits*
por segundo. En un puerto ADB, usted puede conectar hasta 16
dispositivos, donde cada uno está encadenado en margarita con
el dispositivo anterior. Vea *asynchronous communication.*

Apple Desktop Interface (ADI)   Conjunto de pautas de *interfaz de usuario*, desarrollado por *Apple Computer* y publicado por Addison-Wesley, cuyo propósito es asegurar que la apariencia y la operación de todas las aplicaciones *Macintosh* sean similares.

Apple File Exchange   *Programa de utilería* suministrado en toda computadora Macintosh para permitir que las Mac equipadas con *unidades de disco flexible* apropiadas puedan intercambiar *información* con las PC de IBM y compatibles.

AppleShare   Utilería de servidor de archivos para redes *AppleTalk*. AppleShare transforma cualquier Macintosh de la red en un servidor de archivos *dedicado*; el icono del disco duro del servidor aparece en el escritorio de cada uno de los usuarios de la red.

applet *applet, subprograma*   1. Programa de computación, de pequeño a mediano, que lleva a cabo una función específica, como emular una calculadora. 2. En *Java*, miniprograma incrustado en un documento Web; cuando un navegador recupera el documento, se ejecuta el miniprograma. Los dos navegadores más importantes (Netscape Navigator y Microsoft Internet Explorer) pueden ejecutar applets de Java. Vea *Java applet* y *Java application*.

AppleTalk   Estándar de *red de área local (LAN)* desarrollado por *Apple Computer*. AppleTalk es capaz de enlazar hasta 32 computadoras *Macintosh, computadoras compatibles con la PC de IBM* y *periféricos*, como *impresoras láser*. Todas las computadoras Macintosh tienen un puerto AppleTalk: el único hardware necesario para una red AppleTalk es un conjunto de conectores *LocalTalk* y un cable telefónico común (conocido como cable de *par trenzado*). Las redes AppleTalk son sencillas y baratas, pero bastante lentas, pues sólo transmiten a una velocidad de hasta 230 *kilobits* por segundo; comparadas con las *EtherTalk*, las cuales son capaces de alcanzar velocidades de transmisión de hasta 10 millones de *bits por segundo (bps)*.

application *aplicación*   Programa que permite hacer algo útil con la computadora (comparadas con las *utilerías*, que sólo ayudan a su mantenimiento), como escribir o llevar la contabilidad.

Application Configuration Access Protocol (ACAP) *Protocolo de Acceso a la Configuración de Aplicaciones*   Estándar de *Internet* propuesto que transfiere parámetros cruciales de configuración del usuario (incluyendo *libretas de direcciones, marcadores* y selección de opciones) a un archivo accesible en Internet. Dado que esos parámetros están guardados en la red y no en la computadora del usuario, son accesibles sin importar la computadora que se use. ACAP beneficiará significativamente a cualquiera que acceda a Internet desde más de una computadora.

application control menu   Vea *control menu*.

application development system *sistema de desarrollo de aplicaciones*   Conjunto coordinado de herramientas de desarrollo de programas que por lo general incluye un *editor de pantalla completa*; un *lenguaje de programación* con un *compilador*; un vinculador y *un depurador,* así como una extensa biblioteca de módulos de programas listos para utilizarse. El uso de un sistema de desarrollo de aplicaciones permite a los usuarios experimentados, desarrollar sus propias aplicaciones en forma más fácil que escribir un programa utilizando un lenguaje como *C++* o *COBOL*.

application heap *pila de aplicación*   En una computadora *Macintosh*, área de memoria destinada para los *programas* del usuario. Sinónimo de *memoria base.*

application icon *icono de aplicación*   En *Microsoft Windows 95,* representación gráfica en pantalla de un programa minimizado. El *icono* aparece en la *barra de tareas* para recordarle al usuario que la aplicación aún está en memoria. Basta con hacer un *doble clic* en el icono de la aplicación para pasar a ese programa.

application layer *capa de aplicación*   En el *Modelo de Referencia OSI* de la arquitectura para redes de computadoras, la primera (de arriba hacia abajo) de siete *capas,* en donde la información se presenta al usuario. En esta capa son necesarios algunos protocolos para asegurar que los productos de diferentes fabricantes puedan funcionar en conjunto. Por ejemplo, todos los programas de *correo electrónico* deben usar los mismos protocolos para enviar y recibir mensajes. Cuando la información está lista para enviarse a la red se pasa hacia "abajo" en la pila de protocolos, a la siguiente capa, la de presentación.

application program *aplicación, programa de aplicación*   Vea *application.*

application programming interface (API) *interfaz de programación de aplicaciones*   1. Conjunto de estándares o convenciones mediante los cuales los programas pueden *llamar* servicios de red o *sistemas operativos* específicos. 2. En *servidores Web,* los estándares o convenciones que permiten a un *hipervínculo* originar una llamada a un programa externo al servidor. Vea *CGI, ISAPI* y *NSAPI.*

application shortcut key *teclas de método abreviado de una aplicación*   En *Microsoft Windows 95,* teclas asignadas para activar o traer una aplicación al primer plano. Estas teclas de método abreviado de una aplicación también están disponibles en aplicaciones como DESQview y PC Tools Desktop para activar y pasar de un programa a otro.

application software *software de aplicaciones*   *Programas* que realizan tareas específicas, como *procesamiento de texto* o *administración de bases de datos.* El *software* de aplicaciones es distinto al *software del sistema* (el cual permite la ejecución de la computadora y a las utilerías (que ayudan al usuario a mantener y organizar el sistema).

application window *ventana de la aplicación*   En una *interfaz gráfica de usuario (GUI)*, ventana principal de la aplicación que contiene una *barra de título*, la *barra de menús* de la aplicación y un área de trabajo. El área de trabajo puede contener una o más ventanas de documento.

Approach   Vea *Lotus Approach*.

A Programming Language   Vea *APL*.

Archie   Herramienta de *Internet* para localización de archivos específicos disponibles como archivos de *Protocolo de Transferencia de Archivos (FTP)* de acceso público. Uno de los mayores inconvenientes de Archie es que debe conocer el nombre preciso de alguno o de todos los archivos para poder recuperarlos. Vea *anonymous FTP*.

Archie gateway *puerta de enlace Archie*   En *World Wide Web (WWW)*, página Web que proporciona una interfaz fácil de usar para un servicio de búsqueda *Archie*.

architecture *arquitectura*   Diseño conceptual general de un dispositivo de *hardware* o red de computadoras, que especifica cómo interactuarán sus múltiples componentes.

archival backup *copia de seguridad de archivos*   Procedimiento mediante el cual una *utilería* crea una copia de seguridad de todos los archivos del *disco duro* en *discos flexibles*, *cinta* u otro medio de almacenamiento. Vea *incremental backup*.

archive *archivo*   1. Conjunto de datos extenso al que se accede con poca frecuencia. 2. *Archivo* comprimido para ahorrar espacio de almacenamiento o para una distribución más rápida, que contiene dos o más archivos originales. En *Unix*, el programa más popular para empaquetar archivos es tar, aunque carece de capacidades de compresión. En la mayoría de las versiones de *Microsoft Windows*, WinZip es el programa más difundido para empaquetar y comprimir archivos, en tanto que StuffIt ostenta este sitio entre los usuarios de *Macintosh*.

archive attribute *atributo de modificado*   En *MS-DOS* y *Microsoft Windows*, *código* oculto guardado con una entrada de directorio del *archivo*, la que indica si el archivo fue modificado a partir de la última vez que se copió mediante XCOPY o con una *utilería de respaldo*.

archive site *sitio de almacenamiento*   Computadora accesible mediante *Internet* que funciona como depósito para un conjunto de información de grandes proporciones, como todos los mensajes intercambiados en una lista de correos, o en un *grupo de noticias*. Sinónimo de sitio FTP porque a los sitios de almacenamiento generalmente se accede con programas FTP.

ARCnet Vea *Attached Resource Computer Network.*

area graph *gráfico de áreas* En *gráficos para presentaciones, gráfico de líneas* en el que se sombrea el área que está debajo de la línea para enfatizar el cambio en volumen de un periodo a otro. El *eje x* (eje de categorías) corresponde al eje horizontal, y el *eje y* (eje de valores), al vertical.

areal density *densidad de área* Lo compacto que se puede empaquetar la información en un *disco duro* o *flexible.* Tanto la suavidad de la superficie del disco, como la naturaleza del medio de grabación afectan la densidad de área, la cual se expresa en megabits por pulgada cuadrada (Mb/pulg^2). Las densidades de área de entre 100 y 200 Mb/pulg^2 son comunes en los discos duros actuales.

argument *argumento* En una *instrucción* de programación que llama una *rutina,* valor u opción que proporciona datos para que la rutina los procese, o bien, indica a la rutina cuál opción debe usar para procesarlos. Por ejemplo, si la instrucción llama una rutina que redondea números, el argumento le indica cuántas posiciones decimales debe usar. Este término se utiliza con frecuencia como sinónimo de *parámetro,* pero en algunos casos este último se usa para referirse a valores no opcionales sujetos a cambio. 2. En *aplicaciones* e *interfaces de línea de comandos,* como las *hojas de cálculo* que emplean *comandos* escritos, un valor u opción que modifica la forma como se lleva a cabo el comando. Vea *parameter* y *switch.*

argument separator *separador de argumento* En programas de *hoja de cálculo* y *lenguajes de programación,* una coma u otro signo de puntuación que separa un *argumento* de otro en un *comando.*

arithmetic-logic unit (ALU) *unidad de aritmética y lógica* Parte de la *unidad central de procesamiento (CPU)* que toma todas las decisiones del microprocesador, con base en la ejecución de operaciones aritméticas y funciones lógicas.

arithmetic operator *operador aritmético* Símbolo que le indica a un *programa* la operación aritmética por realizar; por ejemplo, una adición, una sustracción, una multiplicación o una división. En la mayoría de los programas de computadora, la adición está representada por el signo de más (+), la sustracción por un guión o signo de menos (−), la multiplicación por un asterisco (*), la división por una diagonal (/) y el exponente por un acento circunflejo (^). Vea *Boolean operator* y *relational operator.*

ARLL Vea *Advanced Run-Length Limited.*

ARP Vea *Address Resolution Protocol.*

ARPA Vea *Advanced Research Projects Agency.*

ARPANET *Red de área amplia (WAN)* creada en 1969 con financiamiento de la *Agencia de Proyectos de Investigación Avanzada (ARPA)*. La ARPANET, gracias a la investigación y el desarrollo constantes a principios y mediados de los años setenta, sirvió como el medio de experimentación para el desarrollo de *TCP/IP* (los protocolos que posibilitan la existencia de *Internet*). Inicialmente, ARPANET estaba disponible sólo para instituciones gubernamentales de investigación y universidades que habían firmado contratos de investigación con el DoD (Departamento de Defensa). En 1983, ARPANET fue dividida en una red militar de alta seguridad (Milnet) y una ARPANET que se destinó al desarrollo y la investigación, supervisada por la *Fundación Estadounidense para la Ciencia (NSF)*. La NSF construyó una nueva red *vertebral* basada en TCP/IP llamada *NSFnet* y deshabilitó los remanentes de ARPANET en 1990.

array *arreglo, matriz* 1. En *programación*, estructura de datos básica que consiste de una tabla sencilla o multidimensional que el programa trata como un solo elemento de información. Para hacer referencia a cualquier dato del arreglo, se debe proporcionar el nombre de éste y la posición del dato en el arreglo. 2. En discos duros, conjunto de unidades que se enlazan para proporcionar una gran cantidad de almacenamiento auxiliar.

arrow keys *teclas de flechas* Vea *cursor-movement keys*.

article *artículo* En *Usenet*, colaboración que un individuo ha escrito y publicado en uno o más *grupos de noticias*. Existen dos tipos de artículos: los originales acerca de un nuevo tema, y los de seguimiento (también conocidos como *publicaciones de seguimiento*). Por medio de la *publicación cruzada*, un artículo puede aparecer en más de un grupo de noticias.

article selector *selector de artículos* En *Usenet,* una función mediante la cual el *lector de noticias* agrupa y despliega los *artículos* disponibles en un momento dado para su lectura. Los *lectores de noticias con mensajes encadenados* ordenan los artículos en forma automática, de manera que usted pueda ver el *mensaje* de la discusión (un artículo seguido inmediatamente por todos los artículos de seguimiento).

artificial intelligence (AI) *inteligencia artificial* Campo de la ciencia de la computación cuyo propósito es mejorar las computadoras para tratar de dotarlas con algunas características asociadas con la inteligencia humana, como la capacidad de entender el *lenguaje natural* y razonar bajo condiciones de incertidumbre. Vea *expert system*.

artificial life *vida artificial* Área de investigación científica dedicada a la creación y el estudio de simulaciones por computadora de los organismos vivientes. Los *virus* de computadora han dado nueva fuerza al debate de la definición de la vida. Además de obligarnos a reexaminar nuestra definición de la vida, la investigación de la vida artificial puede crear una tecnología más eficaz. Al aplicar conceptos de la vida artificial a problemas de la vida real, podemos programar soluciones generadas por computadora que compitan por sobrevivir, con base en su capacidad para desarrollar bien una determinada tarea.

AS   Vea *autonomous system*.

ascender *ascendente*   En tipografía, parte de las letras minúsculas b, d, f, h, k, l y t que sobrepasa la altura de la letra x. La altura de los rasgos ascendentes varía de un *tipo* a otro. Vea *descender*.

ascending order *orden ascendente*   Orden que se sigue para acomodar elementos, del menor al mayor (1, 2, 3) o del primero al último (a, b, c). El orden ascendente es el orden predeterminado para prácticamente todas las aplicaciones que realizan operaciones de ordenamiento. Compare con *descending sort*.

ASCII   Siglas de Código Estándar Estadounidense para el Intercambio de Información. Vea *ASCII character set* y *extended character set*.

ASCII art *arte ASCII*   Arte menor en un medio de alta tecnología que usa exclusivamente el conjunto de caracteres ASCII. Las caritas acostadas como :-) una carita feliz y :-(una carita triste, ofrecen un contexto emocional y social a los mensajes del correo electrónico y proporcionan otra fuente para el arte ASCII. Vea *emoticon*.

ASCII character set *conjunto de caracteres ASCII*   Conjunto de caracteres estándar que consta de 96 letras mayúsculas y minúsculas, y 32 *caracteres de control* no imprimibles, cada uno de los cuales está numerado con el fin de lograr la uniformidad entre diferentes dispositivos de computación. El conjunto de caracteres ASCII, el cual se basa en un esquema de codificación de 7 bits, data de los años sesenta y es incapaz de representar los *conjuntos de caracteres* de la mayoría de los idiomas distintos al inglés. La mayor parte de las computadoras actuales utilizan un *conjunto extendido de caracteres* que contiene caracteres acentuados, técnicos e ilustrativos. Sin embargo, estos conjuntos son propietarios y parcialmente incompatibles entre sí; por ejemplo, el conjunto extendido de caracteres de las PCs de IBM difiere del empleado por la Macintosh. Para evitar esos problemas en Internet, los *navegadores* Web utilizan la codificación de conjunto de caracteres *ISO Latin-1*.

ASCII file *archivo ASCII*   *Archivo* que contiene únicamente caracteres provenientes del *conjunto de caracteres ASCII*. En un archivo ASCII, no hay un *formato* especial (como negritas o subrayados). Vea *binary file*.

ASCII sort order *orden de clasificación ASCII*   *Orden de clasificación* determinado por la secuencia empleada para numerar el *conjunto*

de caracteres ASCII estándar. Primero van las palabras
o líneas que inician con espacios o signos de puntuación, luego las
palabras o líneas que inician con números. Después se ordenan
las palabras o líneas que inician con letra mayúscula, seguidas
por las líneas y palabras que inician con letra minúscula. Observe
que este orden de clasificación quebranta la mayoría de los lineamientos de estilo de publicaciones. Compare con *dictionary sort.*

ASCII transfer *transferencia ASCII*   *Protocolo de transferencia de
archivos* que no emplea *protocolo de corrección de errores* o *control
de flujo.* Las transferencias ASCII son menos eficientes que los
protocolos *binarios* como *XMODEM*, pero son el único tipo de
transferencia aceptada por algunas computadoras antiguas, como
los *mainframes.*

A-size paper *papel tamaño carta*   Como lo define el *Instituto
Estaounidense de Estándares Nacionales (ANSI),* una página que
mide 21×27.9 cm (8.5×11 pulgadas).

ASM   1. Vea *Association for Systems Management (ASM).*
2. *Extensión de nombre de archivo MS-DOS* que generalmente
se adjunta a un *archivo* que contiene *código fuente en lenguaje
ensamblador.*

ASN   Vea *autonomous system number.*

ASN.1   Vea *Abstract Syntax Notation One.*

aspect ratio *proporción de aspecto, relación de aspecto*   En *gráficos,*
proporción del ancho de una imagen con respecto a su altura. Al
cambiar el tamaño de un gráfico es necesario mantener una
adecuada proporción entre la altura y el ancho del tamaño de una
imagen para evitar distorsión.

ASPI   Vea *Advanced SCSI Programming Interface.*

assembler *ensamblador*   *Programa* que traduce un programa escrito
en *lenguaje ensamblador* a *lenguaje de máquina* para que la computadora pueda ejecutarlo.

assembly language *lenguaje ensamblador*   *Lenguaje de programación de bajo nivel* en donde cada instrucción del programa
corresponde a una que el *microprocesador* puede llevar a cabo.
Los lenguajes ensambladores son *lenguajes de procedimientos*; le
indican a la computadora con todo detalle qué hacer y necesitan
hasta dos docenas de líneas de código para sumar dos números.
Los programas en lenguaje ensamblador son difíciles de escribir y
tediosos. En su favor, el código del lenguaje ensamblador es
compacto y opera con rapidez, y es más eficiente que un *programa
compilado* en un *lenguaje de alto nivel.* Vea *BASIC, C, compiler* y
Pascal.

assign *asignar*   Dar un *valor* a una *variable* denominada.

assigned number *número asignado*   En *Internet*, valor asociado con un *protocolo* específico controlado por la *Autoridad de Números Asignados en Internet (IANA)*. Un ejemplo es el *número de puerto* asignado a un servicio de red específico, como *Usenet* o *Internet Relay Chat (IRC)*.

assignment *asignación*   Proceso de almacenar un valor en una variable denominada.

assignment operator *operador de asignación*   En *programación*, símbolo (generalmente el signo de igual [=]) que permite al programador asignar un *valor* a una *variable*.

assignment statement *instrucción de asignación*   En *programación*, la instrucción de un programa que coloca un *valor* en una *variable*. En *BASIC*, por ejemplo, la instrucción LET A=10 coloca el valor 10 en la variable A.

associated document *documento asociado*   *Archivo* vinculado, a nivel del sistema, con la *aplicación* que lo creó o que sabe cómo leer el tipo de información contenida. En *MacOS*, la asociación es automática porque las aplicaciones graban su identidad en la *bifurcación de recursos* de un nuevo archivo. En Windows, la asociación está basada en las *extensiones* de tres caracteres; por ejemplo, los archivos .doc, pueden estar asociados con Microsoft Word. Los usuarios o los *programas de instalación* pueden cambiar la asociación entre una aplicación y una extensión.

Association for Computer Machinery (ACM) *Asociación para Maquinaria de Computación*   Asociación profesional más antigua de expertos en computación. La ACM fue fundada en 1948 y patrocina conferencias, publicaciones periódicas, libros y grupos de estudiantes en colegios y universidades. La ACM es conocida por su Conferencia Anual sobre la Ciencia de la Computación y por su código ético, al cual se espera que se unan todos sus miembros. Una característica conocida de la organización son sus numerosos Grupos de Interés Especial (SIGS), los cuales facilitan la comunicación entre miembros de la ACM que tienen intereses comunes.

Association for Systems Management (ASM) *Asociación para la Administración de Sistemas*   Asociación profesional para analistas de sistemas y otros profesionales de la computación. La ASM tiene filiales en muchas ciudades y ofrece varios cursos de corta duración sobre análisis de sistemas y temas relacionados con los sistemas de información. La ASM era conocida como la Asociación de Sistemas y Procedimientos (SPA).

Association for Women in Computing (AWC) *Asociación para las Mujeres en la Computación*   Asociación profesional dedicada al progreso de las mujeres en los campos relacionados con la computación. La organización pugna por promover el crecimiento profesional a través de la relación con afines y programas de la sociedad, entre los cuales se cuentan talleres de orientación vocacional. Actualmente, la AWC, fundada en 1978, tiene sus oficinas centrales en San Francisco, California y cuenta con numerosas filiales locales y estatales.

Association of Shareware Professionals *Asociación de Profesionales del Shareware*   Asociación profesional para autores y vendedores de software respaldado por el usuario (*shareware*), dedicada a fortalecer el futuro del shareware como una alternativa para el software comercial. Los miembros de la organización se suscriben a un código ético muy respetado. La organización, fundada en 1987, tiene sus oficinas centrales en Muskegan, MN.

AST Research, Inc.   Fabricante de computadoras personales radicado en Irvine, California. AST Research se encuentra entre los 10 mayores productores a nivel mundial, con un ingreso de 2,100 millones de dólares en 1996. La firma fabrica computadoras de escritorio, portátiles y de mano, así como monitores y productos para mejoramiento de gráficos y memoria.

asterisk *asterisco*   En el DOS, carácter comodín que sustituye a uno o más caracteres; diferente al carácter comodín de *signo de interrogación* (?), que sustituye solamente un carácter. El asterisco también es el símbolo aritmético para la multiplicación. Vea *arithmetic operator*.

Asymmetric Digital Subscriber Line *Línea Digital Asimétrica de Suscriptor*   Vea *ADSL*.

asynchronous *asincrónico, asíncrono*   Lo que se mantiene fuera de tiempo (de sincronía) de los pulsos de un *reloj de sistema* u otro dispositivo cronológico. Vea *asynchronous communication*.

asynchronous communication *comunicación asíncrona*   Método de *comunicación de datos* donde la transmisión de bits no está sincronizada con una señal de reloj, sino que se lleva a efecto mediante el envío de un bit tras otro, con un *bit de inicio* y uno de *parada* para marcar, respectivamente, el principio y el final de la unidad de información. Las líneas telefónicas normales pueden emplearse para comunicación asíncrona. Vea *baud rate, modem, synchronous communication* y *Universal Asynchronous Receiver/ Transmitter (UART)*.

ATA   Vea *Integrated Drive Electronics (IDE)*.

ATA-2   Vea *Enhanced IDE (EIDE)*.

ATA-3   Estándar experimental para adjuntar muchos medios diferentes de grabación, como *unidades de disco* y *unidades de cinta*, a una PC. ATA-3 es capaz de transferir datos a una velocidad de 30 megabits *(Mb)* por segundo.

ATAPI   Vea *Advanced Technology Attachment Packet Interface.*

ATA Packet Interface (ATAPI)   Vea *Advanced Technology Attachment Packet Interface.*

AT Attachment (ATA)   Vea *Integrated Drive Electronics (IDE).*

AT bus *bus AT*   Bus de *expansión* de 16 bits empleado en la computadora personal AT de IBM; es distinto al bus de 8 bits de la primera computadora personal de IBM y al de 32 de las computadoras con microprocesadores *Intel 80386* e *Intel 80486.* La mayoría de las máquinas 80386 y 486 contienen *ranuras de expansión* compatibles con la AT para una compatibilidad *hacia atrás.* Vea *local bus* y *Micro Channel Bus.*

AT command set *conjunto de comandos AT*   Vea *Hayes command set.*

AT keyboard *teclado AT*   *Teclado* de 84 teclas introducido con las computadoras personales AT (tecnología avanzada) de IBM en respuesta a las quejas concernientes al teclado de la primera computadora personal de IBM, que tenía una disposición diferente al de las máquinas de escribir para oficina. Hoy día, el teclado AT está considerado como una norma mínima; la mayoría de las computadoras IBM y las compatibles vienen equipadas con un *teclado mejorado* de 101 teclas. Vea *keyboard layout.*

ATM   1. Vea *Adobe Type Manager (ATM).* 2. Siglas de Modo de Transferencia Asíncrono, una arquitectura de red que divide los mensajes en pequeñas unidades (llamadas *celdas*) de tamaño fijo (53 bytes) y establece una conexión conmutada entre las estaciones emisora y receptora. La velocidad de la red, parcialmente determinada por la de los dispositivos de conmutación, es de hasta 622 megabits por segundo *(Mbps).* La ventaja de dividir todas las transmisiones en celdas pequeñas es que la red puede transmitir voz, audio y datos de computación a través de una sola línea, sin que ningún tipo de datos sea dominante en la transmisión. El diseño *orientado a la conexión* de ATM difiere del diseño *no orientado a la conexión* de Internet; a diferencia de *Internet,* ATM permite a los proveedores de servicio cobrar por el uso de la red, y es capaz de generar velocidades de transmisión muy altas. Por esas razones, se piensa en ATM como en la arquitectura potencial para la *Supercarretera de la Información.*

at sign *signo de arroba*   Símbolo (@) utilizado para distinguir entre el nombre del buzón y el nombre de la computadora en una *dirección de correo electrónico.* Una dirección como sandra@prentice.com se lee "sandra arroba prentice punto com".

AT-size case *gabinete AT*   Tipo de gabinete de *computadora para escritorio* (de colocación horizontal) que coincide con el diseño de la cubierta que IBM usó para su Personal Computer AT en 1984.

Los gabinetes AT, con sus *tarjetas madre* montadas de manera horizontal, proporcionan mucho espacio para *adaptadores* y otros componentes, pero también tienen una *huella* muy grande. Vea *Baby AT case, mini-AT size case, mini-tower case* y *tower case.*

Attached Resource Computer Network (ARCnet)   Popular *red de área local (LAN)* desarrollada originalmente por Datapoint Corporation para *computadoras personales compatibles* con las de *IBM* y comercializada ahora por varios vendedores. Las tarjetas de interfaz ARCnet son económicas y fáciles de instalar. Las redes ARCnet emplean una *topología de estrella*, un protocolo de *paso de token* y cable *coaxial* o de *par trenzado*. La red es capaz de transmitir datos a velocidades de 2.5Mb por segundo. Vea *network interface card* y *network topology.*

attachment *archivo adjunto, texto anexo*   En *correo electrónico*, un *archivo binario*, como un programa o un documento comprimido de procesador de texto, que se ha adjuntado a un mensaje. El contenido del archivo no aparece dentro del mensaje en sí, sino que, en *Internet*, se codifica siguiendo las especificaciones del estándar *MIME* o de estándares de codificación anteriores llamados *BinHex* o *uuencode*. Para incluir un documento adjunto con un mensaje, tanto el emisor como el receptor deben tener programas de correo electrónico capaces de funcionar con el mismo formato de codificación. MIME es el formato más difundido.

attachment encoding *codificación de archivos adjuntos*   Formato de codificación utilizado para adjuntar un *archivo binario* a un mensaje de *correo electrónico*. Vea *BinHex, MIME* y *uuencode.*

attenuation *atenuación*   Pérdida de la intensidad de señal cuando los cables del sistema exceden la longitud máxima establecida en las especificaciones de la red. La atenuación de una señal impide la transmisión expedita de datos. No obstante, la extensión del cable de una red puede ampliarse mediante un dispositivo llamado *repetidor.*

attribute *atributo*   1. En numerosos *procesadores de texto* y *programas de gráficos*, énfasis en los caracteres, como *negritas* o *itálicas* y otras características, como el *tipo* y el *tamaño de la letra*. 2. En el *MS-DOS* y en *Microsoft Windows 95*, se refiere a la información acerca de un archivo que indica si éste es exclusivo para *lectura*, *oculto* o de *sistema*. Vea *archive attribute* y *file attribute.*

ATX   Diseño de *tarjeta madre* creado por los fabricantes de chips *Intel*, que proporciona mayor accesibilidad a los componentes de la tarjeta madre, mejor enfriamiento, más ranuras de expansión de tamaño completo y una disposición más conveniente para mejoramiento del sistema. El diseño ATX sustituye a la disposición previa, AT, la cual a su vez era una ligera variación de la disposición de tarjeta madre de la *Personal Computer (PC)* de IBM, del año 1981.

AU 1. Formato de archivo para sonido monofónico en 8 bits, ampliamente utilizado en *estaciones de trabajo Unix,* incluyendo máquinas Sun y NeXT, para almacenar *sonido de onda.* El formato emplea una técnica avanzada de almacenamiento que permite guardar sonidos de 14 bits, en sólo 8 bits de datos, con una pérdida mínima. 2. En el *sistema de nombres de dominio (DNS)* de Internet, abreviatura para Australia.

audible feedback *retroalimentación audible* Capacidad de un teclado para generar sonidos cada vez que se oprime una tecla. La retroalimentación audible facilita a algunas personas determinar cuándo se ha oprimido una tecla con suficiente fuerza para generar un carácter en pantalla. Vea *tactile feedback.*

audio file *archivo de audio* En computadoras y sistemas de reproducción por computadora (como los correspondientes a discos compactos de audio), el sonido que se describe al tomar muchos miles de muestras del sonido cada segundo y grabar la forma de onda del sonido como un valor discreto.

audio monitor *monitor de audio* Cualquier bocina, especialmente una montada en un *módem,* que permite escuchar lo que está sucediendo en la línea telefónica. Le permite oír una señal de ocupado, o el siseo de dos módems estableciendo una señal portadora.

audit trail *revisión de auditoría* En un *paquete de contabilidad,* cualquier característica automática de programa que conserva un registro de las transacciones para que pueda regresar y localizar el origen de cifras específicas que aparecen en los informes.

AUP Vea *Acceptable Use Policy.*

authenticate *autenticar, autentificar* Establecer la identidad de una persona que accede a la red de computadoras. Vea *authentication* y *strong authentication.*

authentication *autenticación, autentificación* En una *red,* el proceso mediante el cual el sistema intenta asegurarse que la persona que está iniciando sesión es la misma para quien se emitió una *cuenta.* El único medio de autenticación en la mayoría de las redes es la solicitud de una *contraseña,* aun cuando se sabe que este método de autenticación tiene serias fallas en la seguridad.

authoring *autoría, edición* En *multimedia,* el proceso de preparar una presentación. Esto no sólo comprende la redacción del texto, sino también la elaboración del sonido, las imágenes y los componentes de video.

authoring language *lenguaje de autoría, lenguaje de edición* Aplicación de *enseñanza asistida por computadora (CAI)* que proporciona herramientas para la creación de *software* de enseñanza o de presentación. Un lenguaje popular de este tipo para las computadoras

Macintosh es *HyperCard*, que se proporciona en forma gratuita con cada computadora Macintosh. Con HyperCard, los educadores pueden desarrollar programas de enseñanza con rapidez y facilidad.

auto-answer mode *modo de contestación automática*   Vea *auto-dial/ auto-answer modem*.

AutoCaD   Programa de *diseño asistido por computadora* (*CAD*) desarrollado por AutoDesk y muy usado para aplicaciones de diseño profesional en ingeniería y proyectos arquitectónicos.

auto-dial/auto-answer modem *módem de marcado/contestación automáticos*   *Módem* capaz de marcar el número de la computadora receptora y de contestar una llamada telefónica para establecer una conexión cuando se recibe una llamada.

auto-dial modem *módem de marcado automático*   Vea *auto-dial/auto-answer modem*.

AUTOEXEC.BAT   En *MS-DOS, archivo de procesamiento por lotes* que el DOS ejecuta cuando usted inicia el sistema. En los archivos AUTOEXEC.BAT se incluyen por lo general las instrucciones *Path* que le indican al DOS dónde encontrar los *programas de aplicación* y los comandos para instalar un *ratón* u operar su *impresora*. Toda esta información se debe introducir al iniciar cada sesión; AUTOEXEC.BAT la ejecuta por usted. Vea *CONFIG.SYS, path* y *path statement*.

auto-logon *inicio de sesión automático*   Característica de *programas de comunicación* que le permite automatizar el proceso de conectarse a un *BBS* o *servicio de información en línea*.

automatic backup *copia de seguridad automática*   Característica de los *programas de aplicación* que guarda un *documento* de manera automática a intervalos determinados por el usuario; por ejemplo, cada cinco o diez minutos. Después de una interrupción de energía eléctrica o una *caída* del sistema, podrá recuperar el último archivo de respaldo automático al reiniciar la aplicación. Esta característica puede servirle para evitar pérdidas catastróficas de trabajo.

Automatic Data Processing, Inc.   La firma más grande de procesamiento de datos en Estados Unidos, la cual tiene ingresos de alrededor de 3,600 millones de dólares (ventas del año 1996). La empresa, cuyas oficinas centrales están localizadas en Roseland, Nueva Jersey, se especializa en tributaciones, sistemas de contabilidad y administración de inventarios.

automatic emulation switching *cambio automático de emulación*   En *impresoras*, la capacidad para cambiar los *lenguajes de control de impresoras* sin intervención humana. Las impresoras con cambio automático de emulación detectan el lenguaje, como *PostScript* o *PCL5*, utilizado por los documentos entrantes y se ajustan automáticamente.

automatic font downloading *descarga automática de fuentes* Transmisión de *fuentes transferibles* provenientes del *disco duro* hacia la *impresora,* que se realiza mediante un *programa de utilería* conforme se necesitan las *fuentes* para llevar a cabo un trabajo de impresión.

automatic head parking *estacionamiento automático de la cabeza* Función de *disco duro*, mediante la cual la *cabeza de lectura/escritura* se coloca sobre la *zona de aterrizaje,* para evitar una *ruptura de la cabeza* cada vez que se apaga el sistema.

automatic hyphenation *división automática de palabras* Vea *hyphenation.*

automatic mode switching *cambio automático de modo* Detección y ajuste automáticos de los circuitos internos del *adaptador de video* para la salida de video de un *programa* en una computadora compatible con la PC de IBM. Por ejemplo, la mayoría de los adaptadores *VGA* cambia para ajustarse a las salidas *CGA, MDA, EGA* o *VGA* de las aplicaciones.

automatic name recognition *reconocimiento automático de nombre* En *bases de datos* y *máquinas de búsqueda* en Web, una característica que detecta automáticamente que una *palabra clave* proporcionada es un nombre personal y restringe la búsqueda a nombres que inician con mayúsculas.

automatic network switching *cambio automático de red* Función de *impresoras láser* departamentales y de *grupos de trabajo* que les permite servir a diferentes tipos de computadoras y a diversos tipos de *redes*. Una impresora equipada con cambio automático de red puede recibir datos de *Ethernet*, *AppleTalk*, o redes *TCP/IP* e imprimir correctamente sin intervención humana. Vea *automatic emulation switching.*

automatic recalculation *recálculo automático* En una *hoja de cálculo*, modo donde se recalculan los valores de las celdas cada vez que se modifica una de ellas en la hoja de trabajo. El recálculo automático puede cambiarse por el *manual* si está trabajando con una hoja de trabajo grande y el recálculo se vuelve muy lento. Vea *background recalculation.*

automatic speed sensing *detección automática de velocidad* Característica del *módem* que le permite determinar automáticamente la velocidad máxima a la que se puede generar una conexión. Durante el establecimiento del *acuerdo de conexión* al principio de una llamada, los módems con detección automática de velocidad determinan este valor y *retroceden* a la velocidad máxima que pueden soportar, tanto los dos módems conectados, como las condiciones de la línea.

automation *automatización* Sustitución de habilidades humanas por operaciones automáticas de máquina. Los programas de *procesa-*

miento de texto son un excelente ejemplo del potencial de la automatización. Estos programas automatizan tareas tan sencillas como centrar texto en la página y tan complejas como ordenar una lista de envíos por correo mediante el código postal.

autonomous system (AS) *sistema autónomo*   En *topología* de *redes* de *Internet*, un conjunto de *ruteadores* bajo el control de una sola autoridad administrativa. Dentro de un sistema autónomo, un administrador puede crear o denominar nuevos *subdominios* y asignar *direcciones IP* y *nombres de dominio* a estaciones de trabajo en la red.

autonomous system number (ASN) *número de sistema autónomo*   En un *sistema autónomo,* una *dirección IP* que se ha asignado mediante un protocolo automático para una de las estaciones de trabajo de la red.

AutoPlay *Reproducción automática*   Estándar para *CD-ROMs* iniciado por *Microsoft.* Cuando un CD que contiene esta característica se inserta en la unidad de CD-ROM, *Microsoft Windows 95* busca un archivo AutoRun que comienza a ejecutar el CD de manera automática.

autorepeat key *tecla de autorrepetición*   *Tecla* que introduce en forma constante un carácter mientras se le mantenga presionada.

autosave *guardado automático*   Vea *automatic backup.*

autosizing *dimensionamiento automático*   Característica del *monitor* que le permite dimensionar una imagen para ajustarse a la *pantalla*, independientemente de su *resolución*. Los monitores con dimensionamiento automático mantienen la *proporción de aspecto* de una imagen, pero la aumentan o reducen para ajustarse al espacio disponible.

autostart routine *rutina de inicio automático*   Conjunto de *instrucciones* en la *memoria de sólo lectura* (*ROM*) que le indica a la computadora cómo proceder cuando usted la enciende. Vea *BIOS* y *Power-On Self-Test (POST).*

autotrace *calco automático*   En un programa de *gráficos*, como *Adobe Illustrator*, *comando* que transforma un *gráfico de mapa de bits importado* en su contraparte *orientado a objetos.* Los gráficos orientados a objetos se imprimen a la resolución máxima de la impresora (hasta 300 puntos por pulgada para *impresoras láser*). Con la herramienta calco automático, usted puede transformar gráficos de baja resolución en gráficos de arte que se imprimirán a una *resolución* mayor.

A/UX   Versión del *sistema operativo Unix* de la *computadora Apple.* Para usar A/UX se necesita una Macintosh con *microprocesador Motorola 68020* o *68030* y 4 MB de *memoria de acceso aleatorio (RAM).*

AUX   En *MS-DOS*, abreviatura de *puerto* auxiliar, que es el puerto de comunicación *(COM)* que el DOS usa en forma predeterminada (por lo general COM1).

auxiliary battery *batería auxiliar*   En una *computadora portátil*, pequeña batería integrada que puede proporcionar energía a la computadora por unos cuantos minutos mientras se inserta un nuevo *paquete de baterías*.

auxiliary speakers *altavoces auxiliares, bocinas auxiliares*   Dos o más bocinas estéreo que se conectan a la *tarjeta de sonido* que le permiten escuchar. Las bocinas auxiliares sustituyen a la *bocina interna* y generalmente están blindadas contra campos magnéticos, para evitar la interferencia con el monitor.

auxiliary storage *almacenamiento auxiliar*   Vea *secondary storage*.

avatar *avatar*   Representación gráfica de una persona que aparece en la pantalla de la computadora en un juego interactivo o sistema de comunicación. La apariencia, acciones y palabras del avatar están controlados por la persona a quien representa.

average access time *tiempo promedio de acceso*   Vea *access time*.

average latency *latencia promedio*   Vea *latency*.

average seek time *tiempo promedio de búsqueda*   Vea *seek time*.

AVI   Intercalación de Audio y Video. *Formato de archivo* para almacenar información de audio y video, desarrollado por Microsoft Corporation y diseñado específicamente para grabar y reproducir en sistemas *Microsoft Windows*. El formato AVI puede producir sonido estéreo con calidad casi de CD, así como videos con pista de sonido asociada. Sin embargo, los archivos AVI ocupan grandes cantidades de espacio, en comparación con otros formatos de archivo de audio y video.

AWC   Vea *Association for Women in Computing*.

axis *ejes*   Vea *x-axis, y-axis* y *z-axis*.

b Abreviatura de *byte* (8 *bits*).

B Lenguaje experimental de programación creado en los Bell Laboratories de AT&T en 1970; es uno de los antecesores de C.

baby AT case *gabinete baby AT* Gabinete de computadora y unidad de fuente de poder capaz de dar acomodo a una *tarjeta madre baby AT.*

baby AT motherboard *tarjeta madre baby AT* *Tarjeta madre* de 22.85 × 25.40 centímetros (9 × 10 pulgadas) que superaba el tamaño de la tarjeta madre de la PC original de IBM. El estándar baby AT, a su vez, fue superado por la *ATX.*

backbone *red vertebral* En una *red de área amplia (WAN)* como *Internet,* medio de alta velocidad y alta capacidad diseñado para transferir datos a cientos o miles de kilómetros. Para los servicios de red vertebral se utiliza una gran variedad de medios físicos, como transmisión por microondas, satélites y líneas telefónicas dedicadas.

backbone cabal *conspiración en la red vertebral* En la *red de almacenamiento y envío* (vea *UUCP*) de *Usenet,* basada en teléfono, asociación informal de los principales administradores de sistema de Usenet, quienes intentaron controlar la lista oficial de grupos de noticias. El control que dichos administradores ejercían se terminó con la migración de Usenet hacia Internet. Vea *backbone site.*

backbone site *sitio de la red vertebral* En la *red de almacenamiento y envío* (vea *UUCP*) de *Usenet,* basada en teléfono, un sitio central de la red de distribución de artículos; el administrador del sitio decidía cuáles grupos debían abrirse y mantenerse, lo cual influía en la selección de grupos de noticias disponibles en docenas o incluso centenares de sitios de menor jerarquía (vea *backbone cabal*). La capacidad de esos administradores para controlar y censurar la lista de grupos de noticias se vino abajo con la migración de Usenet hacia Internet mediante el protocolo *NNTP.*

backdoor *puerta trasera* Forma no documentada para lograr el acceso a un *programa, datos* o un *sistema de computación* completo, a menudo conocida sólo por el *programador* que la creó. Las puertas traseras son prácticas cuando la forma estándar de acceder a la información no está disponible, pero generalmente constituyen un riesgo para la seguridad.

back end *servicios de fondo* Parte de un *programa* que realiza el trabajo de procesamiento para el que está diseñado el programa, pero de tal manera que sea invisible para el usuario. En una *red de área local (LAN) con* arquitectura *cliente/servidor*, las aplicaciones de servicios de fondo pueden almacenarse en el *servidor de archivos*, en tanto que las *aplicaciones para el usuario* se encargan de manejar la *interfaz de usuario* en cada estación de trabajo.

back end processor *procesador de servicios de fondo*   Unidad de procesamiento (como un *microprocesador*) dedicada a llevar a cabo una tarea en segundo plano, como la de procesar gráficos complejos.

background *segundo plano*   En computadoras capaces de realizar varias tareas al mismo tiempo, área en donde las tareas (imprimir un *documento* o *descargar* un *archivo*) se llevan a cabo mientras el usuario trabaja con una *aplicación* en *primer plano*. En un sistema de computación sin capacidad de *multitareas*, las tareas de segundo plano se realizan durante las pequeñas pausas en la ejecución de las tareas principales del sistema (las de primer plano).

background communication *comunicación en segundo plano*   Comunicación de información, como descargar un archivo desde un servicio de información en línea, realizada en el segundo plano, mientras el usuario se concentra en otra aplicación en el primer plano. Vea *multitasking*.

background noise *ruido de fondo*   Vea *noise*.

background pagination *paginación en segundo plano*   Vea *pagination*.

background printing *impresión en segundo plano*   Impresión de un *documento* que se realiza en *segundo plano* mientras un programa está activo en el *primer plano*. La impresión en segundo plano es muy útil cuando se imprime con frecuencia documentos muy extensos o se usa una impresora lenta. Con la impresión en segundo plano es posible continuar trabajando mientras se imprime el documento. Vea *multitasking, print queue* y *print spooler*.

background recalculation *recálculo en segundo plano*   En *programas de hoja de cálculo*, opción que permite que el programa repita cálculos en *segundo plano*, mientras el usuario sigue trabajando en la hoja de cálculo.

background tasks *tareas en segundo plano*   En un sistema operativo *multitareas*, las operaciones que ocurren en *segundo plano* (como la impresión, el ordenamiento de un archivo de gran tamaño o la búsqueda en una *base de datos*) mientras el usuario trabaja con un *programa* en *primer plano*.

backlighting *contraluz*   Diseño de una *pantalla de cristal líquido (LCD)*, en el cual se emite luz desde el fondo con el fin de incrementar el contraste entre los *pixeles* luminosos y los oscuros. Aunque el contraluz incrementa el consumo de energía, hace mucho más legibles las LCDs en condiciones de luz brillante, como la de los exteriores.

backlit display *pantalla de contraluz*   Diseño de *pantalla* que incorpora *contraluz*.

backoff *retraso*   Demora (a menudo seleccionada de manera aleatoria) iniciada por una *estación de trabajo* de red cuando la computadora intenta enviar datos a la red, pero sufre una *colisión*. Al concluir el periodo de retraso, la computadora intenta retransmitir los datos. Un retraso aleatorio asegura que las estaciones de trabajo en colisión no intentarán retransmitir simultáneamente.

Back Office   Vea *Microsoft Back Office*.

backplane *tarjeta posterior*   Una *tarjeta principal*. En un principio, el término se refería a una *tarjeta de circuitos* principal montada verticalmente en la parte trasera del *gabinete*.

back quote *acento grave*   Carácter de comilla sencilla del teclado ASCII estándar (`).

backslash *diagonal inversa*   Carácter de diagonal (inclinado hacia la izquierda) del teclado ASCII estándar (\).

backspace *retroceso*   *Tecla* que elimina el carácter que está a la izquierda del *cursor*, o acción de moverse un lugar hacia la izquierda mediante las *teclas de dirección del cursor*.

backup *copia de seguridad, respaldo*   Copia del *software de aplicación* instalado o de los *archivos de datos* creados por el usuario. También es la acción de copiar archivos en otro *disco*. Los *procedimientos para hacer copias de seguridad* son necesarios para el uso óptimo de un sistema con *disco duro*. Vea *archival backup, full backup e incremental backup*.

backup procedure *procedimiento para hacer copias de seguridad* Procedimiento común de mantenimiento de un sistema que se encarga de copiar todos los *archivos* nuevos o modificados a un medio de almacenamiento de *copias de seguridad*, como *discos flexibles* o una *unidad de cinta*.

backup utility *utilería para hacer copias de seguridad*   *Programa de utilería* diseñado específicamente para elaborar copias de seguridad de programas y archivos de datos de un *disco duro* a un medio de almacenamiento, como *disquetes* o una *unidad de cinta*. Este tipo de programas de utilería incluyen *comandos* para programar *copias de seguridad* regulares, de solamente algunos directorios o de archivos seleccionados, o para restaurar todos o sólo unos cuantos archivos de un conjunto de copia de seguridad.

Backus-Naur Form (BNF) *Forma Backus-Naur*   Conjunto de reglas para describir la organización de un *programa* sin escribir instrucciones en algún *lenguaje de programación*. BNF es útil para enseñar conceptos de programación y comparar procedimientos escritos en lenguajes diferentes.

backward chaining *razonamiento hacia atrás*   En *sistemas expertos*, método de uso frecuente para hacer inferencias a partir de reglas IF/THEN. Un sistema de razonamiento hacia atrás inicia con una pregunta como "¿cuánto vale esta propiedad?" y busca a través de las reglas del sistema para determinar cuáles le permiten al sistema resolver el problema y qué información adicional se necesita. Estos programas entablan un diálogo con el usuario. Vea *forward chaining* y *knowledge base*.

backward compatible *compatibilidad hacia atrás*   Compatibilidad con versiones de *programas* o modelos de computadora anteriores. Por ejemplo, *Microsoft Windows 95* es compatible hacia atrás con *programas de aplicación* diseñados para ejecutarse en Windows 3.1, pero no correrá en las PCs de IBM y compatibles equipadas con el microprocesador *Intel 8088*, aun cuando existen millones de máquinas de este tipo.

backward search *búsqueda hacia atrás*   En una *base de datos*, una *hoja de cálculo* o un *documento*, búsqueda que empieza en la posición del *cursor* y emprende su trayectoria hacia el principio de la base de datos o del documento (en vez de ejecutar la búsqueda hacia adelante y hasta el final).

bad break *corte incorrecto*   Separación silábica inadecuada con guiones al final de la línea.

bad page break *salto de página incorrecto*   En un *documento* o una *hoja de cálculo*, *salto de página automático* que divide el texto en un lugar inadecuado. Los encabezados pueden quedar solos *(huérfanos)* al final de las páginas, las *tablas de datos* pueden dividirse y una sola línea de texto *(viuda)* puede quedar al inicio de una página. Los saltos de página incorrectos, error común en documentos generados por computadora, pueden captarse mediante una cuidadosa prueba de lectura final con el comando de vista preliminar del programa o con las características para evitar viudas o huérfanos que tienen algunos programas. Vea *block protection*.

bad sector *sector dañado*   Área de un *disco duro* o uno *flexible* que no registra *datos* de manera fidedigna. Casi todos los discos duros tienen algunos sectores dañados debido a defectos de fabricación. El *sistema operativo* aparta estos *sectores* de las operaciones de lectura y escritura para que el disco funcione como si los sectores dañados no existieran. Además, conforme se utilice el disco pueden surgir sectores dañados; para identificarlos y apartarlos se requiere utilizar un *programa de utilería*. Vea *bad track table*.

bad track *pista dañada*   *Pista* de un *disco duro* o un *disquete* que contiene un *sector dañado*. Las pistas dañadas, marcadas como tales en la *tabla de asignación de archivos (FAT)*, son inofensivas a menos que la Pista 0 sea la dañada, en cuyo caso debe sustituirse el disco.

bad track table *tabla de pistas dañadas*   Documento adjunto a un *disco duro* que enlista los *sectores dañados* del disco. Casi todos los discos duros salen de la línea de ensamble con algunos defectos. Durante el *formateo de bajo nivel*, estas áreas defectuosas del disco son apartadas para que el software del sistema no las utilice.

BAK   Extensión de *nombre de archivo de MS-DOS* que generalmente se adjunta a un *archivo* que contiene información de *copia de seguridad*. Muchos *programas de aplicación* asignan la extensión .BAK a la versión anterior de un archivo cada vez que el usuario cambia el nombre del archivo.

ball bat   En *Unix*, término coloquial para designar el signo de admiración (!). También se conoce como carácter *bang* o *astonisher*. Vea *bang path*.

balloon help *globo de ayuda*   En *MacOS*, función adicional de ayuda que despliega un globo de historieta, que contiene una explicación acerca de un elemento de pantalla (como un icono o parte de una ventana), cuando el usuario coloca el ratón sobre éste.

band *banda*   En un *informe* de programa para *administración de bases de datos*, área destinada para cierto tipo de información, como el área de encabezado o los *datos* de los *campos*. Además, la pista en donde se mueve un *actuador de banda por pasos*.

band-stepper actuator *actuador de banda por pasos*   Mecanismo, que incorpora un *motor de pasos* y una pista (banda), que ubica sobre una *pista* la *cabeza de lectura/escritura* del *disco duro*. Los actuadores de banda por pasos no son tan comunes como los *actuadores de bobina de servo-voz* de los discos duros modernos.

bandwidth *ancho de banda*   Medida de la cantidad de información que fluye a través de un canal de comunicaciones (como los que unen una red) en una unidad de tiempo determinada (generalmente un segundo). Para dispositivos *digitales*, el ancho de banda se mide en *bits por segundo (bps)*. El ancho de banda de dispositivos *analógicos* se mide en ciclos por segundo *(cps)*.

bang   1. En programación, término coloquial para un signo de admiración (!). 2. En HTML, término coloquial para una diagonal (/), especialmente cuando se le indica a alguien un *URL* ("ve a www punto Microsoft punto com diagonal search punto html").

bang path *ruta de acceso bang*   En un *Programa de Copia Unix a Unix (UUCP),* una dirección de *correo electrónico* que especifica la ubicación de una computadora determinada, dentro de una *red* basada en UUCP. La dirección se conoce como ruta de acceso bang porque las diversas partes de la dirección están separadas por signos de admiración (caracteres *bang*).

bank switching *conmutación de bancos*   Forma de expandir la
memoria más allá de las limitaciones de direcciones del *sistema
operativo* o del *microprocesador*; se realiza por medio de la
conmutación rápida entre dos bancos de memoria. Vea *Expanded
Memory Specification (EMS)*.

bar code *código de barras*   Patrón impreso de barras verticales de
diferentes anchos utilizado para representar claves numéricas en
una forma legible para las máquinas. Las computadoras equipadas
con *lectores de código de barra*s y software especializado pueden
interpretar los códigos de barras. Los supermercados utilizan
códigos de barras que se apegan al Código Universal de Producto
(UPS), para identificar productos y marcar precios, en tanto que el
Servicio Postal de Estados Unidos utiliza códigos de barras
POSTNET para que los códigos postales sean legibles para las
máquinas. Las últimas versiones de programas para procesamiento
de texto, como *WordPerfect* y *Microsoft Word*, incluyen opciones
para imprimir códigos de barras POSTNET en sobres.

bar code reader *lector de código de barras*   Dispositivo de entrada
que detecta *códigos de barras* y, mediante *software* especializado, los
convierte en datos legibles.

bar graph *gráfico de barras*   En *gráficos para presentaciones*, *gráfico*
con barras horizontales que se usa a menudo para mostrar los
valores de datos independientes. El *eje X* (eje de categorías) es el eje
horizontal, y el *Y* (eje de valores), el vertical. En ocasiones se le
confunde con el *gráfico de columnas*, que emplea barras verticales;
un gráfico de barras es muy apropiado para representar cantidades,
en tanto que uno de columnas es mejor para reflejar cambios en el
tiempo. Vea *line graph, paired bar graph*.

base64   Método de codificación de datos que convierte un *archivo
binario* a texto ASCII puro, el cual puede transmitirse a través de
Internet y otras redes de computación. Este método de codificación
se utiliza en MIME.

baseband *banda base*   En *redes de área local (LAN)*, método de
comunicación en donde la señal de transferencia de información se
coloca directamente en el cable en forma *digital* y sin *modulación*.
Debido a que muchas redes de banda base pueden usar *cables de par
trenzado* (cables de teléfono ordinarios), su instalación es más
económica que las redes de *banda ancha* que requieren cable
coaxial. No obstante, un sistema de banda base está limitado en su
extensión geográfica y proporciona un solo canal de comunicación
a la vez. La mayoría de las redes de área local de computadoras
personales son de banda base. Vea *broadband*

base font *fuente base*   *Fuente* predeterminada empleada en un
documento. Los cambios como las *itálicas* o las *negritas* y los
diferentes tamaños son variaciones de la fuente base. El *tipo de letra*

se puede cambiar en cualquier punto del documento, pero si al trabajar en un documento se cambia la fuente base, el cambio se aplica a todo el documento. En la mayoría de los programas de *procesamiento de texto* es posible elegir una fuente base predeterminada para todos los documentos o únicamente para el que se esté editando.

base-level synthesizer *sintetizador de nivel básico*   En *multimedia*, capacidad mínima de un sintetizador de música requerida por *Microsoft Windows 95* y sus especificaciones para computadora personal de multimedia (MPC). El sintetizador de nivel básico debe ser capaz de reproducir un mínimo de seis notas de manera simultánea en tres instrumentos melódicos, y tres notas simultáneas en tres instrumentos de percusión. Vea *extended-level synthesizer*, *MIDI*.

baseline *línea base*   En *tipografía*, punto más bajo que alcanzan los caracteres (sin considerar los rasgos *descendentes*). Por ejemplo, la línea base de un renglón de texto es el punto más bajo de letras como la *a* y la *x*, sin incluir los puntos más bajos de la *p* y la *q*, los cuales tienen rasgos descendentes.

base memory *memoria base*   Vea *conventional memory*.

BASIC   Siglas de Código de Instrucciones Simbólicas Multipropósito para Principiantes. *Lenguaje de programación de alto nivel d*esarrollado en 1964 con propósitos de capacitación. Inicialmente se criticaba a BASIC por promover una estructuración deficiente de programas, debida al uso de instrucciones *goto* y a la carencia de *estructuras de control*. Las versiones más recientes, como *Visual BASIC* de Microsoft, incorporan principios de *programación estructurada* y algunas de las características de la *programación orientada a objetos (OOP)*. Vea *spaghetti code*.

BASICA   *Intérprete* para el lenguaje de programación *BASIC* de Microsoft que se incluye en el disco del *MS-DOS* proporcionado con las computadoras personales de IBM.

Basic Encoding Rules (BER) *Reglas Básicas de Codificación*   Conjunto de reglas de *Notación de Sintaxis Abstracta Uno (ASN.1)*. El propósito de esas reglas es codificar toda la información de manera que las aplicaciones compatibles con BER puedan reconocer inmediatamente qué tipo de datos contiene la codificación. Este tipo de reglas no se usan mucho.

basic input/output system *sistema básico de entrada/salida*   Vea *BIOS*.

Basic Rate Interface (BRI) *Interfaz de Servicios Básicos*   En la especificación de *Red Digital de Servicios Integrados (ISDN)*, el servicio básico digital de teléfono y datos diseñado para usos residenciales. BRI ofrece dos canales de 64,000 *bits por segundo* *(bps)* para voz, gráficos y datos, más otro canal de 16,000 bits por segundo para propósitos de señalización. Vea *Primary Rate Interface (PRI)*.

BAT *Extensión de nombre de archivo* de MS-DOS que se adjunta a un *archivo de procesamiento por lotes*. Vea *AUTOEXEC.BAT*.

batch file *archivo de procesamiento por lotes* *Archivo* que contiene una serie de *comandos* de MS-DOS que se ejecutan uno después de otro como si los hubiera tecleado. La extensión de archivo obligatoria .BAT le indica a *COMMAND.COM* que procese el archivo una línea a la vez. Los archivos de procesamiento por lotes son útiles cuando es necesario escribir la misma serie de comandos de MS-DOS en forma reiterada. Casi todos los usuarios de *disco duro* tienen un archivo *AUTOEXEC.BAT* (archivo de procesamiento por lotes) que el MS-DOS carga al inicio de cada sesión.

batch processing *procesamiento por lotes* *Modo* de operación de una computadora donde las instrucciones se ejecutan una después de otra sin intervención del usuario. Aunque el procesamiento por lotes utiliza en forma eficiente los recursos de la computadora, es menos conveniente que el *procesamiento interactivo*, en el cual usted puede observar en pantalla los resultados de sus comandos, para corregir los errores y hacer los ajustes necesarios antes de completar la operación.

battery pack *paquete de batería* Batería recargable que proporciona energía a una computadora, en la mayoría de los casos una *computadora portátil*, cuando se carece de la energía principal externa. La mayoría de estos paquetes usa baterías de níquel y cadmio (*NiCad*), que tienen dos desventajas significativas: están propensas a no aceptar una carga completa y el cadmio es una sustancia sumamente tóxica. Cada vez se utilizan más los paquetes de baterías de hidruro metálico de níquel (*3NiMH*) y de *ión de litio*, las cuales proporcionan una mayor capacidad sin las desventajas antes mencionadas. Vea *auxiliary battery*.

baud *baudio* Variación o cambio de la señal en un canal de comunicaciones. Vea *baud rate* y *bits per second (bps)*.

baud rate *tasa de baudios* Número máximo de cambios que pueden ocurrir por segundo en el estado eléctrico de un circuito de comunicaciones. Bajo los *protocolos de comunicación RS-232C*, 300 *baudios* es igual a 300 *bits por segundo (bps)*, pero a tasas más altas, el número de bits por segundo transmitido generalmente es el doble que la tasa de baudios, ya que se pueden enviar dos bits de datos con cada cambio. Por lo tanto, la tasa de transferencia de los módems, por ejemplo, se establece en *bps*. Vea *asynchronous communication, modem, serial port, serial printer* y *telecommunications*.

bay *bahía*   Vea *drive bay*.

BBS   Siglas de Sistema de Boletines Electrónicos. Pequeño servicio
de información en línea, generalmente establecido por un usuario
aficionado a las computadoras personales, basado en un sola
computadora personal a la cual se accede por medio de módems de
marcación directa. Un BBS común incluye grupos de discusión por
área temática, transferencia de archivos y juegos. La explosiva
popularidad de Internet ha opacado la de los BBSs, a lo cual
muchos de estos servicios han respondido haciendo que sus recursos
se puedan acceder mediante conexiones directas a través de
Internet.

BCD   Vea *binary coded decimal*.

bed *fondo*   En *multimedia*, música instrumental o coral que
proporciona el ambiente de fondo de una presentación.

Bell 103A   En Estados Unidos, protocolo de *modulación* para los
módems de computadora que controla el envío y recepción de
datos a una velocidad de 300 *bits por segundo (bps)*. Vea *ITU-TSS*
protocol.

Bell 212A   En Estados Unidos, protocolo de *modulación* para los
módems de computadora que controla el envío y recepción de
datos a una velocidad de 1,200 *bits por segundo (bps)*. Vea
ITU-TSS protocol.

bells and whistles *bombos y fanfarrias*   Funciones avanzadas que
vuelven más útil un programa para propósitos especializados,
como la utilería para *combinación de correo* de los procesadores
de texto.

benchmark *prueba comparativa*   Medida estándar determinada por
un *programa de pruebas comparativas,* empleada para evaluar el
desempeño de diferentes marcas de equipo.

benchmark program *programa de pruebas comparativas*   *Programa*
empleado para medir la velocidad de procesamiento de una
computadora, a fin de comparar su desempeño con otras computadoras que ejecuten el mismo programa. Vea *cache memory* y
throughput.

BeOS   Sistema operativo para computadoras *Macintosh* y clones
creado por Be, Inc., firma dirigida por Jean-Louis Gassée, quien
fue ejecutivo de Apple. Diseñado desde cero como un sistema
operativo completamente nuevo, BeOS no interactúa con las
aplicaciones por medio de lentas llamadas a procedimientos, sino
más bien mediante una interfaz *orientada a objetos,* con excelente
diseño. El sistema operativo es *de múltiples subprocesos* y acepta
procesamiento en paralelo. BeOS está dirigido a desarrolladores de

multimedia de alto nivel, quienes necesitan esas características con el fin de crear presentaciones multimedia atractivas y de alta resolución.

BER   Vea *Basic Encoding Rules*.

Berkeley Software Distribution (BSD)   Versión del sistema operativo *Unix*, desarrollada y mantenida anteriormente por la Universidad de California en Berkeley. BSD ayudó a establecer *Internet* en colegios y universidades porque el software incluía *TCP/IP*.

Berkeley UNIX   Versión del sistema operativo *Unix*, desarrollada por la Universidad de California en Berkeley, que aprovecha al máximo las capacidades de *memoria virtual* de las *minicomputadoras* DEC (Digital Equipment Corporation).

Bernoulli box *caja de Bernoulli*   Innovador dispositivo de *almacenamiento secundario*, desarrollado por Iomega Corporation para computadoras compatibles con la PC de IBM y computadoras Macintosh. Las cajas de Bernoulli tienen cartuchos removibles que contienen discos flexibles capaces de almacenar hasta 230 MB de *datos*. Las cajas de Bernoulli son extremadamente resistentes a *colisiones de la cabeza*, pero los *discos duros removibles se* han apoderado de una parte considerable del mercado, que una vez perteneció al producto que fue la insignia de Iomega.

beta   Abreviación común de *software beta*.

beta site *sitio beta*   Compañía, departamento de universidad o persona autorizados para realizar *pruebas beta* de algún software. Cuando una compañía desarrolla un programa o una versión de un programa existente, elige un sitio beta externo, que es donde se somete el programa a un uso exhaustivo e intenso. Este proceso revela los *errores* persistentes y puntos débiles del programa.

beta software *software beta*   En pruebas de *software*, versión preliminar de un *programa* que, antes de ser lanzada al mercado, se distribuye a usuarios que la prueban bajo condiciones reales de operación. Vea *alpha test, beta site y beta test*.

beta test *prueba beta*   Segunda etapa de la prueba de software, después de la *prueba alfa*, pero antes de lanzarlo al mercado. Las pruebas beta se llevan a cabo en *sitios beta*.

Bézier curve *curva de Bézier*   Línea generada matemáticamente mediante la cual se crean curvas no uniformes. En una curva de Bézier se usa la ubicación de dos puntos intermedios llamados *controladores* para producir la forma completa de una curva irregular. En aplicaciones de *gráficos* por computadora, se le da la forma deseada a la curva mediante el arrastre de los controladores (que aparecen en pantalla como pequeños cuadros).

bibliographic retrieval service *servicio de consulta bibliográfica* *Servicio de información en línea* que se especializa en mantener enormes índices computarizados de literatura especializada, académica, científica, médica y técnica. Las dos principales compañías de información son BRS Information Technologies (en Latham, NY) y DIALOG Information Services (en Menlo Park, CA). Como atienden principalmente a clientes corporativos e institucionales, estas compañías cobran, en promedio, un poco más de un dólar por minuto. Por cuotas bastante menores, los usuarios de computadoras personales pueden tener acceso a las versiones nocturnas especiales y de fin de semana controladas por menús: la BRS/After Dark y el Knowledge Index.

bidirectional communication *comunicación bidireccional*   Cualidad de los nuevos diseños de *puerto paralelo* que permite a una computadora y un dispositivo periférico intercambiar mensajes a través de un cable paralelo. Tanto el *puerto paralelo mejorado (EPP)* como el *puerto de capacidades extendidas (ECP)* ofrecen comunicación bidireccional.

bidirectional parallel port *puerto paralelo bidireccional*   *Puerto paralelo* capaz de enviar y recibir mensajes detallados, que puede transferir datos mucho más rápido que un puerto paralelo estándar. El Instituto de Ingenieros Eléctricos y Electrónicos (IEEE) estableció, en su estándar *IEEE 1284*, las reglas técnicas que rigen a los puertos paralelos bidireccionales. Tanto el *puerto paralelo mejorado (EPP)* como el *puerto de capacidades extendidas (ECP)* cumplen con el IEEE 1284, y según los expertos, uno de los dos estándares, probablemente el ECP, sustituirá al puerto paralelo estándar en los próximos años.

bidirectional printing *impresión bidireccional*   Impresión por medio de un *puerto paralelo bidireccional,* que permite la *comunicación bidireccional* entre la impresora y el sistema operativo. Con la impresión bidireccional, usted puede ver mensajes de error detallados cuando la impresora no funciona correctamente.

Big Blue   Sobrenombre con el que se conoce a la compañía IBM, que usa el azul como color corporativo.

big-endian   Orientación filosófica enfocada a sistemas de computación y diseño de redes que favorece la colocación del dígito más significativo (el más grande) al principio, en los esquemas de codificación numérica. La orientación contraria, *little-endian*, propicia la colocación del dígito más significativo al último. Dado que no puede probarse que alguna de las dos orientaciones sea la más eficiente, la disputa entre los partidarios de ambas orientaciones ha llegado a ser el ejemplo máximo de una inútil *guerra santa*, donde las diversas posiciones están basadas en principios dogmáticos más que en la razón. El término se tomó de *Los viajes de Gulliver*, de Jonathan Swift, donde describe las guerras liliputienses derivadas de la controversia de si los huevos cocidos deben abrirse por el extremo grande (big end) o por el extremo pequeño (little end).

bin Abreviación común de *binary file*.

binaries *binarios* Dos o más *archivos binarios*.

binary coded decimal (BCD) *decimal codificado en binario* Método para codificar cifras decimales extensas con el fin de que la computadora pueda procesarlas con gran *precisión*. Cada dígito decimal se codifica usando un número binario de cuatro bits.

binary compatible *compatibilidad binaria* En *microprocesadores*, la capacidad de ejecutar software diseñado para la *unidad central de procesamiento (CPU)* de otra compañía. En *software*, significa que un programa podrá ejecutarse en cualquier *microprocesador* con el cual tenga compatibilidad binaria.

binary file *archivo binario* *Archivo* que contiene datos o instrucciones de programa en un formato legible para la computadora. No es posible desplegar el contenido real (ceros y unos) de un archivo binario utilizando el comando TYPE de *MS-DOS* o un programa de *procesamiento de texto*. Un *archivo ASCII* es lo opuesto a un archivo binario.

binary newsgroup *grupo de noticias binario* En *Usenet*, un *grupo de noticias* que contiene (o se supone que contiene) archivos binarios, como sonidos, *gráficos* o películas. Esos archivos se han codificado con *uuencode*, un programa que transforma un *archivo binario* en caracteres ASCII codificados, de manera que se puedan transferir por *Internet*. Para usar esos archivos, primero es necesario decodificarlos (utilizando un programa llamado uudecode, o un *lector de noticias* que tenga capacidad para decodificar este formato).

binary numbers *números binarios* Sistema numérico de base dos; es diferente a los sistemas numéricos que usamos casi todos: los de base 10 (números decimales), 12 (medidas en pies y pulgadas) y 60 (para medir el tiempo). Las computadoras prefieren los números binarios por su *precisión* y economía. Construir un circuito electrónico capaz de detectar la diferencia entre dos estados (corriente alta y baja, o bien, 0 y 1) es fácil y económico; construir uno que detecte la diferencia entre diez estados (del 0 al 9) sería mucho más difícil y costoso. De hecho, la palabra *bit* se deriva de

BInary digiT.

binary search *búsqueda binaria*   *Algoritmo* de búsqueda que evita una búsqueda lenta a través de cientos o miles de *registros*, para lo cual empieza a la mitad de una *base de datos* ordenada y determina si el registro deseado está antes o después del punto medio. Al reducir en un 50 por ciento el número de registros que debe buscar, prosigue la búsqueda con la mitad restante hasta encontrar el registro deseado.

binary transfer *transferencia binaria*   1. En general en las comunicaciones de datos, *protocolo de transferencia de archivos (FTP)* que permite transferir *archivos binarios* hacia y desde una computadora remota usando software de *emulación de terminal.* 2. En *FTP*, una transferencia de archivos que mantiene intactos los archivos binarios (a diferencia de una transferencia ASCII).

Binary Tree Predictive Coding (BTPC) *Codificación Predictiva de Árbol Binario*   Método de compresión para imágenes fijas que lleva a cabo tanto *compresión sin pérdida* como *compresión con pérdida;* es muy efectivo para la transmisión y presentación de fotografías en computadora.

binder *pegamento*   Antes de la invención de los *medios magnéticos de película delgada*, era el adhesivo que mantenía al medio de grabación sobre la superficie de un *disco duro*. El pegamento se mezclaba con el medio (a veces se agregaba un lubricante) y se aplicaba al *sustrato* por *deposición electrónica* o algún otro método.

binding offset *margen de encuadernación*   En *procesamiento de texto* y *autoedición* (DPT), espacio dejado en un lado de una página impresa (margen de lomo) para la encuadernación del *documento*. Los márgenes para encuadernación sólo se usan en documentos que se van a imprimir o reproducir en ambos lados de la página (*impresión dúplex*); el texto se desplaza hacia la izquierda en la *vuelta* (con número par), y hacia la derecha en el *frente* (con número impar).

BinHex   Método para convertir *archivos binarios* de manera que el archivo, ya codificado, no contenga más que caracteres pertenecientes al *Código Estándar Estadounidense para el Intercambio de Información (ASCII)* y pueda transferirse a otras computadoras mediante *Internet*. La computadora receptora debe decodificar el archivo usando software capaz de descifrar el formato BinHex. Este formato es muy común entre usuarios de *Macintosh*. Observe que no se trata de una técnica de compresión y que, de hecho, un archivo BinHex puede ser más grande que el archivo fuente. Por esta razón, los archivos codificados con BinHex generalmente se comprimen mediante StuffIt, el programa estándar de compresión de Macintosh.

BIOS Conjunto de programas codificados en *memoria de sólo lectura (ROM)* en computadoras compatibles con la PC de IBM. Esos programas manejan operaciones de inicio como la *autoprueba de encendido (POST)* y control de bajo nivel sobre piezas de hardware como *unidades de disco, teclado* y *monitor*. Los programas BIOS de las computadoras personales de IBM están protegidos por las leyes de derechos de autor, de manera que los fabricantes de computadoras compatibles con la PC de IBM deben crear BIOS que emulen el BIOS IBM, o comprar la emulación de otras compañías, entre las que están Phoenix Technologies y American Megatrends, Inc. Algunos componentes del sistema tienen BIOS separados; el del *controlador de disco duro*, por ejemplo, almacena una tabla de las *pistas* y *sectores* de la unidad.

B-ISDN Vea *Broadband ISDN*.

bit *bit* Término que se formó a partir de las palabras BInary digiT. Es la unidad básica de información en un sistema de numeración binario. La circuitería electrónica de las computadoras detecta la diferencia entre dos estados (corriente alta o baja) y representa estos estados como uno de los dos números de un sistema binario: el 1 o el 0. Estas unidades básicas de información alto/bajo, sí/no se conocen como bits. Como la construcción de un circuito confiable que indique la diferencia entre un 1 y un 0 es sencilla y barata, las funciones de procesamiento interno de las computadoras son muy precisas. En general, las computadoras cometen menos de un error interno en cada 100,000 millones de operaciones de procesamiento. Ocho bits componen un *octeto*, mejor conocido como *byte*.

bitmap *mapa de bits* Representación de una imagen de video almacenada en la memoria de la computadora como un conjunto de *bits*. Cada *pixel*, correspondiente a un pequeño punto en la pantalla, está controlado por un código de encendido o apagado guardado como un bit (1 para encendido y 0 para apagado) para los monitores en blanco y negro. El color y los tonos de gris requieren más información. El mapa de bits es una retícula de filas y columnas de unos y ceros que la computadora traduce a pixeles que se muestran en la pantalla. Vea *bit-mapped graphic, block graphics*.

bit-mapped font *fuente de mapa de bits* Fuente para *pantalla* o *impresora* donde cada carácter está compuesto por un patrón de puntos. Para presentar o imprimir fuentes de mapa de bits, la computadora o *impresora* debe conservar en memoria una representación completa de cada carácter. Al referirse a fuentes de mapa de bits, el término fuente debe considerarse literalmente como un conjunto de caracteres de un *tipo, peso, postura* y *tamaño* determinados. Por ejemplo, si quiere usar Palatino (Roman) 12 y Palatino Italic 14, debe cargar en memoria dos conjuntos completos de caracteres. Este tipo de fuentes no se puede escalar sin presentar distorsiones. Vea *anti-aliasing*.

bit-mapped graphic *gráfico de mapa de bits*   Imagen formada por un patrón de *pixeles,* cuya máxima *resolución* es la que alcanzan la *pantalla* o *impresora* en la cual se presenta. Los gráficos de mapa de bits se producen en *programas de pintura*. Considerados como inferiores a los *gráficos vectoriales* para la mayoría de las aplicaciones, los gráficos de mapa de bits tienen esquinas *distorsionadas* causadas por la forma cuadrada de los pixeles. Vea *Encapsulated PostScript (EPS) file* y *object-oriented graphic*.

BITNET   *Red de área amplia (WAN)* que vincula sistemas de *mainframes* de aproximadamente 2,500 universidades e instituciones de investigación en Norteamérica, Europa y Japón. BITNET (siglas de "Porque ya era Tiempo de una Red") no utiliza los protocolos *TCP/IP,* pero puede intercambiar *correo electrónico* con *Internet*. BITNET es operada por la Corporación de Redes Educativas y de Investigación (CREN), cuyas oficinas centrales están en Washington, D.C. Para ser admitido como miembro de la *red*, una organización debe pagar una *línea rentada* que le conecte al sitio BITNET más cercano, y permitir que otra institución se conecte con su línea en el futuro. Con la competencia de Internet, BITNET está muriendo lentamente.

bits per inch (bpi) *bits por pulgada*   En medios magnéticos, como *unidades de disco* o *unidades de cinta* para copias de seguridad, medida de la densidad de grabación del medio.

bits per second (bps) *bits por segundo*   En *comunicaciones asíncronas*, medida de velocidad de transmisión de *datos*. En *computación personal*, a menudo se usan tasas de bps para medir el desempeño de *módems* y *puertos seriales*. Las tasas de bps se enumeran en forma creciente: 110 bps, 150 bps, 300 bps, 600 bps, 1,200 bps, 2,400 bps, 4,800 bps, 9,600 bps, 14,400 bps, 19,200 bps, 38,400 bps, 57,600 bps y 115,200 bps. Vea *baud rate*.

black letter *letra negra*   En *tipografía*, familia de *tipos de letras* derivada de la escritura manuscrita alemana del medievo. A estos tipos de letra se les llamaba Fraktur (por la palabra latina fractus, que significa roto), debido a que los escribanos medievales, quienes crearon este diseño, levantaban la pluma de la línea para formar el siguiente carácter, lo que interrumpía la continuidad de la escritura.

black-write technique *técnica de impresión en negro*   Vea *print engine*.

blank cell *celda en blanco* En un *programa de hoja de cálculo, celda* sin valores ni *etiquetas,* o con un *formato* distinto al *formato global* de la hoja de trabajo.

bleed *rebase* En *autoedición,* fotografía, cuadro de texto u otro elemento del diseño de una página que se prolonga hasta la orilla de ésta, como el índice de letras en el borde de esta página. Por lo general esto no se logra con una *impresora láser,* que no puede imprimir en una banda de 1/8 de pulgada en torno del perímetro de la página.

bleed capability *capacidad de rebase* Capacidad de una *impresora* para imprimir *rebases.*

blessed folder *carpeta principal* En la Macintosh, la Carpeta de Sistema en la cual los programas buscan automáticamente los archivos que requieren. Esta carpeta contiene los archivos de configuración (llamados Preferencias) y los de soporte requeridos por las aplicaciones instaladas.

blind carbon copy (BCC) *copia oculta* En *correo electrónico,* la copia de un mensaje enviada a una o más personas sin el conocimiento del destinatario. También se le conoce como copia oculta de cortesía.

bloat *relleno* Diversas características que se le agregan al software con la intención de hacerlo más comercial. Vea *creeping featurism.*

bloatware *bloatware* Vea *fatware.*

block *bloque* 1. Unidad de información procesada o transferida, cuyo tamaño es variable. 2. En *módems,* un bloque es una unidad de información transferida de una computadora a otra. Por ejemplo, al usar *XMODEM,* un protocolo de comunicación para transferencia de archivos, 128 bytes se consideran como un bloque. En *MS-DOS,* un bloque transferido hacia o desde una *unidad de disco* es de 512 bytes. 3. En programas de *procesamiento de texto,* un bloque es una unidad de texto que se selecciona con el fin de aplicarle *operaciones de bloque,* como mover o copiar.

block definition *definición de bloque* Vea *selection.*

block graphics *gráfico de bloques* En computadoras compatibles con la PC de IBM, *gráficos* que se forman en pantalla mediante *caracteres gráficos* del *conjunto extendido de caracteres ASCII.* Estos caracteres son adecuados para crear y sombrear rectángulos en pantalla, pero no para detalles finos. Como los caracteres gráficos de bloques se manejan de la misma manera que los ordinarios, la computadora puede mostrar gráficos de bloques con más rapidez que *gráficos de mapa de bits.*

block move *desplazamiento de bloque*   Técnica básica de edición en programas de *procesamiento de texto* en la que un *bloque* de texto seleccionado se corta de un sitio y se inserta en otro. El término es sinónimo de *cortar* y *pegar*.

block operation *operación de bloque*   Acto de transferir un *bloque* de información de un área a otra. En programas de *procesamiento de texto*, operación de edición o de formateo (como copiar, borrar, mover o subrayar) realizada sobre un bloque de texto seleccionado. Vea *block move*.

block protection *protección de bloque*   En programas de *procesamiento de texto* y de *diseño de páginas*, *comando* para evitar la inserción de *saltos de página automáticos* dentro de un bloque de texto, con el fin de que no se inserte un *salto de página incorrecto*.

block size *tamaño de bloque*   Tamaño de una pieza individual de datos transmitida por un protocolo de transferencia de archivos o un *protocolo de corrección de errores* sobre un *módem*. Por ejemplo, *XMODEM* utiliza un tamaño de bloque de 128 *bytes*.

Blue Book   1. Primera de cuatro referencias oficiales para el lenguaje de despliegue *PostScript*. 2. Nombre usado comúnmente para una de las tres referencias oficiales del lenguaje de programación *SmallTalk*. 3. Los estándares emitidos en 1988 por la Unión Internacional de Telecomunicaciones (ITU), que describen diversos protocolos importantes para fax y correo electrónico. Vea *X.400*.

blurb *aviso*   En *autoedición*, subtítulo explicativo breve que se coloca debajo de un encabezado o junto a él.

BMP   En *Microsoft Windows 95*, extensión que indica que un archivo contiene un *gráfico de mapa de bits* compatible con Windows.

BNC connector *conector BNC*   En una red *Ethernet*, conector macho montado en cada extremo de un *cable coaxial*.

BNF   Vea *Backus-Naur Form*.

board *tarjeta*   *Tarjeta* electrónica *de circuitos impresos*. Las tarjetas están diseñadas para insertarse en *ranuras de expansión* y también se les conoce como *adaptadores*.

body type *tipo para cuerpo de texto*   *Fuente* (por lo general de 8 o 12 *puntos*) empleada para el conjunto de párrafos de texto (a diferencia de los tipos de letra empleados para encabezados, leyendas y otros elementos tipográficos). Para el cuerpo de texto, los *tipos serif* como Century, Garamond y Times Roman se prefieren a los *sans serif*, debido a que son más legibles. Vea *display type*.

bogus newsgroup *grupo pirata*   En *Usenet*, un *grupo de noticias* que no corresponde a la lista de grupos aprobados del sitio. La mayoría de los *lectores de noticias* están programados para detectarlos y eliminarlos de manera automática. Tales grupos pueden originarse debido a errores de programación o de alguien que intenta crear el grupo pasando por alto el proceso normal de creación.

boilerplate *texto modelo*   Bloque de texto que se usa una y otra vez en cartas, memorandos e informes. Vea *template*.

boldface *negritas*   Atributo de un carácter que lo hace más oscuro y grueso que un tipo normal. Cada una de las entradas de este diccionario está en negritas.

bomb *bomba, bombardear*   1. *Caída* de un sistema. 2. Imposibilitar el acceso al *correo electrónico* de alguien al llenar su *buzón* con cientos o incluso miles de mensajes no deseados. 3. En la *Macintosh* el icono más temido, que le informa que la computadora se ha "caído". 4. Abreviación de *bomba lógica*.

Bookmark *Marcador*   1. En procesamiento de texto, clave insertada en un punto particular de un documento para que después se pueda encontrar rápidamente. Por ejemplo, puede insertar un marcador en alguna parte de una novela que esté escribiendo y necesite revisar. 2. En *Netscape* u otro *navegador Web*, uno de los lugares favoritos del usuario en *World Wide Web (WWW)*, al que le gustaría regresar después. Sinónimo de *favorito* (el término que utiliza *Microsoft Internet Explorer*) y de *elemento de lista de sitios importantes* (*Mosaic*).

book weight *tipo medio*   Carácter que es más oscuro y grueso que los demás, pero no tanto como las *negritas*. Este *tipo de carácter* se usa para configurar largas secciones de texto de modo que sean fáciles de leer y que produzcan un tono de gris agradable sobre la página. Vea *weight*.

Boolean logic *lógica booleana*   Rama de las matemáticas, descubierta en el siglo diecinueve por el matemático inglés George Boole (1815-1864), donde todas las operaciones producen uno de dos valores alternativos: verdadero o falso. El trabajo de Boole permaneció en la oscuridad hasta el surgimiento de la computación digital basada en *números binarios*, los cuales sólo tienen dos valores: 1 y 0. La lógica booleana se utiliza para diseñar circuitos de computación. Proporciona los fundamentos conceptuales para las búsquedas por computadora que utilizan los *operadores booleanos*.

Boolean operator *operador booleano*   Palabra escrita generalmente en letras mayúsculas, que indica cómo deben combinarse los términos en una *búsqueda booleana*. Sinónimo de operador lógico.

Operadores booleanos

Si enlaza dos términos de búsqueda con:	La búsqueda devuelve:
AND ("Chardonnay AND Zinfandel")	Sólo aquellos registros o documentos que contengan ambos términos.
OR ("Chardonnay OR Zinfandel")	Cualquier registro o documento que contenga cualquiera de estos términos.
NOT ("Chardonnay NOT Zinfandel")	Cualquier registro o documento que contenga "Chardonnay", excepto aquellos que también contengan "Zinfandel".

Boolean search *búsqueda booleana*   Búsqueda que comprende el uso de operadores booleanos (AND, OR y NOT). En una búsqueda booleana puede usar esos operadores para reducir el alcance de la búsqueda.

boot *arrancar*   1. Iniciar una rutina automática que limpia la memoria, carga el *sistema operativo (OS)* y prepara la computadora para su uso. En la *memoria de sólo lectura (ROM)* de la computadora reside la *autoprueba de encendido (POST),* que se ejecuta cuando se enciende la máquina (*arranque en frío*). Después de una *caída* del sistema o un bloqueo, usted debe volver a arrancar la computadora, oprimiendo el botón Reinicio o una combinación de teclas como Ctrl+Alt+Supr (en las PCs de IBM o en las compatibles con éstas) o Ctrl+Comando+Inicio (en las Macintosh) (*arranque en caliente*). 2. El proceso de encender la computadora (arranque en frío) o de reiniciarla (arranque en caliente).

BOOTP   Siglas de Protocolo de Arranque, un protocolo de *Internet* que permite a las estaciones de trabajo de una *red de área local (LAN)* encontrar dinámicamente su *dirección IP*.

boot sector *sector de arranque*   Primera pista del *disco duro* o *flexible* (pista 0) de una computadora *compatible con la PC de IBM*. Durante el proceso de *arranque*, la *memoria de sólo lectura (ROM)* instruye a la computadora para que lea el primer bloque de datos de esta pista y para que cargue cualquier *programa* que se encuentre ahí. Si se encuentran *archivos de sistema*, éstos dirigen la computadora para que cargue el *MS-DOS*.

boot sector virus *virus del sector de arranque*   Vea *boot virus*.

boot sequence *secuencia de arranque*   Orden en que el *sistema básico de entrada/salida (BIOS)* de una computadora busca los archivos del *sistema operativo* en las *unidades de disco*. A menos que se haya programado para hacer algo diferente, la mayoría de las computadoras personales buscan el sistema operativo en la unidad A primero y después en la C.

boot virus *virus de arranque*   *Virus* de computadoras que infecta el *sector de arranque* de un disco, de manera que se carga en la memoria de la computadora al inicio de cada sesión de operación. Un virus de arranque infectará a todos los discos que se inserten subsecuentemente en el sistema.

Border Gateway Protocol *Protocolo de Puerta de Enlace de Frontera* Protocolo de *Internet* que define la ruta de la información entre un *sistema autónomo (AS)* e Internet. Este protocolo sustituye al *Protocolo de Puerta de Enlace Exterior*.

Borland C++   *Grupo de programas de desarrollo* para el lenguaje de programación C++ creado por Borland. El paquete incluye un *compilador*, un *depurador*, utilerías para manejo de versiones y para instalación. El compilador cumple con el *ANSI/ISO* C++.

Borland International, Inc.   Compañía de software con oficinas centrales en Scotts Valley, California, que se especializa en proveer sistemas de bases de datos y lenguajes de programación para desarrolladores. Entre sus productos actuales se cuentan *Delphi*, un ambiente de programación similar al *Microsoft Visual BASIC* y *Borland* C++.

bot *bot*   1. En *Calabozos Multiusuarios (MUDs)* e *Internet Relay Chat (IRC)*, un personaje cuyas acciones en pantalla provienen de un *programa* y no de una persona. El término es una contracción de robot. El más famoso de todos los bots, Julia, habita en un MUD llamado LambdaMoo y ha engañado a miles de usuarios haciéndoles creer que se trata de un ser humano. Los bots se utilizan frecuentemente para bromas o acciones antisociales y no son bienvenidos en la mayoría de los servidores IRC; en algunos de ellos, ni siquiera se permiten. Vea *MOO*. 2. En búsquedas en *Internet*, un agente automatizado de búsqueda que explora Internet autónomamente e informa al usuario cuando se han cumplido las condiciones de búsqueda.

bounce *devolver*   En *correo electrónico*, la acción de regresar un mensaje que no se pudo entregar. Vea *bounce message*.

bounce message *mensaje de devolución* Mensaje de *correo electrónico* que informa al usuario que su mensaje no pudo entregarse al destinatario especificado. La falla puede deberse a una dirección incorrecta o a un problema en la red.

Bourne shell *shell Bourne* Una de las primeras interfaces de usuario (*shell*) en el sistema operativo *Unix*, desarrollada por S. R. Bourne en 1978 en los Bell Laboratories. El shell Bourne es un *sistema operativo de línea de comandos* que requería que los usuarios recordaran la sintaxis de éstos. Otros shells más recientes, como el *csh*, han sustituido al Bourne.

bowl *hueco* En *tipografía*, trazos curvos que delimitan total o parcialmente un espacio en blanco, o *blanco interno*, que forma parte de una letra; por ejemplo, el de la letra a o el de la c.

box *caja, cuadro* 1. Término coloquial para una computadora de un tipo particular (una "caja Wintel" o una "caja Unix"). 2. Borde alrededor de un párrafo o imagen en un documento de *procesamiento de texto* o de *autoedición*.

bpi Vea *bits per inch*.

bps Siglas de *bits por segundo (bps)*, medida fundamental de velocidad de transmisión de datos digitales en un canal de comunicaciones. Para expresar velocidades mayores se requieren unidades como *Kbps* (kilobits por segundo), *Mbps* (megabits por segundo) y *Gbps* (gigabits por segundo).

brace *llave* Carácter curvo de llave izquierda { o derecha } del teclado estándar. Vea *angle bracket, bracket* y *curly brace*.

bracket *corchete* Carácter de corchete izquierdo ([) o derecho (]) del teclado estándar. Vea *angle bracket, brace* y *curly brace*.

branch *bifurcación, rama* 1. En una *estructura de árbol*, línea subordinada del árbol que lleva a una hoja. 2. En *MS-DOS*, uno o más *subdirectorios* localizados dentro de un *directorio*. En *el Explorador de Windows* y otras utilerías gráficas de administración de *archivos*, las ramas de los directorios pueden desplegarse u ocultarse, según las necesidades del usuario. 3. En programación, desviar la ejecución de un programa hacia una *subrutina*.

branch control structure *estructura de control de bifurcación* En *programación de computadoras, estructura de control* que le indica a un *programa* que se bifurque hacia una *subrutina* sólo si se cumple una condición específica. Si el programa detecta que un archivo de datos vital se ha dañado, se bifurca para exhibir un mensaje en pantalla del tipo "El archivo que quiere abrir está dañado". El término es sinónimo de *selección*. Vea *IF/THEN/ELSE*.

branch prediction *predicción de bifurcación, predicción de rama* Método de predicción empleado por *microprocesadores* que utilizan la *arquitectura superescalar*. Mediante la observación de un *programa* y la predicción de qué resultará de una prueba cierto/falso, un microprocesador que emplea la predicción de bifurcación puede alistarse para ejecutar el código que lleve a cabo cierto resultado de prueba. El microprocesador *Pentium* emplea la predicción de bifurcación y acierta el 90 por ciento de las veces.

break *interrupción*   Señal enviada por el usuario que interrumpe el proceso o la recepción de *información*. Vea *Control+Break*.

break-out box *caja de derivación*   Dispositivo de prueba insertado en un cable de comunicaciones o entre un *puerto serial* y un cable serial para permitir que cada señal pueda probarse de manera independiente.

breakpoint *punto de interrupción, punto de ruptura*   Ubicación en un *programa* donde éste se detiene para dejar que el usuario decida qué hará enseguida.

BRI   Vea *Basic Rate Interface*.

bridge *puente*   En *redes de área local (LAN)*, dispositivo que permite el intercambio de *información* entre dos *redes* (incluso las de *topologías*, alambrado o *protocolos de comunicación* diferentes).

brightness *brillantez*   Control de un *monitor* que regula la potencia de los haces de electrones que se impactan en la parte posterior de la *pantalla* de un *tubo de rayos catódicos (CRT)*. Un valor alto de brillantez incrementa la fuerza de los haces y da una mayor luminosidad en las imágenes de la pantalla, en tanto que uno bajo debilita los haces y disminuye la intensidad de la imagen. Las pantallas *LCD* y de otro tipo tienen controles similares con los mismos efectos.

broadband *banda ancha*   En *redes de área local (LAN)*, método de comunicación *analógico* caracterizado por un *ancho de banda* amplio. En general, la señal se divide o *multiplexa* para proporcionar canales múltiples de comunicación. Ya que las señales de una computadora son *digitales*, deben transformarse mediante un proceso llamado *modulación* antes de que puedan transferirse a través de una red de señales analógicas. Un *módem* en cada extremo de un cable de *red* realiza esta tarea. Las comunicaciones de banda ancha pueden extenderse a grandes distancias y operar a velocidades muy altas. Vea *baseband*.

Broadband ISDN (B-ISDN) *Banda ancha ISDN*   Estándar de telefonía digital de gran *ancho de banda* para transmitir hasta 1.5 *Mbps* a través de *cables de fibra óptica*. Vea *Basic Rate Interface (BRI)* e *ISDN*.

broadcast message *mensaje de difusión*   En una *red* de computadoras, mensaje enviado a todos los usuarios del sistema, que aparece al *conectarse* a éste. Por ejemplo, este tipo de mensaje se usa para informar a los usuarios acerca del momento cuando se apagará el sistema para darle mantenimiento.

brownout *bajo voltaje*   Estado causado por una demanda de energía eléctrica inusualmente alta, como la derivada del uso intensivo de equipo para aire acondicionado durante el verano. Las bajas de voltaje pueden hacer que las computadoras operen erráticamente o que se *caigan*, lo que a su vez provoca pérdida de *datos*. Si con frecuencia un bajo voltaje ocasiona que su computadora se caiga, tal vez le convenga adquirir un *sistema de alimentación ininterrumpida (UPS)* para trabajar con su máquina.

browse *examinar, navegar*   1. Buscar información recorriendo manualmente una serie de localidades de almacenamiento. 2. Buscar información en *World Wide Web (WWW)* saltando de un hipervínculo a otro.

browse mode *modo para examinar*   En un *programa de administración de base de datos*, modo como se muestran los *registros* en columnas para una revisión rápida en pantalla. Generalmente, usted no puede modificar información mientras esté en modo para examinar. En algunos programas, el término se usa como sinónimo de vista de lista o vista de tabla. Vea *edit mode*.

browser *explorador, navegador*   Programa que permite al usuario navegar por *World Wide Web (WWW)*. Los dos navegadores líderes son *Netscape Navigator*, ahora parte del paquete *Netscape Communicator* de Netscape Communication, y *Microsoft Internet Explorer*. Un navegador sirve como *cliente* de *servidores* Web y de otro tipo en Internet. Sinónimo de *navegador Web*.Cada día aumenta la preferencia por los navegadores como interfaz para los diferentes tipos de información accesibles en redes basadas en la tecnología de Internet. Vea *light client*.

browsing *examinar, navegar*   En *hipertexto*, método de búsqueda que comprende la búsqueda manual a través de documentos vinculados. En *World Wide Web (WWW)*, navegar de esta manera en raras ocasiones es efectivo para encontrar información acerca de un tema en particular (es mucho mejor usar árboles de temas y motores de búsqueda), pero es muy interesante. Navegar sin ningún objetivo en particular se conoce como *surfear*. Vea *search engine* y *subject tree*.

brush script *manuscrita a pincel*   En *tipografía*, un diseño que simula letra manuscrita a pincel o con una pluma de punta gruesa.

brute force *fuerza bruta*   En *programación*, técnica para resolver un problema difícil mediante la repetición reiterada de un procedimiento sencillo. Los verificadores ortográficos de las computadoras utilizan una técnica de fuerza bruta. En realidad no verifican la ortografía, sino que comparan todas las palabras de su *documento* con un diccionario integrado de palabras bien escritas.

BSD UNIX   Vea *Berkeley Unix*.

B-size paper *papel tamaño doble carta*   Página que mide 27.94×43.18 cm (11×17 pulgadas), como lo especifica el Instituto *Estadounidense de Estándares Nacionales (ANSI)*. Compare con *papel tamaño carta*, el cual mide 21×27.9 cms.

B-size printer *impresora para papel tamaño doble carta*   Impresora capaz de imprimir en *papel tamaño doble carta* (27.94×43.18 cm) y más pequeño.

BTW   En las conferencias *en línea*, siglas de By The Way (por cierto).

bubble-jet printer *impresora de inyección de burbuja de tinta*   Variación del concepto de *impresora de inyección de tinta* que utiliza elementos de calentamiento en lugar de cristales piezoeléctricos para disparar tinta desde unos inyectores.

bubble memory *memoria de burbuja*   Tipo de *memoria* que emplea materiales susceptibles de magnetizarse en una sola dirección. Cuando se aplica un campo magnético en los ángulos correctos al plano de la magnetización, los materiales forman un pequeño círculo (es decir, una "burbuja"). Las diferencias resultantes entre las áreas apropiadamente magnetizadas y las áreas con burbujas pueden usarse para representar datos digitales. La memoria de burbuja es del tipo no volátil y algunas veces se usa en computadoras portátiles para almacenar datos entre sesiones de operación. Sin embargo, es considerablemente más lenta que las otras tecnologías de *memoria no volátil*, como *EEPROM* y *Memoria Relámpago de Sólo Lectura, Programable y Borrable (Flash EPROM)*.

buckyball toner *tóner de buckyball*   En impresoras, *tóner* hecho de grandes moléculas de un carbón sintético llamado buckminsterfullereno. El tóner de buckyball, llamado así en honor del ingeniero Buckminster Fuller, es más fácil de controlar que el elaborado con otros tipos de carbón y se usa frecuentemente en las impresoras actuales.

buffer *búfer*   Unidad de memoria destinada a retener información de manera temporal, en especial mientras se espera que componentes más lentos la puedan alcanzar.

buffer overflow *desbordamiento de búfer*   Error de sistema que resulta de un programa inadecuado, el cual escribe más información en un *búfer* del que puede alojar esta unidad de memoria.

bug *bug, error*   Falla de *programación* que ocasiona que un *programa* o sistema de computación trabaje erráticamente, genere resultados incorrectos o se *caiga*. El término bug se acuñó cuando se descubrió que un insecto (bug, en inglés) hizo que fallara uno de los circuitos de la primera computadora *digital* electrónica, la ENIAC. Un problema de *hardware* se conoce como *glitch*.

bug fix release *versión de corrección de bugs*   Versión de mantenimiento de un programa de computación desarrollada para reparar un *bug*. Un productor de software puede elaborar un *parche* que modifica el código del programa original para eliminar el error de programación, en lugar de una versión de corrección de bugs.

built-in *integrado*   Incluido entre las funciones más básicas de un programa de computación o un lenguaje de programación.

built-in font *fuente integrada*   Fuente de *impresora* codificada de forma permanente en la *memoria de sólo lectura (ROM)* de la computadora. Todas las *impresoras* ofrecen por lo menos una fuente integrada llamada también fuente residente. Vea *cartridge font, downloadable font y screen font*.

built-in function *función integrada*   En un *programa de hoja de cálculo*, fórmula lista para usar, también llamada función @, que realiza cálculos matemáticos, estadísticos, trigonométricos, financieros y de otro tipo. Una *función integrada* va precedida por un símbolo especial (en general @ o =) y seguida por una *palabra clave*, como AVG o SUM, que describe el propósito de la fórmula. La mayoría de las fórmulas integradas requiere uno o más *argumentos* encerrados entre paréntesis y separados por comas (*separadores de argumentos*).

built-in pointing device *dispositivo apuntador integrado*   En *computadoras portátiles, trackball* o *pivote* integrado a la *cubierta* de la computadora en una posición fija. Vea *clip-on pointing device, freestanding pointing device, mouse y snap-on pointing device*.

bulk storage *almacenamiento masivo*   *Medio magnético* para guardar *información*. Vea *secondary storage*.

bullet *viñeta*   Originalmente, círculo lleno o vacío casi de la altura de una letra minúscula y empleado para marcar los elementos de una lista. Ahora se usan cuadros, triángulos, dedos que señalan y otros *gráficos*. A veces, las viñetas se emplean combinadas con una sangría francesa para enlistar elementos cuyo contenido es semejante en importancia o significado. Vea *hanging indent*.

bulleted list chart *gráfico de lista con viñetas*   En *gráficos de presentaciones, diagrama* con texto que enlista una serie de ideas o elementos de similar importancia.

bulletin board system (BBS) *sistema de boletines electrónicos*   Vea *BBS*.

bulletproof *a prueba de balas*   Capacidad, derivada de una alta *tolerancia a fallas*, de resistir la interferencia externa y recuperarse de una situación que provocaría un paro total en otros programas. Un programa a prueba de balas se conoce como robusto.

bundled software *software incluido*   Programas integrados en un *sistema de computación* como parte del precio total del sistema. También se refiere a varios programas que se empacan y venden juntos, lo que se conoce ahora como *grupo de programas*.

burn-in *prueba de fuego*   Tarea en la que se opera un *sistema de computación* recién ensamblado para buscar fallas. Los componentes *semiconductores*, como los circuitos de memoria y los *microprocesadores*, tienden a fallar durante las primeras horas de operación o al final de su promedio de vida. Por lo tanto, los vendedores de equipo de computación responsables corren los sistemas en forma continua durante 24 o 48 horas antes de ofrecerlos a los clientes. El término en inglés se usa a veces, incorrectamente, para referirse al fósforo de la *pantalla* del monitor cuando se quema y una misma imagen permanece constantemente en ella. En realidad, este fenómeno se conoce como *fantasma*.

burst *ráfaga*   Modo temporal de transferencia de datos que, bajo ciertas condiciones, puede *transferir información con una velocidad* bastante más alta que la lograda normalmente con tecnologías diferentes. Por ejemplo, los chips de memoria pueden estar diseñados de tal manera que, bajo ciertas circunstancias, un procesador pueda escribir con rapidez hacia una matriz de localidades de memoria, sin tener que hacerlo individualmente en cada una de esas localidades.

burst EDO RAM *EDO RAM de ráfaga*   Versión de alta velocidad de la memoria de acceso aleatorio con Salida de Datos Extendida (*EDO RAM*) que mejora el tiempo de lectura y escritura en forma significativa, mediante la eliminación de *estados de espera* o *ciclos de reloj* de la computadora, desperdiciados mientras se llevan a cabo las operaciones de memoria. Aunque la EDO RAM de ráfaga es más rápida que la EDO RAM, está siendo sustituida por *SDRAM*, la tecnología de memoria más rápida disponible en la actualidad en el mercado masivo de computadoras personales. Vea *DRAM*, *FPM* y *random-access memory (RAM)*.

bus *bus*   Trayectoria eléctrica interna a través de la cual se envían señales de una parte a otra de la computadora. Las computadoras personales tienen un bus de procesador diseñado con tres trayectorias: el *bus de datos* envía información de ida y regreso entre la memoria y el *microprocesador* mediante sus dos divisiones, el *bus externo de datos* y el *bus interno de datos;* el *bus de direcciones* identifica qué localidad de memoria se usará, y el *bus de control* conduce las señales de la unidad de control. Una extensión del bus de datos, llamada *bus de expansión*, conecta las ranuras de expansión de la computadora con el procesador. Los buses de datos, direcciones y de expansión están alambrados en filas paralelas para que todos los bits enviados puedan recorrer su camino en forma simultánea, como los automóviles en una carretera de 16 o 32 carriles.

bus architecture *arquitectura de bus*   Diseño general de un bus, especialmente en lo relativo a la compatibilidad con tarjetas de expansión. Vea *EISA, Industry Standard Architecture (ISA)* y *MicroChannel Architecture (MCA)*.

business audio *audio de negocios*   Categoría de hardware para sonido que soporta sonidos útiles en aplicaciones de negocios, como música de fondo en presentaciones, anotaciones de voz en documentos de *procesamiento de texto* y *hojas de cálculo* con revisión de voz. Las *tarjetas de sonido de 12 bits* generalmente son aceptables para audio de negocios, aunque las de 16 bits, de mayor calidad, no son mucho más caras.

Business Software Alliance (BSA) *Alianza para el Software de Negocios*   Consorcio de productores de software, fundado en 1988, que busca reducir la *piratería de software*. La BSA lleva a cabo su tarea por medio de educación pública, ejerciendo presión para incrementar la protección de la propiedad intelectual y ejecutando acciones legales contra infractores de las leyes de derechos de autor.

bus mouse *ratón de bus*   *Ratón* conectado a la computadora mediante un adaptador dedicado específico, que se inserta en una ranura de expansión disponible. Compare con *serial mouse*.

bus network *red de bus*   En *redes de área local* (LAN) como *AppleTalk* y *Ethernet*, *topología de red* descentralizada, en la que una sola línea de conexión, el bus, es compartida por varios *nodos*, entre ellos las estaciones de trabajo, los *periféricos* compartidos y los *servidores de archivos*. En una red de bus, una estación de trabajo envía cada mensaje a todas las demás. Sin embargo, cada nodo de la red tiene una dirección única y sus circuitos de recepción vigilan el bus para captar los mensajes destinados al nodo e ignoran todos los demás.

button *botón*   En *interfaces gráficas de usuario (GUIs)*, opción en un *cuadro de diálogo* que se usa para ejecutar un comando, elegir una opción o abrir otro cuadro de diálogo. Vea *cancel button, default button, OK button, pushbutton* y *radio button*.

button bar *barra de botones*   Vea *icon bar* y *toolbar*.

byline *línea de autoría*   En *autoedición*, nombre del autor (el que a menudo incluye afiliación y dirección laboral) colocado directamente después del título del artículo.

byte *byte*   Ocho *bits* contiguos, que es la unidad de información fundamental de las computadoras personales. Como guarda el equivalente de un carácter, el byte también es una unidad de medida básica para el almacenamiento en computadoras. Ya que la *arquitectura* de las computadoras se basa (en su mayor parte) en números *binarios*, los bytes se cuentan en potencias de dos. Muchos miembros de la comunidad de *Internet* prefieren llamar *octetos* a los grupos de ocho bits. Los términos kilo (de *kilobyte*, KB) y mega (de *megabyte*, MB) se usan para contar bytes, pero son engañosos, pues provienen del sistema decimal (base 10). Un kilobyte en realidad tiene 1,024 bytes, y un megabyte, 1,048,576 bytes. Muchos científicos en computación critican estos términos, los que, sin embargo, proporcionan a quienes emplean el sistema decimal, un medio fácil para hacer la medición de la memoria.

bytecode *código de bytes*   Programa compilado de *Java,* con la extensión .class, que se puede ejecutar con una *máquina virtual Java*. A diferencia de los lenguajes compilados ordinarios, los cuales producen *lenguaje de máquina* apropiado para ejecutarse en una marca particular de computadora, los compiladores Java producen un formato intermedio, llamado código de bytes, el cual se puede ejecutar en cualquier computadora capaz de correr un intérprete de código de bytes (como un *navegador* compatible con Java). Sin embargo, dado que el código de bytes es interpretado, las aplicaciones de Java se ejecutan con más lentitud que los programas diseñados específicamente para un tipo de computadora determinado (aunque más rápido que el verdadero *código interpretado*).

bytecode compiler *compilador de código de bytes*   *Compilador* que genera un programa en *código de bytes* y no en *código de máquina*.

C *Lenguaje de programación de alto nivel* muy empleado en *programación* profesional; es el lenguaje preferido por la mayoría de las compañías de software profesional. Como *lenguaje de procedimientos* de propósito general, C combina las virtudes de los lenguajes de alto nivel con la eficiencia de un *lenguaje ensamblador*. La mayoría de los programas más renombrados están escritos en C o C++, en tanto que varios ejemplares de *shareware* están escritos en otros lenguajes, como *Visual BASIC*. Debido a que el programador puede incrustar instrucciones que alcanzan directamente, *bit* por bit, la representación de los datos dentro de la *unidad central de procesamiento (CPU)*, los programas compilados en C corren mucho más rápido que los escritos en otros lenguajes de programación de alto nivel. Un programa en C es sumamente *portable* y puede volverse a escribir con facilidad y rapidez para que corra en otra plataforma de computación, siempre que el ambiente tenga un *compilador* de C.

C: En las computadoras personales *compatibles con la PC de IBM*, la letra asignada en forma *predeterminada* al primero de los *discos duros*.

C++ *Lenguaje de programación de alto nivel* desarrollado por Bjarne Stroustrup en los laboratorios Bell de AT&T. La combinación de todas las ventajas del lenguaje *C* con las de los *lenguajes de programación orientada a objetos (OOP)* ha estimulado a algunos de los vendedores más importantes de software, como *Apple Computer,* a adoptar a C++ como lenguaje estándar de programación.

ca En el *sistema de nombres de dominio (DNS)* de Internet, la clave de país para Canadá.

cache *caché* 1. Área de almacenamiento que facilita el acceso rápido a *información* o instrucciones de *programa* solicitadas con frecuencia para que la computadora no tenga que recuperarlas una y otra vez de un medio de almacenamiento lento. Los cachés mejoran el rendimiento mediante el almacenamiento de datos o instrucciones en secciones más rápidas de la memoria y utilizando un diseño eficaz a fin de aumentar la posibilidad de que los datos que se necesiten estén enseguida en el caché. Vea *cache memory*. 2. En un *navegador*, sección del disco duro que se reserva para almacenar las páginas de más reciente acceso. Cuando se vuelve a visitar alguna de estas páginas, el navegador la obtiene del caché y no de la red, mejorando considerablemente el tiempo de recuperación.

cache controller *controlador de caché* *Chip*, como el *Intel 82385*, que se encarga de la recuperación, almacenamiento y entrega de *datos* hacia y desde la *memoria caché* o el *disco duro*. Cuando la *unidad central de procesamiento (CPU)* solicita datos o instrucciones, el controlador de caché intercepta la solicitud y controla la entrega que proviene de la *memoria de acceso aleatorio (RAM)*; después determina el sitio del caché en donde guardará una copia de los datos que acaban de entregarse, cuándo traer datos o código de las direcciones adyacentes en RAM, en caso de que se necesiten posteriormente, el sitio del caché para guardar estos nuevos datos, y qué datos descartar si el caché está lleno. El controlador de caché también mantiene una tabla actualizada de las direcciones de todo lo que conserva. A pesar de la magnitud de este trabajo y la pequeña cantidad de memoria que se usa realmente (de 32 a 256 KB), un controlador de caché bien diseñado debe predecir y tener almacenado en el caché lo que la CPU necesitará en el siguiente paso con una precisión mayor al 95 por ciento.

cache hit *acierto del caché* Solicitud de datos respondida por la *memoria caché;* la información está presente en el caché y no tiene que recuperarse de los circuitos principales de memoria, que son considerablemente más lentos. Vea *caché miss* y *hit rate*.

cache memory *memoria caché* Pequeña unidad (que oscila de tan sólo unos cuantos kilobytes a 256 o 512) de memoria ultrarrápida, la cual se utiliza para almacenar información a la que se ha accedido recientemente o a la que se accede con frecuencia, lo cual evita que el microprocesador tenga que recuperar esta información de circuitos de memoria más lentos. La memoria caché integrada directamente en los circuitos del *microprocesador* se conoce como *caché primario* o *caché L1*. La memoria caché contenida en un circuito externo se conoce como *caché secundario* o *caché L2*.

cache miss *falla del caché* Solicitud de datos que la *memoria caché* no puede responder; la información no está presente en caché y debe recuperarse de los circuitos principales de memoria, que son considerablemente más lentos. Vea *hit rate*.

cache settings *parámetros de caché* Opciones en el *programa de configuración* que activan o desactivan el *caché secundario* de la tarjeta madre. En algunas ocasiones, desactivar el caché secundario de una computadora veloz le permite ejecutar un juego diseñado para una computadora más lenta.

CAD Vea *computer-aided design*.

CAD/CAM Siglas para diseño asistido por computadora/manufactura asistida por computadora. Se trata del enlace directo entre el resultado del *diseño asistido por computadora (CAD)* y herramientas de manufactura controladas por computadora, con el fin de que la producción real de un componente pueda comenzar casi inmediatamente después de que se termine el diseño.

CADD   Vea *computer-aided design and drafting*.

caddy *portadiscos*   Bandeja, generalmente de plástico, en la cual se inserta un *CD-ROM* antes de que sea colocado en la unidad respectiva. Los portadiscos evitan la aparición de huellas digitales en la superficie del disco, pero puede ser un tanto molesto cargarlos y descargarlos de la *unidad de CD-ROM*.

Café   Vea *Visual Café*.

CAI   Vea *computer-assisted instruction*.

calculated field *campo calculado*   En un programa de *administración de bases de datos*, *campo* que contiene los resultados de los cálculos realizados en otros campos. Por ejemplo, el saldo actual y una suma total son ejemplos de campos calculados. El término es sinónimo de campo derivado.

call *llamada*   En *programación*, instrucción que transfiere la ejecución del *programa* a una *subrutina* o procedimiento. Al terminar la subrutina o procedimiento, la ejecución regresa al comando posterior a la instrucción de llamada. También se dice de una instrucción que llama a una *rutina de biblioteca*.

callback *devolución de llamada*   Método de *autenticación* de usuario utilizado por algunos servicios de cómputo de acceso telefónico. Cuando usted inicia una sesión, el sistema registra su identificación de usuario y su contraseña y cuelga. A continuación, el sistema le llama a usted a un número previamente autorizado y le permite conectarse al servicio. El sistema queda protegido contra alguien que consiga una identificación de usuario y contraseña, e intente el acceso sin autorización desde un número telefónico no autorizado, pero puede representar un problema para agentes viajeros e ingenieros de campo que a menudo se encuentran de viaje y utilizan varios números telefónicos.

caller ID *identificación de llamada*   Servicio especial de una compañía telefónica que despliega el número y nombre del autor de una llamada cuando suena el teléfono. Cada vez es más común que los módems para voz incorporen funciones de identificación de llamadas.

Call for Votes (CFV) *Llamado a votación*   En los *grupos de noticias* estándar de *Usenet*, procedimiento de votación que controla la creación de nuevos grupos. Después de un periodo de discusión, el llamado a votación se publica en el grupo news.announce.newsgroups. Durante el periodo de votación, que dura entre 21 y 31 días, cualquier participante de Usenet puede votar a favor o en contra de la creación del nuevo grupo, enviando un mensaje de *correo electrónico* a un escrutador independiente (un voluntario). Para recibir la autorización, un grupo de noticias debe tener por lo menos 100 votos más a favor que el total de votos en contra, y el número de votos favorables debe constituir por lo menos dos tercios del total. Si el grupo pasa la votación, se emiten los comandos para la creación del grupo y se espera que los administradores de Usenet lo mantengan, aunque no hay mecanismo alguno que los obligue. El procedimiento de votación no se aplica a los grupos fuera de la *jerarquía estándar de grupos de noticias,* como la *jerarquía de grupos de noticias alternativos.*

callout *leyenda*   En *autoedición (DTP),* elementos de texto, por lo general acompañados de flechas de señalamiento, que se emplean para indicar e identificar partes de una ilustración.

call waiting *llamada en espera*   Servicio proporcionado por una compañía telefónica que le permite poner en espera una llamada mientras responde otra. Esta función puede crear confusión en comunicaciones a través de *módem,* por lo que muchos usuarios desactivan la llamada en espera antes de marcar un número con este dispositivo. (Marcar *70 y una coma antes del número en su *programa de comunicaciones* es un método común para desactivar las llamadas en espera.)

camera-ready copy *copia lista para reproducción*   Manuscritos o ilustraciones listos para que una compañía impresora los reproduzca.

campus-wide information system (CWIS) *sistema de información del campus*   Sistema de información que proporciona a estudiantes, académicos, empleados y público en general toda la información referente a una universidad o institución de educación superior, incluyendo información de registro, eventos, directorio telefónico interno y acceso al catálogo de la biblioteca. La necesidad de crear un software de navegación amigable al usuario para un CWIS condujo al desarrollo de *Gopher* en la Universidad de Minnesota. Cada vez son más los colegios y universidades que abandonan Gopher para pasarse a sistemas basados en *World Wide Web (WWW).*

cancelbot *cancelbot*   En Usenet, programa que puede rastrear determinados artículos o notas individuales y eliminarlos de la red. Los cancelbots, como el utilizado por *Cancelmoose,* se utilizan con frecuencia en contra de los *spammers,* es decir, los usuarios que publican mensajes no deseados en docenas o cientos de grupos de noticias, aunque también se han utilizado para silenciar opiniones no deseadas.

Cancel button *botón Cancelar*   Opción de un cuadro de diálogo en una *interfaz gráfica de usuario (GUI),* que sirve para cancelar un comando y regresar al documento activo. Equivale a la tecla *Esc.*

Cancelmoose   En *Usenet*, un individuo de identidad desconocida que se atribuye la función de cancelar artículos publicados inapropiadamente en una gran cantidad de *grupos de noticias* (lo cual se conoce como *spamming*). Aunque el software de Usenet por lo común sólo permite que un artículo sea cancelado (eliminado de *Usenet*) por su mismo autor, Cancelmoose diseñó un ingenioso programa (llamado *cancelbot*) que evade esta restricción y le permite cancelar los artículos de cualquier autor. Aunque las acciones de Cancelmoose son controvertidas, muchos participantes de *Usenet* piensan que están completamente justificadas.

canonical form *forma canónica*   En matemáticas y *programación*, expresión que se apega a principios establecidos mediante aprendizaje práctico, oficio e interacción con expertos. En programación se puede escribir una expresión que sea correcta, pero que no siga la forma canónica, lo que evita su aceptación social en los círculos matemáticos y de las ciencias de la computación. Sin embargo, a la mayoría de la gente sólo le preocupa obtener la respuesta correcta.

canonical name *nombre canónico*   En *Internet*, el nombre oficial de un *host*, en oposición a sus alias.

cap height *altura de mayúscula*   En *tipografía*, altura de las letras mayúsculas, medida en *puntos*, a partir de la *línea base*.

Caps Lock key *tecla Bloq Mayús*   *Tecla* que *conmuta* el seguro del *teclado* para que pueda escribir letras mayúsculas sin presionar la *tecla Mayús*. La mayoría de los teclados tienen una señal luminosa que se enciende al colocar el teclado en el modo de mayúsculas; algunos programas presentan la leyenda MAYÚS en pantalla cuando están en modo de mayúsculas. Esta tecla no tiene efecto en las teclas numéricas y de puntuación.

caption *pie de figura*   En *autoedición (DTP)*, frase descriptiva que identifica una figura (una fotografía, una ilustración o un gráfico).

capture *capturar*   1. En comunicaciones por *módem*, registrar lo que sucede en el monitor y almacenarlo en un *archivo* que se puede revisar posteriormente. La captura de datos es útil si la tarifa que usted paga por el servicio es por minuto. 2. En gráficos de computadora, copiar toda o parte de una imagen en pantalla y convertirla a un *formato de archivo gráfico* para insertarla en un *documento* o guardarla en disco.

Carbon Copy   *Programa de control remoto* que permite a los usuarios de Windows operar una computadora desde una ubicación remota mediante una conexión telefónica por módem o a través de Internet.

card *tarjeta*   *Tarjeta de circuitos o tarjeta de expansión.*

cardinal number *número cardinal*   Número utilizado en conteos para mostrar el número total de unidades de un conjunto. Vea *ordinal number.*

caret (^) *acento circunflejo*   En un *teclado* de computadora, símbolo ubicado por lo general en la tecla 6. En los programas de *hoja de cálculo*, el acento circunflejo (^) es el símbolo del exponente, o "la potencia de". En los manuales de computación, también se usa para identificar la tecla *Ctrl*, como en "Presionar ^ C".

carpal tunnel syndrome *síndrome del túnel carpiano*   Tipo de *lesión por tensión repetitiva (RSI)* causado por la compresión reiterada del nervio medio ubicado dentro del túnel carpiano (una abertura interna de la mano formada por los huesos de la muñeca y ciertos ligamentos de la mano). Los síntomas comienzan con insensibilidad en el área de distribución del nervio medio (palma, pulgar y los tres siguientes dedos, aunque no en el meñique), hasta el punto de sentir que la mano está entumecida. A esto puede seguirle un dolor intenso que sube por el brazo y que puede causar incapacidad grave, incluyendo la incapacidad de cerrar el pulgar contra la palma de la mano. La terapia puede incluir el mejoramiento de la *ergonomía* en la estación de trabajo, el uso de una muñequera, inyecciones de cortisona, administración de vitamina B6 o cirugía.

carriage return *retorno de carro*   Señal que le indica a la *impresora* desplazarse hacia el margen izquierdo. Algunas impresoras también *avanzan una línea* al ejecutar un retorno de carro; tales instrucciones son administradas mediante *controladores de impresora*. Vea *Enter/Return.*

carrier detect signal *señal de detección de portadora*   Señal enviada desde el *módem* al resto de la computadora indicando que se ha realizado una conexión y que se ha establecido un tono de portadora. En *módems externos*, la luz de detección de portadora (CD) se enciende cuando se envía la señal de detección de portadora.

Carrier Sense Multiple Access with Collision Detection *Acceso Múltiple por Percepción de Portadora con Detección de Colisiones* Vea *CSMA/CD.*

carrier signal *señal portadora*   En transmisión de datos, una señal continua que puede ser modulada (alterada o variada) para enviar datos. En modulación de amplitud (AM), el volumen (amplitud) de la señal portadora se altera para que corresponda con la señal de entrada; en la modulación de frecuencia (FM), la que se altera es la frecuencia de la señal portadora para lograr el mismo resultado.

Cartesian coordinate system *sistema de coordenadas cartesianas*
Método para localizar un punto en un espacio de dos dimensiones mediante la definición de un eje vertical y uno horizontal; lo creó el matemático francés René Descartes en el siglo XVII. Un *ratón* se vale del sistema de coordenadas cartesianas para localizar el *puntero* en la pantalla. En ciertas *aplicaciones gráficas*, usted puede desplegar las coordenadas para localizar con precisión el puntero.

cartridge *cartucho*   Módulo removible que contiene un *medio de almacenamiento* secundario, como una cinta o discos magnéticos. En las *impresoras*, módulo removible que expande la memoria de la impresora o contiene *fuentes*, llamado *fuentes de cartucho*.

cartridge font *fuente de cartucho*   *Fuente para impresora* proporcionada en un *cartucho de memoria de sólo lectura (ROM)* que se conecta en un receptáculo de las *impresoras* LaserJet de Hewlett-Packard y en *clones*. A diferencia de las *fuentes transferibles*, la impresora puede usar de inmediato las fuentes de cartucho y no ocupan espacio en su *memoria de acceso aleatorio (RAM)*, la que puede agotarse con rapidez al imprimir documentos que contengan *gráficos*. Los cartuchos populares contienen muchas fuentes, a veces más de 100. La mayoría de las impresoras láser usan ahora *fuentes integradas* o generadas con software.

cascade *cascada*   En los mensajes encadenados publicados en *Usenet*, la acumulación de marcadores de símbolos de mayor que en mensajes que se han citado repetidamente. Cada vez que un mensaje es citado en una cadena, el lector de noticias agrega un símbolo de mayor que, como en el ejemplo siguiente:

> > > > > Paremos esta cadena.

> > > > > Estoy de acuerdo.

> > > > Yo también.

> > > No debes publicar un mensaje tan sólo para decir "Yo también".

> > Estoy de acuerdo.

> Yo también.

¡Aargh!

cascading menus *menús en cascada*   Sistema de *menús* donde la selección de un comando en un *menú descendente* hace que aparezca otro menú junto al comando seleccionado. La presencia de un menú en cascada por lo general se indica mediante un triángulo en el borde derecho del menú. El término es sinónimo de submenús.

cascading style sheet (CSS) *hojas de estilo en cascada·*   En *HTML*, especificación para formatos de documentos en la cual los atributos específicos de formato (alineación, estilo de texto, fuente y tamaño de fuente) son asignados a *etiquetas* HTML específicas, de manera que los usos subsecuentes de esa etiqueta en la misma página tengan el mismo formato. Al igual que la *hoja de estilo* de un documento de procesamiento de texto, la CSS permite a un diseñador Web hacer un solo cambio que afecte todo el texto marcado con la misma etiqueta. Antes, era necesario recorrer toda la página para realizar cada cambio manualmente, lo cual se convertía en un proceso laborioso en el caso de un documento largo. La definición de Nivel 1 de hojas de estilo en cascada está determinada por el *World Wide Web Consortium (W3C)*, pero Netscape (vea *JavaScript style sheets [JSS]*) y Microsoft están compitiendo con otras definiciones.

cascading windows *ventanas en cascada*   En una *interfaz gráfica de usuario (GUI)*, dos o más ventanas que se traslapan. Este modo es práctico, pues permite ver la *barra de título* y la orilla de todas las ventanas abiertas. Vea *overlaid windows* y *tiled windows*.

case *gabinete*   Cubierta metálica que contiene la *tarjeta madre,* los *adaptadores* y el resto de los componentes internos, como las *unidades de disco.* Hay varios tipos de gabinetes, pero la distinción fundamental se hace entre los *gabinetes de escritorio*, los cuales se acomodan horizontalmente, y los *gabinetes tipo torre*, que se colocan de manera vertical. Generalmente, los gabinetes se venden con una *fuente de poder* instalada. Vea *AT-size case* y *mini-AT-size case*.

case-insensitive *insensible a mayúsculas y minúsculas*   En las búsquedas, ignorar la diferencia entre letras mayúsculas y minúsculas.

case-insensitive search *búsqueda insensible a mayúsculas y minúsculas*   Búsqueda en la cual el programa ignora los patrones de las letras mayúsculas y minúsculas. Una búsqueda insensible a mayúsculas y minúsculas de la palabra Carter coincidiría con cualquiera de las siguientes palabras: cArter, CARTER, carter y carTER.

case-sensitive *sensible a mayúsculas y minúsculas*   En una búsqueda, distinguir la diferencia entre letras mayúsculas y minúsculas.

case-sensitive search *búsqueda sensible a mayúsculas o minúsculas*   Búsqueda en la cual el programa trata de coincidir con el patrón exacto de letras mayúsculas y minúsculas. Por ejemplo, la búsqueda sensible a mayúsculas y minúsculas de Porter coincidirá con Porter, pero no con PORTER, porter o porTer.

Castanet   Medio de *actualización automática,* desarrollado por Marimba, que permite a los usuarios de computadoras conectarse a canales de entrega de software *Java.* Cuando las versiones actualizadas de un programa quedan a disposición del público, el software se descarga automáticamente y se instala sin la intervención del usuario. Castanet se ha incorporado en el módulo Netcaster de Netscape Communicator, el cual también entrega el contenido en el escritorio.

cast-based animation *animación basada en reparto*   En *multimedia*, técnica de animación donde cada objeto de una producción se trata como una *imagen* individual (un miembro del reparto). A usted le corresponde manejar cada miembro del reparto mediante un *script*.

catalog *catálogo*   En *administración de bases de datos*, lista de archivos de bases de datos relacionados, que usted puede agrupar para distinguirlos con facilidad de otros. Todos los *sistemas de administración de bases de datos relacionales (RDBMS)* pueden trabajar con más de un archivo a la vez. A menudo, el resultado de operaciones relacionales (como una *unión*) produce un nuevo archivo. Además, usted puede crear muchos *índices* y otros archivos que soporten la aplicación. Un *catálogo* es útil para rastrear estos archivos afines en una unidad.

catatonic *catatónica*   Incapaz de responder. Una computadora catatónica probablemente haya sufrido una *caída*; a la larga, una conexión catatónica de red puede producir un mensaje de *tiempo terminado*.

catch up   En *Usenet,* un comando comúnmente implementado en *lectores de noticias*, que marca como leídos todos los *artículos* en un *grupo de noticias*, incluso si no los ha leído realmente. Cuando acceda al grupo de noticias de nuevo, sólo verá los artículos que han llegado desde la última vez que tuvo acceso al grupo.

catenet   Término obsoleto para una *internet;* una *red de área amplia (WAN)* compuesta de *redes de área local (LANs)* físicamente distintas y conectadas por medio de *ruteadores*. El término es una contracción de "red concatenada" *(concatenated network)*. *Internet* (observe la "I" mayúscula) es una catenet mundial basada en los protocolos *TCP/IP*.

cathode ray tube (CRT) *tubo de rayos catódicos*   En un *monitor* de computadora, tubo al vacío que usa un *cañón de electrones* (cáto-do) para emitir un flujo de electrones que ilumina el *fósforo* de una pantalla a medida que barre repetidamente la pantalla. Al monitor de la computadora se le llama con frecuencia CRT. En los televisores se emplea la misma técnica.

CAV   Vea *constant angular velocity*.

CBT   Vea *computer-based training*.

CC   Vea *courtesy copy*.

CCITT   Siglas de Comité Consultor Internacional para Telefonía y Telegrafía, extinta organización que diseñaba estándares para comunicaciones *analógicas* y *digitales,* que comprenden *módems, redes* de computación y máquinas de *fax.* Para los usuarios de computadoras, el papel más importante del CCITT era el establecimiento de normas internacionales para conectividad entre módems, los famosos estándares "V punto" (como el *V.32bis* y el *V.34*). El CCITT fue sustituido por la *Sección de Estándares para Telecomunicación de la Unión Internacional para Telecomunicaciones (ITU-TSS).*

CCITT protocol *protocolo CCITT*   Varios estándares para la transmisión de datos mediante un *módem,* un *puerto serial* o una *red.* Los siguientes protocolos están en la serie V: *V.17, V.21, V.22, V.22bis, V.27ter, V.29, V.32, V.32bis, V.34, V.42* y *V.42bis.*

CCP   Vea *Certified Computer Programmer.*

CD   Vea *compact disc.*

CD-DA   Vea *Compact Disc-Digital Audio.*

CDEV   Vea *control panel device.*

CD-I   Vea *Compact Disk-Interactive.*

CDP   Vea *Certified Data Processor.*

CD-R   *CD-ROM grabable.* La tecnología CD-R es útil para oficinas legales y otros negocios que deben *archivar* permanentemente grandes cantidades de información. A diferencia de otros medios de almacenamiento, los CD-Rs pueden grabarse sólo una vez.

CD-ROM   Siglas de disco compacto de memoria de sólo lectura, que es una tecnología de *almacenamiento óptico* exclusivo para lectura mediante discos compactos. Los CD-ROMs pueden almacenar hasta 630 MB de información en el formato más utilizado. Los CD-ROMs se usaron al principio para guardar enciclopedias, diccionarios y bibliotecas de software, pero hoy día se usan en aplicaciones *multimedia* y para la distribución de software. Para acceder a la información contenida en un CD-ROM es necesaria una *unidad de CD-ROM.*

CD-ROM changer *cambiador de CD-ROMs*   Máquina que carga automáticamente, en una *unidad de CD-ROM,* cualquiera de hasta 100 *CD-ROMs.* Sinónimo de sinfonola. Un cambiador de CD-ROM generalmente requiere alrededor de cinco segundos para localizar y cargar un disco solicitado.

CD-ROM drive *unidad de CD-ROM*   Unidad de disco de sólo lectura diseñada para leer información codificada en *discos compactos* para transferirla a la computadora. A diferencia de los reproductores de discos compactos de audio, las unidades de CD-ROM contienen circuitería optimizada para localizar *datos* a altas velocidades; los reproductores de CDs de audio necesitan localizar sólo el inicio de una pista de audio, la que reproducen de manera secuencial. La velocidad de las unidades de CD-ROM se expresa como un múltiplo de la especificación original para CD-ROM, la cual funcionaba a una velocidad de transferencia de información de 150 KB por segundo; las unidades comunes de la actualidad funcionan a *10x, 12x, 16x, 24x* o hasta *32x* (10, 12, 16, 24 y 32 veces más veloces que la especificación original).

CD-ROM interface *interfaz de CD-ROM*   Función de una *tarjeta de sonido* que le permite conectar una *unidad de CD-ROM* directamente a la tarjeta, facilitando así la instalación y permitiéndole enviar audio directamente desde un *CD-ROM* a la circuitería de sonido, sin representar una carga de trabajo para el resto de la computadora.

CD-ROM player *reproductor de CD-ROM*   Vea *CD-ROM drive*.

CD-ROM/SD   Vea *CD-ROM/Super Density*.

CD-ROM/Super Density (CD-ROM/SD) *CD-ROM de Superdensidad*   Estándar poco usado mediante el cual es posible empacar hasta 9.6 G en un *CD-ROM*. El estándar CD-ROM/SD utiliza ambos lados de un disco y no es compatible con ninguna *unidad de CD-ROM* producida en masa. Vea *MMCD*.

CD-ROM XA   *Unidad de CD-ROM* que cumple con el estándar CD-ROM de Arquitectura Extendida, creado por un consorcio de firmas de computación y medios (que incluye a Microsoft, Sony y Phillips). Este estándar permite a los CD-ROMs combinar música y datos.

CD-RW   Tecnología de *CD-ROM* que se puede grabar y permite innumerables operaciones de escritura (a diferencia del CD-R, en donde sólo puede escribirse una vez).

cell *celda*   1. En una *hoja de cálculo*, rectángulo formado por la intersección de una fila y una columna en donde el usuario puede colocar información en forma de texto *(un rótulo)* o números *(un valor)*. 2. En redes con *Modo de Transferencia Asíncrono (ATM)*, pequeña unidad de información que se divide para lograr una transmisión eficiente (sinónimo de *paquete*).

cell address *dirección de celda*   En una *hoja de cálculo*, combinación de una letra y un número (para columna y fila, respectivamente) que identifica la ubicación de una celda en la hoja de trabajo (A3, B9, C2, etc.). Al usarla en una fórmula, la dirección de celda se llama *referencia de celda*.

cell animation *animación por acetatos*   Técnica de *animación* en la que un dibujo colocado en segundo plano se mantiene fijo, mientras una serie de hojas transparentes de celuloide con objetos se coloca sobre el dibujo del fondo para producir una ilusión de movimiento. La animación por acetatos es mucho más fácil que dibujar un nuevo fondo para cada cuadro de la secuencia de animación. Macromedia Director es un programa de animación para *Macintosh* que emplea una versión computarizada de este tipo.

cell definition *definición de celda*   Contenido real de una *celda* en una *hoja de cálculo*, tal como aparece en la *línea de introducción de datos*. Así, al colocar una *fórmula* en la celda, el programa presenta el resultado del cálculo y no la fórmula.

cell format *formato de celda*   En una *hoja de cálculo*, forma como se presenta el contenido de una *celda*. Los formatos de *rótulo* incluyen la alineación de texto a la izquierda, la derecha o el centro. Entre los *formatos numéricos* están el tipo de moneda, el porcentaje, la inclusión de comas, la asignación de un número determinado de cifras decimales y la presentación de la fecha y la hora. El usuario puede cambiar la *fuente* y el *tamaño de ésta*, y ponerle atributo de *negritas* o *itálicas* a los *valores* y los rótulos. Vea *current cell, global format, graphics spreadsheet, label, alignment y range format.*

cell pointer *puntero de celda*   En programas de *hoja de cálculo*, rectángulo resaltado que indica la *celda actual*. Al introducir *información* en la hoja de cálculo, ésta queda registrada en la celda actual.

cell protection *protección de celda*   En un programa de *hoja de cálculo*, *formato* aplicado a una celda, un *rango* de *celdas* o todo el *archivo*, lo que evita que el usuario altere el contenido de las celdas protegidas.

cell reference *referencia de celda*   En una fórmula de *hoja de cálculo*, dirección de *celda* que contiene un valor necesario para resolver la fórmula. Cuando se les usa en una fórmula, le indican al programa que vaya a la celda nombrada (como B1) y que use el valor insertado allí para realizar los cálculos. Una referencia de celda puede remitir a una celda que contiene una fórmula, que a su vez podría tener sus propias referencias a otras celdas, las cuales también podrían contener fórmulas. Un cambio realizado a cualquier constante de la hoja de trabajo modifica los valores intermedios y, por último, la línea inferior. Vea *recalculation method.*

Center for Innovative Computer Applications (CICA) *Centro para Aplicaciones Innovadoras de Computación*   Centro con sede en la Universidad de Indiana que promueve la investigación innovadora en visualización por computadora e inteligencia artificial. Para los usuarios de *Internet*, el CICA es mejor conocido como la sede del archivo masivo de *shareware* para Windows, al cual se puede acceder por medio del *Protocolo de Transferencia de Archivos (FTP)* y la *Biblioteca Virtual de Software (VSL)*.

central mass storage *almacenamiento central masivo*   Vea *file server*.

central processing unit (CPU) *unidad central de procesamiento*   Circuitería interna de control, procesamiento y almacenamiento de la computadora, que incluye a la *unidad de aritmética y lógica (ALU)*, a la *unidad de control, a* la *memoria de sólo lectura (ROM)* y a la *memoria de acceso aleatorio (RAM)*. La ALU y la unidad de control están integradas al chip conocido como *microprocesador*; la memoria principal está en la *tarjeta madre* o en un adaptador del *bus de expansión*.

Centre Universitaire d'Informatique (CUI) *Centro Universitario de Informática*   Sección de la Universidad de Ginebra (en Suiza), que ha desempeñado un papel importante en el desarrollo de *World Wide Web (WWW)*.

Centronics interface *interfaz Centronics*   *Puerto paralelo* original de las computadoras compatibles con la PC de IBM, llamado así en honor de la compañía que diseñó un predecesor de esta interfaz estándar.

Centronics port *puerto Centronics*   Vea *parallel port*.

CERN   Siglas de Consejo Europeo para la Investigación Nuclear (Laboratorio Europeo para la Física de Partículas). Centro de investigación en física avanzada con sede en Ginebra, Suiza. El CERN es el lugar donde se originó *World Wide Web (WWW)*, la cual fue iniciada por el equipo de computación del centro en 1989, como una red de colaboración para físicos en alta energía.

CERT   Siglas de Equipo de Respuesta para Emergencias de Computación. Fuerza de tarea diseñada para detectar y responder con rapidez a amenazas en contra de la seguridad en *Internet*. Fue fundada en 1988 por la *Agencia de Proyectos en Investigación Avanzada de la Defensa (DARPA)* para hacer frente al infame *Internet Worm*. El CERT vigila la seguridad de Internet y alerta a los administradores de sistemas con respecto a las actividades de *crackers* y de autores de *virus de computadora*.

certificate *certificado*   Anexo, cifrado y firmado digitalmente, de un mensaje de *correo electrónico* o archivo transferido que certifica que la información recibida realmente proviene de la fuente manifestada y que no fue alterada mientras estaba en camino. Es casi imposible falsificar un certificado, aunque para considerarse como válido debe estar firmado digitalmente por una *autoridad certificadora (CA)*, una compañía independiente que utilice algún tipo de procedimiento de comprobación de la identidad (tal vez la licencia de conductor) antes de firmar el certificado. Sinónimo de identificación digital. Vea *personal certificate* y *public-key cryptography*.

certificate authority (CA) *autoridad certificadora* Compañía dedicada a verificar la identidad de individuos y emitir *certificados* que atestigüen la veracidad de dicha identidad. Para obtener un certificado, a un individuo se le puede pedir que muestre una identificación, como su licencia de conductor.

certified *certificado* Garantizado por el fabricante para contener exactamente cierta cantidad de datos. Por ejemplo, un disco puede estar certificado para contener 1.44 *MB* de datos.

Certified Computer Programmer (CCP) *Programador de Computadoras Certificado* Persona que ha obtenido un Certificado de Programación por Computadora del *Instituto para la Certificación de Profesionales en Computadoras (ICCP)*. Para obtener uno de estos certificados es necesario aprobar un examen acerca de reglas y conceptos de *programación*. Se considera equivalente a la categoría de Contador Público Certificado para los profesionistas de esa rama, aunque rara vez se considera como un requisito para un empleo.

Certified Data Processor (CDP) *Procesador de Datos Certificado* Persona que ha obtenido un Certificado en Procesamiento de Datos del *Instituto para la Certificación de Profesionales en Computadoras (ICCP)*. Los CDPs deben aprobar un examen acerca de *hardware*, *software, programación y análisis de sistemas*. La certificación CDP es equivalente a la categoría de Contador Público Certificado para los profesionistas de esa rama, aunque rara vez se considera como un requisito para un empleo.

CGA Vea *Color Graphics Adapter*.

CGI Vea *Common Gateway Interface*.

CGM Vea *Computer Graphics Metafile*.

chain printing *impresión en cadena* Impresión de varios *archivos* independientes manejados como una unidad; para ello, al final del primer archivo se colocan comandos que le indican al programa que prosiga con la impresión del segundo archivo, y así sucesivamente. Los *programas de procesamiento de texto* con características completas, como *Microsoft Word*, permiten encadenar la impresión con paginación continua y, en ciertos casos, la generación completa de una tabla de contenido y el índice de los archivos enlazados. Vea *master document*.

chaining *encadenamiento* Operación de transmisión en la cual los mensajes de correo electrónico se enrutan a través de varios *retransmisores de correo anónimos,* para eliminar cualquier posibilidad de que se rastree la trayectoria del mensaje.

Challenge-Handshake Authentication Protocol (CHAP) *Protocolo de Autenticación de Saludo Inicial* En servicios de acceso telefónico a

Internet que utilizan el Protocolo Punto a Punto *(PPP)*, estándar que evita que los hackers intercepten contraseñas. CHAP se utiliza para verificar la identidad de la persona que inicia una sesión mediante un enlace de tres vías. Después de que el enlace se ha establecido, la computadora del proveedor envía un mensaje de "desafío" a la del usuario, la cual debe consultar un "secreto" almacenado en ella (que se encuentra también en la computadora del proveedor), pero que nunca se envía a través de la red. La computadora del usuario lleva a cabo un cálculo, utilizando el desafío así como el secreto. Si el resultado de la máquina del usuario no coincide con el de la computadora del proveedor de servicios, se interrumpe la conexión. Este método de *autenticación* proporciona un alto grado de protección en comparación con las medidas anteriores basadas en contraseñas, y es más seguro que su antecesor el *Protocolo de Autenticación de Contraseña (PAP)*.

chamfer *bisel*   En *autoedición* y en *gráficos para presentaciones*, orilla biselada entre dos líneas que se intersecan.

channel *canal*   1. En *Internet Relay Chat (IRC)*, foro dedicado a un tema donde el usuario puede *conversar* en *tiempo real* con los usuarios de otras computadoras. Sinónimo de *salón de conversación*. 2. En *medios de actualización automática*, un vínculo de nombre específico hacia un *transmisor* basado en red y con el cual un usuario se puede "sintonizar". Por ejemplo, usted puede cambiar al canal de Corel para recibir actualizaciones automáticas de la versión Java del software Corel Suite de la compañía.

channel access *acceso de canal*   En *redes de área local (LAN)*, método para tener acceso al canal de comunicaciones que enlaza las computadoras. Los métodos más comunes son el de *contención*, el de *sondeo* y el *paso de token*.

channel op (CHOP) *operador de canal*   En *Internet Relay Chat (IRC)*, persona que posee privilegios *op* (operador), incluyendo el derecho de sacar del canal a los usuarios que no observen las reglas.

character *carácter*   Cualquier letra, número, signo de puntuación o símbolo que pueda generarse en pantalla al presionar una *tecla* o (para ciertos caracteres poco usados) una combinación de ellas. Un carácter usa un *byte* de memoria.

character-based program *programa basado en caracteres*   Programa supeditado al conjunto de caracteres *ASCII* y *ASCII extendido* que incluye *gráficos de bloques* para crear sus pantallas y presentar el texto que usted escriba.

character graphics *gráficos de caracteres*   Vea *block graphics*.

character-mapped display *pantalla en mapa de caracteres*   Método de exhibición de caracteres donde una sección especial de la *memoria* se reserva para representar la imagen; los programas generan una pantalla insertando caracteres en la representación de la pantalla ubicada en la memoria. Por lo tanto, toda la pantalla permanece activa (no sólo una línea) y el usuario, o el programa, puede modificar caracteres en cualquier lugar de la pantalla. Vea *teletype (TTY) display*.

character mode *modo de caracteres*   En computadoras *compatibles con la PC de IBM*, modo de *despliegue* en donde la computadora muestra sólo los caracteres contenidos en su *conjunto integrado de caracteres*. El término es sinónimo de modo de texto. Vea *character view* y *graphics mode*.

character set *conjunto de caracteres*   Conjunto fijo de códigos del *teclado* que usa un sistema de computación determinado. Vea *ASCII character set*, *code page* y *extended character set*.

characters per inch (cpi) *caracteres por pulgada*   Número de *caracteres* que caben en una pulgada de una *fuente* o *tipo* determinado. Los tamaños estándar que se manejan en una máquina de escribir son la pica (10 cpi) y la élite (12 cpi). Las fuentes distintas a las de la máquina de escribir se miden en *puntos*.

characters per second (cps) *caracteres por segundo*   Medida de velocidad de un *módem* (aunque generalmente esta última se mide en *bits por segundo [bps]*), una *impresora de impacto* o una *impresora de inyección de tinta*.

character string *cadena de caracteres*   Cualquier conjunto de *caracteres* (incluyendo espacios) que un *programa* trata como grupo. En *programación* y *administración de bases de datos*, las cadenas de caracteres se encierran entre comillas para distinguirlas de las palabras reservadas (nombres de comandos); por ello, los caracteres de la cadena no dan instrucciones a la computadora. Por ejemplo, en un lenguaje de consulta de administración de bases de datos, la expresión FIND "Wyoming" hace que la computadora busque el primer registro que coincida exactamente con la cadena de caracteres Wyoming. El término es sinónimo de *cadena*.

character view *vista de caracteres*   En ciertas *aplicaciones* del *MS-DOS*, modo en el que un programa cambia a modo de caracteres la circuitería del *adaptador de video*. En algunos programas también se le conoce como modo de borrador. En este modo, la computadora es capaz de exhibir sólo los caracteres pertenecientes al *conjunto integrado de caracteres*. Vea *character mode* y *graphics view*.

charge-coupled device (CCD) *dispositivo de carga acoplada*   Dispositivo utilizado en *escáneres* o *cámaras digitales* para convertir luz en señales eléctricas legibles para la computadora. La resolución horizontal de un escáner está determinada por el número de CCDs que agrupa en una fila, generalmente 300, aunque algunos escáneres de alta tecnología incluyen 600.

chart *gráfica, gráfico*   Representación gráfica de datos. Las gráficas facilitan la comprensión del significado de la información y permiten la identificación de tendencias. En el ambiente de la computación a las gráficas y las imágenes se les llama indistintamente *gráficos*.

chat *conversación*   En un *servicio de información en línea*, BBS o *Internet Relay Chat (IRC)*, plática o diálogo con otros usuarios de computadoras mediante el intercambio de líneas de texto en una conversación en *tiempo real*.

chat room *salón de conversación*   En un *BBS* o un *servicio de información en línea*, foro o conferencia dedicado a un tema, para conversación en tiempo real. Vea *chat* y *channel*.

check box *casilla de verificación*   En un cuadro de diálogo de una *interfaz gráfica de usuario (GUI)*, recuadro que puede seleccionar el usuario para activar o desactivar una opción. Al activar la opción aparece una X u otra marca en la casilla. En una lista de elementos, una casilla de verificación puede aparecer sola o con otras. A diferencia de los *botones de opción*, el usuario puede elegir más de una casilla de verificación.

checksum *suma de verificación*   Siglas de SUMmation CHECK. En transferencias de *datos*, técnica de *verificación de errores* en la que se suma y transmite el número de *bits* de una unidad de información junto con la información. La computadora receptora verifica la suma; si ésta difiere, quizá es porque ocurrió un error en la transmisión, en cuyo caso ésta se repite. *XMODEM*, protocolo de comunicación de uso frecuente en computadoras personales, usa esta técnica de verificación de suma. En el software para revisión de *virus*, como Central Point AntiVirus, se calculan las sumas de verificación de cada archivo de un directorio y los resultados se guardan en un archivo del directorio. Al revisar el programa, la información de la suma de verificación guardada en el directorio se compara con la suma de verificación de cada archivo revisado. Una diferencia en la suma podría indicar que el archivo está infectado por algún virus que no deja una firma conocida.

Chiclet keyboard *teclado tipo Chiclet*   *Teclado*, incluido con frecuencia en las calculadoras, que usa pequeñas teclas rectangulares del tamaño de las pastillas de goma de mascar. Estas teclas son difíciles de utilizar debido a su tamaño reducido y ofrecen poca *respuesta al tacto*. El teclado tipo Chiclet se presentó en uno de los fracasos de mercadotecnia más notables de *IBM*, la computadora casera PC Jr.

child *hijo*   Subcategoría. En un sistema de archivos jerárquico, un subdirectorio es *hijo* del directorio *padre*.

child process *proceso hijo*   En *Unix*, un programa de utilería o *subrutina* que se ejecuta bajo la conducción de un programa controlador, llamado *proceso padre*.

chip *chip*   Diminuto circuito electrónico producido en serie sobre una pequeña pastilla de silicio. Los chips se elaboran con materiales semiconductores y duplican la función de muchos transistores y otros componentes electrónicos. Los primeros *circuitos integrados (ICs)* contenían sólo unos cuantos componentes, pero con las mismas técnicas de manufactura ahora se pueden generar 16 millones de componentes en un chip tan diminuto que usted podría colocarlo en la punta de un dedo. Por ejemplo, el microprocesador *Pentium* de Intel se vende en menos de 500 dólares, aunque es el equivalente electrónico de un *mainframe* que se cotizaba en varios millones de dólares hace 20 años. El éxito de la tecnología en la fabricación de chips ha hecho posible la difusión de la tecnología de la computación en toda la sociedad.

chip set *conjunto de chips*   Grupo de *chips* que funcionan juntos para efectuar una tarea, como ayudar a un *microprocesador* a acceder a la memoria o actualizar una *pantalla*. Los chips de un conjunto deben estar diseñados para trabajar juntos y, por lo general, provienen de un solo fabricante.

choose *seleccionar*   En un programa con *menús* y *cuadros de diálogo*, elección de una opción que inicia una acción.

Chooser *Selector*   *Accesorio del escritorio* de Macintosh que Apple Computer proporciona con el *sistema operativo* de la Mac. El Selector rige la selección de los *controladores de impresión*, programas que se encargan de controlar la comunicación con la *impresora* y la *red de área local (LAN)*. El Selector muestra los *iconos* de los controladores de impresoras que están instalados en la *Carpeta de Sistema*.

chord *cuerda*   En *autoedición* y *gráficos para presentaciones*, línea recta que conecta los extremos de una curva.

chrominance *coloración*   En *multimedia*, parte de una señal compuesta de video que contiene la información del color.

CICA   Vea *Center for Innovative Computer Applications*.

ciphertext *texto cifrado*   En *criptografía*, un mensaje cifrado de manera que sólo pueda leerlo el destinatario designado, quien tiene la *clave* requerida para descifrarlo. Vea *cleartext*, *encryption*, *public-key cryptography*.

circuit board *tarjeta de circuitos*   Placa delgada de plástico sobre la cual se imprimen circuitos conductores. Sinónimo de tarjeta de circuitos impresos. Vea *adapter*, *card* y *motherboard*.

circuit switching network *red de conmutación de circuitos*   Tipo de *red de área amplia (WAN)* ejemplificada por el sistema telefónico mundial, en la cual las estaciones originaria y receptora están vinculadas por un simple circuito físico creado por complejos mecanismos de conmutación. La conexión se mantiene hasta que la comunicación termina. Compare con *packet-switching network*.

circular reference *referencia circular*   En una *hoja de cálculo*, condición de error ocasionada cuando dos o más *fórmulas* se aluden entre sí. Por ejemplo, una referencia circular ocurre al colocar la fórmula +B5 en la *celda* A1, y la fórmula +A1 en la celda B5. Los programas de hoja de cálculo generalmente tienen un *comando* que despliega una pantalla en la cual se incluye una lista de las celdas que contienen referencias circulares. Las referencias circulares no siempre conducen a errores. Por ejemplo, pueden usarse deliberadamente para crear una función iterativa en una hoja de trabajo: cada nuevo cálculo incrementa los valores de las dos fórmulas.

CISC   Vea *complex instruction set computer*.

clari   En *Usenet, jerarquía alternativa de grupos de noticias* que incluye docenas de *grupos de noticias,* sólo para lectura, que contienen cables noticiosos, los mismos que aparecerán en los periódicos del día. Esos servicios incluyen a United Press International (UPI), Newsbytes y TechWire. La jerarquía Clari está disponible sólo en aquellos sitios de Usenet que han pagado una tarifa a ClariNet, la organización que distribuye los cables y los publica en docenas de grupos de noticias clari. Estos artículos están protegidos por derechos de autor y no deben redistribuirse sin la aprobación escrita de ClariNet.

Claris Corporation   Importante compañía productora de software fácil de usar para sistemas Windows y Macintosh, como *Claris FileMaker Pro, Claris Home Page* y *Claris Works*. La compañía es subsidiaria de *Apple Computer*.

Claris FileMaker Pro   Programa de *base de datos relacional* fácil de usar para Windows y Macintosh, creado por Claris. Las plantillas listas para usarse permiten la rápida creación de aplicaciones populares, incluyendo órdenes de compra y recibos de caja. FileMaker Pro Server transforma el programa en una aplicación multiusuario de base de datos capaz de servir hasta a 100 usuarios simultáneos en una red *IPX/SPX* o *TCP/IP*.

Claris Home Page   Editor *WYSIWIG* de fácil operación para la publicación en Web creado por Claris, y disponible para sistemas Macintosh y Windows. El programa permite a los autores Web crear páginas sin saber HTML e incluye 1,000 imágenes prediseñadas exentas de pago de regalías. El programa puede crear *marcos* y tablas en un ambiente "lo que ve es lo que obtiene" (WYSIWIG).

Claris Works   *Programa integrado* de fácil operación que combina procesamiento de texto, hoja de cálculo, base de datos y funciones gráficas. La edición para Internet de este programa incluye software de acceso a Internet, el navegador *Netscape Navigator* y *Claris Home Page*.

class *clase*   En *programación orientada a objetos (OOP)*, categoría de *objetos* que realizan una función determinada. La clase establece las *propiedades* del objeto, incluyendo definiciones de las variables y los procedimientos que deben seguirse para que el objeto haga algo. En *Java*, los *applets* y las *aplicaciones* reciben la *extensión* .class, la cual denota que contienen toda la información necesaria para implementar la funcionalidad del programa.

Class 1 *Clase 1*   Estándar para *fax-módems* que describe la forma en la cual el *conjunto de comandos Hayes* se modifica para enviar faxes. Los fax-módems Clase 1, a diferencia de los *Clase 2*, delegan al software la mayor parte de las tareas relacionadas con la digitalización de imágenes y la preparación de transmisión de los faxes, lo cual es perfectamente apropiado para la mayoría de las computadoras.

Class 2 *Clase 2*   Estándar para *fax-módems* que describe la forma en la cual el *conjunto de comandos Hayes* se modifica para enviar faxes. Los fax-módems de Clase 2 manejan la mayoría de los preparativos para enviar faxes que los de *Clase 1* delegan al software, lo cual los hace muy costosos. La Clase 2 ni siquiera es un estándar real de la industria, de manera que es mejor adquirir un fax-módem de Clase 1.

Class A certification *certificación Clase A*   Certificación de la Comisión Federal de Comunicaciones (FCC) de Estados Unidos que determina cuando una marca y modelo específicos de computadora cumplen con los límites Clase A de la FCC correspondientes a la *interferencia de radiofrecuencia (RFI)*, los cuales están diseñados para ambientes comerciales e industriales.

Class A network *red Clase A*   Red de *Internet* que tiene asignadas hasta 16,777,215 direcciones (*direcciones IP*). Las limitaciones actuales para direcciones de Internet definen un máximo de 128 redes Clase A.

Class B certification *certificación Clase B*   Certificación de la Comisión Federal de Comunicaciones (FCC) que determina cuando una marca y modelo específicos de computadora cumplen con los límites Clase B de la FCC, correspondientes a la *interferencia de radiofrecuencia* (RFI), los cuales están diseñados para hogares y oficinas. Los estándares de la Clase B son más rigurosos que los Clase A y están concebidos para proteger la recepción de señales de radio y televisión en zonas residenciales, de la excesiva interferencia de radiofrecuencia generada por el uso de computadoras. Las computadoras de Clase B también están protegidas de manera más eficaz contra la interferencia externa.

Clase B network *red Clase B*   Red de *Internet* que tiene asignadas hasta 65,535 direcciones (*direcciones IP*). Las limitaciones actuales para direcciones de Internet definen un máximo de 16,384 redes Clase B.

Clase C network *red Clase C*   Red de *Internet* que tiene asignadas hasta 256 direcciones (*direcciones IP*). Las limitaciones actuales para direcciones de Internet definen un máximo de 2,097,152 redes Clase C.

clear *borrar*   Eliminar *información* de un *documento*. En los ambientes *Microsoft Windows 95* y *Macintosh*, el comando Borrar del *menú* Edición elimina por completo la selección, a diferencia de Cortar, que la retira y la envía al *Portapapeles*, del que puede recuperarla si más tarde descubre que la borró por error. El término es sinónimo de eliminar.

cleartext *texto sin cifrar*   En *criptografía*, mensaje transmitido sin cifrar, de manera que puede interceptarse fácilmente y leerse durante su trayecto al destinatario. Una de las mayores desventajas en cuanto a seguridad en Internet es que, bajo los esquemas de *autenticación de contraseña*, las contraseñas son transmitidas en texto sin cifrar. Vea *ciphertext*.

Clear to Send/Ready to Send *libre y listo para enviar*   Vea *CTS/RTS*.

click *hacer clic, pulsar*   Acto de presionar y soltar con rapidez un botón del *ratón*. A menudo encontrará este término en instrucciones como "Haga clic en la casilla de verificación Negritas del cuadro de diálogo Fuentes". Para los usuarios de computadoras *compatibles con la PC de IBM*, esta instrucción significa "Mueva el puntero del ratón hasta que la punta toque la casilla de verificación Negritas y entonces oprima el botón izquierdo del ratón". Vea *double click* y *Shift+click*.

client *cliente*   1. En una red *cliente/servidor*, un programa diseñado para solicitar información o aplicaciones al *servidor* de la red. Vea *client/server*, *heavy client*, *light client*. 2. En Vinculación e Incrustación de Objetos (*OLE*), *aplicación* que incluye datos en otra aplicación, llamada *aplicación servidora*. Vea *client application*.

client application *aplicación cliente*   En Vinculación e Incrustación de Objetos (*OLE*), *aplicación* en donde se puede crear un objeto vinculado o incrustar un objeto.

client/server *cliente/servidor*   Modelo de diseño para *aplicaciones* que corren en *redes*, en donde la mayor parte del procesamiento en segundo plano (realizar una búsqueda física en una *base de datos*, por ejemplo) se lleva a cabo en un *servidor*. El procesamiento en *primer plano*, que implica comunicación con el usuario, lo manejan programas más pequeños que se encuentran distribuidos en las estaciones de trabajo *clientes*. Vea *light client*, *heavy client*, *local area network (LAN)* y *wide area network (WAN)*.

clip art *imágenes prediseñadas*   Conjunto de *imágenes* almacenadas en disco y disponibles para *autoedición* o *gráficos para presentaciones*. El término imagen prediseñada se deriva de una tradición de diseño gráfico en la que artistas especializados en publicaciones conjuntan y venden portafolios de imágenes prediseñadas para dar realce a boletines, folletos y gráficos para presentaciones. La mayoría de los programas de gráficos para presentaciones o de diseño de páginas puede leer los *formatos de archivos para gráficos* empleados en las colecciones de imágenes prediseñadas que hoy día pueden conseguirse en discos.

Clipboard *Portapapeles*   En un *ambiente de ventanas*, como *Microsoft Windows 95* o *Finder* de *Macintosh*, área de almacenamiento temporal en la memoria donde se guarda material recortado o copiado de un documento hasta que el usuario lo pega en otro lugar.

clip-on pointing device *dispositivo apuntador sujetable*   *Trackball* que se sujeta a un costado de una *computadora portátil*. Vea *built-in pointing device*, *freestanding pointing device, mouse, pointing stick,* y *snap-on pointing device*.

Clipper   *Compilador* desarrollado por Nantucket Systems, Inc. para el lenguaje de comandos *dBASE*. Muchos desarrolladores de aplicaciones consideran a Clipper superior al compilador que comercializa el fabricante de dBASE.

Clipper Chip   Tecnología de cifrado respaldada por el gobierno de Estados Unidos y contenida en un semiconductor que podría haberse fabricado en masa, y el cual proporcionaría a individuos los medios para cifrar sus mensajes. Sin embargo, el Clipper Chip tiene una *puerta trasera* que habría posibilitado a las agencias judiciales fisgonear en los mensajes. Sin embargo, para ello el personal judicial tendría que obtener una orden, la cual se requiere en la actualidad para intervenir las líneas telefónicas. Los defensores de la privacidad temen que el gobierno abuse de su poder e intervenga las conversaciones sin haber obtenido la certificación apropiada, en tanto que las instancias judiciales temen que las tecnologías de cifrado evitarán la detección de terroristas y de actividades de narcotráfico. La propuesta para el Clipper Chip fue seriamente descalificada cuando un investigador demostró que su esquema de cifrado no era confiable; aun así, las agencias de seguridad del gobierno de Estados Unidos siguen haciendo propuestas similares.

clock *reloj*   Sinónimo de reloj de sistema. Circuito electrónico que genera pulsaciones uniformemente espaciadas a velocidades de millones de *hertz (Hz)*. Las pulsaciones se usan para sincronizar el flujo de información a través de los canales de comunicación interna de la computadora. La mayoría de las computadoras también tienen un circuito separado que marca la hora normal, pero éste no tiene nada que ver con las funciones del reloj de sistema. Vea *clock/calendar board* y *clock speed*.

clock/calendar board *tarjeta de reloj-calendario*   Adaptador que incluye un reloj alimentado por baterías para marcar la hora y la fecha en el sistema; se emplea en computadoras que no tienen esos componentes en la *tarjeta madre*.

clock cycle *ciclo de reloj*   Tiempo transcurrido entre dos tics del *reloj de sistema* de una computadora. Una computadora personal común corre a millones o miles de millones de ciclos de reloj por segundo.

clock-doubled *doble velocidad de reloj*   Que opera dos veces más rápido que el *reloj de sistema*; por ejemplo, una 486DX2 a 50 *MHz* es a lo que opera en una tarjeta madre con un reloj de sistema a 25 MHz, y termina las operaciones internas del *microprocesador* más rápido que una 486DX a 25 MHz en la misma tarjeta madre. Sin embargo, un chip con doble velocidad de reloj no hace nada para acelerar las operaciones que se llevan a cabo fuera del microprocesador. Vea *clock-tripled*, *clock-quadrupled*.

clock-quadrupled *cuádruple velocidad de reloj*   Que opera a casi cuatro veces la velocidad del *reloj de sistema*; un procesador 486 a 133 MHz es a lo que opera en una *tarjeta madre* con un reloj de sistema de 33 MHz. Vea *clock-doubled* y *clock-tripled*.

clock speed *velocidad de reloj*   Velocidad del reloj interno de un *microprocesador* que marca el paso, medido en *megahertz (MHz)*, al cual se efectúan las operaciones dentro de la circuitería de procesamiento interno de la computadora. Aunque una mayor velocidad de reloj mejora en forma notable las tareas que utilizan de manera intensiva el microprocesador, como las operaciones de una *hoja de cálculo*, no es la única característica que determina el rendimiento. Las operaciones con uso intensivo de disco se llevan a cabo lentamente, no importa cuál sea la velocidad de reloj, si el *disco duro* o el *disco flexible* son lentos. Al comparar las velocidades de reloj, compare solamente las computadoras que tienen el mismo microprocesador, como la *Pentium* 90, la cual corre a 90 MHz y la *Pentium* 120, la cual corre a 120 MHz.

clock tripled *triple velocidad de reloj* Que opera a tres veces la velocidad del *reloj de sistema*. Los *microprocesadores* con triple velocidad de reloj efectúan sus funciones internas más rápidamente que los estándar o a *doble velocidad*, pero no hacen nada para acelerar el resto del sistema. Vea *clock-doubled* y *clock-quadrupled*.

clone *clon* Copia funcional de un dispositivo de *hardware*, como una *computadora personal* que utiliza el *software* y todos los periféricos concebidos para la PC de IBM. Además, copia funcional de un *programa*, como uno de *hoja de cálculo* que lee archivos de *Lotus 1-2-3* y reconoce todos o la mayoría de los comandos. Vea *IBM PC-compatible*.

close *cerrar* En un *programa* capaz de exhibir más de una ventana de documento, acción para salir de un archivo y retirar la ventana de la *pantalla*.

close box *cuadro de cierre* En una *interfaz gráfica de usuario (GUI)*, cuadro ubicado en la *barra de título* de una *ventana* que se usa para cerrar la ventana.

closed bus system *sistema de bus cerrado* Diseño de computadora en el que el *bus de datos* no tiene receptáculos y no es fácil actualizarlo. Vea *open bus system*.

closed-loop actuator *actuador de ciclo cerrado* Mecanismo que mueve la *cabeza de lectura/escritura* de un *disco duro* y después envía mensajes al *controlador de disco duro* confirmando su ubicación. Gracias a que con este método la cabeza puede colocarse con mayor precisión sobre el medio de grabación, los actuadores de ciclo cerrado mejoran la *densidad de área*.

cluster *clúster, unidad de asignación* En un *disco flexible* o en uno *duro*, unidad básica de almacenamiento de *datos* que incluye dos o más *sectores*.

CLV Vea *constant linear velocity*.

CMOS Vea *Complementary Metal-Oxide Semiconductor*.

CMOS reset jumper *jumper de reinicio del CMOS* *Jumper* ubicado en la *tarjeta madre* que, al moverse, limpia las *opciones de configuración avanzada*. El jumper de reinicio del CMOS es útil si las opciones de configuración fueron seleccionadas de tal modo que no permiten el inicio de su computadora.

CMYK *Modelo de color* que produce todos los colores a partir de combinaciones de cyan, magenta, amarillo y negro. El modelo CMYK produce color, independiente del dispositivo, mejor que los modelos *RGB* y *HSB*.

coated paper *papel cuché* Papel especialmente tratado que mejora la salida de *impresoras de color*. Las *impresoras de transferencia* *térmica de cera* requieren papel cuché, el cual es mucho más costoso que el papel estándar para *impresora*. Vea *consumables*.

coaxial cable *cable coaxial*   En *redes de área local (LANs)*, cable de conexión con alta *amplitud de banda,* en cuyo interior corre un alambre aislado. Un segundo alambre de metal sólido o en forma de malla rodea al alambre aislado. El cable coaxial es mucho más costoso que el de *par trenzado* (el cable telefónico ordinario), pero puede conducir más *datos*. Los cables coaxiales son indispensables en sistemas de *banda ancha* con gran amplitud de banda y en sistemas rápidos de *banda base*, como *Ethernet*.

COBOL   *Lenguaje de programación de alto nivel* diseñado especialmente para aplicaciones empresariales. COBOL (Lenguaje Común Orientado a Negocios) es un lenguaje compilado, lanzado al mercado en 1964; fue el primero en introducir el *registro de datos* como una estructura de datos principal. Debido a que está diseñado para almacenar, recuperar y procesar información de contabilidad de corporaciones y para automatizar funciones (como el control de inventarios, cuentas y nóminas), COBOL se convirtió rápidamente en el lenguaje preferido por las empresas. COBOL es el lenguaje de programación más usado en los ambientes administrativos de compañías que cuentan con un mainframe. Aunque hay versiones de COBOL para computadoras personales, las aplicaciones empresariales para computadoras personales se crean y mantienen con más frecuencia en C o *Xbase*. Vea *high-level programming language*.

CODASYL   Vea *conference on data-systems languages*.

code *codificar, código*   1. Acto de expresar un *algoritmo* para solución de problemas en un *lenguaje de programación*. 2. Instrucciones escritas en un *lenguaje de programación*. También es sinónimo de *código fuente*. Vea *object code* y *source code*.

codec *codec*   En *multimedia*, programa que comprime archivos gráficos, de audio o de video para hacer más eficiente el almacenamiento o la transmisión, y los descomprime para reproducirlos. Codec es una contracción de compresión/descompresión. Vea *lossless compression* y *lossy compression*.

code page *página de códigos*   En el *MS-DOS*, tabla de 256 códigos para el *conjunto de caracteres* de computadoras compatibles con la PC de IBM. Hay dos tipos de páginas de código:

- Página de códigos de hardware. Conjunto de caracteres incorporado en la ROM de la computadora.

- Página de códigos preparada. Conjunto de caracteres grabado en disco que se puede usar en lugar de la página de códigos de hardware.

code snippet *fragmento de código*   Una o más líneas de *código fuente* incrustadas en una opción de *menú* o en un *botón* definidos por el usuario. El código define lo que deben realizar el botón o la opción.

codes *códigos*   Vea *hidden codes*.

coercivity *coercividad*   Medida (en oersteds) de la fuerza del campo magnético requerida para alterar la dirección de magnetización en cintas o discos magnéticos.

CoffeeCup   *Editor HTML*, no del tipo WYSIWYG, que incluye gran cantidad de recursos para crear con rapidez páginas Web atractivas. Entre los recursos se incluyen *GIFs animados*, *scripts de JavaScript* y *controles ActiveX*. El programa de *shareware* está disponible para Windows.

cold boot *arranque en frío*   Arranque de un sistema mediante el accionamiento del interruptor de la computadora. Vea *boot* y *warm boot*.

cold link *vinculación pasiva*   Método de copiado de información de un *documento* (origen) a otro (destino) para crear un vínculo. Para actualizar el vínculo se selecciona un comando que abre el documento de origen, lee la información y la vuelve a copiar si ésta fue modificada. Vea *Dynamic Data Exchange (DDE)*, *hot link Inter-Application Communication (IAC)*.

collaboratory *laboratorio compartido*   En redes científicas (un espacio de trabajo, incluyendo *bases de datos* científicas compartidas), instalaciones para teleconferencias y accesibles por red para experimentación en equipo. Vea *federated database* y *Grand Challenge*.

Collabra   En *Netscape Communicator*, el módulo que permite a los usuarios acceder a grupos de noticias en *Usenet* o a grupos privados establecidos en el servidor Collabra de Netscape.

collapse *contraer*   Al crear un esquema o ver un *árbol de directorios* (como en el Explorador de Windows), proceso para ocultar todos los niveles o *subdirectorios* que se encuentran debajo del encabezado o directorio seleccionado.

collate *intercalar*   Organizar las páginas de una impresión cuando se genera más de una copia. Con la intercalación, primero se imprime una copia completa del documento antes de comenzar con la impresión de la siguiente copia.

collision *colisión*   En *redes de área local (LAN)*, transmisión alterada provocada por transmisiones de dos o más estaciones de trabajo al mismo cable de la red, exactamente al mismo tiempo. Las redes cuentan con medios para evitar las colisiones.

color *color*   En *tipografía*, calidad de la parte impresa de la página, la que el ojo debe percibir como una sombra pareja de color gris. Defectos como los *callejones*, los *cortes incorrectos*, el espaciamiento de caracteres inadecuado o el interlineado desigual interrumpen este aspecto uniforme. Para mantener un color adecuado, use un espaciamiento de palabras consistente, evite *viudas* y *huérfanas*, emplee el *interletraje* necesario (en especial en el tipo para pantalla) y evite *guiones escalonados*.

color depth *profundidad de color*   En *monitores*, el número de colores que un *adaptador de video* puede desplegar a la vez. El estándar *Matriz de Gráficos de Video (VGA)*, por ejemplo, permite una profundidad de color de 256. En escáneres, el número de bits de datos con el cual un *escáner* graba cada *pixel* de una imagen digitalizada. Entre mayor sea la profundidad de color, más colores o tonos de gris puede distinguir un escáner. Uno de 24 bits puede representar hasta 16.7 millones de colores y 256 tonos de gris; uno de 30 bits puede registrar más de mil millones de colores y 1,024 tonos de gris.

Color Graphics Adapter (CGA) *Adaptador de Gráficos a Color* Adaptador para presentar *gráficos de mapa de bits* para *computadoras compatibles* con la *PC de IBM*. Este *adaptador* despliega cuatro colores de forma simultánea con una resolución de 200 *pixeles* en posición horizontal y 320 *líneas* en posición vertical, o un color con una resolución de 640 pixeles en posición horizontal por 200 líneas en posición vertical.

color inkjet printer *impresora de inyección de tinta a color*   *Impresora de inyección de tinta* capaz de producir salida a colores. Algunas impresoras de inyección de tinta generan todos los colores a partir de tintas cyan, magenta y amarilla, pero las mejores utilizan también tinta negra, para cumplir al 100% con el modelo de color *CMYK*.

color laser printer *impresora láser a color*   *Impresora láser* capaz de generar salida que incluye colores, pero que (por el momento) no puede igualar la calidad de las impresoras de *transferencia térmica de cera*, *sublimación de tinta* o *sublimación térmica de tinta*. Las impresoras láser a color son menos costosas, más rápidas y los costos de *material* son menores que los de otras impresoras con capacidad para salida de color, aunque son más caras que las impresoras láser *monocromáticas*.

color model *modelo de color*   Manera como se describen y alteran los colores. Existen tres modelos difundidos de colores: el *HSB*, el *RGB* (el cual se utiliza en *monitores*) y el *CMYK*, que acepta sistemas de *color independiente del dispositivo*, como el *Sistema de Igualación Pantone (PMS)*.

color monitor *monitor a color*   *Monitor* de computadora capaz de presentar una imagen en múltiples colores, a diferencia del *monitor* *monocromático* que exhibe un solo color sobre un fondo blanco o negro.

color scanner *escáner a color*   Escáner que registra colores así como tonos de gris. Los escáneres a color se distinguen entre sí, sobre todo por su *profundidad de color.*

color separation *separación de color*   Separación de un *gráfico* de varios colores en varias capas de color, cada una de las cuales corresponde a uno de los colores que se imprimirán al reproducir el gráfico en una impresora profesional. Vea *Pantone Matching System (PMS).*

column *columna*   1. En pantallas de video basadas en caracteres, línea vertical que desciende por la pantalla y cuyo ancho corresponde a un carácter. 2. En una *hoja de cálculo*, bloque vertical de *celdas* al que se identifica generalmente con una sola letra del alfabeto. 3. En un programa de *administración de bases de datos*, el término columna a veces se usa como sinónimo de *campo.* 4. En procesamiento de texto y autoedición, una o más porciones rectangulares de texto dispuestas verticalmente en la página.

column graph *gráfico de columnas*   En *gráficos para presentaciones* y analíticos, *gráfico* con columnas verticales. Estos gráficos se usan por lo general para mostrar los valores de elementos conforme varían éstos en intervalos precisos de un periodo. El *eje x* (eje de categorías) es el eje horizontal, y el *y* (eje de valores), el vertical. A los gráficos de columnas también se les conoce como *gráficos de barras*, pero, técnicamente, estos últimos tienen barras horizontales.

column indicator *indicador de columna*   En *programas de procesamiento de texto*, como *Microsoft Word*, mensaje que aparece en la *barra de estado* y que indica la posición horizontal del *cursor* en la pantalla.

column text chart *gráfico de texto en columnas*   En *gráficos para presentaciones*, tabla que muestra elementos relacionados en columnas de texto adyacentes.

column-wise recalculation *recálculo por columnas*   En *programas de hoja de cálculo*, *orden de recálculo* en el que se calculan todos los valores de la columna A, luego se sigue con los de la B, y así sucesivamente.

COM   1. En el *MS-DOS*, nombre de dispositivo que se refiere a los *puertos seriales* de comunicación disponibles en una computadora, la que puede tener hasta cuatro puertos COM, designados como COM1, COM2, COM3 y COM4. 2. Vea *Component Object Model.*

com   En *Internet*, nombre de dominio de nivel superior asignado a una corporación o empresa. Los nombres de dominio de nivel superior van al último en un nombre de dominio de Internet (como en www.apple.com).

combinatorial explosion *explosión combinatoria*   Barrera a la solución de un problema que se presenta cuando las posibilidades que se van a calcular son muy numerosas. Vea *artificial intelligence*.

COMDEX   Siglas de Computer Deaders Exhibition. Enorme exhibición industrial en la cual los fabricantes de hardware y software muestran sus productos a clientes, prensa especializada y entre ellos mismos.

Comité Consultatif International Téléphonique et Télégraphique *Comité Consultivo Internacional de Telefonía y Telegrafía*   Vea CCITT.

comma-delimited file *archivo delimitado por comas*   *Archivo de datos*, por lo general en formato *ASCII*, en donde un usuario o un *programa* separan mediante comas elementos de información para facilitar la transferencia de datos a otro programa. Vea *tab-delimited file*.

command *comando, orden*   Orden que un usuario le da a un *programa* para que éste ejecute una operación específica. En *programas controlados por comandos*, el usuario primero debe escribir la instrucción del comando con su sintaxis correspondiente y después oprimir Entrar. En un *programa controlado por menús*, el usuario selecciona un comando desde un *menú* presentado en pantalla.

command button *botón de comando*   En *interfaces gráficas de usuario (GUI)*, como *Microsoft Windows 95* o el *Finder* de Macintosh, *botón* dentro de un *cuadro de diálogo* que inicia una acción, como ejecutar un comando con las opciones elegidas, cancelar el comando o mostrar otro cuadro de diálogo. Hay una forma rápida de seleccionar el botón predeterminado: presionar Retorno (en Macintosh) o Entrar (en sistemas Windows).

COMMAND.COM   En el *MS-DOS*, *archivo* que contiene el *intérprete de comandos*. Este archivo debe estar en el disco de arranque para que corra el MS-DOS.

command-driven program *programa controlado por comandos*   *Programa de sistema, de utilería o de aplicación* que requiere que el usuario escriba los *comandos* con su *sintaxis* y nomenclatura correctas para usar las características del programa. Vea *Graphical User Interface (GUI)* y *menu-driven program*.

Command key *tecla de Comando*   En los *teclados Macintosh*, tecla marcada con (⌘) que se emplea a menudo en combinación con teclas alfabéticas para activar métodos abreviados de opciones de *menú*. Apple ha estandarizado estas teclas de método abreviado para que todas las aplicaciones de Macintosh las soporten.

command-line interface *interfaz de línea de comandos*   En un *sistema operativo de línea de comandos*, interfaz que requiere que el usuario escriba comandos línea por línea. Sinónimo de interfaz de teletipo.

command-line operating system *sistema operativo de línea de comandos* Sistema operativo *controlado por comandos*, como el *MS-DOS*, que requiere que el usuario introduzca los comandos por medio del *teclado*. Compare con *graphical user interface (GUI)*.

command mode *modo de comandos* Modo en el que un *módem* toma instrucciones de otras partes de la computadora, como el *teclado*, en lugar de transmitir todo a través de la línea telefónica. Por ejemplo, en modo de comandos, usted podría emitir una instrucción para que el módem bajara el volumen de su bocina o marcara un número telefónico. Los *programas de comunicaciones* generalmente dan la opción de elegir entre modo de comandos y *modo de comunicación*.

command processor *procesador de comandos* Parte de un *sistema operativo* que acepta la información introducida por el usuario y despliega los indicadores de comandos y mensajes en pantalla, como los mensajes de confirmación y las advertencias de error. También se le conoce como intérprete de comandos. Vea COMMAND.COM y *command-line operating system*.

comment *comentario* Vea *remark*.

comment out *convertir en comentario* En *programación*, acto de colocar un símbolo (como un punto y coma) o un comando al inicio de una línea, lo que marca la línea como de documentación. El *compilador* o el *intérprete* ignoran cualquier línea que vaya precedida con ese símbolo.

Common Gateway Interface (CGI) *Interfaz Común de Puerta de Enlace* Estándar que describe la manera en que los servidores Web compatibles con *HTTPD* deben acceder a los programas externos, de manera que esta información sea devuelta al usuario en la forma de una página Web generada de manera automática. Los programas CGI, llamados *scripts*, entran en acción cuando un usuario de Web llena un formulario en pantalla; el formulario genera salida que es manejada por el script, el cual activa a otros programas según sea necesario. Entre ellos pueden incluirse el motor de búsqueda de una base de datos o un programa de correo. Los siguientes son algunos de los usos comunes de CGI: proporcionar un medio para que los usuarios escriban y envíen respuestas, posibilitar búsquedas en bases de datos y crear *puertas de enlace* hacia servicios de Internet que no son directamente accesibles a través de Web.

Common Object Request Broker Architecture (CORBA) *Arquitectura Común de Agente de Solicitud de Objetos* Estándar *middleware* que permite la comunicación entre *objetos* en una red de computadoras, incluso si ésta conecta computadoras físicamente disímiles y si los objetos están escritos en diferentes lenguajes de programación. Netscape Communications ha avalado a CORBA como parte de su plataforma Ambiente Abierto para Red (ONE). Microsoft propone un estándar rival, el *DCOM*.

Common User Access (CUA) *Acceso Común de Usuario*   Estándar desarrollado por IBM para interfaces de usuario que toma muchos de las características de las *interfaces gráficas de usuario (GUI)*, como los menús desplegables y los cuadros de diálogo. Sin embargo, el CUA puede implementarse también en pantallas de sólo texto.

communications mode *modo de comunicación*   Modo en el cual todo lo que se envía al *módem*, como texto desde el *teclado*, se manda a la línea telefónica. Vea *command mode*.

communications parameters *parámetros de comunicación*   En *telecomunicaciones* e impresión serial, configuración (parámetros) que personaliza las comunicaciones seriales para el *hardware* al que se conecta. Vea *baud rate, communications protocol, full duplex, half duplex, parameter, parity bit* y *stop bit*.

communications program *programa de comunicaciones*   *Aplicación* que convierte su computadora en una *terminal* para transmitir y recibir información proveniente de computadoras distantes, a través del sistema telefónico.

communications protocol *protocolo de comunicaciones*   Estándares que rigen la transferencia de información entre computadoras en una *red* o a través de *telecomunicaciones*. Las computadoras que intervienen en la comunicación deben tener la misma configuración y seguir los mismos estándares para evitar errores.

communications settings *configuración de comunicaciones*   Vea *communications parameters* y *communications protocol*.

comp   Abreviatura de composición. En *autoedición (DTP)*, prueba de una página formada que muestra cómo lucirá una vez impresa.

compact disk (CD) *disco compacto*   Disco de plástico de 4.75 pulgadas de diámetro que usa técnicas de almacenamiento óptico para guardar hasta 72 minutos de música o 650 *MB* de información codificada digitalmente. Al principio, los discos compactos proporcionaban almacenamiento de información de sólo lectura. La computadora puede leer información del disco, pero usted no puede cambiarla o introducir nuevos datos en el disco. Por ello, a este medio de almacenamiento se le llama correctamente *CD-ROM (disco compacto de memoria de sólo lectura)*. Hoy día hay unidades de discos ópticos borrables, los que se espera tengan mayor impacto en las técnicas de almacenamiento secundario en la próxima década. Vea *erasable optical disk drive, optical disk* y *secondary storage.*

Compact Disk-Digital Audio (CD-DA) *disco compacto de audio digital* Tipo de *CD-ROM* que puede adquirir en una tienda de discos. Los CD-DAs, basados en un estándar de principios de los años ochenta para grabar sonidos, son uno de los medios para grabación de música más difundidos en el mercado.

Compact Disk-Interactive (CD-I) *disco compacto interactivo* Estándar de *discos compactos* diseñado para ver de manera interactiva grabaciones audiovisuales mediante un televisor y un reproductor de CD-I. Diseñados para la educación, la capacitación y el entretenimiento, los CD-Is han entrado lentamente al mercado.

comparison operator *operador de comparación* Vea *relational operator.*

compatibility *compatibilidad* Capacidad de un dispositivo, *programa* o *adaptador* para funcionar con, o sustituir a, un modelo determinado de computadora, dispositivo o programa. Asimismo, capacidad de una computadora para correr el *software* escrito para ejecutarse en otra computadora. Para ser realmente compatible, un programa o dispositivo debe operar en un sistema particular sin modificación; esto es, todas las características deben funcionar como se idearon, y ejecutar, sin cambios, todo el software que la otra computadora puede correr. Vea *clone.*

comp hierarchy *jerarquía comp* En *Usenet*, una de las siete jerarquías estándar de grupos de noticias; los grupos comp.* tratan con todos los aspectos concebibles relacionados con la computación, incluyendo *inteligencia artificial, diseño asistido por computadora (CAD)*, sistemas de *bases de datos*, telefonía digital, *gráficos, Internet*, organizaciones profesionales, *lenguajes de programación, redes, sistemas operativos, sistemas de computación* específicos y teoría. Los grupos de noticias comp.binaries.* contienen programas de *freeware* y *shareware.*

compiled program *programa compilado* Programa que ha sido transformado por un *compilador*, en *código objeto* legible para la máquina. Los programas compilados corren significativamente más rápido que los *programas interpretados*, porque el programa interactúa directamente con el microprocesador y no necesita compartir espacio de memoria con el *intérprete.* Vea *machine code.*

compiler *compilador* Programa que lee instrucciones escritas en un lenguaje de programación legible para los humanos, como *Pascal* o *Modula-2*, y que traduce las instrucciones a un programa ejecutable legible para la máquina.

Complementary Metal-Oxide Semiconductor (CMOS) *Semiconductor Complementario de Óxido Metálico*   Chip propio para el ahorro de energía fabricado para reproducir las funciones de otros chips, como los de memoria o los *microprocesadores*. Los chips CMOS se usan en *computadoras portátiles* alimentadas por baterías y en otras aplicaciones donde es necesario un consumo mínimo de energía. CMOS también se refiere a un chip especial que opera el reloj de tiempo real incluido en una tarjeta madre y guarda la *configuración* básica *del sistema*, incluyendo los tipos de unidades de *discos flexibles* y *duros*, la cantidad de memoria instalada y los parámetros de los *estados de espera*. Estos parámetros se conservan con el apoyo único de una batería mientras la computadora está apagada.

complex instruction set computer (CISC) *computadora con conjunto complejo de instrucciones*   *Unidad central de procesamiento (CPU)* capaz de reconocer 100 o más instrucciones, que son las necesarias para realizar de manera directa la mayoría de los cálculos. Casi todos los microprocesadores son chips CISC. Sin embargo, el uso de tecnología *RISC* está adquiriendo más popularidad en estaciones de trabajo profesionales. Las computadoras Power Macintosh de Apple utilizan un procesador con diseño RISC/CISC.

component *componente*   1. Parte o *módulo* de un programa o un *paquete*. Por ejemplo, Netscape Messenger es un componente de Netscape Communicator. 2. Un *objeto* (vea *object-oriented programming [OOP]*).

Component Object Model (COM) *Modelo de Objetos Componentes*   Estándar desarrollado por Microsoft Corporation que permite a *objetos* intercambiar datos entre sí, incluso si tales objetos se han creado con diferentes lenguajes de programación. COM requiere que el sistema operativo de la computadora esté equipado con *OLE*, el cual (en la actualidad) se encuentra implementado al 100% sólo en sistemas Windows de Microsoft. Vea *ActiveX* y *OLE*.

compose sequence *secuencia de composición*   Combinación de *teclas* que le permiten al usuario introducir un *carácter* que no está en el teclado de la computadora.

composite *composición*   Vea *comp*.

composite color monitor *monitor de color compuesto*   *Monitor* que acepta una señal de video estándar, la cual combina las señales verde, roja y azul para producir la imagen a color. La calidad del despliegue es inferior a la de los *monitores RGB*. Vea *composite video*.

composite video *video compuesto*   Método para difusión de señales de video en el que se combinan las señales roja, verde y azul, así como las señales de sincronización horizontal y vertical. Los televisores emplean video compuesto, que está regulado por el *NTSC (National Television Standards Committee)* de Estados Unidos. Algunas computadoras tienen salidas de video compuesto con conexión estándar RCA y cables como los de los sistemas estereofónicos y de alta fidelidad. Vea *composite color monitor* y *RGB monitor.*

compound device *dispositivo compuesto* En *multimedia,* dispositivo (como un *secuenciador MIDI)* que reproduce sonido u otra salida que usted puede registrar en un archivo específico de medios.

compound document *documento compuesto* En Vinculación e Incrustación de Objetos *(OLE), archivo* único creado por dos o más aplicaciones. Al usar OLE para incluir una tabla de *Microsoft Excel* en un documento de *Microsoft Word,* por ejemplo, el archivo resultante contiene tanto el texto de Word como el *objeto* de Excel. El objeto contiene toda la información que Excel necesita para abrir la tabla para su edición. Esta información origina archivos mucho más grandes que los normales. Vea *OpenDoc.*

compress *comprimir* 1. *compress* es una utilería de *compresión Unix* que crea archivos con la extensión *.Z. Debido a que esta utilería está protegida por derechos de autor, no es posible distribuirla libremente, por lo que muchos usuarios de Unix prefieren usar gunzip, de la Fundación para el Software Abierto, el cual crea archivos comprimidos con la extensión *.gz. 2. Reducir el tamaño de un archivo mediante un programa de *compresión.*

compressed file *archivo comprimido* *Archivo* que una *utilería de compresión de archivos* escribe en un formato especial que reduce al mínimo el espacio de almacenamiento requerido.

compressed SLIP (CSLIP) Versión optimizada del *Protocolo Internet de Línea Serial (SLIP)* (usado comúnmente para conectar PCs a *Internet* por medio de conexiones de acceso telefónico) que incluye compresión y mejora la velocidad real de transporte. Dados los inconvenientes de seguridad de este protocolo, los *proveedores de servicios de Internet (ISPs)* prefieren implementar el acceso telefónico utilizando el Protocolo Punto a Punto *(PPP).*

compression *compresión* Reducción del tamaño de un *archivo* por medio de un programa de compresión. La técnica usada para reducir el tamaño del archivo (y restaurar la información al descomprimirlo) se llama *algoritmo de compresión.*

compression algorithm *algoritmo de compresión* Método usado para *comprimir* un archivo y restaurar la información cuando se descomprime para utilizarla. Los dos tipos de algoritmo de compresión son *compresión sin pérdida* y *compresión con pérdida*. En la compresión sin pérdida, el proceso posibilita la descompresión subsecuente del archivo conservando la integridad de la información original. La compresión con pérdida, en la cual el proceso elimina una pequeña parte de los datos en una forma que no es evidente para la persona que usa la información, es utilizada para sonidos, imágenes, animación y videos. Muchos módems ofrecen compresión al vuelo, y a menudo usan los protocolos *MNP5* o *V.42bis*.

CompuServe   El segundo *servicio de información en línea* más grande, el cual ofrece muchos de los mismos servicios que *America Online,* incluyendo *descarga* de archivos, *correo electrónico*, noticias, cotización de acciones actualizada, una enciclopedia en línea, salones de conversación, acceso a *Internet* y conferencias sobre una amplia gama de temas.

computation *computación*   Ejecución exitosa de un *algoritmo*, que puede ser una búsqueda u *ordenamiento* de texto, o un cálculo.

computationally infeasible *computacionalmente impracticable*   Incapaz de ser resuelto debido a restricciones prácticas, aun cuando exista un algoritmo conocido para solucionar un problema. Por ejemplo, teóricamente es posible violar el código de algunos algoritmos de *encriptación*, como el *DES*, sin tener la *clave*, pero hacerlo implicaría un gasto tan grande de recursos de computación, dinero y tiempo, que en términos prácticos se consideran seguros.

computer *computador, ordenador*   Máquina capaz de seguir instrucciones para modificar información de una manera conveniente y para realizar por lo menos algunas operaciones sin intervención humana. Las computadoras representan y manipulan texto, *gráficos*, símbolos y música, así como números. Vea *analog computer* y *digital computer*.

computer addiction *adicción a la computadora*   Vea *computer dependency*.

computer-aided design (CAD) *diseño asistido por computadora*   Uso de la *computadora* y de un programa CAD para el diseño de una enorme variedad de productos industriales, que van desde componentes de máquinas hasta casas habitación. CAD se ha convertido en el pilar de una amplia gama de áreas relacionadas con el diseño, como la arquitectura, la ingeniería civil, electrónica y mecánica, y el diseño de interiores. Las aplicaciones de CAD hacen uso intensivo de cálculos y *gráficos*, y requieren *microprocesadores* veloces y *pantallas* de alta *resolución*.

computer-aided design and drafting (CADD) *diseño y proyectos asistidos por computadora*   Uso de un *sistema de computación* para diseño industrial y dibujo técnico. El software de CADD se parece mucho al *diseño asistido por computadora (CAD)*, pero tiene características adicionales que le permiten al artista producir dibujos conforme a convenciones de ingeniería.

computer-assisted design/computed assisted manufacturing *diseño y fabricación asistidos por computadora* Vea *CAD/CAM*.

computer-assisted instruction (CAI) *enseñanza asistida por computadora* Uso de programas para elaborar actividades didácticas, como ejercicios y prácticas, tutoriales y evaluaciones. A diferencia de los profesores, un programa de CAI trabaja con paciencia sin hacer distinción entre los estudiantes lentos o brillantes. CAI puede utilizar sonido, gráficos y otros estímulos de pantalla para ayudar a que un estudiante aprenda con excelentes resultados.

computer-assisted manufacturing *fabricación asistida por computadora* Vea *CAD/CAM*.

computer-based training (CBT) *capacitación basada en computadora* Uso de técnicas de *enseñanza asistida por computadora (CAI)* para capacitar en oficios específicos, como el manejo de un torno controlado numéricamente.

Computer Dealers Exhibition Vea *COMDEX*.

computer dependency *dependencia de la computadora* Trastorno psicológico caracterizado por el uso compulsivo y prolongado de la computadora. Por ejemplo, algunas autoridades médicas en Dinamarca informaron del caso de una persona de 18 años de edad que pasaba hasta 16 horas diarias con su computadora. Los doctores encontraron que el paciente hablaba consigo mismo en un *lenguaje de programación*.

Computer Emergency Response Team *Equipo de Respuesta para Emergencias de Computación* Vea *CERT*.

computer ethics *ética en computación* Rama de la ética específicamente dedicada a determinar el uso ético de los recursos de computación. Las áreas de análisis incluyen el *acceso no autorizado,* los *virus* de computadoras, el comportamiento no ético para con los demás en una red (vea *netiquette*) y la *piratería de software*.

Computer Fraud and Abuse Act of 1984 *Acta relativa a los fraudes y abusos de la computación de 1984* Ley federal de Estados Unidos que sanciona el abuso cometido en computadoras o *redes* del gobierno norteamericano, que sobrepasan fronteras estatales. En ella se determinan las sentencias de multas o encarcelamiento para el *acceso no autorizado*, el robo de información crediticia y el espionaje en beneficio de un gobierno extranjero.

Computer Graphics Metafile (CGM) *Metarchivo de Gráficos de Computadora* Formato internacional de archivos de gráficos que guarda *gráficos orientados a objetos* en una forma independiente al dispositivo para que un usuario pueda intercambiar archivos CGM con otros usuarios de sistemas (y *programas*) diferentes. Un archivo CGM contiene tanto la imagen como las instrucciones requeridas por otro programa para crear el archivo. Entre los programas para computadoras personales capaces de leer y escribir en formatos de archivos CGM están Harvard Graphics y Ventura Publisher. Es el formato estándar de *Lotus 1-2-3*. Vea *Windows Metafile Format (WMF)*.

computer-mediated communication (CMC) *comunicación mediada por computadora*   Cualquier comunicación entre personas que empleen computadoras como un medio. Los ejemplos más comunes de CMC incluyen la *conversación*, el *correo electrónico*, los *MUDs* y *Usenet*.

Computer Professionals for Social Responsibility (CPSR) *Profesionales de la Computación por la Responsabilidad Social*   Organización pública de defensa, no lucrativa, con sede en Palo Alto, California, que reúne a ciudadanos, científicos y educadores preocupados acerca del impacto de la tecnología de la computación sobre el bienestar de la humanidad. Entre los asuntos que les conciernen están la seguridad y la salud de los trabajadores, el impacto de la tecnología de la computación en la guerra moderna y las libertades civiles en la era electrónica. Las actividades del grupo incluyen educación, conferencias, publicaciones y acciones legales.

computer system *sistema de computación, sistema de cómputo*   Instalación completa de una computadora (incluyendo *periféricos*, como *unidades de disco duro* y *flexible*), *monitor*, *ratón*, *software* e *impresora*), donde todos los componentes están diseñados para trabajar en conjunto.

CON   En el *MS-DOS*, nombre para la *consola*, que se refiere al *teclado* y el *monitor*.

concatenation *concatenación*   Combinación de dos o más unidades de información, como *cadenas* o *archivos*, para que formen una unidad. En los programas de *hoja de cálculo*, la concatenación se usa para combinar texto en una fórmula, para lo cual se coloca el carácter ampersand (&) entre la fórmula y el texto.

concordance file *archivo de concordancia*   *Archivo* que contiene las *palabras* que usted desea que un programa de *procesamiento de texto* incluya en el índice que elabora el mismo programa.

concurrency control *control de concurrencia*   En la versión de un *programa de aplicación* para *red de área local (LAN)*, características integradas del programa que controlan lo que ocurre cuando dos o más personas tratan de usar una misma característica del programa o un *archivo de datos*. Numerosos programas que no están diseñados para redes pueden correr en una de éstas y permiten que más de una persona tenga acceso a un *documento*; sin embargo, esto puede propiciar que alguien destruya de manera accidental el trabajo de otra persona. El control de concurrencia resuelve este problema, ya que permite el acceso múltiple siempre que no haya riesgo de pérdida de información, y lo restringe cuando existe esta posibilidad. Vea *file locking*, *LAN-aware program* y *LAN-ignorant program*.

concurrency management *administración de concurrencia* Vea *concurrency control*.

concurrent processing *procesamiento concurrente* Vea *multitasking*.

condensed type *tipo condensado* Tipo de letra cuyo diseño es más angosto que el normal, por lo que en una pulgada lineal pueden caber más caracteres. En *impresoras de matriz de puntos*, el tipo condensado imprime por lo general 17 *caracteres por pulgada (cpi)*.

Conference on Data-Systems Languages (CODASYL) *Conferencia sobre Lenguajes de Sistemas de Datos* Organización profesional dedicada a mejorar y estandarizar *COBOL*.

confidentiality *confidencialidad* En seguridad de redes, la protección de cualquier tipo de mensaje para evitar que sea interceptado o leído por alguien distinto al destinatario designado.

CONFIG.SYS En el *MS-DOS*, *archivo* de texto *ASCII* en el *directorio raíz* que contiene comandos de *configuración*. El MS-DOS consulta este archivo al arrancar el sistema.

configuration *configuración* Opciones incluidas en la instalación de un *sistema de computación* o en un *programa de aplicación* para que cumpla con las necesidades del usuario. La configuración apropiada de su sistema o programa es una de las tareas más tediosas de la computación personal y, por desgracia, no se ha eliminado con la aparición de los *ambientes de ventanas*. Por ejemplo, en *Microsoft Windows 95*, a veces debe realizarse una configuración manual para obtener el mejor rendimiento de Windows y aprovechar al máximo la memoria disponible en su sistema. Una vez establecida, la configuración queda guardada en un *archivo de configuración*, como el *WIN.INI* o el *AUTOEXEC.BAT*.

configuration file *archivo de configuración* *Archivo* creado por un *programa de aplicación*, en el cual se guardan las opciones elegidas al instalar el programa para que estén disponibles la siguiente vez que se inicie el programa. Por ejemplo, en *Microsoft Word*, el archivo MW.INI guarda las opciones que se elijan en el menú Opciones.

configuration manager *administrador de configuración* En *Microsoft Windows 95*, el programa de utilería que administra los controladores de software asociados con los dispositivos de hardware. Vea *hardware tree*.

confirmation message *mensaje de confirmación* Mensaje en pantalla que le solicita la confirmación de una acción potencialmente perjudicial; por ejemplo, cerrar una *ventana* sin guardar su trabajo. Vea *alert box*.

connectionless *no orientado a la conexión*   Que no necesita una conexión electrónica directa para intercambiar datos. Vea *connection-oriented, packet-switching network.*

connectionless protocol *protocolo no orientado a la conexión*   En *redes de área amplia (WAN)*, estándar que permite la transmisión de datos de una computadora a otra, incluso si no se hace esfuerzo alguno para determinar si la computadora receptora está en línea o es capaz de recibir la información. Éste es el protocolo subyacente en cualquier *red de conmutación de paquetes*, como *Internet*, en la cual una unidad de información es fragmentada en paquetes pequeños, cada uno con un encabezado que contiene la dirección de destino designado de los datos. En Internet, el protocolo no orientado a la conexión es el *Protocolo Internet (IP)*. Éste sólo se ocupa de fragmentar la información en paquetes para su transmisión y reensamblarlos después de que se han recibido. Un *protocolo orientado a la conexión* (en Internet es el TCP) funciona a otro nivel para asegurar que todos los paquetes sean recibidos. La investigación en redes de computación ha revelado que este diseño es sumamente eficiente. Vea *Transmission Control Protocol (TCP).*

connection-oriented *orientado a la conexión*   Que requiere una conexión electrónica directa, por medio de circuitos de conmutación, con el fin de intercambiar datos. Vea *connectionless, connectionless protocol* y *packet-switching network.*

connection-oriented protocol *protocolo orientado a la conexión*   En *redes de área amplia (WANs)*, estándar que establece un procedimiento mediante el cual dos de las computadoras de la *red* pueden establecer una conexión física que dura hasta que termine el intercambio de datos. Esto se logra por medio de un *acuerdo de conexión,* en el cual las dos computadoras intercambian mensajes como "Muy bien, estoy lista", "No recibí eso, por favor vuelve a enviármelo" y "Ya lo recibí, hasta luego". En *Internet*, el *Protocolo de Control de Transmisión (TCP)* es un protocolo orientado a la conexión, y proporciona los medios a través de los cuales dos computadoras conectadas a Internet pueden entrar en comunicación entre sí para asegurar la transmisión exitosa de datos. En contraste, el *Protocolo Internet (IP)* es un *protocolo no orientado a la conexión*, el cual permite la transmisión de datos sin necesidad de establecer un acuerdo de conexión.

connectivity *conectividad*   Grado hasta el cual una computadora o un *programa* determinados funcionan en una configuración de *red.*

connectivity platform *plataforma de conectividad*   *Programa* o *utilería* diseñado con el fin de mejorar la capacidad de un programa para intercambiar *información* con otros programas a través de una red de área local (LAN). Por ejemplo, Oracle para *Macintosh* proporciona a *HyperCard* la conectividad necesaria para buscar y recuperar información proveniente de grandes *bases de datos* corporativas.

connector conspiracy *conspiración con conectores*   Táctica de un fabricante de computadoras para forzar a los consumidores a comprar sus productos, los cuales contienen conectores raros que funcionan sólo con periféricos producidos por la misma compañía. Las conspiraciones con conectores, aunque poco populares entre los consumidores, surgen constantemente originadas por la ambición. Una versión reciente, los conectores propietarios para *CD-ROM* en las *tarjetas de sonido*, fuerza a los compradores a adquirir una *unidad de CD-ROM* fabricada por la misma compañía (a menos que se resignen a que su equipo trabaje con funcionalidad limitada).

connect speed *velocidad de conexión*   Rapidez de transmisión de datos a la cual un *módem*, después de llevar a cabo una secuencia de *acuerdo de conexión* con otro módem y determinar la cantidad de *ruido en la línea*, establece una conexión. La velocidad de conexión puede ser más baja que la velocidad máxima posible del módem.

console *consola*   *Terminal* de visualización compuesta por un *monitor* y un *teclado*. En *sistemas multiusuario*, consola es sinónimo de *terminal*, pero en sistemas operativos de *computadoras personales*, el término se refiere al teclado y el monitor. Vea *CON*.

constant *constante*   En un *programa de hoja de cálculo*, cifra que el usuario introduce directamente en una *celda* o coloca en una *fórmula*. Vea *cell definition* y *key variable*.

constant angular velocity (CAV) *velocidad angular constante*   En un *medio de almacenamiento de datos*, como una *unidad de disco duro* o *disco flexible*, técnica de reproducción en donde el disco gira a una velocidad constante. Esta técnica da por resultado tiempos de recuperación más rápidos cuando las *cabezas de lectura/escritura* se encuentran cercanas al *eje*, y más lentos, cuando las cabezas se mueven hacia el perímetro del disco. Vea *constant linear velocity (CLV)*.

constant linear velocity (CLV) *velocidad lineal constante*   En *unidades de CD-ROM*, técnica de reproducción que aumenta o disminuye la velocidad de rotación del disco para asegurar que ésta siempre sea constante en el punto de lectura. Para lograr la velocidad lineal constante, el disco debe girar más lentamente al leer o escribir a medida que se acerque al *eje* de la unidad. Vea *constant angular velocity (CAV)*.

consumables *consumibles, materiales*   Insumos que una *impresora* utiliza al operar. Los gastos de consumibles, como los cartuchos de tinta y el papel se acumulan rápidamente y, por lo general, se expresan como *costo por página*, el cual supera los tres dólares para algunas impresoras de alta tecnología con capacidad de salida a color.

contact head *cabeza de contacto*   En un *disco duro*, *cabeza de lectura/escritura* que patina sobre la superficie de un *plato* en lugar de flotar sobre ella. Las cabezas de contacto ofrecen resistencia a las *colisiones de la cabeza* y mejoran la *densidad de área*.

contact management program *programa de administración de contactos*   Programa de aplicación que permite a los hombres de negocios crear directorios de sus contactos y establecer calendarios de reuniones. Vea *ACT!* y *personal information manager (PIM)*.

container *contenedor*   Vea *compound document*.

contention *contención*   En una *red de área local (LANs)*, método de acceso al canal en donde el acceso al canal de comunicación se basa en la política de que el primero que llega es el primero que recibe atención. Vea *CSMA/CD* y *device contention*.

context-sensitive help *ayuda sensible al contexto*   En un *programa de aplicación*, modo de ayuda para usuario que presenta información referente al *comando*, el *modo* o la acción que se esté llevando a cabo. La ayuda sensible al contexto reduce el tiempo y la presión de teclas necesarias para obtener ayuda en pantalla.

context switching *cambio de contexto*   Cambio de un *programa* a otro sin tener que salir de ninguno de ellos. Vea *multiple program loading*.

contiguous *contiguo*   Adyacente; colocado uno junto a otro. Por lo general, aunque no siempre, un rango de *celdas* en una *hoja de cálculo* está formado por celdas contiguas.

continuous paper *papel de forma continua*   Papel fabricado como una tira larga, con perforaciones que separan una hoja de otra, para que pueda alimentar a una *impresora* con mecanismo de *alimentación por tracción*. Se usa como sinónimo de papel de alimentación continua.

continuous-tone image *imagen de tono continuo*   Salida de *impresora* en la cual los colores y los tonos de gris se combinan suavemente, como lo harían en una fotografía lograda por medios químicos.

continuous-tone printer *impresora de tono continuo*   Impresora capaz de generar *salida fotorrealística*, con transiciones suaves entre los colores o tonos de gris.

contrast *contraste*   En *monitores*, el grado de distinción entre *pixeles* claros y oscuros. La mayoría de los monitores tienen un control para regular el contraste.

control *control*   1. En un programa de *Microsoft Windows 95*, característica de un *cuadro de diálogo* (como una *casilla de verifica-*

ción, un botón de opción o un *cuadro de lista*) que permite al usuario elegir opciones. 2. En *ActiveX*, un miniprograma descargado que agrega funcionalidad a una página Web.

Control+Break *Control+Interrumpir*   En el MS-DOS, *comando del teclado* que cancela la ejecución de un *programa* o *comando* en el siguiente *punto de interrupción* disponible.

control bus *bus de control*   Ruta de acceso de datos que se ha reservado para llevar instrucciones de control desde la *unidad central de procesamiento (CPU)*.

control character *carácter de control*   Vea *control code*.

control code *código de control*   En *ASCII (Código Estándar Americano para el Intercambio de Información)*, código reservado para propósitos de control de *hardware*, como avanzar una página en la impresora. El ASCII tiene 32 códigos de control. Vea *ASCII*.

Control key (Ctrl) *tecla Control*   En computación *compatible con la PC de IBM*, *tecla* que a menudo es presionada en combinación con otras teclas para emitir comandos de *programas*. Por ejemplo, en *Microsoft Word*, al presionar Ctrl+B se despliega el *cuadro de diálogo* Buscar.

controlled vocabulary *vocabulario controlado*   En búsquedas en bases de datos, un conjunto fijo de términos sobre un tema que se puede utilizar para describir sin ambigüedades el contenido de un *registro de datos*. El uso de vocabulario controlado incrementa de manera importante la *precisión* de las operaciones de recuperación de datos, pero toma mucho tiempo la codificación de los registros con los términos controlados. Vea *free text search*.

controller *controlador*   Vea *hard disk controller* y *floppy disk controller*.

controller card *tarjeta controladora*   *Adaptador* que conecta las unidades de *disco duro* y *flexible* a la computadora. Casi todas las tarjetas controladoras de computadoras personales contienen los circuitos necesarios para conectar una o más unidades de *disco flexible* y una de *disco duro*.

control menu *menú de control*   En *Microsoft Windows*, *menú desplegable* presente en la mayoría de las *ventanas* y *cuadros de diálogo* que contiene opciones para el manejo de la *ventana activa*. El *icono* del menú de control, un botón con una barra semejante a un guión, siempre está en el extremo izquierdo de la *barra de título*. El contenido de este menú varía, pero por lo general incluye comandos para mover, modificar tamaño, *maximizar* o *minimizar* ventanas, así como para cerrar la ventana actual o cambiarse a la ventana de otra aplicación o a la del siguiente documento.

control panel *panel de control*   En ambientes operativos *Macintosh* y *Microsoft Windows 95*, el panel de control es una ventana de utilería que enlista opciones para dispositivos de *hardware*, como el *ratón,* el *monitor* y el *teclado.*

control panel device (CDEV) *dispositivo de panel de control*   Cualquier programa de utilería de *Macintosh* colocado en la *Carpeta del Sistema* que aparece como una opción del *panel de control.*

control structure *estructura de control*   Organización lógica para un *algoritmo* que rige la secuencia en que se ejecutan las instrucciones de un *programa.* Las estructuras de control rigen el flujo de control en un programa especificando la secuencia en la que se llevan a cabo los pasos de éste o de una *macro.* Las estructuras de control incluyen: estructuras de bifurcación que propician la ejecución de un conjunto especial de instrucciones cuando ocurre una situación especificada; estructuras de ciclo que se ejecutan una y otra vez hasta que una condición se cumple, y estructuras de procedimiento y función que destinan determinadas funciones y procedimientos de un programa a módulos separados, los cuales son llamados desde el programa principal.

control unit *unidad de control*   Componente de la *unidad central de procesamiento (CPU)* que capta instrucciones de programa y emite señales para que se lleven a efecto. Vea *arithmetic-logic unit (ALU).*

convenience copier *copiadora de conveniencia*   Combinación *impresora/escáner*, o máquina de *fax* que se puede usar para generar un pequeño número de fotocopias.

conventional memory *memoria convencional*   En cualquier computadora personal compatible con IBM, los primeros 640 Kb de *memoria de acceso aleatorio* (RAM). Los *microprocesadores 8086 y 8088 de Intel*, disponibles cuando se diseñó la computadora personal de IBM (PC), pueden usar directamente 1 *MB* de RAM. Los diseñadores de las PCs decidieron dejar 640 *KB* de RAM para los programas y el resto del espacio disponible de la memoria para funciones internas del sistema. *Microsoft Windows 95* proporciona a los programas acceso directo a toda la RAM de un sistema.

conventional programming *programación convencional*   Uso de un *lenguaje de programación de procedimientos*, como *BASIC, FORTRAN* o *lenguaje ensamblador*, para codificar un *algoritmo* en forma legible para la máquina. En la programación convencional, el programador debe preocuparse de la secuencia en que ocurren los eventos dentro de la computadora. Los lenguajes de programación que no son de procedimientos permiten que el programador se concentre en el problema, sin que tenga que preocuparse del procedimiento preciso que debe seguir la computadora para resolver el problema. Vea *declarative language*.

convergence *convergencia*   1. Alineación de los *cañones de electrones* rojo, azul y verde en un *monitor* para crear colores en la pantalla. Cuando no están perfectamente alineados, el resultado es una convergencia deficiente, la que disminuye la definición y la *resolución* de la imagen. El área blanca también tiende a mostrar colores en las orillas. 2. En una *red de conmutación de paquetes*, proceso automático de actualización del mapa de la red que se lleva a cabo después de que un ruteador es encendido. Un *ruteador* es un dispositivo, por lo general una computadora dedicada, que "lee" cada paquete entrante y determina a dónde enviarlo a continuación. Con el fin de llevar a cabo esta tarea de manera correcta, el ruteador necesita un mapa preciso de las redes con las cuales está directamente conectado. Si este mapa tuviera que actualizarse manualmente, las organizaciones tendrían que dedicar una cantidad considerable de tiempo y recursos humanos a la tarea. El software de convergencia permite al ruteador detectar cambios en la red, como la adición o eliminación de estaciones de trabajo, para ajustar su mapa automáticamente. El proceso se llama convergencia porque le lleva al ruteador unos cuantos minutos "converger" con la realidad (es decir, el estado real de la red en un momento dado).

conversion utility *utilería de conversión*   Programa que transforma el *formato de archivo* en el cual se encuentra almacenada cierta información. Por ejemplo, Microsoft Word incluye varias utilerías de conversión que pueden leer archivos creados por otros programas de procesamiento de texto y los reescribe usando el formato propietario de Word.

cookie *cookie*   1. En Unix, cita de una o dos líneas que se puede agregar automáticamente al final de un mensaje de correo electrónico saliente. 2. En *World Wide Web (WWW)*, pequeño archivo de texto que el *servidor* escribe en el disco duro del usuario sin el conocimiento ni autorización de este último. Los datos del archivo cookie permiten a una página Web pasar información a otras páginas, lo cual constituye uno de los inconvenientes del protocolo subyacente a WWW, el *HTTP*. Muchos usos de las cookies benefician a los usuarios; por ejemplo, los *carritos de compras* utilizados en varios "centros comerciales" en línea no funcionarían sin cookies. Sin embargo, las empresas de comercialización directa utilizan las cookies para reunir información acerca de los hábitos de exploración de los usuarios en una forma que ha levantado graves preocupaciones entre los defensores de la privacía. *Netscape Communicator* permite a los usuarios desactivar cookies.

cooperative multitasking *multitarea cooperativa*   En un *sistema operativo*, medio de ejecutar más de un *programa* a la vez. En modo de multitarea cooperativa, un *programa de aplicación* no puede forzar a otro a hacer algo. Una aplicación cede el turno a otra de modo voluntario, pero sólo después de revisar el equivalente electrónico a un cuadro de mensaje, para saber si otra aplicación ha hecho una solicitud. Sin embargo, si la aplicación realiza un proceso largo, quizá revise el cuadro de mensaje sólo después de haber terminado la operación. Vea *preemptive multitasking*.

cooperative network *red cooperativa*   *Red de área amplia (WAN)*, como *BITNET* o *UUCP*, donde el costo de participación es solventado por las organizaciones vinculadas. Vea *research network*.

Copland   Nombre clave para una enorme y fallida revisión del sistema operativo *Sistema 7* de Macintosh, el cual habría llevado al *MacOS* funciones que ya están exitosamente implementadas en *Microsoft Windows 95* y *Microsoft Windows NT*, incluyendo *procesamiento de cadena de mensajes, multiprocesamiento simétrico, multitareas por preferencias* y *memoria protegida*. Al reconocer el fracaso de Copland, Apple anunció que la versión siguiente de MacOS, la *versión 8*, presentaría multitareas mejoradas, pero que el sistema operativo futuro para la Macintosh se basaría en *Rhapsody*, una versión del sistema operativo *NeXT* adquirido de NeXT, Inc.

copper pair *par de cobre*   Cable telefónico estándar que no puede manejar servicios de comunicación *digital* de alta velocidad, como los de la *Red Digital de Servicios Integrados (ISDN)*. Para que se generalice el uso de la comunicación digital de alta velocidad, primero será necesario sustituir todo el cableado de par de cobre que subsiste en numerosas áreas residenciales y comerciales. Vea *twisted-pair*.

coprocessor *coprocesador*   Chip de apoyo al *microprocesador* que realiza una operación específica de procesamiento, como el manejo de cálculos matemáticos o el despliegue de imágenes en pantalla. Vea *numeric coprocessor*.

copy *copia, manuscrito*   Reproducir parte de un *documento* en otra ubicación del mismo o de otro documento. Material (texto, *imágenes*, fotos y arte) que debe ensamblarse para impresión.

copy fitting *ajuste de original*   En *autoedición (DTP)*, método empleado para determinar la cantidad de texto a copiar que, de acuerdo con un *tipo* o *fuente* específicos, se ajustará en un área determinada de una página o en una publicación.

copyleft *copyleft*   Tipo de derechos de autor promovido por la Fundación para el Software Gratuito, que pretende promover la distribución gratuita de software protegido por derechos de autor para propósitos no lucrativos.

copy protection *protección contra copiado*   Inclusión de instrucciones ocultas dentro de un *programa* cuya finalidad es evitar la copia no autorizada del *software*. Debido a que la mayoría de los sistemas de protección contra copiado impone sanciones a los propietarios legítimos de los programas, como obligarlos a insertar un disco especialmente codificado (o disco maestro) antes de usar un programa, la mayoría de los editores de software ha dejado de usar estos esquemas. Sin embargo, la protección contra copiado aún es muy común en programas de recreación y educacionales.

CORBA   Vea *Common Object Request Broker Architecture*.

core dump *vaciado del núcleo*   En computación con *mainframes*, técnica de *depuración* que implica la impresión de todo el contenido del núcleo de la computadora, o memoria. En la jerga actual, el término se refiere a una persona que, al plantearle una pregunta sencilla, recita todo lo que sabe acerca del tema. Vea *dump*.

Corel Corporation   Importante compañía de software para consumidores y negocios, entre el cual se encuentran *CorelDRAW!, Corel Office Pro* y *Corel WordPerfect Suite*. La compañía tiene su sede en Ottawa, Ontario, Canadá.

CorelDRAW!   Programa para *gráficos vectoriales* que incluye una amplia variedad de efectos especiales y utilerías, incluyendo *presentación* en tercera dimensión y *animación*, edición de fotografías y *gráficos para presentaciones*. El programa es adecuado para Internet porque tiene la capacidad de guardar imágenes con paletas de colores y en *formatos de archivo* de Internet.

Corel Office Pro   *Grupo de programas de oficina*, para sistemas Windows, que incluyen procesamiento de texto (Corel WordPerfect), hoja de cálculo (Corel QuattroPro), imágenes de presentaciones (Corel Presentations), software para bases de datos (Paradox) y utilerías (incluyendo SideKick, Dashboard e imágenes prediseñadas). El grupo es muy parecido a *Corel WordPerfect Suite*, excepto porque Office Pro incluye software para bases de datos.

core-logic chip set *conjunto de chips con lógica central*   Conjunto de circuitos integrados que permiten a una *unidad central de procesamiento (CPU)* trabajar con *caché externo*, *memoria de acceso aleatorio (RAM)* y un *bus de expansión*.

Corel Quattro Pro   *Programa de hoja de cálculo* con funciones completas para computadoras con Windows, que incorpora conectividad con Internet y características para publicación, así como un número inusualmente grande de funciones (más de 500) y estilos de gráficos (más de 50). Este programa compite con *Lotus 1-2-3* y *Microsoft Excel*.

Corel WordPerfect Suite   *Grupo de programas de oficina* que incluye procesamiento de texto (Corel WordPerfect), hoja de cálculo (Corel QuattroPro), imágenes para presentaciones (Corel Presentations), varias utilerías adicionales y más de 10,000 *imágenes prediseñadas*. El grupo es esencialmente el mismo que *Corel Office Pro*, excepto porque carece de software para bases de datos. Sólo está disponible para sistemas con Windows; Corel WordPerfect está disponible también para Macintosh.

core set of modulations protocols *conjunto central de protocolos de modulación*   Métodos integrados en los *módems* para transmitir datos. El conjunto central de protocolos de modulación de los módems actuales incluye *Bell 103A, Bell 212A, V.22, V.22bis, V.32* y *V.32bis,* y permite que prácticamente cualquier par de módems se comuniquen con éxito.

corona wire *alambre corona*   En *impresoras láser*, alambre que aplica carga electrostática al papel.

corrupted file *archivo dañado*   *Archivo* con información desordenada e imposible de recuperar. Un archivo se puede dañar debido a *sectores* defectuosos (alteraciones en la superficie del disco), fallas en el *controlador de unidades de disco duro* o *flexible* o errores de *software.*

cost-benefit analysis *análisis de costo-beneficio*   Proyección de costos y beneficios derivados de adquirir cierto equipo o de llevar a cabo una acción determinada.

cost per page *costo por página*   En impresoras, un estimado del costo de *consumibles* por cada página que se imprime. Dado que los materiales pueden llegar a costar más que la impresora, ponga atención a las cifras de costo por página al seleccionar uno de estos periféricos. Algunas impresoras de alta tecnología a colores tienen costos por página de tres dólares o más.

Cougar   Nombre clave para la siguiente versión de *HTML,* actualmente bajo revisión por parte del *World Wide Web Consortium (W3C).* Al basarse en los logros de HTML 3.2, Cougar incorporará un mejor mecanismo para representar información acerca del documento (como autenticar el nombre del autor por medio de firmas digitales), soportar lenguajes de *scripts* que se ejecuten localmente como *JavaScript,* especificar de manera formal etiquetas para marcos, extender formularios (con atención particular a proporcionar acceso para gente con discapacidades), especificar los medios para incluir *objetos* (como *applets de Java*) y mejoras adicionales que apoyen el uso internacional de HTML.

counter *blanco interno*   En *tipografía,* espacio parcial o totalmente cerrado por el *trazo curvo* parcial o total de una letra, como el espacio en blanco dentro de las letras "a" y "o".

Courier *Tipo de letra monoespaciada* (incluido por lo general como *fuente integrada* en *impresoras láser*) que simula la salida de máquinas de escribir. Por ejemplo: `Este tipo de letra es Courier.`

courseware *software de enseñanza* Software desarrollado para aplicaciones de enseñanza asistida por computadora (CAI) o de capacitación basada en computadora (CBT).

courtesy copy (CC) *copia de cortesía* En *correo electrónico*, copia de un mensaje enviada a una o más direcciones. Esas direcciones están incluidas en la información de encabezado que el destinatario del mensaje puede ver. En una *copia oculta (BCC)* el destinatario no sabe a quién se envían copias.

cpi Vea *characters per inch*.

CP/M (Control Program for Microprocessors) *Programa de Control para Microprocesadores* *Sistema operativo* para computadoras personales que usaban los *microprocesadores* de 8 bits *8080* de Intel y el Zilog Z-80. CP/M fue creado al final de la década de 1970 conforme aparecían las *unidades de discos flexibles* para las primeras computadoras personales.

CPM Vea *critical path method*.

cps Vea *characters per second*.

CPU Vea *central processing unit*.

CPU fan *ventilador de CPU* Ventilador que se monta directamente en la parte superior del *microprocesador* para mantenerlo frío. Los *microprocesadores* más recientes, como los *Pentium*, se calientan mucho y pueden funcionar mal si se permite que se sobrecalienten.

cracker *cracker* Aficionado a la computación que disfruta acceder sin autorización a sistemas de computación. Esta actividad es un juego pretencioso y tonto, cuyo fin es derrotar inclusive a los sistemas más seguros. Aunque muchos *crackers* hacen más que sólo dejar una "tarjeta de presentación" para probar su hazaña, algunos intentan robar información de tarjetas de crédito o destruir información. Cometan o no un delito, todos los crackers perjudican a los usuarios legítimos de los sistemas ocupando tiempo de los administradores del sistema y dificultando el acceso a los recursos del sistema. En la prensa, el término "cracker" se utiliza como sinónimo de "*hacker*", pero esta última actividad tiene un significado completamente diferente y desempeña un papel importante en la computación. Vea *hacker ethic* y *security*.

crash *caída, detención total* Terminación anormal de la ejecución de un *programa*, que provoca por lo general (aunque no siempre) la *congelación* del teclado o un estado inestable. En la mayoría de los casos es necesario que *reinicie* la computadora para recuperarse de este percance.

CRC   Vea *cyclic redundancy check.*

creator type *tipo creador*   En Macintosh, código de cuatro letras que identifica el programa empleado para crear un *documento.* El código asocia el documento con la aplicación para que ésta se inicie al abrir el documento. Vea *associated document.*

creeping featurism *fiebre de escalamiento*   Desafortunada tendencia en *programación* en la cual los desarrolladores de *software* añaden más y más *características* en un intento por aventajar a la competencia. El resultado es un programa muy complejo y lento que ocupa mucho espacio del disco.

crippled version *versión incompleta*   Versión de un *programa* de distribución gratuita que carece de una o más características cruciales que son desactivadas en forma deliberada, en un intento por presentar el programa al usuario para que compre la versión completa. El término es sinónimo de modelo de trabajo. Vea *demo.*

criteria range *rango de criterios*   En un programa de *hoja de cálculo* con funciones de *base de datos*, *rango* de *celdas* que contiene las condiciones, o criterios, que usted especifica para indicar cómo se debe llevar a cabo una búsqueda, o cómo calcular una *función de agregado.*

critical path method (CPM) *método de ruta crítica*   En *administración de proyectos*, técnica para planificar y coordinar los tiempos de ejecución de tareas, donde el usuario identifica una ruta crítica (serie de tareas que deben completarse de acuerdo con un calendario establecido para que el proyecto termine a tiempo). El *software* de administración de proyectos ayuda al administrador de éste a identificar la ruta crítica.

cropping *recorte*   Operación de edición de *gráficos* en la que el usuario recorta las orillas de un gráfico para que se ajuste en un espacio determinado o quita las partes innecesarias de la imagen.

cross-hatching *sombreado cruzado*   Patrón de líneas paralelas y cruzadas agregadas a las áreas sólidas de un gráfico para diferenciar un rango de datos de otro.

cross-linked files *archivos con vínculo cruzado*   En *Microsoft Windows 95*, error de almacenamiento de archivos que se presenta cuando la *tabla de asignación de archivos (FAT)* indica que dos *archivos* reclaman el mismo clúster del disco. Al igual que los *clústeres perdidos*, los archivos con vínculo cruzado son producto de la interrupción (por una *caída* del sistema o falta de energía eléctrica) de la computadora mientras escribe un archivo en el disco. Para reparar archivos con vínculo cruzado, ejecute con frecuencia ScanDisk. La reparación rápida de archivos puede minimizar el grado de pérdida de datos.

cross-platform *multiplataforma, plataforma cruzada*   Capaz de operar en una red en la cual las estaciones de trabajo son de diferentes tipos (por ejemplo, Macintosh, sistemas con Windows y computadoras Unix). *Netscape Navigator* es un navegador multiplataforma porque hay versiones del programa para los tres formatos de computación más importantes, y el programa cumple con *estándares multiplataforma*, los cuales no encasillan a los usuarios a *estándares propietarios*.

cross-platform standard *estándar de plataforma cruzada, estándar multiplataforma*   Estándar o *protocolo* de comunicación que no requiere utilizar un sistema operativo o hardware *propietario* para funcionar. El estándar *ActiveX* de Microsoft podría convertirse en un estándar multiplataforma si se desarrollan versiones de la tecnología *OLE* (en la cual se basa) para computadoras Unix (y si el nivel de soporte OLE para la Macintosh fuera mejorado). Sin embargo, en la actualidad los usuarios están obligados a acceder a los *controles* ActiveX por medio de un sistema basado en Windows.

cross-post *publicación cruzada*   En un grupo de noticias como *Usenet*, envío simultáneo de un mensaje a dos o más *grupos de noticias*. La publicación cruzada es una de las tácticas favoritas de los *spammers*, usuarios que envían anuncios no deseados y sin relación con el tema del grupo, a cientos o miles de grupos a la vez.

cross reference *referencia cruzada*   En *programas de procesamiento de texto*, nombre clave para hacer referencia a un material tratado en otra parte de un *documento*. Las referencias cruzadas, como "Vea la explicación de los métodos de pulido en la página 19", son útiles para auxiliar al lector, pero una pesadilla cuando usted agrega o borra texto. Los mejores procesadores de texto (como *WordPerfect o Microsoft Word*) contienen funciones para agregar referencias cruzadas, que le permiten al usuario marcar el texto original y asignarle un nombre clave (como PULIDO). Después se tiene que escribir el nombre clave (no el número de página) cuando se desea crear la referencia cruzada del texto original. Al imprimir su documento, el programa sustituye el nombre clave por los números de página correctos. Si después se añade o elimina texto y se vuelve a imprimir, las referencias cruzadas se actualizan para reflejar los nuevos números de página.

crosstalk *diafonía*   Interferencia generada por cables que están muy cercanos uno del otro. Al hablar por teléfono a veces se escucha diafonía. No es raro que al hacer una llamada de larga distancia escuche otras voces o conversaciones completas como fondo de su conversación. Esto impide la transmisión de *datos* sin errores.

CRT   Vea *cathode ray tube.*

cryptanalysis *análisis criptográfico*   Disciplina científica dedicada a descifrar mensajes encriptados, tanto para determinar la seguridad de las técnicas de encriptación como para proporcionar una ventaja militar a una nación dada.

cryptography *criptografía*   Disciplina científica dedicada a cifrar mensajes de manera que no pueda leerlos ninguna persona distinta al destinatario designado. La criptografía data de los tiempos de la Roma antigua, pero siempre ha estado aquejada por el problema que representa el mensajero: si usted envía un mensaje cifrado a alguien, de alguna manera debe enviar también la clave para descifrarlo. Siempre existe el riesgo de que la clave sea interceptada en el camino sin su conocimiento, haciendo inútil el cifrado. Posiblemente, el evento más significativo en la historia de la criptografía es la reciente invención de la *criptografía de clave pública,* la cual elimina por completo la necesidad de enviar la clave mediante un canal separado y seguro, y permite a dos personas que nunca antes se han comunicado, intercambiar mensajes prácticamente indescifrables. Vea *cryptanalysis.*

csh   *Shell* (interfaz de usuario) para el sistema operativo *Unix* que permite a los programadores escribir *scripts de shell* utilizando un lenguaje de scripts muy parecido a *C* (csh son las siglas de Shell de C). Vea *Bourne shell.*

CSMA/CD   Siglas de *Acceso Múltiple por Percepción de Portadora con Detección de Colisiones.* En *redes de área local (LANs),* método utilizado por *Ethernet, AppleTalk* y otros *protocolos de red* para controlar el acceso de una computadora al canal de comunicaciones. Con CSMA/CD, cada componente de la *red* (llamado *nodo*) tiene el mismo derecho de acceder al canal de comunicaciones; si dos computadoras intentan acceder a la red al mismo tiempo, el sistema usa un número aleatorio para decidir cuál de ellas usa la red primero. Este método de acceso al canal funciona bien en redes relativamente pequeñas o medianas (de dos o tres docenas de nodos). Las grandes usan métodos alternativos para acceso al canal, como el *sondeo* y el *paso de token,* para evitar la sobrecarga o el bloqueo del sistema.

CSO name server *servidor de nombres CSO*   Directorio equivalente a la sección blanca, accesible en *Internet,* que una organización pone a la disponibilidad de los usuarios. Un servidor de nombres CSO enlista los nombres, teléfonos y direcciones de *correo electrónico* de los empleados de toda la organización, actuando como una alternativa al directorio telefónico convencional. Las siglas CSO corresponden a Oficina de Servicios de

Computación, una dependencia de la Universidad de Illinois, donde fue desarrollado el software original del servidor de nombres.

Ctrl   Vea *Control key*.

Ctrl+Break *Ctrl+Interrupción*   Vea *Control+Break*.

CTS/RTS   También llamado *acuerdo de conexión* de hardware de un método de control de flujo utilizado entre el *módem* y la computadora donde está instalado. Cuando está lista para enviar información, la computadora enviará una señal de Petición de Envío (RTS) a la que el módem contestará con una señal de Libre para Enviar (CTS) si está preparado para recibir la información. CTS/RTS evita que la computadora envíe más información de la que puede manejar el módem.

CUA   Vea *Common User Access*.

cumulative trauma disorder *trastorno por trauma crónico*   Vea *repetitive strain injury (RSI)*.

Curie temperature *temperatura Curie*   Temperatura a la cual la *coerción* de un material cambia drásticamente. Las *unidades ópticomagnéticas (MO)* aprovechan la temperatura Curie al registrar datos a altas temperaturas, pero almacenándolos y leyéndolos a bajas temperaturas, asegurando de esta forma larga vida para la información.

curly brace *llave*   Los caracteres de llave ({ y }) del teclado estándar. Vea *angle bracket*, *bracket*.

current cell *celda actual*   En un programa de *hoja de cálculo*, como *Excel*, *celda* en la que está el *puntero de celda*. El término es sinónimo de celda activa.

current cell indicator *indicador de celda actual*   En un programa de *hoja de cálculo*, como *Excel*, mensaje en la esquina superior izquierda que muestra la *dirección* de la *celda* donde está el *puntero de celda*.

current directory *directorio activo*   *Directorio* que el *MS-DOS* o un *programa de aplicación* usan en forma predeterminada para guardar y recuperar *archivos*. El término es sinónimo de directorio predeterminado.

current drive *unidad activa*   Unidad de *disco duro* o *flexible* que usa el *sistema operativo* para trabajar, a menos que usted especifique otra. El término es sinónimo de unidad predeterminada.

cursor *cursor*   *Carácter* parpadeante en pantalla que le muestra dónde aparecerá el siguiente carácter. Vea *pointer*.

cursor-movement keys *teclas de dirección del cursor*　Teclas que mueven el *cursor* en la pantalla. El término es sinónimo de teclas de flecha.

CU-SeeMe　Programa de conferencia en *Internet*, creado por White Pine Software, que permite a los usuarios de sistemas equipados con *cámaras digitales* (como la QuickCam o la Apple AV) sostener *videoconferencias* en tiempo real hasta con ocho personas a la vez.

cut *cortar*　Borrar texto, imágenes u otros objetos seleccionados de un documento. El objeto cortado se almacena temporalmente en el *Portapapeles,* desde donde se puede pegar en cualquier otro lugar o, finalmente, descartarse.

cut and paste *cortar y pegar*　Vea *block move*.

cut-sheet feeder *alimentador de hojas sueltas*　Mecanismo de alimentación de papel que alimenta hojas sueltas a la impresora, donde un mecanismo de alimentación por fricción conduce el papel a través de la impresora.

CWIS　Vea *campus-wide information system*.

cyberphobia *ciberfobia*　Miedo exagerado e irracional a las computadoras. Observada por el psicoterapeuta Craig Brod y otros, la ciberfobia surge de las tensiones de los individuos que se enfrentan a un mundo que está cada vez más controlado por computadoras. Los patrones previsores que ofrecen capacitación a los empleados que recién ingresan al mundo de las computadoras pueden ayudar a que la transición de los empleados a un ambiente de trabajo de este tipo se realice paulatinamente.

cyberpunk *ciberpunk*　Género de la ciencia ficción que muestra un futuro tenebroso dominado por las *redes* de computación a nivel mundial, *inteligencias artificiales* que combaten entre sí, un capitalismo monopólico y una cultura mundial tan étnicamente ecléctica como políticamente apática y alienada. En este escenario se reseña la vida de los *hackers* que consumen drogas alucinógenas, usan implantes cibernéticos y practican estados de trance para realizar misiones criminales y heroicas dentro de los fabulosos dominios de la *realidad virtual* dentro de una red. La persona que dio origen al género fue William Gibson en su obra *Neuromancer* de 1982, donde se acuñó el término *ciberespacio*. Curiosamente, Gibson sabía poco de computación cuando creó su obra en una máquina de escribir común.

cybersex *cibersexo*　Forma de erotismo a larga distancia hecha posible por un *foro de discusión* pública en una computadora, en *tiempo real*; el término es sinónimo de compusexo. Para estimular a la pareja virtual, se transmite la fantasía sexual favorita o se describe en términos vívidos lo que se haría si la persona realmente estuviera presente.

cyberspace *ciberespacio*   Espacio virtual creado por los *sistemas de computación*. Una definición de espacio es: "extensión tridimensional infinita en la que aparecen objetos y eventos con una posición y dirección relativas". En el siglo xx, los sistemas de computación están creando un nuevo tipo de espacio que se ajusta a la definición anterior, el ciberespacio (el prefijo ciber se refiere a las computadoras). El ciberespacio puede tomar la forma de elaborados mundos de *realidad virtual* o del simple *correo electrónico*. Los suscriptores de un correo electrónico atestiguarían con rapidez que la posibilidad de comunicarse con otros usuarios, en cualquier parte del mundo, rompe las fronteras sociales y espaciales de forma excitante. Vea *cyberpunk*, *Internet* y *virtual reality*.

cyclic redundancy check (CRC) *verificación de redundancia cíclica*
En el *MS-DOS*, método automático de verificación de errores al inscribir datos en el *disco duro* o el *disco flexible*. Cuando el MS-DOS lee posteriormente la información del disco, vuelve a realizar la verificación y compara los resultados de las dos verificaciones para asegurarse de que la información no ha cambiado. Si apareciera un mensaje de error como CRC ERROR READING DRIVE C, sería señal de que hay problemas graves con el disco. Las utilerías de compresión de archivos, como PKZIP, usan muy a menudo un procedimiento de verificación CRC similar; este procedimiento de verificación también se usa al transferir archivos mediante *comunicación de datos*. Vea *XMODEM/CRC*.

cylinder *cilindro*   En unidades de *disco duro* o *disco flexible*, unidad de almacenamiento compuesta por el conjunto de *pistas* que ocupan una misma posición en lados opuestos del *disco*. En un disco de doble lado, un cilindro incluye la pista uno del lado superior y la uno del lado inferior. En los discos duros en los que se apilan varios discos, uno encima de otro, un cilindro consiste en la pista uno de ambos lados de todos los discos.

Cypherpunk *cifrapunk*   *Programador* que cree firmemente que los ciudadanos comunes poseen el derecho de enviar un mensaje encriptado seguro a quien deseen y que la tecnología de *encriptación* no debe regularse.

Cyrix   Fabricante de chips de computadoras.

Cyrix 486DLC   *Microprocesador* que presenta *compatibilidad binaria* con *software* escrito para computadoras *x86* y *compatibilidad de pines* con el *Intel 386DX*, ofreciendo a los usuarios de máquinas 386DX la opción de actualizarlas con el 486DLC. A diferencia del Intel 486DX, el 486DLC, que corre a velocidad de reloj de hasta 33 *megahertz (MHz)*, no tiene *coprocesador matemático*, de manera que para llevar a cabo una mejora total, los propietarios de computadoras deben instalar también un chip Cyrix 83D87. Algunos informes de Internet indican que el 486DLC no funciona con el sistema operativo *NeXTStep*. Vea *Cyrix CX486DX2*.

Cyrix 486DX2   *Microprocesador* que presenta tanto *compatibilidad binaria* con *software x86* como *compatibilidad de pines* con el microprocesador *Intel 486DX2*. Aunque corre a *doble velocidad* de reloj como el Intel 486DX2, el Cyrix tiene un *caché interno* más pequeño y por tanto es más lento.

Cyrix 486SLC   *Mircoprocesador* que presenta *compatibilidad binaria* con software escrito para computadoras x86 y *compatibilidad de pines* con el chip *Intel 386SX*. El Cyrix 486SLC está diseñado para mejorar los sistemas 386SX para un desempeño casi al nivel del 486. El 486SLC está disponible en versiones de 16 y 25 *megahertz (MHz)*.

Cyrix 6x86   *Microprocesador* compatible con *Pentium* diseñado para competir con la opción sumamente exitosa de Intel. Con su *arquitectura superescalar*, el 6x86 generalmente es similar en diseño al Pentium, y se supone que *ambos* presentan *compatibilidad binaria*, pero el 6x86 presenta varias ventajas con respecto al Pentium, incluyendo *supercanalización*, predicción de bifurcación múltiple, *ejecución especulativa*, *renombrado de registros* y menos *restricciones de caso*. *Cyrix* alega que el 6x86 supera a chips comparables de Intel, pero el 6x86 no acepta procesamiento de gráficos *MMX*.

Cyrix 6x86MX   *Microprocesador* compatible con *Pentium* diseñado para competir con el procesador *Pentium II* de Intel. Conocido durante su desarrollo como M2, el chip es un *Cyrix 6x86* de alta velocidad que admite las extensiones para gráficos *MMX*.

Cyrix CX486Dru2   Versión con doble velocidad de reloj del microprocesador Cyrix 486DLC, diseñado para correr a velocidad de reloj de 66 *megahertz (MHz)*.

DA Vea *desk accesory*.

DAC Siglas de convertidor digital a analógico.

daemon *demonio* Programa, generalmente en una computadora que ejecuta *Unix*, que tiene alguna función oculta (como dirigir el *correo electrónico* a sus destinatarios, y que generalmente tiene una interfaz de usuario muy limitada). El origen de la palabra es controvertido, pero la mayoría cree que se deriva de los espíritus demoniacos de la mitología griega.

daisy chain *cadena en margarita* Método para conectar varios dispositivos a lo largo de un *bus* y controlar las señales de cada uno de ellos. Los dispositivos que emplean una interfaz *SCSI* como un *CD-ROM*, un disco duro y un escáner pueden encadenarse de esta forma a un *puerto SCSI*.

daisy chaining *encadenamiento en margarita* En pantallas, acto de vincular varios *monitores* de manera que muestren lo mismo. El encadenamiento en margarita es conveniente cuando varias personas deben observar de manera simultánea la salida de una computadora, como sucede en convenciones y exposiciones.

daisywheel printer *impresora de rueda de margarita* Obsoleta *impresora de impacto* que simula la letra que produce una máquina de escribir. El término rueda de margarita se refiere al disco metálico o plástico con caracteres montados sobre rayos de rueda conectados a un eje (que es precisamente lo que le da la apariencia de margarita). Para producir un carácter, la impresora gira la rueda hasta que el carácter está frente a un martillo que lo golpea contra la cinta entintada y transfiere la imagen al papel. Estas impresoras pueden imprimir diversos tipos de letra; sin embargo, el cambio de tipo de letra en un documento es muy tedioso, pues se debe cambiar manualmente la rueda de margarita.

DAP Vea *Directory Access Protocol*.

DARPA Vea *Defense Advanced Research Project Agency*.

DASD Vea *Direct Access Storage Device*.

DAT Siglas de Cinta de Audio Digital. Formato de cinta digital magnética desarrollada originalmente para grabación de audio con calidad de CD, y utilizada ahora como cinta para crear copias de seguridad en computación. El formato más moderno de almacenamiento en DAT, el *DDS*, especifica capacidades de almacenamiento de hasta 24 GB.

data *datos*   Información (como texto, números, sonidos e imágenes) en un formato que puede procesar una computadora. En inglés, "data" es el plural de "datum" (en latín) pero, salvo en ciertos contextos formales (departamentos de ingeniería o ámbitos universitarios), se usa tanto para el plural como para el singular.

database *base de datos*   Serie de *datos* afines acerca de un tema organizado de una forma práctica tal, que proporciona una base o fundamento para procedimientos, como la recuperación de información, la elaboración de conclusiones y la toma de decisiones. A cualquier agrupamiento de información que sirva a estos propósitos se le califica como una base de datos, aun cuando la información no esté almacenada en una computadora. De hecho, los importantes predecesores de los actuales y complejos sistemas de bases de datos empresariales eran archivos registrados en tarjetas de índices y guardados en archivos. La información se divide por lo general en *registros de datos*, cada uno de los cuales tiene uno o más *campos de datos*.

database design *diseño de base de datos*   Elección y disposición de *campos de datos* en una *base de datos* que permiten evitar o reducir al mínimo errores fundamentales (como la *redundancia de datos* y la *repetición de campos*).

database driver *controlador de base de datos*   Programa que permite a un programa de hoja de cálculo intercambiar información con programas de *base de datos* como *dBASE*.

database management *administración de bases de datos*   Tareas relacionadas con la creación, el mantenimiento, la organización y la recuperación de información de una *base de datos*.

database management program *programa de administración de bases de datos*   *Programa de aplicación* que proporciona las herramientas para *recuperar*, modificar, eliminar e insertar *información*. Tales programas también son capaces de crear una *base de datos* y generar salida a la *impresora* o la pantalla. En *computación personal*, hay tres tipos de *programas de administración de bases de datos*: de *archivos planos*, relacionales y orientados a texto. Vea *band* y *relational database management system*.

database management system (DBMS) *sistema de administración de bases de datos*   Programa que organiza la *información* de una *base de datos*; estos programas proporcionan capacidades de organización, almacenamiento y recuperación de información, y en ocasiones incluyen acceso simultáneo a múltiples bases de datos a través de un campo compartido (*administración de bases de datos relacionales*). Vea *flat-file database management program*.

database structure *estructura de base de datos*   1. En *administración de bases de datos*, definición de los *registros de datos* en donde se guarda la información, incluido el número de *campos de datos*. 2. Conjunto de definiciones de campo que especifica el tipo, la longitud y otras características de los datos que pueden introducirse en cada *campo*. 3. Lista de *nombres de campos*. Vea *data type*.

data bits *bits de datos*   Número de *bits* que utiliza una computadora para representar un carácter. Cuando dos computadoras se comunican a través de un *módem*, ambas deben usar el mismo número de bits de datos (generalmente 8, aunque algunas veces son sólo 7). Vea *parity* y *stop bit*.

data bus *bus de datos*   Ruta electrónica interna que le permite al *microprocesador* intercambiar datos con *la memoria de acceso aleatorio (RAM)*. La amplitud del bus de datos, por lo general de 16 o 32 *bits*, determina la cantidad de datos que pueden enviarse a la vez.

data communication *comunicación de datos*   Transferencia de información de una computadora a otra, la que puede ocurrir mediante conexiones directas por cables, como en las *redes de área local* (LANs), o a través de líneas telefónicas mediante *módems*. Vea *telecommunications*.

Data Communications Equipment (DCE) *Equipo de Comunicación de Datos*   Término utilizado por la especificación que define el *puerto serial* estándar para describir la electrónica que conecta la computadora a un *módem* o *fax-módem*.

data compressión *compresión de datos*   Vea *compression*.

data-compression protocol *protocolo de compresión de datos*   En *módems* para computadora, estándar para la *compresión* automática de datos cuando éstos se envían y para su *descompresión* cuando se reciben. Con la compresión de datos se puede obtener una ganancia de hasta 400 por ciento en la velocidad efectiva de transmisión. Los dos protocolos más comunes para la compresión de datos son V.42*bis* y MNP-5. Vea *CCITT protocol*.

data deletion *eliminación de datos*   En un *programa de administración de bases de datos*, operación que elimina registros de acuerdo con un criterio especificado. Muchos programas de *bases de datos* no borran realmente los *registros* en una operación de este tipo; sólo marcan los registros para que no se incluyan en las *operaciones de recuperación*. Por lo tanto, usted podrá restaurar los registros borrados en caso de haber cometido un error.

data dependency *dependencia de datos*   Situación en la cual una *unidad central de procesamiento (CPU)* con *arquitectura superescalar* y múltiples *canales* debe tener el resultado de un cálculo antes de comenzar otro. Vea *false dependency*.

data dictionary *diccionario de datos*   En *un programa de administración de bases de datos*, lista de todos los archivos de *bases de datos*, índices, vistas y otros *archivos* importantes para una aplicación de base de datos. Un diccionario de datos también puede incluir las estructuras de datos y cualquier otra información pertinente para el mantenimiento de la base de datos.

data-encoding scheme *esquema de codificación de datos*   Técnica que el *controlador de unidad de disco* emplea para grabar los bits de datos en la superficie magnética de un disco flexible o uno duro. Las unidades de disco se clasifican de acuerdo con el esquema de codificación de datos que utilizan. Vea *Advanced Run-Length Limited (ARLL), disk drive controller, Modified Frecuency Modulation (MFM)* y *Run-Length Limited (RLL)*.

data encrypting key *clave para encriptación de datos*   En *SSL* y otros protocolos de seguridad que inician una conexión segura con *encriptación de clave pública*, clave de *encriptación simétrica,* utilizada para encriptar la información transmitida después de que se ha llevado a cabo un *intercambio de clave* de tipo seguro.

Data Encryption Standard (DES) *Estándar para Encriptación de Datos*   Controvertida técnica de *encriptación* desarrollada por IBM, adoptada por el gobierno de Estados Unidos para información no clasificada y utilizada por instituciones financieras para transferir electrónicamente grandes sumas de dinero. Los detractores del DES indican que la tecnología fue debilitada intencionalmente con el propósito de que el gobierno pudiera intervenir los mensajes cifrados con DES en caso de que así lo necesitara.

data-entry form *formulario para inserción de datos*   En *un programa de administración de base de datos*, formulario en pantalla que facilita la inserción y la edición de *datos*, para lo cual presenta un solo *registro de datos* a la vez.

data field *campo de datos*   En un *programa de administración de bases de datos*, espacio reservado para una pieza específica de información en un *registro de datos*. En un *programa de adminis-tración de bases de datos relacionales*, en donde todas las *operacio-nes de recuperación* generan una tabla con filas y columnas, los campos de datos se exhiben como columnas verticales.

data file *archivo de datos*   *Archivo* en disco que contiene el trabajo creado por usted con un programa; es distinto a un *archivo de programa*, que contiene instrucciones para la computadora.

data fork *bifurcación de datos, ramificación de datos*   En el *sistema de archivos Macintosh*, el componente de archivo que contiene la información almacenada en el archivo, como una *hoja de cálculo* o un documento de procesamiento de texto. El otro componente es la *bifurcación de recursos*.

datagram *datagrama*   Término preferido en *Internet* para un paquete de datos. Vea *packet* y *packet switching network*.

data independence *independencia de datos*   En *administración de bases de datos*, almacenamiento de información que le permite al usuario usar ésta sin saber con exactitud dónde se localiza ni cómo se guarda. Los *programas de administración de bases de datos* más recientes incluyen un lenguaje de comandos, llamado *lenguaje de consulta*, que permite al usuario formular preguntas con base en el contenido y no en la localización física de los datos. Vea *SQL*.

data insertion *inserción de datos*   En un *programa de administración de bases de datos*, operación que agrega nuevos registros a la base de datos. Sin embargo, a diferencia de la adición de registros (que se agregan al final de los registros existentes), la inserción permite agregar los registros en cualquier lugar de la base de datos. Vea *append*.

data integrity *integridad de datos*   Exactitud y consistencia interna de la información guardada en una *base de datos*. Un buen *programa de administración de bases de datos* asegura la integridad de datos dificultando (o imposibilitando) el borrado o la modificación accidental de éstos. Los *programas de administración de bases de datos relacionales* ayudan a asegurar la integridad de datos mediante la eliminación de la *redundancia de datos*.

data interchange format (DIF) file *archivo con formato de intercambio de datos*   En *programas de hoja de cálculo* y algunos de bases de datos, formato estándar de archivo que simplifica la importación y la exportación de información entre diferentes programas de hoja de cálculo. Originalmente desarrollado por Software Arts, creadores de VisiCalc, el DIF lo soportan ahora *Lotus 1-2-3*, *Microsoft Excel*, *Quattro Pro* y otros programas de hoja de cálculo.

data link layer *capa de enlace de datos*   En el *Modelo de Referencia OSI*, de arquitectura para redes de computación, la sexta de siete *capas*, en la cual los paquetes dirigidos son transformados para que puedan transportarse a la capa física. En esta capa, los protocolos se encargan de la detección y resolución de errores de transmisión, la conversión de datos en una forma apropiada para la *capa física* que se esté utilizando, y la regulación de éstos para evitar cuellos de botella. Cuando los datos están listos para enviarse a través de la red, se transfieren a la capa física, donde son encapsulados por protocolos de la capa física.

data manipulation *manipulación de datos*   En administración de bases de datos, uso de las operaciones básicas de manipulación de bases de datos (*eliminación, inserción, modificación y recuperación*) para realizar cambios en los registros de datos.

data mask *máscara de datos*   Vea *field template*.

data mining *extracción de datos*   En un *almacén de datos*, método de descubrimiento aplicado a grandes conjuntos de datos. En contraste con las consultas tradicionales a las bases de datos, las cuales formulan preguntas de búsqueda utilizando un *lenguaje de consultas*, como

SQL, en la extracción de datos se clasifican y agrupan los datos (a menudo provenientes de varias bases de datos diferentes e incluso mutuamente incompatibles) y después se buscan asociaciones.

data modem *módem de datos*   *Módem* que puede enviar y recibir *datos*, pero no faxes. Compare con *fax-módem*.

data modification *modificación de datos*   En *administración de bases de datos*, operación que actualiza uno o más registros de acuerdo con un criterio especificado. Se utiliza un *lenguaje de consulta* para especificar los criterios de actualización. Por ejemplo, la siguiente instrucción, escrita de manera simplificada en *Lenguaje de Consultas Estructurado (SQL)*, le indica al programa que busque los registros donde el campo del proveedor contiene CC y después incremente el valor del campo del precio en 15 por ciento:

```
UPDATE inventario
SET precio = precio * 1.15
WHERE proveedor = "CC"
```

datapac *datapac*   Tipo de *red de conmutación de paquetes*. Las redes datapac utilizan el protocolo *TCP/IP*.

data privacy *privacidad de datos*   En *redes de área local (LAN)*, limitación al acceso de un archivo para que otros usuarios de la red no puedan desplegar el contenido de éste. Vea *encryption, field privilege, file privilege* y *password protection*.

data processing *procesamiento de datos*   Preparación, almacenamiento o manipulación de *información* por medio de una computadora.

Data Processing Management Association (DPMA) *Asociación de Administración de Procesamiento de Datos*   Asociación profesional, especializada en asuntos de computación de negocios, formada por *programadores, analistas de sistemas* y administradores. La DPMA estableció el proceso de reconocimiento para *Procesador de Datos Certificado (CDP)* en los años sesenta, pero posteriormente delegó la responsabilidad de esa certificación al *Instituto para la Certificación de Profesionales de la Computación (ICCP)*.

data record *registro de datos*   En un *programa de administración de bases de datos*, unidad completa de elementos de *datos* afines, almacenados en *campos de datos con nombre* . En una *base de datos*, el término registro de datos es sinónimo de *fila*. Un registro de datos contiene toda la información relacionada con el elemento que busca la base de datos. La mayoría de los programas muestra los registros de datos en dos formas: como *formularios para inserción de datos* o como *tablas de datos*. En un *sistema de administración de bases de datos relacionales*, los registros de datos se exhiben como filas horizontales y cada campo de datos es una columna.

data redundancy *redundancia de datos*   En *administración de bases de datos*, repetición de la misma información en dos o más *registros de datos*. En general, no se debe introducir los mismos datos en dos lugares distintos de una base de datos, pues si alguno se escribe mal arruinaría la exactitud de la recuperación, porque la computadora no es capaz de darse cuenta de que ambas entradas deberían ser iguales. La integridad de datos es una cuestión seria para cualquier sistema de administración de bases de datos, y un diseño cuidadoso del sistema puede ayudar a reducir los problemas relacionados con la redundancia.

data retrieval *recuperación de datos*   En un *programa de administración de bases de datos*, operación que recupera la información de una base de datos de acuerdo con los criterios especificados en una *consulta*. Un programa de administración de bases de datos es de más utilidad cuando sólo hay necesidad de acceder a unos cuantos registros: todos los clientes en Monterrey, o aquellos con los que no se ha establecido contacto en los últimos 90 días. Mediante las consultas, se le indica al programa que ordene los datos por apellido, por ejemplo, o que seleccione sólo unos cuantos registros como los clientes de Guadalajara. En algunos programas, la consulta puede especificar qué *campos* desplegar después de seleccionar los registros coincidentes.

data series *serie de datos*   En *gráficos para presentaciones* y de negocios, conjunto de *valores* relacionados con un solo tema, como las ventas trimestrales de tres productos. En programas de *hoja de cálculo, columna, fila* o bloque de valores que se incrementan o disminuyen por una cantidad fija. Al crear una serie de datos, se indica un valor de inicio, la cantidad en que se aumentará o disminuirá el valor, y un valor de terminación.

data storage media *medios de almacenamiento de datos*   Genéricamente, las tecnologías usadas para el *almacenamiento auxiliar* de información de la computadora, como las unidades de disco y las cintas magnéticas.

data stream *flujo de datos*   En transferencia de datos, caudal de datos que se transmite byte tras byte.

data striping *distribución de datos en bloques*   Importante método empleado por los *Arreglos Redundantes de Discos Independientes (RAID)*, en los cuales una sola unidad de información se distribuye en varios *discos duros,* incrementando la resistencia a la falla de una de las unidades de disco.

data table *tabla de datos*   En un *programa de administración de bases de datos*, presentación en pantalla de información en formato de columna (bidimensional), con los nombres de campo en la parte superior. La mayoría de los programas de administración de bases de datos muestra tablas de datos como resultado de operaciones de ordenamiento o consulta. Vea *data-entry form*. En programas de hoja de cálculo, forma de análisis "que él pasaría si" en la que se calcula una fórmula muchas veces usando diferentes valores para uno o dos de los argumentos de la fórmula. En la tabla se muestran los resultados.

Data Terminal Equipment (DTE) *Equipo de Terminal de Datos*   Término utilizado por la especificación que define el *puerto serial* estándar, para describir a la computadora conectada a un *módem* o *fax-módem*.

data transfer rate *tasa de transferencia de datos, velocidad de transferencia de datos*   En *módems*, la velocidad, expresada en *bits por segundo (bps)*, a la cual un módem transfiere datos a través de una línea telefónica. Vea *connect speed*. En *discos duros,* la velocidad teórica a la cual un disco puede transferir datos al resto de la computadora. La tasa de transferencia de datos se establece en pruebas de laboratorio; la *velocidad real de transporte* es una mejor medida de qué tan bueno es el desempeño de un disco.

data type *tipo de datos*   En un *programa de administración de bases de datos*, clasificación que se asigna a un *campo de datos* para controlar el tipo de información que se puede introducir. Vea *field template.* Por ejemplo, en los programas de administración de bases de datos más comunes puede elegir entre los siguientes tipos de datos:

- Campo de caracteres (o campo de texto). Guarda cualquier carácter que se escriba mediante el teclado, incluyendo números; sin embargo, el programa no puede realizar cálculos en campos de caracteres. Un campo de caracteres puede contener casi una línea de texto.

- Campo numérico. Guarda números para que el programa realice cálculos.

- Campo lógico. Guarda información en un formato verdadero/ falso o sí/no.

- Campo de fecha. Guarda fechas para que el programa pueda reconocerlas y compararlas.

- Campo de objeto. Contiene un *objeto*, como una imagen o un sonido.

data warehouse *almacén de datos*   Conjunto de *bases de datos* relacionadas que se han reunido y almacenado en conjunto para sacar de ellas el máximo provecho. La idea fundamental del almacenamiento de datos es reunir tanta información como sea posible, con la esperanza de que pueda surgir un panorama más significativo. Las técnicas de *extracción de datos* permiten a los programadores cotejar y extraer información significativa del almacén; por medio de una técnica llamada *perforación*, el software para extracción de datos permite a los usuarios del almacén ver todo el detalle o síntesis que necesiten para apoyar la toma de decisiones.

daughterboard *tarjeta hija*   *Tarjeta de circuitos impresos* diseñada para añadirse a una mayor, como una *tarjeta madre* o un *adaptador*.

dBASE   *Sistema de administración de bases de datos relacionales (RDBMS)* para computadoras personales, desarrollado en los años setenta con asistencia financiera del gobierno de Estados Unidos y comercializado posteriormente por Ashton-Tate (compañía que después fue adquirida por *Borland International)*. Los formatos de datos, consultas y archivos de dBASE se han convertido en un *estándar de facto,* conocido como *xBASE*, y se ha implementado en otros paquetes comerciales de base de datos, como FoxPro de Microsoft y CA-dbFAST de Computer Associates.

D E F

DBMS   Vea *database management system*.

DCE   Vea *Data Communications Equipment* o *Distributed Computing Environment*.

DCE speed *velocidad DCE*   Velocidad, medida en *bits por segundo* (*bps*), a la cual pueden comunicarse los dispositivos de *Equipo de Transferencia de Datos (DCE)* a través de una línea telefónica.

DCOM   Siglas de Modelo de Objetos Componentes Distribuido. Estándar de *middleware* desarrollado por Microsoft que extiende el *Modelo de Objetos Componentes (COM),* basado en *OLE*, al *nivel* de redes. DCOM es la respuesta de Microsoft a *CORBA*.

DDE   Vea *Dynamic Data Exchange*.

DDS   Siglas de Almacenamiento de Datos Digitales, un formato de *copia de seguridad en cinta* para cartuchos de cinta de audio digital (*DAT*).

DeBabelizer   Programa de procesamiento de imágenes creado por Equilibrium. Sus capacidades de creación de scripts permiten a los artistas efectuar operaciones de procesamiento de gráficos en miles de imágenes o cuadros de video, incluyendo la conversión a más de 90 formatos de archivos gráficos. Este programa es apropiado para tareas de producción profesional en multimedia, publicación en Web y talleres de video por computadora.

debug *depurar*   En programación, localizar y corregir errores en el *código fuente* de un programa.

debugger *depurador*   *Utilería*, incluida a menudo en *compiladores* o *intérpretes* de programas, que ayuda a los programadores a encontrar y corregir *errores de sintaxis* y de otro tipo en el *código fuente*.

debugging *depuración*   Procedimiento para localizar y corregir errores de un *programa*.

decimal *decimal*   Sistema numérico utilizado en el mundo industrializado, con base o raíz 10. Vea *binary numbers, hexadecimal* y *octal.*

decimal tab *tabulación decimal*   En programas de *procesamiento de texto* o de *diseño de páginas, tabulación* configurada para que los valores se alineen en el punto decimal.

declaration *declaración*   En programación, instrucción que enlaza un valor dado con una constante, o una variable con una localidad específica de memoria o un tipo de dato.

declarative language *lenguaje declarativo*   *Lenguaje de programación* que libera al programador de especificar el procedimiento exacto que la computadora necesita seguir para llevar a efecto una tarea. Los programadores usan este lenguaje para describir un conjunto de hechos y relaciones, a fin de que el usuario pueda consultar el sistema para obtener un resultado específico. Por ejemplo, el *Lenguaje de Consultas Estructurado (SQL)* le permite realizar una búsqueda solicitando ver una lista de registros que muestre información específica, en vez de indicarle a la computadora que busque en todos los registros aquellos que tengan las entradas apropiadas en los campos especificados. Vea *data independence, expert system, declarative markup language (DML)* y *procedural language.*

declarative markup language (DML) *lenguaje declarativo de marcación*   En procesamiento de textos, lenguaje de marcación —es decir, un sistema de códigos para marcar el formato de una unidad de texto— que indica solamente que una unidad particular de texto constituye cierta parte del documento, como un resumen, un título o el nombre y afiliación del autor. La acción de formatear la parte marcada se le deja a otro programa, llamado analizador, el cual despliega el documento marcado y da a cada parte de éste un formato distintivo (incluyendo fuente, espaciado, etc.). Un estándar internacional de DML es el *Lenguaje Estándar de Marcación Generalizada (SGML)*, poco conocido hasta que el uso de un subconjunto de éste, el *Lenguaje de Marcación de Hipertexto (HTML)*, se popularizara en *World Wide Web (WWW)*. HTML es un lenguaje declarativo de marcación y los navegadores Web utilizados por millones de personas son analizadores de HTML.

decompress *descomprimir*   Restaurar información comprimida a su estado original.

decrement *decrementar*   Disminuir un valor. Vea *increment.*

decryption *desencriptar*   En *criptografía,* proceso de descifrar, mediante una *clave,* un mensaje encriptado. Vea *encryption.*

dedicated file server *servidor de archivos dedicado*   En una *red de área local (LAN)*, computadora dedicada exclusivamente a proporcionar servicios a los usuarios y a correr el *sistema operativo de red (NOS)*. Algunos servidores de archivos se usan para otros propósitos. Por ejemplo, en *redes de punto a punto*, todas las computadoras de la red son servidores potenciales de archivos, aunque se les use para aplicaciones individuales.

dedicated line *línea dedicada*   Línea telefónica dedicada a la transferencia de datos, que se ha acondicionado especialmente y está conectada en forma permanente. Por lo general, las líneas dedicadas son *líneas rentadas* a compañías telefónicas regionales o a *redes públicas de datos (PDN)*.

de facto standard *estándar de facto*   Estándar de software o hardware, o *protocolo* de comunicaciones, cuyo uso se ha popularizado, no porque lo haya ratificado alguna institución de estándares internacionales, sino gracias a que la compañía creadora o comercializadora de los productos que utilizan este estándar ha dominado un sector particular del mercado. Por ejemplo, a finales de los años ochenta los comandos de teclado utilizados por el programa más popular de procesamiento de textos, WordStar, eran imitados por muchos otros programas de este tipo.

default *por defecto, por omisión, predeterminado*   Configurado automáticamente; puesto en marcha con cierto valor u opción predefinido, generalmente porque es muy probable que ese parámetro sea el elegido por la mayoría de los usuarios.

default button *botón predeterminado*   En *interfaces gráficas de usuario*, como *Microsoft Windows 95*, botón resaltado que se selecciona automáticamente como la opción más probable del usuario en un cuadro de diálogo. Para seleccionar este botón con rapidez, basta con presionar Entrar. Vea *pushbutton*.

default directory *directorio predeterminado*   Vea *current directory*.

default editor *editor predeterminado*   En un sistema *Unix*, editor de texto (como *emacs* o *vi*) iniciado automáticamente por el sistema cuando se necesitan los servicios de un programa de este tipo.

default extension *extensión predeterminada*   Extensión de tres letras que usa un *programa de aplicación* para guardar y recuperar *archivos*, a menos que el usuario asigne otra y omita la extensión predeterminada. El uso de la extensión predeterminada facilita la recuperación de archivos. Durante las operaciones de recuperación, tales programas presentan únicamente una lista de archivos con la *extensión* predeterminada, lo que facilita la recuperación de un archivo. Por lo tanto, si un usuario le da una extensión diferente a un archivo, éste no aparecerá en la lista. El archivo puede recuperarse, pero el usuario tendrá que recordar su nombre o cambiar la entrada del cuadro de texto *Tipo de archivo* por *.* para que se enlisten todos los archivos.

default font *fuente predeterminada*   Fuente que usa la impresora a menos que el usuario especifique otra. El término es sinónimo de *fuente base inicial*.

default home page *página de inicio predeterminada*   En un *navegador Web*, el documento de *World Wide Web* (WWW) que aparece cuando el usuario inicia el programa o hace clic en el botón Inicio. La mayoría de los navegadores Web están configurados para desplegar la *página de inicio* de la compañía que produce el programa, pero es muy fácil cambiar este valor para que despliegue una página de inicio más útil.

default numeric format *formato numérico predeterminado*   En un programa de *hoja de cálculo*, *formato numérico* que usa el programa para todas las *celdas*, a menos que el usuario seleccione otro. Vea *numeric format*.

default printer *impresora predeterminada*   *Impresora* empleada de manera automática por un *programa* cuando el usuario selecciona el comando Imprimir. Si cambia de *impresora para un trabajo* de impresión particular, algunos programas regresan a la impresora designada en forma preterminada al cerrar el documento. Otros consideran a la impresora seleccionada como la impresora predeterminada hasta que el usuario seleccione otra.

default setting *configuración predeterminada*   Parámetros que usa un programa, a menos que el usuario especifique otros. Por ejemplo, un programa de procesamiento de texto tiene una *fuente predeterminada*, y uno de hoja de cálculo tiene un *ancho de columna predeterminado*.

default value *valor predeterminado*   Valor que usa un *programa* cuando el usuario no especifica uno. Por ejemplo, el usuario puede definir un campo monetario en una base de datos con un valor predeterminado de $.00, el cual sólo cambiará si se introduce un número diferente.

Defense Advanced Research Projects Agency (DARPA) *Agencia de Proyectos de Investigación Avanzada de la Defensa*   Unidad del Departamento de Defensa de Estados Unidos (DoD), y sucesora de la *Agencia de Proyectos de Investigación Avanzada (ARPA)* que desempeñó un papel fundamental en el desarrollo de la *ARPANET*, la predecesora de *Internet*. DARPA es una de las diversas agencias estadounidenses que participan en el *Programa de Computación y Comunicaciones de Alto Rendimiento* (HPCC).

deflection yoke *yugo de deflexión*   Vea *yoke*.

defragmentation *desfragmentación*   Procedimiento en el que todos los *archivos* de un *disco duro* se reescriben en éste para que todas las partes de cada archivo se acomoden en *sectores* contiguos. El resultado es un mejoramiento de hasta 75 por ciento en la velocidad del disco en operaciones de recuperación. Durante una operación normal, los archivos del disco duro quedan fragmentados de tal forma que partes del archivo se escriben en toda el área del disco, lo que provoca que las operaciones de recuperación sean lentas.

degaussing *desmagnetización*   En un *monitor*, el proceso de equilibrar el campo magnético interno de forma que se compense la influencia del campo magnético terrestre. Un campo magnético interno sin compensación puede producir distorsiones del color. En ocasiones es necesario este proceso después de que se ha movido el monitor.

Delete key (Del) *tecla Suprimir (Supr)*   *Tecla* que borra el carácter ubicado a la derecha del cursor. Use las teclas *Retroceso* y Supr para corregir los errores de tecleo.

delimiter *delimitador*   Carácter como un espacio, un tabulador o una coma, que marca el final de una sección de un *comando* y el inicio de otra. Los delimitadores también se utilizan para separar datos dentro de campos y registros cuando el usuario desea exportar o importar datos mediante un formato de *base de datos*. Por ejemplo, el uso de delimitadores facilita la exportación de un archivo combinado creado con un *programa de procesamiento de texto*, o *importar* datos a un programa de *hoja de cálculo* y tener líneas de *datos* divididas lógicamente en columnas.

Delphi   Lenguaje de programación de fácil aprendizaje creado por Borland International, Inc. para competir con *Microsoft Visual Basic*. Delphi es un lenguaje de *programación orientada a objetos (OOP)* basado en una versión orientada a objetos de *Pascal*. El *grupo de programas de desarrollo* de Delphi le ofrece al programador bibliotecas de *objetos reutilizables* y un *compilador* que produce programas ejecutables.

delurk *revelar identidad*   En *Usenet,* publicar un mensaje donde el usuario revela su identidad y confiesa que ha estado leyendo el grupo de noticias por largo tiempo sin hacer una contribución. Vea *lurk.*

demand paging *paginación por demanda*   En *memoria virtual*, método de transferencia de datos del disco hacia la memoria, que espera hasta que se necesite la información solicitada. Vea *anticipatory paging.*

demo *programa de demostración*   Presentación animada o versión preliminar de una aplicación, distribuida sin costo para atraer clientes potenciales mediante las características del programa. Sinónimo de demoware. Vea *crippled version.*

demodulation *demodulación*   En *telecomunicaciones*, proceso de recibir y transformar una señal analógica en su equivalente digital para que la computadora pueda usar la información. Vea *modulation.*

demount *desmontar*   Retirar un *disco* de una *unidad de disco*. Vea *mount.*

density *densidad*   Vea *areal density.*

departmental laser printer *impresora láser departamental* *Impresora láser* de alto rendimiento diseñada para servir a grandes grupos de usuarios e imprimir 12,000 o más páginas al mes. Con frecuencia, las impresoras láser departamentales ofrecen *conmutación automática de emulación, conmutación automática de red, comunicación bidireccional, impresión dúplex* y *administración remota.*

dependent worksheet *hoja de trabajo dependiente*   En *Microsoft Excel*, hoja de trabajo que contiene un vínculo, o fórmula de referencia, con los datos de otra hoja de trabajo de Excel, llamada hoja de trabajo de origen, de cuyos datos depende la primera. Más de una hoja de trabajo puede depender de una sola hoja de trabajo de origen. En otros programas de hoja de cálculo, como Lotus 1-2-3 y Quattro Pro, a la hoja de trabajo con vínculo se le conoce como hoja de trabajo de destino. Vea *external reference formula* y *source worksheet.*

derived field *campo derivado*   Vea *calculated field.*

DES   Vea *Data Encryption Standard.*

descender *descendente*   Parte de una letra minúscula que queda por debajo de la línea base. Cinco letras del alfabeto tienen rasgos descendentes: *g, j, p, q* y *y.* Vea *ascender.*

descending sort *ordenamiento descendente*   *Arreglo* que invierte el *ordenamiento ascendente* normal. Por ejemplo, en vez de que el ordenamiento sea A, B, C, D y 1, 2, 3, 4, un ordenamiento descendente sería : D, C, B, A y 4, 3, 2, 1.

descriptor *descriptor*   En *administración de bases de datos*, término empleado para clasificar un registro de datos, a fin de que todos los registros que contengan el término puedan recuperarse como grupo. Por ejemplo, en una base de datos de una tienda de video, los descriptores Aventura, Comedia, Crimen, Horror, Misterio o Ciencia Ficción pueden introducirse en un campo llamado CATEGORIA para indicar si la película está en la tienda. Vea *identifier* y *keyword.*

desk accessory (DA) *accesorio de escritorio*   En una *interfaz gráfica de usuario (GUI)*, conjunto de *programas de utilería* que ayudan con tareas cotidianas como inclusión de notas, ejecución de operaciones en una calculadora desplegada en pantalla, mantenimiento de una agenda de nombres y números telefónicos, y exhibición de un calendario en pantalla. Vea *Font/DA Mover.*

desktop *escritorio*   En una *interfaz gráfica de usuario (GUI)*, representación del trabajo personal cotidiano, como si estuviera viendo un verdadero escritorio con carpetas repletas de trabajos por cumplir. En *Microsoft Windows 95*, este término se refiere específicamente al fondo de la pantalla, donde aparecen las *ventanas, iconos* y *cuadros de diálogo.*

desktop computer *computadora de escritorio*   *Computadora personal* o *estación de trabajo* profesional diseñada para acomodarse sobre un escritorio de tamaño estándar y equipada con suficiente memoria y almacenamiento en disco para realizar tareas de computación empresarial. Vea *portable computer.*

Desktop Management Interface (DMI) *Interfaz de Administración de Escritorio*   Sistema para impresoras desarrollado por la *Fuerza de Tarea de Administración de Escritorio (DMTF)* que advierte a los usuarios cuando las impresoras requieren atención, por ejemplo cuando el *tóner* está a punto de agotarse, o cuando se atora o se termina el papel. Se espera que la DMI reemplace al *Protocolo Simple de Administración de Red (SNMP).*

Desktop Management Task Force (DMTF) *Fuerza de Tarea de Adminis-tración de Escritorio*   Consorcio de fabricantes de equipos de computación que ha establecido estándares para la *Interfaz de Administración de Escritorio (DMI)* y *Plug and Print.*

desktop pattern *patrón del escritorio*   En *interfaces gráficas de usuario,* como *Microsoft Windows 95,* patrón gráfico llamado papel tapiz que se despliega sobre el *escritorio* (el fondo que queda debajo de las *ventanas, los iconos* y los *cuadros de diálogo*).

desktop presentation *presentación de escritorio*   Uso de la caracterís-tica de *presentación con diapositivas* disponible en un programa de *gráficos para presentaciones* (y algunos programas de hoja de cálculo) para crear una exhibición de *gráficos* u otras ilustraciones que pueden ejecutarse en una *computadora* de escritorio. Usted puede ordenar al programa que realice la presentación de manera automática o que le ofrezca un menú de opciones. Vea *presentation graphics.*

desktop publishing (DTP) *autoedición, edición por computadora* Uso de una computadora personal como sistema de producción económico para crear textos y *gráficos* de alta calidad. Los diseña-dores gráficos a menudo combinan texto y gráficos en la misma página e imprimen las páginas en *impresoras láser de alta resolución* o en máquinas de fotocomposición. El software para autoedición permite a una persona producir texto y gráficos de alta calidad con una computadora personal, lo que a su vez permite que una organización reduzca los costos de publicación casi en 75%.

desktop video *video de escritorio*   *Aplicación multimedia* que despliega la señal de un *adaptador de video* en la pantalla de la computadora. Sin la circuitería especial de procesamiento (un *adaptador de video* con capacidad especial para descomprimir y reproducir videos a alta velocidad), el resultado puede ser un video del tamaño de una estampilla reproduciéndose con un movimiento intermitente.

**D
E
F**

destination *destino*   Registro, archivo, documento o disco en el que se copia o transfiere información; lo contrario a *origen*.

destination document *documento de destino*   En Vinculación e Incrustación de Objetos *(OLE)*, documento en donde se inserta o incrusta un objeto. Cuando el usuario incrusta un objeto de *Microsoft Excel* (como un gráfico) en un documento de *Microsoft Word*, por ejemplo, el de Word es el documento de destino. Vea *source document*.

destination file *archivo de destino*   En muchos comandos del DOS, archivo en donde se copian los datos o instrucciones de programas. Vea *source file*.

development suite *grupo de programas de desarrollo*   Paquete de utilerías que permite a los programadores crear programas en forma rápida y sencilla. Por lo general el grupo incluye un *compilador*, un *depurador*, un *editor de textos*, *bibliotecas* de *rutinas* útiles y herramientas para tareas como crear conexiones con *bases de datos*.

device *dispositivo*   Cualquier *componente de hardware o periférico*, como una *impresora*, un *módem*, un *monitor* o un *ratón*, que pueda recibir o enviar información, o ambas cosas. Algunos dispositivos requieren un software especial, llamado *controlador de dispositivo*.

device contention *contención de dispositivos*   Técnica empleada por *Microsoft Windows 95* para manejar peticiones simultáneas de acceso a dispositivos hechas por *programas* de multitareas.

device dependent *dependiente del dispositivo*   Incapaz de operar apropiadamente en cierto tipo de sistema de computación o en una computadora que no esté equipada con cierto tipo o marca de periférico, como tarjeta de sonido o módem.

device-dependent color *color dependiente del dispositivo*   *Paleta de color* de impresora o monitor que no cumple con las combinaciones de color establecidas, sino con una resultante de las características únicas de un dispositivo. Dado que la mayor parte de las impresoras y monitores generan un color dependiente del dispositivo, a menudo resulta difícil que coincida un color generado con un dispositivo con el color creado por otro. El *color independiente del dispositivo* soluciona esta limitación.

device driver *controlador de dispositivo*   Programa que proporciona al *sistema operativo* la información necesaria para que éste trabaje con un dispositivo de hardware específico, como una *impresora*.

device independence *independencia del dispositivo*   Capacidad de un *programa* de computadora, *sistema operativo* o *lenguaje de programación* de funcionar en una variedad de computadoras o *periféricos*, a pesar de sus diferencias electrónicas. Unix, sistema operativo para sistemas de computadora multiusuario, está diseñado para correr en una amplia variedad de *computadoras*, desde *personales* hasta *mainframes*. Muchos fabricantes de impresoras emplean *PostScript, lenguaje de descripción de páginas (PDL),* para impresiones de alta calidad.

device-independent *independiente del dispositivo*   Capaz de funcionar correctamente en diferentes computadoras o en computadoras equipadas con diferentes periféricos.

device-independent color *color independiente del dispositivo* Método para describir colores en una forma estándar, como el *Sistema de Igualación Pantone (PMS),* para habilitar a los dispositivos de salida (como *impresoras* y *monitores*) de manera que cumplan con el estándar. Aunque es poco difundido y costoso, el color independiente del dispositivo es muy superior al *color dependiente del dispositivo* y es esencial para quien esté en la industria editorial.

device name *nombre de dispositivo*   En el *DOS*, abreviatura de tres letras que se refiere a un dispositivo periférico. Vea *AUX, COM, CON* y *LPT*.

device node *nodo de dispositivo*   En *Microsoft Windows 95, objeto* en el *árbol de hardware* que representa una pieza de *hardware*. Sinónimo del objeto *Plug and Play (PnP)*.

diagnostic program *programa de diagnóstico*   *Programa de utilería* que prueba el hardware y el software de una computadora para determinar si funcionan apropiadamente.

dialer program *programa marcador*   En *SLIP* y *PPP*, programa que marca el número de un proveedor de servicios de *Internet* y establece una conexión. Un programa marcador no es igual que un *programa de comunicaciones*, el cual transforma a su máquina en la *terminal* de una *computadora remota*. En lugar de ello, el programa marcador establece la conexión que integra completamente la computadora a Internet. Muchos proveedores de servicios distribuyen programas marcadores configurados, los cuales permiten a los usuarios conectarse sin tener que configurar el programa; si no puede obtener un *marcador preconfigurado*, necesitará escribir su propio *script de inicio de sesión,* lo cual puede ser tedioso para quienes carecen de experiencia en *programación*.

dialog *diálogo*   Sinónimo de *cuadro de diálogo*.

dialog box *cuadro de diálogo*   En una *interfaz gráfica de usuario (GUI)*, recuadro en pantalla con un mensaje que transmite o solicita información al usuario.

dialup access *acceso conmutado, acceso telefónico*   Medio para conectarse a otra computadora o a una red como *Internet*, con una computadora equipada con un *módem*. Hay dos tipos principales de acceso telefónico; el más barato consiste en marcar a un sistema Unix usando un programa de telecomunicaciones, lo cual restringe al usuario a aplicaciones basadas en texto, como el correo electrónico y la navegación en modo de texto en Web. En el *acceso telefónico IP*, su computadora forma parte de Internet y es posible usar herramientas gráficas, como navegadores. Vea *Internet service provider (ISP)*.

dialup IP *acceso telefónico IP*   Método de *acceso telefónico* que le permite un acceso total a Internet. Mediante el acceso telefónico IP (junto con el Protocolo Punto a Punto [PPP] o el Protocolo Internet de Línea Serial [SLIP]), puede utilizar programas gráficos como *Netscape Navigator* para navegar en *World Wide Web (WWW)* y recibir correo electrónico. Vea *Internet service provider (ISP)*.

dialup modem *módem de acceso telefónico*   En contraste con un *módem* diseñado para usar una *línea rentada*, un módem capaz de marcar un número telefónico, establecer una conexión y cerrarla cuando ya no se necesite. La mayoría de los módems de las *computadoras personales* son módems de acceso telefónico.

dictionary flame *flama de diccionario*   En *Usenet*, un *artículo de seguimiento* que inicia o prolonga una controversia acerca del significado de una palabra o frase, como "Segunda enmienda" o "derecho a la vida".

dictionary sort *orden lexicográfico*   *Orden de clasificación* que ignora si los caracteres están en mayúsculas o minúsculas al ordenar los datos. Vea *sort*.

DIF   Vea *data interchange format (DIF) file*.

Diffie-Hellman public key encryption algorithm *algoritmo Diffie-Hellman para encriptación de clave pública*   *Algoritmo de encriptación de clave pública* creado por los inventores de la encriptación de clave pública y bautizado en su honor. En comparación con el *algoritmo RSA para encriptación de clave pública*, el uso del Diffie-Hellman no se ha difundido tanto, aunque se espera que suceda esto, dado que la patente de los inventores está a punto de caducar.

digest *compendio*   En *Usenet*, un artículo que aparece en *grupos de noticias* moderados resumiendo las colaboraciones recibidas por el *moderador* del grupo.

digital *digital*   Forma de representación en la que se usan distintos objetos, o dígitos, para representar elementos del mundo real como la temperatura o el tiempo, con el fin de realizar conteos y otras operaciones con exactitud. La *información* representada en forma digital puede manipularse para producir un cálculo, *un ordenamiento* u otro tipo de *cálculo*. En computadoras electrónicas digitales, dos estados eléctricos correspondientes a los 1s y los 0s de los *números binarios*, que son manipulados por un programa de computadora. Vea *algorithm*, *analog* y *program*.

Digital Audio Tape *Cinta de Audio Digital*   Vea *DAT*.

digital camera *cámara digital*   Cámara portátil que incorpora uno o dos *dispositivos de carga acoplada* (CCDs) y que registra imágenes en un formato legible para la máquina. Aunque las cámaras digitales son costosas y generan salida de una calidad bastante inferior a la correspondiente a las cámaras de película, eliminan el procesamiento de la película, tardado y potencialmente costoso, o el escaneo de fotografías necesario en la obtención de imágenes legibles para la computadora. Las cámaras digitales se usan en algunas ocasiones para generar credenciales de identificación de manera casi inmediata.

digital cash *dinero digital*   Método propuesto de asegurar la privacidad personal en un mundo en el cual el comercio electrónico se está volviendo cada día más común. En el comercio con dinero digital, una persona que mantuviera una cuenta electrónica bancaria podría hacer adquisiciones en línea, cuyos cargos serían efectuados automáticamente y transferidos al acreedor. La transacción sería segura para las tres partes involucradas: el banco, el comprador y el vendedor, aunque ninguno de los tres, ni siquiera un investigador externo, sería capaz de determinar qué se habría hecho con el dinero. Esta tecnología, basada en la *encriptación de clave pública*, alarma al gobierno y a las instancias judiciales de Estados Unidos, quienes ven en este método un sistema apropiado para la evasión de impuestos y los tratos entre narcotraficantes. Dado que no cuentan con certificación del Departamento de Comercio de Estados Unidos, los esquemas de dinero digital están en etapa experimental; un servicio accesible desde *World Wide Web* (WWW) permite a los usuarios obtener cinco dólares de dinero simulado, que pueden "gastar" en las páginas Web participantes. Es sinónimo de *e-cash*.

digital computer *computadora digital*   Computadora que emplea los dígitos 0 y 1 para representar *información*, y luego usa procedimientos parcialmente automáticos para efectuar cálculos sobre esta información. Una computadora digital no es necesariamente electrónica; un ábaco es una computadora digital porque representa información por medio de unidades separables (*dígitos*) y porque el usuario puede seguir procedimientos establecidos para resolver problemas. La mayoría de las computadoras actuales son digitales, aunque las analógicas se usan todavía para algunas aplicaciones especializadas (como el análisis en tiempo real). Vea *analog computer*.

digital controls *controles digitales*   Controles de *monitor* que, en lugar de perillas o botones de sintonización, están constituidos por botones oprimibles. Mediante los controles digitales, al igual que los analógicos, es posible ajustar el *brillo*, el *contraste* y el tamaño de la imagen.

Digital Data Storage *Almacenamiento de Datos Digitales*   Vea *DDS*.

digitally signed *firmado digitalmente*   En *correo electrónico,* firmado con un *certificado* que confirma que la persona que envía el mensaje es realmente quien dice ser. Vea *digital signature.*

digitally signed certificate *certificado firmado digitalmente*   Certificado al cual se ha adjuntado la *firma digital* de una persona o compañía, como medio de mayor corroboración de su autenticidad.

digital modem *módem digital*   *Adaptador* de comunicaciones diseñado para conectar digitalmente una computadora con otra. Los módems *digitales* no son módems en realidad, ya que la *modulación* y la *demodulación* son operaciones necesarias sólo para las conexiones *analógicas.* Los módems digitales, como el WaveRunner de IBM, funcionan con sistemas telefónicos digitales, entre ellos la *Red Digital de Servicios Integrados (ISDN),* y por lo tanto no han alcanzado una gran difusión.

digital monitor *monitor digital*   Monitor que acepta salida digital de un adaptador de video y convierte la señal digital en analógica. Los monitores digitales no aceptan entrada a menos que ésta se ajuste a un estándar digital, como el *MDA,* el *CGA* o el *EGA* de IBM. Todos estos adaptadores producen salida digital, pero, a diferencia del *VGA* y otros *monitores analógicos,* tienen una desventaja notable: sólo despliegan una cantidad limitada de colores.

digital signal processor (DSP) *procesador de señales digitales*   Circuito programable para procesamiento de sonido utilizado tanto en *módems* como en *tarjetas de sonido.* Las tarjetas de sonido usan DSPs para manejar varias *resoluciones*, formatos y filtros de modificación de sonido sin requerir circuitos separados para cada uno, mientras que los módems usan DSPs para controlar varios *protocolos de modulación.*

digital signature *firma digital*   Testimonio encriptado, a prueba de falsificación, generalmente adjuntado a un mensaje de *correo electrónico* o a *certificados*, de que la persona o autoridad que firma el certificado está segura de que el remitente es realmente quien dice ser. Vea *certificate authority (CA).*

Digital Simultaneous Voice and Data *Voz y Datos Digitales Simultáneos*   Vea *DSVD.*

digital transmission *transmisión digital*   Técnica de *comunicación de datos* que transmite información codificada como pulsos discretos de encendido/apagado. La transmisión digital no requiere convertidores analógicos/digitales en cada extremo de la transmisión; sin embargo, la *transmisión analógica* es más rápida y puede llevar más de un canal a la vez.

digitize *digitalizar*   Proceso en el que se transforman datos analógicos a una forma digital. Un *escáner* convierte *imágenes de tono continuo* en *gráficos de mapa de bits.* Los CD-ROMs contienen muchas medidas digitales del tono y volumen del sonido. Vea *digitizing tablet.*

digitizing tablet *tableta digitalizadora*   En *diseño asistido por computadora (CAD)*, *periférico* por lo general de 12×12 o 12×18 pulgadas de largo y $1/2$ pulgada de espesor, empleado con un dispositivo apuntador llamado cursor para convertir gráficos (imágenes o dibujos) en datos digitales que la computadora puede procesar. La posición del cursor sobre la tableta es captada magnéticamente por una retícula de cables integrada en el interior de la tableta y es trazada en pantalla. El término es sinónimo de *tableta gráfica*. Vea *Cartesian coordinate system*.

DIMM   Siglas de Módulo Dual de Memoria en Línea. *Tarjeta de circuitos*, de forma rectangular, que contiene chips de memoria y se inserta en un receptáculo con un bus de datos de 64 bits. A diferencia de los *SIMMs* (Módulos Sencillos de Memoria en Línea), los cuales se ajustan en receptáculos de 32 bits y tienen que ir en pares para poder funcionar, los DIMMs permiten a los usuarios aumentar la memoria insertando un módulo a la vez.

dimmed *atenuado, desvanecido*   Presentación de una opción de un comando de *menú*, un *icono* o *un cuadro de diálogo* en un color diferente o de tono de color gris para indicar que la selección no está accesible por el momento.

dingbats   Caracteres decorativos, como *viñetas*, estrellas, manitas señaladoras, tijeras y flores, empleados para ilustrar un texto. Los dingbats se usaron originalmente entre columnas o, con más frecuencia, entre párrafos para indicar separación. Vea *Zapf Dingbats*.

DIP   Pueden ser las siglas de *paquete dual en línea* o de *procesamiento de imágenes de documento*.

DIP switch *interruptor DIP*   Uno o más interruptores encapsulados en un pequeño chasís de plástico, llamado *paquete dual en línea (DIP)*. Este chasís tiene unos pines que sobresalen por la parte inferior para que usted pueda insertarlo en un soquet o soldarlo directamente en una *tarjeta de circuitos*. Los interruptores DIP se usan a menudo para proporcionar parámetros de configuración al usuario de computadoras, *impresoras* y otros dispositivos electrónicos.

Direct3D   *Interfaz de programación de aplicaciones (API)* desarrollada por Microsoft Corporation para apoyar la programación de juegos de computadora en el ambiente Windows. Direct3D permite a los programadores escribir instrucciones genéricas para dispositivos de hardware, como tarjetas de video, sin necesidad de que sepan exactamente cómo están cableados y configurados esos dispositivos.

Direct Access Storage Device (DASD) *Dispositivo de Almacenamiento de Acceso Directo*   Cualquier dispositivo de almacenamiento, como un *disco duro*, que ofrece *acceso aleatorio* o acceso directo a la información almacenada; es opuesto a los dispositivos de *acceso secuencial* (como una unidad de cinta).

direct-connect modem *módem de conexión directa*   Módem equipado con un contacto semejante al de una línea telefónica, que acepta un enchufe *RJ-11*. El módem puede conectarse directamente a la línea telefónica mediante cable telefónico ordinario, a diferencia de un módem con *acoplador acústico*, el cual está diseñado para coincidir con el aparato telefónico.

Direct Draw   Estándar de interfaz, desarrollado por Intel y posteriormente por Microsoft, que permite a las aplicaciones enviar instrucciones de video directamente al adaptador de video, ignorando a la CPU.

direct-map cache *caché de correspondencia directa, caché de mapeo directo*   Medio de organizar la *memoria caché* vinculándola con ubicaciones de la *memoria de acceso aleatorio (RAM)*. Aunque los cachés de mapeo directo son más simples que otros tipos de caché y más fáciles de construir, no son tan rápidos como otros diseños de caché. Vea *full-associative cache* y *set-associative cache*.

direct memory access   Vea *DMA*

direct memory access conflict   Vea *DMA conflict*.

direct memory access controller   Vea *DMA controller*.

Director   Vea *Macromedia Director*.

directory *directorio*   Unidad *lógica* de almacenamiento que permite a los usuarios de computadoras agrupar archivos dentro de carpetas y subcarpetas nombradas y organizadas jerárquicamente. Vea *current directory, directory markers, hierarchical file system, parent directory, path name* y *subdirectory*.

Directory Access Protocol (DAP) *Protocolo de Acceso a Directorios*   Estándar de correo (parte del grupo de protocolos X.500) que define un complejo programa cliente para acceder a directorios que contienen nombres, direcciones, números telefónicos, direcciones de correo electrónico y datos adicionales. Dada su complejidad, la implementación de DAP ha resultado difícil y está siendo sustituido por el *Protocolo Ligero de Acceso a Directorios (LDAP)*.

directory markers *marcadores de directorio*   En el DOS, símbolos presentados en una tabla de directorio que representan el *directorio actual* (.) y el *directorio paterno* (..). Vea *directory* y *subdirectory*.

directory of servers *directorio de servidores*   En *Servidores de Información de Área Amplia (WAIS), base de datos* de nombres de bases de datos WAIS, consistentes de los nombres de las bases de datos accesibles al público desde WAIS y una breve descripción de su contenido. El primer paso en una búsqueda WAIS es acceder al directorio de servidores, varias copias del cual están disponibles por medio de *Internet* (también hay una *puerta de enlace WAIS* accesible desde *World Wide Web [WWW]*). Las búsquedas se pueden iniciar usando palabras clave muy generales, como "education" o "child psychology", para que el directorio de servidores liste las bases de datos que contienen información relacionada con esos temas.

directory sorting *ordenamiento de directorios* Presentación organizada de los *archivos* de un *directorio* del disco, ordenados por nombre, *extensión,* o fecha y hora de creación. El Explorador de Windows puede clasificar el contenido de directorios en varias formas.

directory title *título de directorio* En *Gopher*, un elemento de menú Gopher que, cuando se selecciona revela otro menú (en vez de un *documento*, *gráfico* u otro elemento).

directory tree *árbol de directorios* Representación gráfica del contenido de un disco que muestra la estructura ramificada de los *directorios y subdirectorios.* Por ejemplo, el *Explorador de Windows,* de *Microsoft Windows 95,* despliega un árbol de directorios.

direct-to-drum imaging *creación de imágenes directamente en el tambor* Diseño de Hewlett-Packard para impresoras láser a color. El *tambor de impresión* de las HP Color LaserJet gira cuatro veces —una vuelta para cada color: cian, magenta, amarillo y negro— y otra vez más para fundir los tóners en la página. Con este método pueden imprimirse cinco páginas por minuto. Vea *CMYK*.

DirectX *Interfaz de programación de aplicaciones (API)* desarrollada por Microsoft Corporation, que permite a los programadores escribir instrucciones de multimedia para dispositivos de Windows, aun cuando no conozcan con precisión el tipo de dispositivo instalado.

dirty *modificado, sucio* Lleno de señales extrañas o ruido. Una línea telefónica sucia causa problemas cuando se intenta hacer una conexión con un *módem* a un sistema de cómputo distante o un BBS. Cuando la línea está sucia aparecen *caracteres extraños* en pantalla. Desconéctese, cuelgue y vuelva a llamar. También, *archivo* modificado pero que no ha sido guardado.

dirty power *corriente sucia* Línea de corriente AC sujeta a fluctuaciones de voltaje, sobrecargas u otras anomalías suficientes para causar problemas en el equipo de cómputo.

disable *inhabilitar* Desconectar en forma temporal un dispositivo de *hardware* o una función de un *programa* con el fin de que no pueda utilizarse.

discrete speech recognition *reconocimiento discreto de voz*   El tipo predominante de reconocimiento de voz por computadora, en el cual los usuarios deben pronunciar cada palabra en forma separada (con pausas entre cada una) para que el sistema pueda transcribir con precisión el lenguaje hablado. El reconocimiento discreto de voz es incómodo. En algunas aplicaciones especializadas de medicina y otros campos profesionales existen programas de reconocimiento continuo de voz, los cuales transcriben la voz a ritmo normal, sin embargo recientemente surgieron productos que están empezando a difundir esta tecnología.

disk *disco*   Vea *floppy disk* y *hard disk.*

disk array *arreglo de discos*   Vea *drive arrays.*

disk buffer *búfer de disco*   Vea *cache controller.*

disk cache *caché de disco*   1. En un *navegador Web,* porción del disco duro que se designa para almacenar los documentos de *World Wide Web (WWW)* que se han accesado recientemente. Si se vuelve a acceder a esas páginas, el navegador primero averigua con el servidor si el documento ha cambiado; si no es así, lo recupera del caché de disco, no de la red, lo cual redunda en una mayor rapidez del proceso. 2. En computación personal, porción de *memoria de acceso aleatorio (RAM)* designada para mantener los datos recuperados recientemente de un disco. Los cachés de disco pueden acelerar significativamente el funcionamiento de un sistema.

disk capacity *capacidad de disco*   Capacidad de almacenamiento de un *disco flexible* o uno *duro,* medida en *kilobytes (KB)* o *megabytes (MB).* La capacidad de un disco flexible depende del tamaño del disco y de la *densidad de área* de la partícula magnéticas que se encuentran en su superficie. Los dos tamaños más comunes de discos flexibles son 5.25 y 3.5 pulgadas. En otro tiempo, los *discos de un solo lado* eran comunes, pero ahora son obsoletos; la norma actual son los *discos de doble lado,* lo mismo que los discos de *doble densidad* y de *alta densidad.* Aunque hay discos de *extra alta densidad,* no son comunes. Las otras variables son el *sistema operativo* que se use para *formatear* el disco y la capacidad de la unidad de disco empleada. La siguiente tabla presenta una relación entre las variables y la capacidad resultante:

Tamaño	Densidad	Sistema	Unidad	Capacidad
3½	DD	MS-DOS	Estándar	720 KB
3½	DD	Mac	Estándar	800 KB
3½	HD	Mac	Superdrive	1.4 MB
3½	HD	MS-DOS	Alta densidad	1.44 MB

Tamaño	Densidad	Sistema	Unidad	Capacidad
3½	DD	MS-DOS	Extra alta densidad	2.88 MB
3½	DD	MS-DOS	Estándar	360 KB
3½	HD	MS-DOS	Alta densidad	1.2 MB

disk compression utility *utilería de compresión de disco*   *Utilería de compresión* que opera sobre todos o la mayor parte de los archivos de una unidad completa, haciendo parecer que tiene una capacidad de almacenamiento dos o tres veces mayor. La compresión y la descompresión se llevan a cabo sobre la marcha, lo cual implica una pérdida de rendimiento debida al *gasto indirecto* producido por esas operaciones.

disk drive *unidad de disco*   Dispositivo de *almacenamiento secundario*, como una *unidad de disco flexible* o un *disco duro*. En general, este término se refiere a las unidades de disco flexible. Una *unidad de disco flexible* es un dispositivo de *almacenamiento secundario* económico que usa discos magnéticos removibles, los cuales se pueden grabar, borrar y usar una y otra vez. Las unidades de disco flexible son muy lentas para ocuparlas como el principal dispositivo de almacenamiento de datos de las *computadoras personales* actuales, pero son necesarias para copiar software y datos al sistema y para elaboración de copias de seguridad. Vea *random access*, *read/write head* y *secondary storage*.

disk drive controller *controlador de unidad de disco*   Circuitería que controla las operaciones físicas de los discos flexibles y/o los discos duros conectados directamente a la computadora. Con el surgimiento del estándar *IDE (Electrónica Integrada en la Unidad)*, el cual transfiere la mayoría de la circuitería del controlador a la unidad misma, la circuitería del controlador de unidad de disco a menudo se incluye en la *tarjeta madre* en lugar de en una tarjeta adicional. El controlador de unidad de disco realiza dos funciones: emplea un estándar de interfaz (como *ST-506/ST-412*, *ESDI* o *SCSI*) para establecer comunicación con la electrónica de la unidad, así como un esquema de codificación de datos (como *MFM*, *RLL* o *ARLL*) para codificar la información en la superficie magnética del disco.

diskette *disquete*   Vea *floppy disk*.

diskless workstation *estación de trabajo sin disco*   En una *red de área local (LAN)*, *estación de trabajo* que cuenta con una *unidad central de procesamiento (CPU)* y *memoria de acceso aleatorio (RAM)*, pero que carece de unidades de disco propias. Las estaciones de trabajo sin disco aseguran que todos los integrantes de una organización produzcan información compatible, y ayudan a reducir los riesgos de seguridad; sin embargo, provocan serias pérdidas de velocidad, flexibilidad y originalidad, y además presentan una vulnerabilidad mayor a los efectos de una *caída* del sistema o del disco. Vea *distributed processing system* y *personal computer*.

disk operating system *sistema operativo de disco*   Vea *operating system*.

disk optimizer *optimizador de disco*   Vea *defragmentation*.

display *pantalla*   Vea *monitor*.

display adapter *adaptador de video*   Vea *video adapter*.

display card *tarjeta de video*   Vea *video adapter*.

display memory *memoria de video*   Vea *video memory*.

display power management signaling (DPMS) *señalización para la administración de energía de la pantalla*   Sistema en el cual un *adaptador de video,* con equipo especial, envía instrucciones a un *monitor* compatible indicándole que ahorre electricidad. El adaptador de video puede indicarle al monitor que asuma cualquiera de tres niveles de ahorro de energía.

display type *tipo para pantalla*   *Tipo de letra* —generalmente de 14 *puntos* o mayor y de diferente estilo que el *cuerpo de texto*— empleado para títulos y subtítulos. Sinónimo de fuente para pantalla.

distributed bulletin board *boletines electrónicos distribuidos*   Series de conferencias por computadora, llamadas *grupos de noticias*, que se distribuyen en forma automática a través de una *red de área amplia (WAN)* con el fin de que los artículos individuales queden a disposición de todos los usuarios. Las conferencias se organizan por tema y abarcan áreas como ecología, política, eventos actuales, música, cuestiones sobre computadoras, programas de computación y sexualidad humana. Vea *follow-on post, Internet, moderated newsgroup, post, thread, unmoderated newsgroup* y *Usenet*.

Distributed Computing Environment (DCE) *Ambiente de Computación Distribuido*   Conjunto de estándares de *middleware*, desarrollado por la *Fundación para el Software Abierto (OSF)*, que define el método de comunicación entre clientes y servidores en un ambiente de computación de plataforma cruzada. Siguiendo los lineamientos del DCE, un programa cliente es capaz de iniciar una solicitud que puede ser procesada por un programa escrito en un lenguaje distinto y alojado en una plataforma diferente a aquella en la cual corre el programa cliente. Sin embargo, a diferencia de los sistemas de middleware orientados a objetos, como CORBA, el DCE tiene sus raíces en conceptos de computación tradicional, pero eso puede resultar ventajoso si las organizaciones continúan. Vea *Common Object Request Broker Architecture (CORBA)*.

distributed object architecture *arquitectura de objeto distribuido*   En redes de computación, diseño en el cual los programas llamados *intermediarios de solicitud de objeto (ORB)* pueden detectar la presencia de otros *objetos* en la red. Un objeto es una unidad de código que contiene tanto datos como procedimientos —llamados *métodos*—, los cuales sirven para efectuar tareas específicas con los datos. Cuando se detecta un nuevo objeto, sus métodos quedan a disposición de otros objetos, probablemente en formas que no fueron previstas por los programadores de los mismos. Vea *Common Object Request Broker Architecture (CORBA)* e *Internet Inter-ORB Protocol (IIOP)*.

distributed processing system *sistema de procesamiento distribuido* *Sistema de computación* diseñado para múltiples usuarios que proporciona a cada uno una computadora funcionalmente completa. En computación personal, el procesamiento distribuido toma la forma de *redes de área local (LAN)*, en las cuales las *computadoras personales* de un departamento u organización se enlazan mediante conexiones de cables de alta velocidad. El procesamiento distribuido ofrece algunas ventajas sobre los *sistemas multiusuario*. Si la *red* falla, el usuario puede seguir trabajando. También puede seleccionar software de acuerdo con sus necesidades. Un sistema de procesamiento distribuido se puede implementar con una inversión inicial modesta; basta con dos o tres estaciones de trabajo y, si se desea, un *servidor de archivos* central.

distribution *distribución*   En *Usenet*, el área geográfica a través de la cual usted desea que su *artículo* sea distribuido. Con la mayoría de los sistemas, usted puede escoger entre distribución mundial (el valor predeterminado en la mayoría), en su país, su estado, su área local o su organización. Seleccione el área apropiada para su mensaje, a menos que realmente desee que su anuncio "Se vende bicicleta de ejercicios, Naucalpan" pueda ser leído también en Wollongong, Australia.

dithering *interpolado, tramado*   En impresiones y *pantallas* a color o en *escalas de gris*, combinación de puntos de varios colores que producen la apariencia de un nuevo color. Con este proceso es posible combinar 256 colores para producir la apariencia de una paleta de colores de variación continua, pero a costa de sacrificar la *resolución*; los distintos colores de los puntos tienden a mezclarse en patrones y no se combinan bien.

DLL   La extensión de *nombre de archivo* de *MS-DOS* adjuntada a una colección de *rutinas de biblioteca*.

DMA   Siglas de *acceso directo a memoria*. Método para mejorar el rendimiento de la computadora mediante la habilitación de los dispositivos de manera que puedan acceder a la memoria principal de la computadora en forma directa, en lugar de requerir que todas las conexiones sean llevadas a cabo con la ayuda del microprocesador. Vea *DMA channel* y *DMA conflict*.

DMA channel *canal DMA*   Circuito que habilita a un dispositivo periférico para acceder directamente a la memoria principal de la computadora, en lugar de hacerlo a través del procesador. A cada periférico debe asignársele su propio canal DMA exclusivo con el fin de evitar un *conflicto DMA*.

DMA conflict *conflicto DMA*   Problema que surge cuando dos periféricos intentan usar el mismo *canal DMA*. Un conflicto DMA generalmente causa una *caída* del sistema, y puede ser resuelto asignando un nuevo canal DMA a uno de los periféricos implicados. Vea *Plug and Play (PnP)*.

DMA controller *controlador DMA*   *Chip* que controla el flujo de *datos* a través de los *canales DMA*. Mediante la regulación del flujo de información a través de los canales, el controlador DMA libera al *microprocesador* para que efectúe otras tareas.

DMI   Vea *Desktop Management Interface*.

DMTF   Vea *Desktop Management Task Force*.

DNS   Vea *Domain Name Service*.

docking station *estación de acoplamiento*   Gabinete con *unidades de disco*, circuitos de video y receptáculos especiales diseñado para albergar una computadora portátil. Al insertar la computadora en el puerto, ésta puede emplear los dispositivos integrados a la estación de acoplamiento.

document *documento*   Archivo que contiene trabajo creado por usted, como un informe de negocios, un memorando o una hoja de trabajo. El término tiene una marcada connotación referente a derechos de autor de un texto original (es decir, un texto fijo), con un autor bien identificado. Con la actual tecnología de *redes*, un documento puede convertirse en un texto en flujo, llamado y modificado constantemente por muchas personas, y, con el *intercambio dinámico de datos (DDE)*, aun por la misma computadora, cuando ésta detecta cambios en los documentos que soporta y actualiza los vínculos dinámicos de manera automática. Vea *groupware* y *word processing*.

documentation *documentación*   Instrucciones, tutoriales o programas de enseñanza y fuente de consulta que proporcionan al usuario la información requerida para usar con eficacia un *programa* o un *sistema de computación*. La documentación puede aparecer en forma impresa o en sistemas de ayuda en línea.

document comparison utility *utilería de comparación de documentos*   *Programa de utilería* o comando de un *procesador de texto* que compara dos *documentos* creados con un programa de procesamiento de texto. Cuando los documentos no son iguales, el programa presenta las diferencias de éstos, línea por línea.

document file icon *icono de archivo de documento*   En *Microsoft Windows 95*, *icono* de un *documento* asociado con una aplicación. Es posible abrir el documento y arrancar la aplicación de manera simultánea haciendo doble clic sobre el icono de archivo de documento.

document format *formato de documento*   En un *programa de procesamiento de texto*, conjunto de selecciones de formato que controlan el diseño de página de un documento completo. Entre los ejemplos de formato de documento están los márgenes, los encabezados, los pies de página, los números de página y las columnas.

document image processing (DIP) *procesamiento de imágenes de documento*   Sistema para procesar la "imagen", almacenamiento y recuperación de documentos basados en texto; entre las etapas de este sistema se encuentran la digitalización de documentos (la "imagen"), el almacenamiento de archivos en medios ópticos o magnéticos y la presentación, cuando se le necesita, mediante un *monitor*, una *impresora* o un *fax*. El objetivo de un sistema de procesamiento de imágenes de documento es una *oficina sin papeles,* lo cual probablemente no podrá lograrse sino hasta que la tecnología de *reconocimiento óptico de caracteres (OCR)* mejore.

document processing *procesamiento de documentos*   Aplicación de la tecnología de computación en todas las etapas de producción de *documentos* internos de una empresa, como instructivos, manuales, informes y proyectos. Un sistema completo de procesamiento de documentos incluye tanto el *software* como el *hardware* necesarios para crear, organizar, editar e imprimir tales documentos, así como la generación de índices y tablas de contenido. Vea *desktop publishing (DTP)* y *word processing program*.

document type definition (DTD) *definición del tipo de documento*   En *SGML,* definición completa de un *lenguaje de marcación* que establece los *elementos* del documento así como las etiquetas usadas para identificarlos. HTML está definido por un DTD estándar mantenido por el *World Wide Web Consortium (W3C)*.

domain *dominio*   En *Internet*, la subdivisión más alta (generalmente se trata de un país). Sin embargo, en Estados Unidos, la subdivisión se hace por tipo de organización, tal como comercial (.com), educativa (.edu) o gubernamental (.gov y .mil).

domain name *nombre de dominio*   En el sistema de nombres de dominio utilizados para identificar computadoras individuales de *Internet*, cada una de las palabras o abreviaturas que integran la denominación única de una computadora (como watt.seas.virginia.edu). De izquierda a derecha, se va de lo específico a lo general: por ejemplo, "watt" es una computadora específica, una de las varias *minicomputadoras* RS-6000 en servicio en la Escuela de Ingeniería y Ciencia Aplicada (seas) en la Universidad de Virginia (virginia). Al final de la serie de nombres de dominio queda el correspondiente al de nivel superior (aquí, edu), el cual incluye a cientos de instituciones de educación superior diseminadas en todo el territorio de Estados Unidos. Vea *Domain Name Service (DNS)*.

Domain Name Service (DNS) *Servicio de Nombres de Dominio*   Programa que corre en un *sistema de computación* conectado a *Internet* (llamado servidor DNS) y proporciona una traducción automática entre nombres de dominio (como watt.seas.virginia.edu) y las *direcciones IP* correspondientes (128.143.7.186). El propósito de este proceso de traducción, llamado *resolución*, es permitir que los usuarios de Internet utilicen un nombre más ilustrativo (como www.yahoo.com) aunque la dirección IP del servicio pueda no ser la misma.

domain name system (DNS) *sistema de nombres de dominio*   Los nombres, estándares y sistema conceptual que constituyen la organización jerárquica de Internet en *dominios* denominados.

dongle *candado*   Pequeña pieza de *hardware* que se conecta en un *puerto* y sirve para algún propósito. Algunos programas muy costosos usan candados como medios de *protección contra copiado;* si no se conecta el candado, el programa simplemente no funciona. Otros dispositivos de este tipo posibilitan la transferencia infrarroja de datos o conectividad de *red*.

Doom   Violento juego con emulación tridimensional, pionero en el género y creado por ID Software, en el cual el jugador guía a un personaje a través de una estación espacial dominada por fuerzas demoniacas. La escenografía tridimensional crea la ilusión de viajar a través de un enorme y complejo laberinto de túneles y cuartos subterráneos, llenos de amenazas y recompensas. Doom inició un nuevo género de juegos de computadora y ha sido ampliamente imitado.

doping *adulterar*   En fabricación de semiconductores, el proceso deliberado de introducir impurezas con el fin de crear variaciones en la conductividad eléctrica de los materiales.

DOS   Vea *MS-DOS* y *operating system*.

Doskey   Utilería proporcionada con el *MS-DOS* (versión 5.0 y posteriores) que le permite al usuario escribir varios comandos del

DOS en una línea, guardar y recuperar comandos del DOS previamente usados, crear macros guardadas y personalizar todos los comandos del DOS.

DOS prompt *indicador del DOS, símbolo del DOS*   En el *MS-DOS*, letra que representa la *unidad de disco* actual seguida por el símbolo mayor que (>); ambos caracteres le indican que el *sistema operativo* está listo para recibir un comando. Vea *prompt*.

dot address *dirección de puntos*   Vea *IP address*.

dot file *archivo de punto*   En *Unix*, *archivo* cuyo nombre va precedido por un punto. Por lo general, las *utilerías* para listar *archivos* de Unix no muestran este tipo de archivo. Los archivos de punto se usan a menudo como archivos de configuración del usuario; por ejemplo, como un archivo que lista los *grupos de noticias* que el usuario consulta con frecuencia.

dot-matrix printer *impresora de matriz de puntos*   Impresora de impacto que crea la imagen del texto o del gráfico mediante el martilleo de los extremos de varias agujas contra una cinta en un patrón (matriz) de puntos. Aunque las impresoras de matriz de puntos son relativamente rápidas, la salida que producen es de poca calidad, ya que los caracteres no están bien formados. Estas impresoras también pueden ser extremadamente ruidosas. Vea *font*, *near-letter-quality (NLQ)* y *non-impact printer*.

dot pitch *paso entre puntos, tamaño de punto*   Tamaño del punto más pequeño que un *monitor* puede exhibir en pantalla. El tamaño del punto determina la *resolución* máxima del monitor. Los monitores de alta resolución usan tamaños de punto de 0.31 mm o menos; los mejores monitores, de 0.28 mm o menos.

dot prompt *indicador de punto*   En *dBASE*, indicador, un punto solitario en una pantalla semivacía, para la interfaz controlada por comandos del programa.

dots per inch (dpi) *puntos por pulgada*   Sistema de medida de la *resolución* que indica el número de puntos que un dispositivo puede imprimir, digitalizar o desplegar en una pulgada lineal.

double-click *doble clic*   Acción de presionar el botón de un *ratón* dos veces en sucesión rápida.

double density *doble densidad*   Técnica de grabación muy usada que empaqueta el doble de información en un *disco flexible* o uno *duro* que el estándar anterior de densidad simple. Vea *high density*, *Modified Frequency Modulation (MFM)*, *Run-Lenght Limited (RLL)* y *single density*.

double-layer supertwist nematic *doble capa nemática de supertorsión*   Vea *DSTN*.

double-scanned passive matrix *matriz pasiva de doble barrido*   Vea *dual-scan*.

double-sided floppy disk *disco flexible de dos lados*   *Disco flexible* que puede almacenar información sobre la superficie de ambos lados. La mayoría de los discos flexibles son de dos lados, aunque unos cuantos de ellos, obsoletos ya, graban datos sólo en un lado.

double-speed drive *unidad de doble velocidad*   Unidad de CD-ROM que puede transferir datos hasta a 300 *KB* por segundo. Aunque la *tasa máxima de transferencia de datos* de estas unidades es del doble de las primeras unidades, los *tiempos de acceso* de ambas son casi los mismos.

DO/WHILE loop *ciclo DO/WHILE*   En *programación*, estructura de control de *ciclo* que sigue ejecutando su función hasta que se satisface una condición. Una estructura de control DO/WHILE establece una condición que, en caso de ser cierta, hace que el programa espere hasta que la prueba resulte falsa para continuar con la siguiente instrucción. Vea *loop, sequence control structure* y *syntax*.

Dow Jones News/Retrieval Service   *Servicio de información en línea* de Dow Jones, editores de *The Wall Street Journal* y *Barron's,* que ofrece un índice de búsqueda por computadora de publicaciones financieras y empresariales e información financiera actualizada, como la cotización de acciones.

download *bajar, descargar, transferir*   Transferir un *archivo* de otra computadora a la suya, por medio de un *módem* y una línea telefónica. Vea *upload*.

downloadable font *fuente descargable, fuente transferible*   *Tipo de fuente* que es transferido del *disco duro* a la *memoria* de la impresora al momento de imprimir. De los tres tipos de fuente de impresora que puede usar, los menos convenientes son los transferibles, que también se conocen como tipos suaves. La transferencia de éstos puede durar de 5 a 10 minutos al principio de cada sesión de operación. Vea *bit-mapped font, built-in font, cartridge font, downloading utility, font, font family, outline font, page description language (PDL)* y *PostScript*.

downloading *descarga, transferencia*   Transferencia de la copia de un *archivo* desde una computadora distante al disco de su computadora mediante enlaces de comunicación de información. Vea *FTP* y *modem*.

downloading utility *utilería de transferencia*   *Programa de utilería* que transfiere las *fuentes transferibles* del *disco duro* de la computadora o de la impresora a la *memoria de acceso aleatorio (RAM)* de la impresora. En general, las utilerías de transferencia vienen incluidas con las fuentes transferibles que usted adquiera. No necesitará una de estas utilerías si el programa de *procesamiento de texto* o de *diseño de páginas* que utilice tiene capacidad de transferencia, como *WordPerfect, Microsoft Word, Ventura Publisher* y *PageMaker. Windows 95* descarga las fuentes requeridas de manera automática.

downward compatibility *compatibilidad hacia atrás*   *Hardware* o *software* que corre sin modificación al usar componentes de computadora anteriores o archivos creados con versiones de software anteriores. Por ejemplo, los *monitores VGA* son compatibles hacia atrás con la PC original de IBM si se utiliza un *adaptador de video* VGA de 8 bits que se ajuste en el *bus de expansión* de 8 bits de la PC.

dpi   Vea *dots per inch.*

DPMA   Vea *Data Processing Management Association.*

DPMS   Vea *display power management signaling.*

drag *arrastrar*   Mover el puntero del *ratón* mientras se presiona sin soltar uno de sus botones.

drag and drop *arrastrar y colocar*   En *Microsoft Windows* 95 y los programas de *Macintosh* que se ejecutan bajo el *System 7.5*, técnica que permite realizar operaciones sobre objetos, *arrastrándolos* con el ratón. Es posible abrir un documento arrastrando el icono correspondiente hasta un icono de aplicación, o colocar iconos en otras carpetas arrastrando el icono hasta ellas. Muchos *programas de procesamiento de texto* incluyen *edición por arrastre y colocación*, lo cual acelera el reacomodo de texto.

drag-and-drop editing *edición por arrastre y colocación* Característica de edición que permite *mover* o *copiar* un *bloque*, para lo cual primero se *selecciona* el bloque y después se usa el *ratón* para *arrastrarlo* hasta la nueva posición. Al soltar el botón del ratón, el texto aparece en la nueva posición. Algunos programas para DOS, como WordPerfect 6.0, integran este tipo de edición.

DRAM   Siglas de *memoria dinámica de acceso aleatorio (DRAM),* tipo de memoria en el cual se representa información utilizando capacitores para almacenar niveles variables de carga eléctrica. Como resultado de que a la larga los capacitores pierden su carga, los chips DRAM deben refrescarse frecuentemente (por ello son dinámicos). Estos chips se usan con frecuencia en tarjetas de *adaptadores de video* de bajo costo para almacenar información de despliegue. Vea *SRAM.*

draw program *programa de dibujo*   *Programa de gráficos* por computadora que usa *gráficos vectoriales* para producir *dibujos de líneas*. Un programa de dibujo almacena los componentes de un dibujo —líneas, círculos y curvas— como fórmulas matemáticas y no como una configuración de puntos en la pantalla, tal como lo hacen los *programas de pintura*. A diferencia de las imágenes creadas con programas de pintura, los dibujos de líneas creados con un programa de dibujo se pueden ampliar y generar a escala sin provocarles distorsiones. Los programas de dibujo producen una salida que se imprime a la *resolución* máxima de la impresora.

draw tool *herramienta de dibujo*   En cualquier programa con capacidades gráficas, comando que transforma el cursor en una pluma para crear *gráficos orientados a objetos (vectoriales)*. En general, las herramientas de dibujo incluyen opciones para la creación de líneas, círculos, óvalos, polígonos, rectángulos y *curvas de Bézier*.

drill down *perforación*   En *extracción de datos*, método de exploración y análisis de datos que implica un examen detallado de la información que produjo un valor de resumen o agregado.

drive *unidad*   Vea *disk drive*.

drive activity light *luz de actividad de la unidad*   Pequeña señal luminosa, frecuentemente montada de manera que pueda verse a través del *gabinete* de la computadora, que indica cuando una *unidad de disco* está en uso.

drive arrays *arreglos de discos*   Grupos de *discos duros* organizados, a menudo como un *Arreglo Redundante de Discos Independientes (RAID)*, para mejorar velocidad y proporcionar protección contra la pérdida de datos. Los arreglos de discos pueden incorporar esquemas de *distribución de datos en bloques*.

drive bay *bahía de unidad*   Receptáculo o abertura en la que puede instalar una *unidad de disco flexible* o *duro*. En la PC de IBM y computadoras compatibles actuales es común que las bahías sean de media altura. Vea *half-height drive*.

drive designator *designador de unidad*   En el *DOS*, argumento que especifica la unidad a la que afectará el comando. Por ejemplo, el comando FORMAT B: ordena al DOS formatear el disco que se encuentra en la unidad B (donde B: es el designador de unidad.)

driver *controlador*   *Archivo* que contiene la información que necesita un *programa* para operar un *periférico*, como un *monitor* o una *impresora*. Vea *device driver*.

DriveSpace   Programa para compresión de unidades de disco, incluido con *Microsoft Windows 95* y DOS 6.22.

drop cap *capitular descendente*   Letra inicial de un capítulo o de un párrafo, alargada y colocada de tal forma que la parte superior del carácter coincide con la parte superior de la primera línea, y el resto del carácter desciende a las siguientes líneas. Vea *initial*.

drop-down list box *cuadro de lista desplegable*   En una interfaz *estándar de la industria* y una *interfaz gráfica de usuario (GUI)*, lista de opciones de comandos que tiene la apariencia de un cuadro de texto de un solo elemento hasta que usted selecciona el comando, lo que hace que descienda (o aparezca) una lista de opciones. Una vez que aparece la lista, puede elegir una de sus opciones. El cuadro de lista descendente permite que el *programador* proporcione muchas opciones sin ocupar demasiado espacio en pantalla.

dropouts *omisiones*   Pérdida de caracteres que se presenta en la transmisión de datos por alguna razón. Por ejemplo, en los sistemas lentos, una persona que escriba rápido podría enfrentarse al problema de que algunos de los caracteres escritos no aparecen en un *archivo de un programa* de *procesamiento de texto*; esto se debe a una interrupción de la entrada del usuario cuando el programa debe tener acceso al disco por alguna razón. El usuario aprenderá pronto que debe hacer una pausa cuando la *luz de actividad de la unidad* de disco se encienda.

dropout type *texto calado, tipo inverso*   En tipografía, caracteres blancos impresos sobre un fondo negro.

drop shadow *sombra despegada*   Sombra colocada en la parte posterior de las imágenes y corrida ligeramente en sentidos vertical y horizontal, lo que crea la ilusión de que la imagen superior se encuentra despegada de la superficie de la página.

drunk mouse *ratón ebrio*   Ratón cuyo puntero parece brincar en forma errática e irritante justo cuando uno está a punto de seleccionar algo. Muchos usuarios piensan que esto se debe a un *virus*, pero en realidad la causa es la simple acumulación de polvo en el interior del ratón.

DS/DD   *Disco de dos lados* que utiliza formato de *doble densidad*.

DS/HD   *Disco de dos lados* que utiliza formato de *alta densidad* (HD).

D-shell connector *Conector D*   El conector que se introduce en el extremo del cable (que va del *monitor* al *adaptador de video*) correspondiente al adaptador de video. Los adaptadores de video *VGA* y *SuperVGA* utilizan conectores D de 15 pines; los *estándares de video* más antiguos usan conectores D de nueve pines.

DSMR   Vea *dual-stripe magneto-resistive (DSMR) head*.

DSP   Vea *digital signal processor*.

DSTN   Siglas de doble capa nemática de supertorsión. Pantalla de *matriz pasiva* utilizada principalmente en *computadoras tipo notebook*, que utiliza dos capas de *pantallas de cristal líquido (LCD)* para mejorar la producción de color. Es sinónimo de *doble barrido*.

DSVD   Siglas de *Voz y Datos Digitales Simultáneos. Protocolo* para módems de alta velocidad que permite a los usuarios de dos módems DSVD conversar mediante comunicación de voz en *tiempo real* al mismo tiempo que intercambian datos. Esta función es particularmente atractiva para los aficionados a los juegos de computadoras.

DTE   Vea *Data Terminal Equipment.*

DTE speed *velocidad DTE*   La tasa, medida en bits por segundo (bps), a la cual un dispositivo del tipo *Equipo de Terminal de Datos (DTE),* tal como una computadora personal, puede enviar información a un dispositivo del tipo *Equipo de Comunicación de Datos (DCE),* tal como un *módem.*

DTP   Vea *desktop publishing.*

dual-actuator hard disk *disco duro de doble actuador*   Diseño de *disco duro* que incorpora dos *cabezas de lectura/escritura.* Los discos duros de doble cabeza logran mejores *tiempos de acceso* que los discos duros estándar, porque poseen la mitad de la *latencia:* es decir, un bit de datos siempre estará a menos de media revolución de una de las cabezas, en lugar de estar a una revolución completa de la cabeza única de un disco estándar.

dual in-line package (DIP) *paquete dual en línea*   Dispositivo estándar de empaquetamiento y montaje para *circuitos integrados.* Por ejemplo, éste es el tipo de empaquetamiento preferido para los circuitos de *memoria dinámica de acceso aleatorio (DRAM).* El paquete, hecho de material plástico duro, encierra el circuito; los cables del circuito se conectan a pines que apuntan hacia abajo y están colocados en dos filas paralelas. Los pines están diseñados para ajustarse con firmeza en un socket; también pueden soldarse directamente en la tarjeta de circuitos. Vea *single in-line package (SIP).*

dual-issue processor *procesador doble*   Tipo de *unidad central de procesamiento (CPU)* que puede procesar dos instrucciones simultáneamente, cada una de ellas en su propio *canal.* Vea *superscalar architecture.*

dual-scan *doble barrido*   Diseño mejorado de *LCD de matriz pasiva* en el cual la pantalla se *actualiza* con el doble de frecuencia que en las *pantallas de cristal líquido (LCD)* de estándar de matriz pasiva. Aunque las pantallas de matriz pasiva de doble barrido producen mejor *brillantez* y *contraste* que las *pantallas de matriz pasiva* estándar, son por general inferiores a las *pantallas de matriz activa.*

dual-stripe magneto-resistive (DSMR) head *cabeza magnetorresistiva de doble franja*   Nuevo diseño de *cabeza de lectura/escritura* para *discos duros,* que reduce su sensibilidad a la interferencia proveniente del ambiente exterior. Las cabezas DSMR tienen porciones diferenciadas para lectura y escritura, y empaquetan más apretadamente los datos en los discos.

dual-tone multifrequency (DTMF) tones *tonos multifrecuencia de tono dual*   Los generados por un teléfono de tonos durante el marcado. La mayoría de los *módems de acceso telefónico* también generan tonos DTMF.

dual y-axis graph *gráfico con dos ejes y*   En gráficos para presentaciones y analíticos, *gráfico de líneas o de columnas* que usa dos ejes y (eje de valores) al comparar dos conjuntos de datos con diferentes escalas de medida.

dumb terminal *terminal tonta*   Vea *terminal*.

dump *vaciar*   Transferir el contenido de la *memoria* a una *impresora* o a un dispositivo de almacenamiento en disco. Los *programadores* usan el vaciado de memoria mientras depuran los programas para saber con exactitud qué hace la computadora cuando ocurre el vaciado. En gráficos, un *vaciado de pantalla* imprime o guarda lo que en un momento dado se esté desplegando en pantalla. Vea *Print Screen (PrtSc)*.

duplex *dúplex*   Vea *full duplex y half duplex*.

duplex printing *impresión dúplex*   Impresión o reproducción de un documento por ambos lados de la página, de tal forma que el *dorso* (lado izquierdo) y el *recto* (lado derecho) de la página estén uno enfrente del otro cuando se encuaderne el documento. Vea *binding offset*.

duplication station *estación de duplicación*   Combinación de *impresora/digitalizador de imágenes* (escáner) que puede servir como fotocopiadora de trabajo ligero.

DVD   Siglas de Disco Digital Versátil o Disco de Video Digital. Formato de *CD-ROM* capaz de almacenar hasta 17 GB de datos (suficiente para una película de largometraje). Se espera que este formato sustituya a las unidades actuales de CD-ROM en las computadoras, así como a las cintas VHS de video y a los discos láser en los años venideros. Aunque inicialmente sólo están disponibles como unidades de disco de un solo lado para lectura solamente, con capacidad de 4.7 GB, los reproductores DVD posteriormente ofrecerán la posibilidad de *escritura una sola vez* y posteriormente capacidades completas de escritura/lectura. Los reproductores DVD tendrán compatibilidad hacia atrás con los CD-ROMs existentes.

Dvorak keyboard *teclado Dvorak*   Formato alterno de *teclado* en el que el 70 por ciento de los tecleos se hacen en la fila básica (comparado con el 32 por ciento del formato estándar *QWERTY*). Un teclado Dvorak es más fácil de aprender y más rápido para utilizarse. Sin embargo, cada vez que regrese a un teclado *QWERTY*, debe reintegrarse al método de buscar y picar.

dye sublimation *sublimación de tinta*   Proceso de impresión de alta calidad en el cual unos pequeños elementos de calentamiento son utilizados para evaporar pigmentos de una película plástica y fundirlos en el papel. El resultado es una imagen con calidad fotográfica con color brillante y buena definición. Las impresoras de sublimación de tinta son costosas, así como la película que lleva el pigmento.

dynamic astigmatism control *control dinámico de astigmatismo*   Vea *dynamic beam forming.*

dynamic bandwidth allocation (DBA) *asignación dinámica de ancho de banda*   En *ISDN*, método para asignar ancho de banda sobre la marcha, de manera que la línea pueda transmitir voz y datos simultáneamente. La DBA funciona con el *Protocolo Multienlace Punto a Punto (MPPP)* y permite a un usuario de ISDN aceptar una llamada en una de las líneas incluso si ambas están usándose para descargar o cargar datos. Vea *Basic Rate Interface (BRI).*

dynamic beam forming *formación dinámica de haces*   Diseño de *monitor* que asegura que los haces de electrones sean perfectamente redondos cuando inciden sobre la *pantalla*, independientemente de a dónde los dirija el *yugo* sobre la misma. Sin la formación dinámica de haces, éstos serían elípticos en las áreas exteriores de la pantalla —como sucede con un haz de una linterna cuando incide angularmente sobre una superficie— lo cual resultaría en una imagen mal enfocada.

Dynamic Data Exchange (DDE) *Intercambio Dinámico de Datos*
En Microsoft Windows 95 y en el System 7 de *Macintosh, canal de comunicación entre procesos (IPC),* basado en el modelo *cliente-servidor* a través del cual los programas pueden intercambiar activamente información y controlar otras aplicaciones. Para que puedan hacer un intercambio dinámico de datos, los *programas* deben cumplir con las especificaciones de Microsoft Corporation. El DDE permite correr en forma simultánea programas para intercambio de datos, tan pronto como cambien éstos. A través del uso de *Vinculación e Incrustación de Objetos (OLE),* lo cual facilita el uso de DDE, un programa de *hoja de cálculo* con capacidades DDE puede recibir datos en tiempo real de un *servicio de información en línea,* grabar los cambios en el precio de acciones bursátiles y bonos y recalcular toda la hoja para reflejar los cambios. Vea *client application, dinamic link* y *server application.*

dynamic link *vínculo dinámico*   Método de enlazar *información* para que ésta sea compartida por dos programas. Si se modifica la información en un programa, la del otro también cambia al usar un comando de actualización. Vea *hot link.*

dynamic object *objeto dinámico*   *Documento* o parte de un documento que se ha pegado o insertado en un documento destino mediante técnicas *OLE* (Vinculación e Incrustación de Objetos). Un objeto vinculado se actualiza de manera automática cuando usted modifica el *documento origen*. Un objeto insertado incluye toda la información que permite abrir la aplicación que se usó para crear el objeto y editarlo.

dynamic random-access memory *memoria dinámica de acceso aleatório*   Vea *DRAM*.

dynamic range *gama dinámica*   Gama de colores que un *escáner* puede detectar y, junto con la *profundidad de color*, uno de los principales indicadores de la calidad de uno de estos dispositivos. Aunque cualquier escáner de *24 bits* puede registrar 16.7 millones de colores y 256 tonos de gris, si uno de estos modelos tiene una gama dinámica angosta podría no detectar tonos claros de amarillo o matices demasiado oscuros de índigo.

D
E
F

Easter egg *huevo de Pascua*   Mensaje o animación oculto dentro de un *programa* de computación que sólo es accesible mediante un procedimiento no documentado, y que lo inserta el programador a manera de broma. Dentro del laberinto de datos del sistema de archivos de *Macintosh*, por ejemplo, está el mensaje: "¡Auxilio! ¡Auxilio! ¡Estamos atrapados en una fábrica de software!"

EBCDIC   Siglas de Código Extendido de Caracteres Decimales Codificados en Binario para el Intercambio de Información. *Conjunto de caracteres* que representa 256 caracteres estándar. Los *mainframes* de IBM utilizan codificación EBCDIC; las *computadoras personales* usan la codificación ASCII. Las *redes* que vinculan computadoras personales a mainframes de IBM deben incluir un dispositivo de traducción como mediador entre ambos tipos de sistema.

echoplex   *Protocolo de comunicaciones* en donde la estación receptora reconoce y confirma la recepción de un mensaje, para lo cual lo retransmite a la estación transmisora. Vea *full duplex* y *half duplex*.

ECP   Vea *extended capabilities port*.

edge connector *conector lateral*   Parte de un *adaptador* que se conecta en una *ranura de expansión*.

edgelighting *iluminación perimétrica*   Esquema de iluminación para *pantallas de cristal líquido (LCD)*, utilizado para mejorar la legibilidad en condiciones de luz brillante. A diferencia del *contraluz*, en el cual la luz se emite desde atrás de la pantalla, la iluminación perimétrica se basa en la emisión de luces desde los bordes de una pantalla. La iluminación perimétrica se considera menos efectiva que el contraluz.

EDI   Vea *Electronic Data Interchange*.

edit mode *modo de edición*   Modo de *programa* que facilita la corrección de texto y datos. Por ejemplo, en *Lotus 1-2-3*, usted oprime F2 para desplegar el contenido de una celda en la segunda línea del panel de control, donde puede usar las teclas de edición para corregir errores o agregar caracteres. Pocos programas tienen todavía modos especiales de edición, dado que ahora la modificación puede llevarse a cabo en sus modos normales.

editor *editor*   Vea *text editor*.

EDO RAM   Siglas de Memoria de Acceso Aleatorio con Salida Extendida de Datos. Tipo de *memoria dinámica de acceso aleatorio (DRAM)*, la memoria principal de la computadora, que es significativamente más rápida que la DRAM convencional. Los expertos esperan que la *SDRAM,* más rápida aún, sustituya a la EDO RAM en las máquinas más modernas.

edu   *Nombre de dominio* que denota una institución de educación superior en Estados Unidos.

edutainment *educación y entretenimiento*   *Programas de aplicación* diseñados para la enseñanza de un tema y presentados en forma de juego, que es lo bastante entretenido o representa un reto para mantener el interés del usuario. La mayoría de los usuarios adquiere el producto Microsoft Flight Simulator como un juego, pero en realidad es un preludio para la enseñanza de vuelo profesional en muchas escuelas de aviación. Casi igual de conocida es la serie de juegos Carmen Sandiego, la cual incluye "Where in the world is Carmen Sandiego?" (¿En que parte del mundo está Carmen Sandiego?) o "Where in Europe is Carmen Sandiego?" (¿En qué parte de Europa está Carmen Sandiego?)

EEMS   Vea *Enhanced Expanded Memory Specification.*

EEPROM   Siglas de memoria de sólo lectura, borrable y programable eléctricamente. Tipo de *memoria de sólo lectura (ROM)* que puede ser borrada y reprogramada aplicando una corriente eléctrica a los chips que la contienen y escribiendo nuevas instrucciones en ellos. Vea *EPROM* y *Flash Erasable Programmable Read-Only Memory.*

effective resolution *resolución efectiva*   *Resolución* de la salida de una *impresora* en la cual se ha efectuado un *mejoramiento de resolución.* Algunas *impresoras láser* dicen tener resoluciones efectivas de 1,200 *puntos por pulgada (dpi),* pero su salida es de menor calidad que la de aquellas que alcanzan los 1,200 puntos sin mejoramiento de resolución.

effective transmission rate *tasa de transmisión efectiva*   Velocidad a la cual un *módem* que utiliza *compresión de datos sobre la marcha* comunica *datos* a otro módem. La compresión de datos asegura que una cantidad dada de información pueda ser comunicada a una velocidad determinada en un periodo menor que si la información no se comprimiera. De esta manera, los módems que usan compresión sobre la marcha tienen una mayor *velocidad real de transporte* que los módems que no la usan.

EGA   Vea *Enhanced Graphics Adapter.*

EIDE   Vea *Enhanced IDE.*

EInet Galaxy   En *World Wide Web (WWW),* un *árbol temático* mantenido por Enterprise Integration Network (EINet), una división de Microelectronics and Computer Technology Corporation. Al igual que todos los *árboles temáticos,* la cobertura de EINet Galaxy está limitada por la capacidad del equipo humano responsable de su mantenimiento para encontrar y clasificar nuevas páginas

Web que sean útiles. El servicio también incluye una *máquina de búsqueda* que ayuda a los usuarios a encontrar los elementos que contiene el árbol.

EISA   Diseño de *bus de expansión* de 32 bits introducido por un consorcio de fabricantes de computadoras *compatibles con la PC de IBM* como una alternativa al *Bus de Microcanal* propietario de IBM. A diferencia de este último, el bus EISA es compatible hacia atrás con periféricos de 16 bits, como unidades de disco y adaptadores de video. Aunque alguna vez fueron lo más avanzado para computadoras personales, las máquinas EISA han sido eclipsadas por el *bus de expansión de Interfaz de Componentes Periféricos (PCI)*.

EISA-2   Versión mejorada del bus de expansión *EISA* que puede transferir *datos* a 132 *Mb* por segundo. El estándar EISA anterior podía transferir información a sólo 33 Mb por segundo. Al igual que el EISA, el EISA-2 ha sido sustituido casi completamente por el estándar *Interfaz de Componentes Periféricos (PCI)*, aunque todavía está presente en algunos servidores *Ethernet* de alto nivel.

electrocutaneous feedback *retroalimentación electrocutánea*   Método primitivo para proporcionar una *retroalimentación táctil* en los sistemas de *realidad virtual*, mediante la administración de un choque de bajo voltaje a la piel del usuario. El usuario siente un ligero cosquilleo. La variación del voltaje y de la frecuencia de la corriente produce variaciones en el cosquilleo que el usuario puede aprender a discriminar.

electron gun *cañón de electrones*   Cátodo (emisor de electrones) ubicado en la parte posterior de un *tubo de rayos catódicos (CRT)* que envía un haz de electrones hacia la pantalla. Los electrones, dirigidos por el *yugo*, "pintan" una imagen en la pantalla. Los *monitores a color* tienen tres cañones de electrones (uno para cada color primario), en tanto que los *monitores monocromáticos* tienen sólo uno.

Electronic Communications Privacy Act (ECPA) *Acta sobre la Privacidad en las Comunicaciones Electrónicas*   Ley federal de Estados Unidos, promulgada en 1986, que prohíbe a las agencias investigadoras estadounidenses interceptar mensajes de *correo electrónico*, o leer los que se encuentren temporalmente en dispositivos de almacenamiento transitorio (durante periodos de hasta 180 días) sin tener previamente una orden judicial. El acta omitió (debido probablemente a la ignorancia técnica de los legisladores) extender la prohibición a la obtención y lectura de copias de mensajes de correo electrónico guardados permanentemente en *archivos*. Los investigadores aprovecharon este vacío legal para obtener los mensajes que Oliver North envió a los otros oficiales de la Casa Blanca involucrados en el escándalo Irán-Contra. El acta no previene que otras personas o agencias intercepten o lean el correo electrónico. Vea *confidentiality*.

Electronic Data Interchange (EDI) *Intercambio Electrónico de Datos*
Estándar para el intercambio electrónico de documentos mercantiles, como facturas y órdenes de compra, desarrollado por Data Interchange Standards Association (DISA). Con códigos de campo, como BT por "Bill To" (Pagar a) o ST por "Ship To" (Enviar a), EDI especifica el formato en el que se transmiten electrónicamente los datos. Este protocolo, luego de verificar que todas las comunicaciones basadas en EDI tienen la misma información en el mismo lugar, permite a las compañías intercambiar órdenes de compra y otros documentos de manera electrónica.

Electronic Frontier Foundation (EFF) *Fundación de la Frontera Electrónica*   Organización no lucrativa que se dedica a asegurar la supervivencia de la privacidad y las libertades civiles en la era de la información. Acicateados por un perverso y rigorista programa del servicio secreto estadounidense, que resultó en el aseguramiento de *sistemas de computación de hackers* en todo Estados Unidos, Mitchell Kapor y John Perry Barlowe, fundadores de la organización, contribuyeron al financiamiento para la defensa de los hackers y desde entonces han desarrollado un extenso programa de educación pública.

electronic mail *correo electrónico*   Vea *e-mail*.

eletrostatic printer *impresora electrostática*   *Impresora* cuyo principio de funcionamiento reside en la atracción que se da entre partículas con cargas opuestas para fundir el *tóner* en el papel. Las *impresoras láser* y las *impresoras LED* son electrostáticas.

element *elemento*   En *HTML*, componente distintivo en la estructura de un documento, como un título, un encabezado o una lista. HTML divide a los elementos en dos categorías: elementos del encabezado (como el título del documento) y elementos del cuerpo (títulos, párrafos, vínculos y texto).

elevator seeking *búsqueda de elevador*   En *discos duros*, forma de ordenar solicitudes de *datos* para minimizar los saltos entre *pistas*. En un esquema de búsqueda de elevador, la unidad maneja las solicitudes de datos por orden de pistas; es decir, obtiene la información solicitada comenzando desde las pistas internas y avanzando hacia las externas. Este método mejora el *tiempo de acceso*.

elite *élite*   Tipo de letra (generalmente de máquina de escribir) que imprime 12 *caracteres por pulgada (cpi)*. Vea *pitch*.

em *eme*   En un *tipo* de letra determinado, espacio equivalente a la anchura de la letra M mayúscula.

emacs   *Editor de texto* basado en *Unix* que algunas veces está configurado como el editor predeterminado en sistemas Unix. El emacs, programado en *LISP*, es una excelente herramienta para *hackers*, pero puede ser difícil de operar para los usuarios acostumbrados a *programas de procesamiento de texto amigables con el usuario*.

e-mail *correo electrónico*   Uso de una *red* para enviar y recibir mensajes. Algunos sistemas de correo electrónico son estrictamente locales, ya que proporcionan servicios de comunicación a los usuarios de una *red de área local (LAN)*. Pero el naciente servicio universal en las comunicaciones electrónicas es el correo electrónico de *Internet*, el cual puede crear miles de millones de conexiones más allá de las fronteras entre naciones. Con un *cliente de correo electrónico*, los usuarios pueden redactar mensajes y transmitirlos en segundos a cualquier persona del conglomerado mundial estimado en 50 o 60 millones de usuarios.

e-mail address *dirección de correo electrónico*   Serie de caracteres que identifica con precisión la ubicación del buzón de correo electrónico de una persona. En *Internet*, las direcciones de correo electrónico constan de un nombre de buzón o de usuario (como rebeca), seguido por el signo de arroba (@) y el nombre de dominio de la computadora (por ejemplo, rebeca@unam.mx.edu).

e-mail client *cliente de correo electrónico*   Programa o módulo de programa que proporciona servicios de *correo electrónico* a usuarios de computadoras, entre los cuales se encuentran la recepción de mensajes en una bandeja de entrada almacenada localmente, el envío de mensajes a otros usuarios de la red, la contestación a mensajes recibidos y el almacenamiento de éstos. Los mejores programas incluyen *libretas de direcciones*, *filtros de correo* y la capacidad de redactar y leer mensajes codificados en *HTML*. Sinónimo de agente de usuario.

embed *incrustar*   En *Vinculación e Incrustación de Objetos (OLE)*, colocar un objeto dentro de un documento. Vea *embedded object*.

embedded chart *gráfico incrustado*   En *Microsoft Excel*, gráfico creado dentro de una *hoja de trabajo* y no como un archivo gráfico independiente.

embedded formatting command *comando de formato incrustado*   Comando de formato de texto que se coloca directamente en el texto que va a formatearse. En algunos *programas*, el comando no afecta la apariencia del texto que está en pantalla, lo que puede dificultar el uso del programa. En otros programas, como *WordPerfect*, sólo unos cuantos comandos incrustados (*justificación* completa o un cambio de *fuente*) no modifican el despliegue en pantalla. Las aplicaciones de *Microsoft Windows 95* incluyen un tipo de despliegue donde aparece de inmediato el formato. El término es sinónimo de *formato invisible en pantalla*. Vea *hidden codes, on-screen formatting* y *what-you-see-is-what-you-get (WYSIWYG)*.

embedded object *objeto incrustado*   En Vinculación e Incrustación de Objetos *(OLE)*, objeto que se crea con una aplicación y se inserta (o incrusta) en un *documento destino* creado con una aplicación distinta. El objeto puede ser un texto, una tabla, un *gráfico* o un sonido. Vea *linked object*.

em dash *guión eme*   Guión largo cuyo ancho equivale a la anchura de la letra M mayúscula en un tipo de letra determinado; se usa con frecuencia para introducir observaciones que irían entre paréntesis. La siguiente oración contiene guiones eme: El mayordomo —o alguien que sepa lo mismo que el mayordomo— debe haberlo hecho.

em fraction *fracción eme*   Fracción de un solo carácter que ocupa el espacio de una *eme* y usa una raya diagonal (¼), a diferencia de las fracciones creadas con tres o más caracteres (1/4). Vea *en fraction*.

EMM   Vea *expanded memory manager*.

EMM386.EXE   En el MS-DOS que corre en una computadora *80386* o de *microprocesador* posterior equipada con *memoria extendida*, *emulador de memoria expandida* que permite a las aplicaciones del DOS usar la memoria extendida como si fuera *memoria expandida (EMS)*. El EMM386.EXE también permite que el usuario cargue *controladores de dispositivos* y programas en el *área de la memoria superior*.

emoticon *emoticono*   En *correo electrónico* y *grupos de noticias,* carita formada con *caracteres ASCII,* que agrega contexto al mensaje y compensa la falta de inflexiones orales y lenguaje corporal, lo cual es característico de las comunicaciones electrónicas. Vea también *ASCII art*. Los siguientes son algunos emoticonos usados comúnmente:

:-)	Sonrisa (no tomes tan seriamente lo último que dije).
:-D	Sonrisa estúpida.
:-*	Beso.
:-O	Bostezo; esto está muy aburrido.
;-)	Guiño.
:-(	Ceño fruncido.
:-<	Ceño muy fruncido.
>:-(	Enojado.
:'-(	Llanto.

emphasis *énfasis*   Uso de un *estilo de letra* diferente al normal, como uno subrayado, itálico, en negritas o versalitas, para resaltar una palabra o frase.

EMS   Siglas de Especificación de Memoria Expandida. Estándar de *memoria expandida* que permite a los programas que lo reconocen trabajar con más de 640 KB de RAM en DOS. La versión 4.0 del estándar LIM EMS, introducido en 1987, admite hasta 32 *MB* de memoria expandida y permite a los programas correr en memoria expandida.

emulation *emulación* Duplicación de la capacidad funcional de un dispositivo dentro de otro, o dispositivo diseñado para trabajar exactamente como otro. Por ejemplo, en *telecomunicaciones*, una *computadora personal* emula una *terminal tonta,* es decir, una sin su propio *microprocesador*— para entablar comunicación en línea con una computadora distante. En impresoras, algunas marcas poco conocidas emulan modelos populares como los de la línea LaserJet de Hewlett-Packard.

emulation sensing *detección de emulación* Vea *automatic emulation switching* y *automatic network switching.*

emulation switching *cambio de emulación* Vea *automatic emulation switching.*

en *ene* En tipografía, unidad de medida que equivale a la mitad de un espacio *eme*, en el tipo de letra vigente. Los guiones ene se usan para indicar periodos o intervalos, como en: del 9-14 de enero, o pp. 63-68. Vea *em dash.*

Encapsulated PostScript (EPS) file *archivo PostScript Encapsulado Gráfico de alta resolución* almacenado en el lenguaje de descripción de páginas *PostScript*. El estándar EPS permite transferir gráficos de alta resolución entre aplicaciones. Los gráficos EPS se pueden ampliar sin menoscabo en la calidad de imagen. Una de las principales desventajas de los gráficos EPS es que se requiere una *impresora láser* compatible con PostScript para imprimirlos. Una segunda desventaja es que en la mayoría de los programas de aplicación, la imagen no es visible en pantalla a menos que se agregue un formato de imagen de pantalla. Como alternativa a las costosas impresoras PostScript, los creadores de software han desarrollado programas que interpretan e imprimen archivos EPS en las *impresoras* de *matriz de puntos* o en impresoras láser no compatibles con PostScript. Uno de estos programas es GoScript, de LaserGo, Inc.

encapsulation *encapsulado* En *redes de área amplia (WAN),* el proceso mediante el cual los datos transmitidos son modificados al moverse hacia abajo en la *pila de protocolos* de la computadora. A medida que los protocolos de cada *capa* modifican los datos, se traducen en una forma en la que puedan enviarse a través de la red. En la computadora receptora se revierte este proceso con el propósito de restaurar la información y presentarla en una aplicación de una manera que sea inteligible para el usuario.

encryption *encriptación*   En *criptografía*, proceso de convertir un mensaje en *texto cifrado* (encriptado) utilizando una *clave*, de manera que parezca que el mensaje sólo contiene basura. Sin embargo, el destinatario designado puede aplicar la clave para desencriptarlo y leerlo. Vea *decryption*, *public key cryptography* y *rot-13*.

End key *tecla Fin*   En los *teclados compatibles con la PC de IBM*, tecla con funciones que varían de un programa a otro. La tecla Fin se usa a menudo para mover el cursor al final de la línea o a la parte inferior de la pantalla, pero la asignación de esta tecla es cuestión del *programador*.

endless loop *ciclo infinito*   Error esencial de programación debido al cual la computadora repite indefinidamente un ciclo, que sólo se puede romper apagando la computadora.

endnote *nota final*   Nota que se coloca al final del *documento* o sección, en vez de hacerlo en la parte inferior de la página. Muchos programas de *procesamiento de texto* le permiten al usuario elegir entre notas a pie de página y notas finales.

end of line (EOL) *fin de línea*   *Carácter de control* que demarca el fin de una línea de texto en un archivo de texto.

end user *usuario final*   Persona que usa un *sistema de computación* y sus *programas de aplicación* en casa o el trabajo para realizar tareas y producir resultados.

Energy Star   Programa de la Agencia para la Protección del Ambiente (EPA), de Estados Unidos, que busca reducir el desperdicio de energía, animando a los fabricantes de *monitores* e *impresoras* a disminuir la cantidad de electricidad que requieren sus dispositivos. Los dispositivos Energy Star por lo general tienen un *modo latente* que reduce el consumo de energía cuando no están en uso; esto le ahorra a sus dueños cientos de dólares en costos de electricidad al año. Estos dispositivos se identifican por la etiqueta EPA verde y azul.

enhanced 101-key keyboard *teclado mejorado de 101 teclas*   Vea *enhanced keyboard*.

Enhanced ATA *ATA Mejorado*   Vea *ATA-2*.

Enhanced CD *CD Mejorado*   Estándar creado por *Microsoft Corporation* para discos compactos de audio. Este estándar permite a los editores de CDs incluir información digital. Por ejemplo, un disco de jazz podría incluir información acerca de cada uno de los músicos, la que podría leerse en un reproductor de CDs especialmente equipado.

Enhanced Expanded Memory Specification (EEMS) *Especificación Mejorada de Memoria Expandida*   Versión mejorada de la *Especificación de Memoria Expandida de Lotus-Intel-Microsoft (LIM EMS)*, que permite a aplicaciones del DOS usar más de 640 KB de memoria. Vea *bank switching, expanded memory*.

Enhanced Graphics Adapter (EGA) *Adaptador de Gráficos Mejorado Adaptador de video* para gráficos a color en mapa de bits para computadoras *compatibles con la PC de IBM*. Los adaptadores EGA exhiben de manera simultánea hasta 16 colores con una resolución de 640 *pixeles* en posición horizontal por 350 líneas en posición vertical. Los 16 colores se eligen de la paleta de colores EGA, que contiene 64 colores (entre ellos el negro y los tonos de gris). Vea *Color Graphics Adapter (CGA), Super VGA* y *Video Graphics Array (VGA)*.

Enhanced Graphics Display *Pantalla de Gráficos Mejorada   Monitor digital* a colores diseñado para funcionar exclusivamente con el *Adaptador de Gráficos Mejorado (EGA)* de IBM.

Enhanced IDE (EIDE) *IDE Mejorada*   Versión mejorada del estándar de interfaz de disco *Electrónica Integrada en la Unidad (IDE)*, que determina la manera como se conectan los *discos duros* y las *unidades de CD-ROM* con el resto de la computadora. El estándar EIDE soporta unidades de disco duro de hasta 8.4 GB, en tanto que el IDE sólo admite discos menores a 528 MB. Además, permite conectar a su computadora cuatro discos duros, en lugar de dos.

enhanced keyboard *teclado extendido, teclado mejorado*   Estándar moderno de *teclado*. Un teclado mejorado tiene 104 teclas, incluyendo una *sección numérica*, 12 *teclas de función* y varias teclas de navegación.

enhanced parallel port (EPP) *puerto paralelo mejorado*   Perfeccionamiento al *puerto paralelo* que permite comunicación bidireccional. Por ejemplo, utilizando un EPP, una *impresora* puede indicar a un *microprocesador* cuánto papel o tóner queda en sus bandejas respectivas. Con el tiempo, el *puerto de capacidades extendidas (ECP)* podría sustituir al EPP, pero por ahora muchas *tarjetas madre* admiten ambos estándares.

enhanced serial port *puerto serial mejorado*   Un veloz *puerto serial* que utiliza *memoria de acceso aleatorio (RAM)* dedicada para transferir datos con rapidez.

Enhanced Small Device Interface (ESDI) *Interfaz Mejorada para Dispositivos Pequeños   Interfaz estándar* para unidades de disco duro. Las unidades que usan el estándar ESDI *transfieren información* a 10 o 15 *megabits por segundo (Mbps)*, dos a tres veces más

rápido que la anterior interfaz estándar *ST-506/ST-412*. Las
unidades del tipo *Electrónica Integrada en la Unidad (IDE)*,
más rápidas y flexibles, han sustituido casi totalmente a las
unidades ESDI.

Enter-Return *Entrar-Retorno*   *Tecla* que confirma un comando,
enviándolo a la *unidad central de procesamiento (CPU)*; es sinónimo
de *retorno de carro*. En *procesamiento de texto*, la tecla Entrar/
Retorno inicia un nuevo párrafo. Los primeros teclados de la PC de
IBM identificaban esta tecla con una flecha doblada hacia la
izquierda. En teclados AT o mejorados, más recientes, está impresa
la palabra Entrar en la tecla (en teclados *Macintosh* aparece la
palabra *Retorno*). La mayoría de los *teclados compatibles con la PC
de IBM* tienen una tecla Entrar en el extremo derecho del área
alfanumérica y otra en la esquina inferior derecha de la sección
numérica; en la mayoría de los programas ambas tienen funciones
idénticas, aunque no en todos.

entity *entidad*   En el *Lenguaje de Marcación de Hipertexto (HTML)*,
una clave que representa un carácter no ASCII, como una letra
acentuada de un idioma distinto al inglés.

entry-level system *sistema básico*   *Sistema de computación*
considerado como el mínimo para utilizar *programas de aplicación*
serios, como una *hoja de cálculo* o un *programa de procesamiento
de texto*. La definición de sistema básico cambia rápidamente. Hace
diez años, un sistema de este tipo, incapaz de utilizar las últimas
versiones más populares de software, tenía por lo menos una
unidad de *disco flexible* de 360 K, un monitor *monocromático* de
texto y 256 K de *memoria de acceso aleatorio (RAM)*. Los sistemas
básicos modernos tienen *microprocesadores Pentium*, *monitores
VGA* y por lo menos 16 *M* de RAM.

entry line *línea de entrada*   En un programa de *hoja de cálculo*, área
de inserción de texto donde el usuario puede escribir un valor o
fórmula. El programa no inserta los caracteres en la celda en uso
hasta que se presiona la tecla Entrar. La línea de entrada también
facilita la edición, ya que las fórmulas no aparecen en las celdas.
Sinónimo de barra de fórmulas.

envelope printer *impresora de sobres*   *Impresora* diseñada específicamente para imprimir nombres, direcciones y *códigos de barras*
POSTNET en sobres de negocios. A las empresas que usan códigos
de barras se les hacen atractivos descuentos en las tarifas postales,
además de un envío más rápido y preciso de su correspondencia
empresarial. Muchas *impresoras láser* e *impresoras de inyección de
tinta* pueden imprimir códigos de barras POSTNET. Sin embargo,
cuando se trata de imprimir grandes volúmenes, las impresoras de
sobres hacen mejor el trabajo.

environment *ambiente, entorno*   *Hardware* y *sistema operativo* para *programas de aplicación*, como el ambiente *Macintosh*. En el *MS-DOS*, el ambiente es también un espacio de la memoria reservado para almacenar variables que podrían ser utilizadas por aplicaciones que se ejecuten en el sistema. Vea *environment variable*.

environment variable *variable de ambiente*   Instrucción almacenada en el *ambiente* del *MS-DOS* y que controla, por ejemplo, la forma de desplegar el *indicador* de comandos del DOS, el lugar para guardar archivos temporales y la *ruta de acceso* de los directorios donde el DOS busca los comandos. Los comandos PATH, COMSPEC, PROMPT y SET en el archivo AUTOEXEC.BAT definen las variables de ambiente.

EOF   En inglés, abreviatura de *fin de archivo*.

EOL   En inglés, abreviatura de *fin de línea*.

e-pistle   Vea *e-mail*.

EPP   Vea *enhanced parallel port*.

EPP/ECP port *puerto EPP/ECP*   Versión mejorada del *puerto paralelo* que soporta tanto el estándar *puerto paralelo mejorado (EPP)* como el estándar *puerto de capacidades extendidas (ECP)*. Los puertos EPP/ECP pueden transmitir datos con mucha rapidez, tanto como una *tarjeta de interfaz de red Ethernet*.

EPROM   Siglas de memoria programable y borrable de sólo lectura. Chip de *memoria de sólo lectura (ROM)* que puede ser programado y reprogramado con un dispositivo electrónico especial. Los chips EPROM están empaquetados en un estuche plástico transparente, de manera que el contenido se puede borrar utilizando luz ultravioleta. La susceptibilidad al borrado de los chips EPROM concierne a los fabricantes de computadoras, quienes a menudo tienen la necesidad de reprogramar chips con *errores*. Los chips *memoria programable de sólo lectura (PROM)*, los cuales no se pueden reprogramar, deben descartarse cuando se les descubre un error de programación.

EPS   Vea *Encapsulated PostScript (EPS) file*.

equation typesetting *composición de ecuaciones*   Códigos insertados en un documento de *procesamiento de texto* que hacen que el programa imprima ecuaciones de varias líneas, incluyendo símbolos matemáticos como integrales y signos de suma. Los mejores programas de procesamiento de texto, como *WordPerfect* y *Microsoft Word*, ofrecen ahora editores de ecuaciones en pantalla *lo-que-ve-es-lo-que-obtiene (WYSIWYG)*, que permiten ver las ecuaciones a medida que se crean.

erasable optical disk drive *unidad de disco óptico borrable*   Medio de almacenamiento de datos de *lectura/escritura* que usa un láser y luz reflejada para guardar y recuperar información en un *disco óptico*. A diferencia del *CD-ROM* y de *las unidades escribir una vez, leer muchas veces (WORM)*, las unidades de *disco óptico* borrables se pueden usar como los *discos duros*: es posible escribir y borrar información de manera repetida. Las capacidades de almacenamiento son considerables; las unidades actuales guardan hasta 650 Mb de información. Sin embargo, las unidades de disco óptico borrables son costosas y mucho más lentas que los discos duros. Vea *secondary storage*.

erasable programmable read-only memory (EPROM) *memoria programable y borrable de sólo lectura*   Vea *EPROM*.

e rate *velocidad e*   Vea *vertical refresh rate*.

ergonomic keyboard *teclado ergonómico*   *Teclado* diseñado para reducir la tensión en las muñecas, la cual puede causar una *lesión por tensión repetitiva (RSI)*. Algunos teclados de este tipo, como el Microsoft Natural Keyboard, disponen las teclas en un ángulo alejado del centro, en tanto que otros ponen las teclas en concavidades en las que es posible acomodar las manos en una posición natural.

ergonomics *ergonomía*   Ciencia del diseño de máquinas, herramientas, computadoras y el área de trabajo físico para que las personas puedan usarlas con facilidad y de forma saludable.

error-correction protocol *protocolo de corrección de errores*   En *módems*, método para filtrar el *ruido en la línea* y repetir las transmisiones en forma automática si ocurre un error. La corrección requiere el uso de módems de envío y recepción que se ajusten a los mismos protocolos de corrección de errores. Cuando la corrección de errores está en uso, se establece un *enlace confiable*. Dos de los protocolos de corrección de errores de más uso son *MNP-4* y *V.42*. Vea *CCITT protocol*.

error handling *manejo de errores*   Modo en que un *programa* hace frente a los errores, como la imposibilidad de introducir información en un disco o la falla del usuario para presionar la tecla apropiada. Un programa mal escrito quizá no sea capaz de manejar ningún error, conduciendo a una *caída* del sistema. Los mejores *programadores* prevén los posibles errores y suministran información que ayuda al usuario a resolver problemas. Vea *error trapping*.

error message *mensaje de error*   En *programas de aplicación*, mensaje en pantalla que informa que el programa no es capaz de realizar la operación solicitada. Los primeros sistemas de computación suponían que los usuarios tenían una excelente capacitación técnica, por lo que a menudo presentaban mensajes con código. Las aplicaciones para uso general deben presentar mensajes de error más útiles, que incluyan sugerencias concernientes a la solución del problema, como:

```
Está a punto de perder el trabajo que no ha guardado.
Elija Aceptar si quiere abandonar el trabajo.
Elija Cancelar para regresar al documento.
```

error trapping *captura de errores*   Capacidad de un programa o aplicación para reconocer un error y realizar una acción predeterminada en respuesta a ese error.

Esc   Tecla que los *programas de aplicación* utilizan de diferentes maneras; en la mayoría de ellos, oprimir Esc origina la cancelación de un comando o una operación.

escape character *carácter de escape*   En *Telnet*, un comando (generalmente Ctrl+[) que permite al usuario interrumpir el vínculo con el servidor Telnet para comunicarse directamente con su cliente Telnet. El carácter de escape es útil cuando el servidor Telnet no responde.

escape code *código de escape*   Combinación de la tecla Esc (código 27 en ASCII) y de uno o más *caracteres ASCII*; se usa para cambiar los colores de la pantalla, controlar el *cursor*, crear *indicadores* especiales de comandos, reasignar las *teclas* del *teclado* y cambiar los parámetros de la impresora (al tipo comprimido o a negritas). Además, la serie de caracteres que cambia al *modo de comandos* de un *módem*. En el *conjunto de comandos Hayes*, la secuencia de escape consta de tres signos de más (+++). El término es sinónimo de *secuencia de escape*.

escape sequence *secuencia de escape*   Vea *escape code*.

ESDI   Vea *Enhanced Small Device Interface*.

ESP   Vea *enhanced serial port*.

EtherNet   Estándar para hardware, cableado y comunicación de *redes de área local (LAN)* desarrollado originalmente por Xerox Corporation, capaz de enlazar hasta 1,024 nodos en una *red de bus*. Como estándar de alta velocidad que usa una técnica de comunicación de *banda base* (un solo canal), EtherNet proporciona una velocidad global de transferencia de datos de 10 *megabits por segundo (Mbps)*, con una *velocidad real de transporte* de 2 a 3 megabits por segundo. EtherNet usa la técnica *acceso múltiple por percepción de portadora con detección de colisiones (CSMA/DA)* para prevenir fallas en la red cuando dos dispositivos intentan acceder a la red al mismo tiempo. Vea *AppleTalk*.

EtherTalk   Implementación del hardware de *red de área local (LAN)* de *EtherNet* desarrollada de manera conjunta entre Apple y 3Com y concebida para funcionar con el sistema operativo de red *AppleShare*. EtherTalk transmite datos a través de *cables coaxiales* a la velocidad de 10 megabits por segundo de EtherNet, lo que contrasta con la velocidad de 230 kilobits por segundo de *AppleTalk*.

ETX/ACK handshaking *acuerdo de conexión ETX/ACK*   Vea *handshaking*.

Eudora   Programa pionero de *correo electrónico*, ahora disponible tanto para Windows como para Macintosh, y publicado en la actualidad por Qualcomm. El programa incluye *filtrado de correo* y otras utilerías avanzadas que simplifican el manejo de correo electrónico.

European Laboratory for Particle Physics *Laboratorio Europeo de Física de Partículas*   Vea *CERN*.

even parity *paridad par*   En *comunicaciones asíncronas*, técnica de verificación de errores que fija en 1 un *bit* adicional (llamado *bit de paridad*) si el número de bits 1, en un dato de un byte, equivale a un número par. El bit de paridad se fija en 0 si el número de bits 1 equivale a un número impar. Vea *odd parity* y *parity checking*.

event *evento*   En un *ambiente controlado por eventos*, acción como el desplazamiento de un *ratón* o la *opresión del botón* que da por resultado la generación de un mensaje. Vea *event handler*.

event-driven environment *ambiente controlado por eventos*   *Programa* o *sistema operativo* que funciona por lo general en un *ciclo* inactivo, a la espera de un evento, como una entrada desde el *teclado*, la *opresión de un botón* del ratón o mensajes de dispositivos. Cuando ocurre un evento, el programa sale del ciclo de espera y ejecuta el código del programa diseñado para manejar el evento específico. A este código se le conoce como *manejador de evento*. Una vez que se maneja el evento, el programa regresa al ciclo inactivo. *Microsoft Windows 95* y el software de sistema de *Macintosh* son ejemplos de ambientes controlados por eventos.

event-driven language *lenguaje controlado por eventos*   *Lenguaje de programación* que crea *programas* que responden a eventos, como una entrada, ingreso de datos o señales recibidas de otras aplicaciones. Tales programas mantienen a la computadora en un *ciclo* inactivo hasta que ocurre un evento, momento en el que ejecutan el código importante para el evento. *HyperTalk*, lenguaje incluido con el paquete de aplicación *HyperCard* de toda *Macintosh*, es un lenguaje controlado por eventos. Vea *object oriented programming (OOP) language*.

event-driven program *programa controlado por eventos*   Vea *event-driven environment*.

event handler *manejador de eventos*   En un *ambiente controlado por eventos*, bloque de código de *programa* diseñado para manejar los mensajes generados cuando ocurre una clase específica de evento, como un *clic del ratón*.

Excel   Vea *Microsoft Excel*.

EXE   En el *MS-DOS*, extensión que indica que un archivo es un *programa* ejecutable. Para ejecutar el programa con el DOS, basta con que el usuario escriba el nombre del archivo (sin la extensión) y que presione Entrar.

executable file *archivo ejecutable*   Vea *executable program*.

executable program *programa ejecutable*   *Programa* de computadora preparado para correr en una computadora determinada. Para que sea ejecutable, el programa se debe traducir, por lo general mediante un *compilador*, al *lenguaje de máquina* apropiado para la computadora.

execute *ejecutar*   Llevar a cabo las instrucciones en un *algoritmo* o *programa*.

expand *expandir*   1. En una *utilería de esquema* o utilería gráfica para administración de archivos (como el *Explorador de Windows*), presentación de todas las entradas subordinadas bajo el encabezado o *directorio* seleccionado. Por ejemplo, en el Explorador se puede expandir con rapidez un directorio presionando dos veces seguidas el botón del ratón sobre el *icono* del directorio. 2. En compresión de archivos, sinónimo de *descomprimir*.

expandability *crecimiento*   Capacidad de un *sistema de computación* para soportar más *memoria*, *unidades de disco* adicionales o *adaptadores*. Las computadoras varían en cuanto a su escalabilidad o crecimiento. Al adquirir una computadora, considere los sistemas configurados en la forma que usted desee, pero que tengan espacio para crecer. Busque un sistema con uno o dos espacios vacíos para *unidades*, de tres a cinco *ranuras de expansión* vacías, y espacio por lo menos para cuatro veces más de *memoria de acceso aleatorio (RAM)* de la que está instalada.

expanded memory *memoria expandida*   En computadoras antiguas compatibles con la PC de IBM que corrían MS-DOS, método con el que se rebasa la barrera de los 640 KB de *memoria de acceso aleatorio (RAM)*. La memoria expandida funciona acomodando bloques de datos en una ubicación fija dentro de la *memoria convencional*, creando la apariencia de una memoria mayor (pero causando una *sobrecarga* debido a las operaciones de procesamiento).

expanded memory board *tarjeta de memoria expandida*   Adaptador que agrega *memoria expandida* a una *computadora compatible con la PC de IBM*.

expanded memory emulator *emulador de memoria expandida*   *Programa de utilería* para las computadoras con procesador *Intel 80386 o Intel 486*, que usa *memoria extendida* para simular *memoria expandida* y adecuarse a los programas antiguos y los juegos que la necesitan. Vea *EMM386.EXE*.

expanded memory manager (EMM) *administrador de memoria expandida*   *Programa de utilería* que administra la *memoria expandida* de una computadora *compatible con la PC de IBM* equipada con *tarjeta de memoria expandida*. Vea *EMM386.EXE*.

Expanded Memory Specification (EMS) *Especificación de Memoria Expandida*   Vea *Lotus-Intel-Microsoft Expanded Memory Specification (LIM EMS)*.

expanded type *tipo expandido*   *Tipo de letra* que separa los caracteres o los hace más anchos para que quepan menos *caracteres por pulgada (cpi)*.

expansion board *tarjeta de expansión*   Vea *adapter*.

expansion bus *bus de expansión*   Extensión del *bus de datos* de una computadora y del *bus de direcciones* que incluye varias *ranuras* para *tarjetas adaptadoras*. Los diseños de bus de expansión *PCI e ISA* son los más populares en la actualidad. Vea *Micro Channel Bus, VESA local bus* y *motherboard*.

expansion bus bottleneck *cuello de botella del bus de expansión*   Fenómeno que ocurre cuando el *microprocesador* tiene un desempeño mucho mejor que el del *bus de expansión* y resulta en un pobre rendimiento general del *sistema de computación*. Este cuello de botella se ha solucionado estableciendo estándares de buses de expansión rápidos como el de *Interconexión de Componentes Periféricos (PCI)*.

expansion card *tarjeta de expansión*   Vea *adapter*.

expansion slot *ranura de expansión*   Receptáculo integrado al *bus de expansión* de la computadora y diseñado para aceptar *adaptadores*.

expect statement *instrucción de espera*   En un *script* de inicio de sesión de un *programa de comunicaciones*, una instrucción que indica al solicitante esperar a que la computadora del proveedor de servicios envíe cierta cadena de caracteres (como "Escriba su contraseña").

expert system *sistema experto* *Programa* de computadora que contiene gran parte de los conocimientos de un experto en un campo específico y que asiste a los legos cuando tratan de resolver problemas. Los sistemas expertos contienen una *base de conocimientos* expresada mediante una serie de reglas IF/THEN (SI/ENTONCES) y un mecanismo capaz de extraer inferencias de la base de conocimientos. El sistema le pide al usuario que aporte la información necesaria para valorar la situación y llegar a una conclusión. La mayoría de los sistemas expertos expresan las conclusiones con un factor de confianza, que varía de la especulación, pasa por una opinión autorizada y llega a una conclusión firme. Vea *artificial intelligence (AI)*, *backward chaining*, *forward chaining* y *PROLOG*.

expiration date *fecha de caducidad* En *Usenet*, la fecha en la cual caduca un *artículo* o *publicación*. La fecha de caducidad puede establecerse en dos formas: por el autor o por los administradores de sistemas de Usenet. Aunque un autor puede especificar la fecha, no todos los *lectores de noticias* permiten hacerlo; si el autor no establece una fecha, el campo correspondiente (que es parte del encabezado del artículo) queda en blanco. Los administradores de sistema de Usenet también pueden determinar fechas de caducidad para todos los artículos de un grupo, como dos semanas después de la llegada de éstos. En la fecha de caducidad, el artículo se elimina para dejar espacio en disco para otras notas. Vea *expired article*.

expired article *artículo caduco* En *Usenet*, un artículo que continúa en la lista del selector de notas, aunque el software del sistema Usenet ya lo haya eliminado. No es posible leer un artículo caduco. Vea *expiration date*.

exploded pie graph *gráfico circular separado* Gráfico circular en el que uno o más de los sectores está ligeramente separado de los otros para realzar los datos representados en dichos sectores. Vea *pie graph*.

export *exportar* Guardar *información* en un *formato* que otro *programa* pueda *leer*. La mayoría de los programas puede exportar un documento en formato *ASCII*, el cual puede ser leído y usado por casi cualquier programa. Al guardar un *documento* en alguna de las versiones recientes de los *programas de procesamiento de texto*, el usuario puede elegir de una lista el formato que desee. Vea *import*.

Extended Binary Coded Decimal Interchange Code *Código Extendido de Caracteres Decimales Codificados en Binario para el Intercambio de Información* Vea *EBCDIC*.

extended capabilities port (ECP) *puerto de capacidades extendidas* Mejora en el *puerto paralelo* que proporciona comunicación bidireccional entre la computadora y un dispositivo *periférico*.

Utilizando ECP, un *escáner* de rodillo, por ejemplo, puede indicar a la *unidad central de procesamiento (CPU)* que tiene atorado el papel y que, por tanto, requiere atención por parte del usuario. El ECP puede llegar a reemplazar al estándar *puerto paralelo mejorado (EPP),* aunque muchas *tarjetas madre* actuales admiten ambos estándares.

extended character set *conjunto extendido de caracteres*   En computación *compatible con la PC de IBM, conjunto de 256 caracteres* almacenado en la *memoria de sólo lectura (ROM)* de la computadora que incluye, además de los 128 códigos de caracteres *ASCII,* un conjunto de caracteres para diferentes idiomas, caracteres técnicos y de gráficos de bloque. A los caracteres con número de código ASCII mayor a 128 se les conoce como caracteres de orden superior.

eXtended Graphics Array (XGA) *Matriz de Gráficos Extendida*   Están-dar *de video* que intentó reemplazar al antiguo estándar *8514/A* para alcanzar una *resolución* de 1,024 *pixeles* por 768 líneas en *pantallas* IBM y *compatibles con la PC de IBM.* Las tarjetas XGA equipadas con suficiente memoria (1 *MB* o más) pueden exhibir 65,536 colores en el modo de baja resolución (640 × 480) y 256 colores en el de alta (1,024 × 768). Por *compatibilidad hacia atrás* con el *software* que soporta los estándares anteriores, las tarjetas XGA también soportan el estándar *Matriz de Gráficos de Video (VGA).* El estándar XGA afronta la fuerte competencia de los fabricantes de *adaptadores de video* VGA extendidos (*Super VGA de alta resolución*).

Extended Industry Standard Architecture *Arquitectura Extendida Estándar de la Industria*   Vea *EISA.*

extended keyboard *teclado extendido*   Teclado de 101 teclas distribuido con la *PC AT* original de *IBM,* el cual incluye una sección numérica, teclas de función adicionales y teclas para movimiento del cursor.

extended-level synthesizer *sintetizador de nivel extendido*   En la especificación de *MPC* (computadora personal de multimedia) de *Microsoft Windows 95,* sintetizador capaz de reproducir al mismo tiempo un mínimo de 16 notas en nueve instrumentos melódicos o en ocho instrumentos de percusión. Vea *base-level synthesizer.*

extended memory *memoria extendida*   En computadoras con procesadores *Intel 80286* o posteriores, *compatibles con la PC de IBM, memoria de acceso aleatorio (RAM)* superior a 1 *MB,* que se instala por lo general en la *tarjeta madre* de estas computadoras y que permite un acceso directo del microprocesador. El *Operating System/2 (OS/2)* y *Microsoft Windows 95* no hacen distinciones entre las diversas partes de la RAM.

extended memory manager *administrador de memoria extendida*
Programa de utilería que permite a ciertos programas del *MS-DOS*
acceder a la *memoria extendida*. El programa debe estar escrito para
que cumpla con el estándar *Especificación de Memoria Extendida*
(XMS). Vea *conventional memory* y *HIMEM.SYS*.

eXtended Memory Specification (XMS) *Especificación de Memoria*
Extendida   Conjunto de estándares y ambiente operativo que
permite a los programas acceder a la *memoria extendida*. La XMS
necesita una utilería conocida como *administrador de memoria*
extendida, como *HIMEM.SYS* (que viene con el DOS 5.0).

extended VGA *VGA extendido*   Vea Super *VGA*.

extensible *extensible*   Capaz de aceptar nuevos comandos definidos
por el usuario.

extension *extensión*   Sufijo de tres letras (como *.BMP, .RTF* o *.ASM*)
que se agrega al *nombre de los archivos* del *MS-DOS* para describir
su contenido. La extensión es opcional y se separa del nombre con
un punto.

Exterior Gateway Protocol *Protocolo de Puerta de Enlace Exterior*
Protocolo de *Internet* que define la ruta que seguirán los datos entre
un *sistema autónomo (AS)* e Internet. Este protocolo ha sido
sustituido por el *Protocolo de Puerta de Enlace de Frontera*.

external cache *caché externo*   Vea *secondary cache*.

external command *comando externo*   Comando del *MS-DOS* que
ejecuta un *programa* que debe estar presente en la *unidad*, el
directorio o la *ruta* activos. FORMAT y DISKCOPY son ejemplos de
comandos externos. Vea *internal command*.

eXternal CoMmanD (XCMD) *comando externo*   En programación de
HyperTalk, comando definido por el usuario (escrito en un lenguaje
como el C o *Pascal*) que usa *rutinas de bibliotecas integradas de*
Macintosh para realizar tareas que por lo general no están disponibles con *HyperCard*. ResCopy, incluido en numerosos *programas de*
utilería de *dominio público* o de *shareware* para escritura en pila, es
un popular comando externo de XCMD. ResCopy permite que el
programador de HyperTalk copie comandos externos y de fuentes
externas desde un programa o pila, hacia otra. Vea *external function*
(XCFN) y *ResEdit*.

external data bus *bus de datos externo*   Conjunto de canales que
permiten la comunicación entre la *unidad central de procesamiento*
(CPU) y otros componentes de la *tarjeta madre*, incluyendo a la
memoria de acceso aleatorio (RAM).

external function (XCFN) *función externa*   En programación de
HyperTalk, función de *programa* (escrita en un lenguaje como Pascal

o C) que, aunque externa a HyperTalk, regresa valores al programa
para que se usen en él. Por ejemplo, Resources, un XCFN disponible en numerosos *programas de utilería* de *dominio público* o de
shareware para escritura en pila, regresa una lista de todos los
recursos designados en un archivo de un tipo especificado. Vea
eXternal CoMmanD (XCMD).

external hard disk *disco duro externo*   Disco duro equipado con su
propio gabinete, cables y fuente de poder. En general, los discos
duros externos son más costosos que los *discos duros internos* de
rapidez y capacidad análogas.

external modem *módem externo*   Módem equipado con su propio
gabinete, cables y fuente de poder, diseñados para conectarse en el
puerto serial de una computadora. Vea *internal modem*.

external reference formula *fórmula con referencia externa*   En
Microsoft Excel y otros *programas de hoja de cálculo* con capacidades para *Intercambio Dinámico de Datos (DDE)*, *fórmula* colocada
en una celda que crea un vínculo con otra hoja de cálculo.

external table *tabla externa*   En *Lotus 1-2-3*, *base de datos* creada
con un *programa de administración de base de datos* (como *dBASE*)
al que 1-2-3 puede acceder directamente.

extraction *extracción*   Proceso de descomprimir o decodificar un
archivo comprimido o codificado. Por ejemplo, la extracción se
refiere al proceso de utilizar *uudecode* para decodificar un *archivo*
codificado con *uuencode*, un *programa de utilería de Unix*.

extra-high density floppy disk *disco flexible de extra-alta densidad*
Tipo de *disco flexible* que requiere una *unidad de disco flexible*
especial (equipado con dos cabezas en lugar de una) y que puede
almacenar hasta 2.88 MB cuando se formatea para *MS-DOS*.

extranet *extranet*   Intranet (red interna TCP/IP) que se ha abierto de
manera selectiva a los proveedores, clientes y aliados estratégicos
de una empresa.

extremely low-frequency (ELF) emission *emisión de frecuencia
extremadamente baja*   Campo magnético generado por aparatos
eléctricos de uso común como cobertores eléctricos, secadoras de
pelo, batidoras y *monitores* de computadoras, que se extiende a uno
o dos metros de la fuente de emisión. En pruebas de laboratorio
con animales se ha encontrado que los campos ELF provocan
alteraciones en los tejidos y anormalidades fetales, y que pueden
estar relacionados con anomalías vinculadas a la reproducción y
cánceres entre usuarios asiduos de computadoras. A pesar de las
afirmaciones de que las pantallas de las computadoras son seguras,
se siguen acumulando pruebas sobre trastornos de la reproducción
en trabajadoras embarazadas que usaban computadoras.

F2F En *correo electrónico*, abreviatura común que significa "cara a cara"; es decir, reunirse físicamente.

fabless *sin fábrica* Sin instalaciones de producción a gran escala. Un productor de *chips* sin fábrica, como *Advanced Micro Devices (AMD)*, debe encargar a otras compañías el trabajo de producción en serie de los chips.

facing pages *páginas encontradas* Par de páginas de un documento encuadernado que quedan una frente a la otra al abrir éste. Vea *recto* y *verso*.

facsimile machine *máquina de facsímil* Vea *fax machine*.

factory configuration *configuración de fábrica* El conjunto de parámetros de operación integrados en un dispositivo de hardware. El usuario puede modificar la configuración de fábrica para que se ajuste a sus necesidades.

fall back *retroceder* En *módems*, disminuir la *tasa de transferencia de datos* para ajustar la comunicación con un módem anterior o a través de una línea *sucia*. Algunos módems también pueden *avanzar* si mejoran las condiciones de *ruido en la línea*.

fall forward *avanzar* En *módems*, incrementar la *tasa de transferencia de datos* cuando aumenta la calidad de una conexión. Algunos módems pueden *retroceder* debido al *ruido en la línea* y avanzar si el ruido disminuye.

false dependency *dependencia falsa* En *microprocesadores* con *arquitectura superescalar*, condición en la cual los resultados de dos cálculos son escritos en el mismo *registro,* si distintos *canales* los efectúan simultáneamente. Entre más registros tenga un microprocesador, menor es la probabilidad de ocurrencia de dependencias falsas. Vea *data dependency* y *register renaming*.

false drop *resultado irrelevante* En búsquedas en *bases de datos*, un registro recuperado que no tiene nada que ver con los objetivos de la búsqueda. Los resultados irrelevantes son una consecuencia imprevista de la *búsqueda de texto libre,* en la cual los usuarios escriben palabras clave para recuperar documentos relevantes. Por ejemplo, una búsqueda del juego Quake puede recuperar documentos relativos a un sismo (en inglés, *earthquake*) reciente en Japón. Vea *precision* y *recall*.

FAQ Vea *Frequently Asked Questions*.

Fast ATA *ATA Rápido* Vea *Enhanced IDE (EIDE)*.

Fast Ethernet   Nueva especificación de *Ethernet* que permite tasas de transferencia de datos de 100 Mbps. Las redes Fast Ethernet usan el mismo método de *control de acceso a medios* que las redes Ethernet 10Base-T (vea *CSMA/CD*), pero multiplican por 10 la velocidad de transferencia. Las redes Fast Ethernet usan cableado de *par trenzado* o *cable de fibra óptica*. Es sinónimo de *100Base-T*.

Fast Page Mode *Modo Rápido de Página*   Vea FPM.

Fast SCSI *SCSI Rápida*   Estándar *SCSI* que utiliza un bus de datos de 8 bits y admite *tasas de transferencia de datos* de hasta 10 *Mbps*. Vea *Ultra SCSI, Fast Wide SCSI* y *Ultra Wide SCSI*.

Fast Wide SCSI *SCSI Amplia Rápida*   Estándar *SCSI* que utiliza un bus de datos de 16 bits y admite *tasas de transferencia de datos* de hasta 20 *Mbps*. Vea *Fast SCSI, Ultra SCSI* y *Ultra Wide SCSI*.

FAT   Vea *file allocation table*.

FAT16   En *Microsoft Windows 95, tabla de asignación de archivos (FAT)* que restringe el tamaño máximo de un disco duro a 2.6 GB; esta limitación proviene del uso de un método de direccionamiento de *clúster* de 16 bits. Además, la FAT16 utiliza de manera ineficiente el espacio en disco (el tamaño del clúster es de hasta 32 K en un disco de 2 GB), de forma que un archivo de un byte requiere un clúster completo. Vea *FAT32*.

FAT32   En *Microsoft Windows 95, tabla de asignación de archivos (FAT)* puesta a disposición en el Service Release 2 (OSR2). La FAT32 elimina el límite anterior de 2.1 GB para el tamaño de disco duro empleando un método de direccionamiento de *clúster* de 32 bits; la FAT32 puede utilizar discos de hasta 2 *terabytes*. Además, la FAT32 mejora el almacenamiento usando clústeres de 4 KB. Vea *FAT16*.

fatal error *error fatal*   Error en un programa que, en el mejor de los casos, causa la interrupción del programa y, en el peor, una *caída* con pérdida de información. Se supone que los programas *a prueba de balas* son inmunes a los errores fatales, pero generalmente no es así.

fat binary *binario pesado*   Programa para Macintosh capaz de correr tanto en el *Motorola 680x0* como los nuevos procesadores *PowerPC*.

fat client *cliente pesado*   En *redes cliente/servidor*, programa cliente *propietario* que consume una gran cantidad de tiempo de procesamiento local y de red, y que fuerza a que los datos se capturen en formatos de archivo propietarios. Vea *light client*.

fatware *fatware*   *Software* tan cargado de *características*, o que está diseñado tan ineficientemente, que monopoliza grandes porciones de espacio en *disco duro*, *memoria de acceso aleatorio (RAM)* y potencia del *microprocesador*. El fatware es uno de los resultados indeseables *de la fiebre de escalamiento*.

fault tolerance *tolerancia a fallas*   Capacidad de un *sistema de computación* para enfrentar problemas de *hardware* internos sin interrumpir el desempeño del sistema, por lo general mediante el uso de sistemas de respaldo que aparecen en línea automáticamente cuando se detecta alguna falla. Esta necesidad de la tolerancia a fallas es indispensable cuando se asignan funciones críticas a una computadora, como guiar una aeronave para aterrizar de manera segura o asignar un flujo estable de medicamento a un paciente. La tolerancia a fallas también es benéfica para aplicaciones no críticas de uso cotidiano. Vea *bulletproof* y *Microsoft Windows NT*.

fault tree analysis *análisis del árbol de fallas*   En pruebas, método para descubrir fallas potenciales mediante el rastreo de cada una de las formas concebibles en que puede utilizarse el programa o el hardware.

favorite *favorito*   En *Microsoft Internet Explorer*, un *hipervínculo* guardado al cual el usuario planea regresar. Es sinónimo de marcador y elemento de una lista de sitios importantes.

fax *fax*   Transmisión y recepción de páginas impresas entre dos localidades enlazadas a través de una línea telefónica. El término fax es una forma abreviada de facsímil. Vea *fax machine*.

fax machine *máquina de fax*   Dispositivo independiente que puede transmitir y recibir imágenes de páginas a través de una línea telefónica. Una máquina de fax escanea una hoja de papel y crea una imagen en una forma codificada que a continuación puede transmitir. En el otro extremo, otra máquina de fax recibe y traduce el código para después imprimir una réplica de la página original. Vea *fax modem*.

fax modem *fax módem*   *Tarjeta de circuitos* que se inserta en una *ranura de expansión* de una computadora, y proporciona —además de las funciones de un módem de alta velocidad— muchas de las funciones de una *máquina de fax* a un costo menor, con una salida más nítida y una operación más cómoda. Si está de viaje o en una ubicación remota, puede usar una *computadora portátil* con tarjeta de fax para transmitir documentos por este medio desde y hacia cualquier sitio mediante una línea telefónica. Las tarjetas de fax envían una imagen codificada de un *documento* y reciben esa imagen en la forma de un archivo que el usuario puede imprimir. Antes de usar una tarjeta de fax para enviar material impreso o escrito a mano, es necesario contar con equipo especial de video para escanear o grabar el material. Vea *modem*.

fax program *programa de fax* *Aplicación* que permite usar un *fax módem*. Por lo general, los programas de fax permiten redactar, enviar, recibir e imprimir faxes, así como completar alguna de las diversas páginas de cubierta de fax que se incluyen con el programa. Cuando reciben documentos con texto, los programas de fax más recientes usan el *reconocimiento óptico de caracteres (OCR)* para convertir la imagen nuevamente a texto, de tal manera que el documento puede editarse con alguno de los programas de procesamiento de texto más populares.

fax server *servidor de fax* En una red de área local, computadora personal o unidad que ofrece capacidades de fax a todas las *estaciones de trabajo* de la *red de área local (LAN)*. Vea *fax modem*.

fax switch *conmutador de fax* Dispositivo que dirige las llamadas telefónicas al teléfono, el *módem* o la *máquina de fax*, según sea el caso. Un conmutador de fax puede ahorrar el costo de líneas telefónicas adicionales.

FCC certification *certificación FCC* Testimonio, extendido con anterioridad por la FCC (Comisión Federal de Comunicaciones) de Estados Unidos, que acredita que una marca y modelo de computadora determinada cumple con los límites de la FCC respecto a las emisiones de radiofrecuencia. Hay dos niveles de certificación: la *Clase A*, para computadoras que van a usarse en empresas industriales y comerciales (específicamente, mainframes y minicomputadoras), y la *Clase B*, para computadoras que van a usarse en hogares, incluyendo oficinas caseras. Todas las computadoras personales están definidas explícitamente como equipo de Clase B. Vea *radio frequency interference (RFI)*.

FDD Siglas de *unidad de disco flexible*, que a veces se utilizan en anuncios.

FDDI Vea *Fiber Distributed Data Interface*.

FDHD Siglas de *disco flexible de alta densidad*. Vea *high density*.

feathering *ajuste de interlínea* Adición de la misma cantidad de espacio entre cada línea de una página o columna para forzar una *justificación vertical*.

feature *característica, función* Capacidad de un *programa*. En ciertas ocasiones, los programas contienen características no documentadas. De interés más reciente es la *fiebre de escalamiento*, en la que, en un intento por mantenerse en la competencia, los fabricantes cargan programas con características adicionales que hacen más lenta la operación del programa y obstruyen la interfaz.

federated database *base de datos colaborativa*   En conectividad de redes científicas, base de datos mantenida en forma conjunta (parte de un *colaboratorio*) en la cual los científicos acumulan sus conocimientos y descubrimientos. Las bases de datos confederadas son una solución propuesta para los *Grandes Retos*, problemas tan complejos que rebasan las capacidades de científicos independientes o incluso de instituciones de investigación independientes, para enfrentarlos de manera individual.

female connector *conector hembra*   Terminal de cable de una computadora y dispositivo de conexión con receptáculos diseñados para aceptar los pines de un *conector macho*.

femto- *femto-*   Prefijo que indica un millonésimo de milmillonésimo (10^{15}).

Fetch   Un popular *cliente FTP, freeware*, para computadoras Macintosh, desarrollado por el Darmouth College.

Fiber Distributed Data Interface (FDDI) *Interfaz de Datos Distribuidos por Fibra*   Estándar para crear redes de computadoras de alta velocidad que empleen *cable de fibra óptica*. La especificación FDDI es apropiada para redes de hasta 250 kilómetros de longitud que puedan transferir datos a velocidades de hasta 100 megabits por segundo (*Mbps*).

fiber-optic cable *cable de fibra óptica*   Medio físico que se puede utilizar para transmitir datos a alta velocidad. El cable de fibra óptica, construido con delgadas fibras de vidrio, guía la luz de láseres transmisores sin pérdida significativa, y sin ser afectado por las curvas y torceduras a lo largo del cable. En el extremo receptor, los detectores ópticos transforman la luz en impulsos eléctricos. La fibra óptica permite el funcionamiento de redes de alta velocidad (la especificación *Interfaz de Datos Distribuidos por Fibra [FDDI]* es apropiada para transferencias de datos a velocidades de hasta 100 *Mbps*), pero es costosa y difícil de trabajar con ella.

fiber optics *fibra óptica*   Tecnología de transmisión de datos que utiliza cable de fibra óptica para transportar información.

Fidonet   Conjunto de estándares y procedimientos para el intercambio de datos que permite que los *sistemas de boletines electrónicos (BBS)* de operación privada intercambien datos, archivos y *correo electrónico* a nivel internacional, mediante el sistema telefónico mundial. En un tiempo convenido durante el cual las tarifas telefónicas son bajas, se envían los mensajes de correo electrónico y los archivos a un host regional, el que a su vez los distribuye a otro sistema de boletines. Las respuestas, llamadas *ecos*, encuentran en su momento el camino de regreso al sistema de origen. Una característica popular de Fidonet es EchoMail, un conjunto de conferencias moderadas acerca de temas populares, como *Star Trek (Viaje a las Estrellas)*, aeromodelismo y temas políticos. Vea *Internet* y *wide area network (WAN)*.

field *campo*   Vea *data field*.

field-based search *búsqueda basada en campos*   En una *base de datos* o una *máquina de búsqueda* en Web, búsqueda restringida a un campo dado en la base de datos. Éste es uno de varios métodos que se pueden utilizar para mejorar la *precisión* y *recuperación*. La siguiente tabla muestra ejemplos de la *sintaxis* utilizada para efectuar búsquedas basadas en campos en *AltaVista*:

Campo	Ejemplo
applet	applet:HoppingBunny
domain	domain:ca
from	from:"yo@dondesea.com" (sólo búsquedas en Usenet)
host	host:"microsoft.com"
image	image:"Hale-Bopp"
keywords	keywords:GPS
link	link:http://www.paginas.com/mipagina.html
newsgroup	newsgroup:rec.boats.cruising (sólo búsquedas en Usenet)
site	site:www.microsoft.com
subject	subject:"métodos abreviados de teclado en Netscape" (sólo búsquedas en Usenet)
title	title:"Síndrome del Túnel Carpiano"

field definition *definición de campo*   En un *programa de administración de bases de datos*, lista de los atributos que definen el tipo de información que se puede introducir en un *campo de datos*. La definición de campo también determina la forma en que aparecerá en pantalla el contenido de éste.

field name *nombre de campo*   En un *programa de administración de bases de datos*, nombre único asignado a un *campo de datos*. El nombre debe ayudar al usuario a identificar el contenido del mismo.

field privilege *privilegio de campo*   En un *programa de administración de bases de datos*, definición de base de datos que establece lo que se puede hacer con el contenido de un *campo de datos* en una base de datos protegida.

field template *plantilla de campo*   En un *programa de administración de bases de datos*, definición de campo que especifica el tipo de información que se puede introducir en el *campo de datos*. Si trata de introducir información que no coincida con la plantilla de campo, el programa presenta un mensaje de error. El término es sinónimo de *máscara de datos*. Siempre que pueda, use plantillas de campo, pues éstas le ayudan a evitar que otros usuarios agreguen información inadecuada a la base de datos. Vea *data type*.

file *archivo, fichero*   *Documento* u otro acopio de información guardada en un disco e identificada como una unidad mediante un nombre único. Al guardar un archivo, los datos pueden dispersarse entre docenas o cientos de *clústeres* no contiguos en el disco. La *tabla de asignación de archivos (FAT)* es un índice del orden en el que los clústeres se enlazan para formar un archivo. Sin embargo, para el usuario los archivos aparecen como unidades en los *directorios* del disco, y se pueden recuperar y copiar como unidades. Vea *secondary storage*.

file allocation table (FAT) *tabla de asignación de archivos*   Índice oculto de cada uno de los *clústeres* de un *disco flexible* o uno *duro*, que contiene la información concerniente a cómo están guardados los archivos en los distintos clústeres (no necesariamente contiguos). Una tabla de asignación de archivos se vale de un método sencillo para mantener el registro de los datos. La dirección del primer clúster del archivo se guarda en el archivo de directorios. En la entrada de la FAT para el primer clúster está la dirección del segundo clúster utilizado para almacenar el archivo. En la entrada del segundo clúster está la dirección del tercero, y así sucesivamente hasta la entrada del último clúster, que contiene un código de fin de archivo. Puesto que esta tabla es el único medio para conocer la forma en que se localizan los datos dentro del disco, el DOS crea y mantiene dos copias de la FAT por si alguna de ellas se daña. Vea *file fragmentation*.

file attribute *atributo de archivo*   *Código oculto* guardado con un directorio de archivo que contiene su estado de sólo lectura o de modificado, y el atributo de si es un archivo oculto, de sistema o de directorio. Vea *archive attribute, hidden file, locked file* y *read-only attribute*.

file compression utility *utilería para compresión de archivos*   *Programa de utilería*, como PKZIP, StuffIt o DriveSpace, que comprime y descomprime archivos de uso esporádico para que ocupen 40 a 90 por ciento menos de espacio en un disco duro. Para descomprimir un archivo se usa otra utilería. También hay utilerías de compresión que sólo comprimen ciertos tipos de archivos, como los de *fuentes transferibles*. Estos programas cargan por lo general un controlador especial que se mantiene en la memoria para descomprimir y volver a comprimir los archivos conforme sea necesario. Vea *archive, bulletin board system (BBS), disk compression utility* y *compressed file*.

file conversion utility *utilería de conversión de archivos*   *Programa de utilería* que convierte archivos de texto o gráficos creados con un programa al formato de archivo usado por otro programa. Los mejores programas de aplicación incluyen utilerías de conversión que manejan hasta una docena o más de formatos de archivo.

file defragmentation *desfragmentación de archivo*   Vea *defragmentation*.

file deletion *eliminación de archivo*   Proceso de inutilizar un *archivo*. Existen dos tipos de eliminación de archivo: física y lógica. La eliminación lógica hace desaparecer el archivo pero permite su recuperación. Un archivo se elimina lógicamente al arrastrarlo hacia la Papelera en *Macintosh* o a la Papelera de Reciclaje de *Microsoft Windows 95*.

file extension *extensión de archivo*   Vea *extension*.

file format *formato de archivo*   Patrones y estándares que emplean un programa para guardar información en un disco. Pocos programas guardan información en *formato ASCII*; la mayoría usa un *formato de archivo propietario* que los demás programas no pueden leer, lo que asegura que los clientes sigan usando el programa de la compañía y permite que los programadores incluyan características especiales que no se encuentran en los formatos comunes. Vea *file conversion utility* y *native file format*.

file fragmentation *fragmentación de archivo*   Asignación de archivos en sectores no contiguos de un *disco flexible* o uno *duro*. La fragmentación ocurre debido a numerosas operaciones de eliminación y escritura de archivos, y reduce seriamente la eficiencia del disco ya que la cabeza de lectura/escritura de la unidad de disco debe recorrer grandes distancias para recuperar la información dispersa. La desfragmentación, proceso que reescribe los archivos para acomodarlos en clústeres contiguos, puede mejorar la eficiencia del disco hasta en 50 por ciento. Vea *defragmentation*.

file locking *bloqueo de archivo*   En una *red*, método de *control de concurrencia* que asegura la integridad de los datos. Este método evita que varios usuarios accedan al mismo tiempo a un archivo y que lo modifiquen. Vea *local area network (LAN)*.

file management program *programa de administración de archivos*   *Programa* que permite controlar *archivos*, *directorios* y discos mediante el despliegue de una estructura de directorios del disco y un listado de los archivos existentes. Los comandos disponibles en los menús del programa se usan para mover y copiar archivos, crear directorios y realizar otras tareas de mantenimiento que ayudan a mejorar el rendimiento del disco y a proteger sus datos. El *Explorador de Windows* y XTree Gold son dos programas populares para la administración de archivos.

File Manager *Administrador de archivos*   En *Microsoft Windows 3.1*, utilería, incluida con el sistema operativo, que permite a los usuarios efectuar tareas básicas de mantenimiento y organización de archivos. Vea *Windows Explorer.*

file name *nombre de archivo*   Nombre único asignado a un *archivo* cuando éste se graba en disco. En el *MS-DOS* y las primeras versiones del *Operating System/2 (OS/2)*, los nombres de archivo están compuestos por dos partes: el nombre del archivo y la *extensión*. Estos nombres deben cumplir las siguientes reglas:

- Longitud. Puede usar hasta ocho caracteres para el nombre del archivo, y hasta tres para la extensión, que es opcional.

- Delimitador. Si usa extensión, tendrá que separar ésta del nombre con un punto.

- Caracteres permitidos. Para los nombres de archivo y las extensiones es posible usar cualquier letra o número del teclado, además de los siguientes símbolos de puntuación:

    ' ~ ! @ # $ ^ & ( ) _ { }

En *MacOS* es posible usar hasta 32 caracteres para los nombres de archivo, y éstos pueden contener cualquier carácter (incluso espacios), excepto el signo de dos puntos (:). En *Microsoft Windows 95* es posible utilizar hasta 255 caracteres, incluyendo espacios, aunque el nombre no puede contener ninguno de los siguientes caracteres: \ / : * ? " < > | .

file privilege *privilegio de archivo*   En *dBASE*, atributo que determina qué se puede hacer con una *base de datos* protegida en una *red*. Las opciones son DELETE (eliminar), EXTEND (extender), READ (leer) y UPDATE (actualizar). Vea *field privilege.*

file recovery *recuperación de archivo*   Restauración de un *archivo* borrado del disco. Vea *undelete utility.*

file server *servidor de archivos*   En una *red de área local (LAN)*, computadora personal que guarda en su *disco duro* los *programas de aplicación* y los *archivos de datos* de todas las *estaciones de trabajo* de la *red*. En una red *de igual a igual*, todas las estaciones de trabajo funcionan como servidores de archivos, ya que pueden proporcionar archivos a otras estaciones de trabajo. En la arquitectura *cliente/servidor*, que es la más común, se destina una sola máquina de gran poder con disco duro de enorme capacidad para que funcione como servidor de archivos para todas las demás estaciones de trabajo (clientes) de la red. Vea *network operating system (NOS).*

filespec *especificación de archivo*   En *MS-DOS*, descripción completa de la ubicación de un archivo, que incluye la letra de la unidad, la *ruta de acceso,* el *nombre* y la *extensión de archivo*, como

C:\INFORMES\INFORME1.WK1. El término es sinónimo de ruta de acceso.

file transfer protocol (ftp) *protocolo de transferencia de archivos* En *comunicación asíncrona*, estándar que asegura la transmisión sin errores de archivos de programa o de datos a través del sistema telefónico. Cuando se escribe en minúsculas, se refiere a cualquier protocolo, como *XMODEM*, *Kermit* o *ZMODEM*. Compare con el estándar de Internet, *FTP*.

File Transfer Protocol *Protocolo de Transferencia de Archivos* Vea *FTP*.

file transfer utility *utilería de transferencia de archivos* *Programa de utilería* que transfiere archivos entre plataformas de *hardware* diferentes, como de una computadora personal de IBM a una *Macintosh* o entre una *computadora de escritorio* y una *laptop*. Entre las utilerías populares de transferencia de archivos están MacLink Plus, que enlaza computadoras personales y Mac por medio de sus puertos seriales, y Brooklyn Bridge, que enlaza computadoras de escritorio de IBM con computadoras laptop *compatibles con la PC de IBM*.

fill *llenar* Operación que introduce el mismo texto, *valores* o sucesión de valores en una *hoja de cálculo*. Por ejemplo, en *Lotus 1-2-3* se usa el comando Data Fill para llenar los valores de un *rango*, para lo cual empieza por aportar un valor inicial de una celda, luego el valor del incremento o decremento aplicable a cada número colocado dentro del rango y, por último, el valor donde Lotus debe dejar de llenar.

filter *filtro* Cualquier función o programa que seleccione información automáticamente con un criterio preestablecido. En *correo electrónico* es posible usar un filtro para eliminar automáticamente mensajes indeseables o mover ciertos tipos de mensajes a carpetas predefinidas.

filter command *comando de filtro* En el MS-DOS, comando que toma información de un dispositivo o archivo, la cambia pasándola a través de un filtro y por último envía el resultado a la pantalla o la impresora. Los *filtros* del DOS son MORE (que muestra la salida, pantalla por pantalla), FIND (que busca texto) y SORT (que clasifica de acuerdo con el orden de los caracteres *ASCII*).

Finder Utilería de administración de archivos que proporciona *Apple Computer* en las computadoras *Macintosh*. El Finder proporciona una *interfaz* para manejo de archivos en el sistema operativo Macintosh (*MacOS*).

FinePrint *Tecnología para mejoramiento de la resolución* que produce una *resolución efectiva* de 600 × 600 *puntos por pulgada (dpi)* en *impresoras láser* de Apple. Normalmente, la resolución es de 300 puntos por pulgada. Vea *PhotoGrade*.

finger   Utilería de *Internet* que permite obtener información acerca de un usuario que tenga una dirección de *correo electrónico*. Normalmente, se trata del nombre completo de la persona, su puesto y dirección; sin embargo, es posible configurar a finger para que recupere uno o más archivos de texto que contengan información (un currículo, por ejemplo) que el usuario desee hacer públicos.

firewall *firewall*   Procedimiento de *seguridad* que coloca, entre la *red de área local (LAN)* de una organización e *Internet,* un sistema de computación especialmente programado. La computadora firewall impide que los *crackers* accedan a la red interna. Desafortunadamente, también impide que los usuarios de computadoras de la organización entren directamente a Internet; el acceso que la firewall proporciona es indirecto y mediado por programas llamados *servidores proxy.*

FireWire   Estándar establecido por el *Instituto de Ingenieros Eléctricos y Electrónicos (IEEE)* que establece especificaciones para un *puerto* muy rápido que algún día pueda sustituir al *puerto serial.* Todavía no aparecen los puertos FireWire en ningún *sistema de computación* disponible en el mercado.

firmware *firmware*   En general, software de *sistema* guardado de manera permanente en la *memoria de sólo lectura (ROM)* o en otra parte de la circuitería de la computadora, como en los chips del *sistema básico de entrada-salida (BIOS)* de las computadoras *compatibles con la PC de IBM.*

FIRST   Vea *Forum of Incident Response and Security Teams.*

first generation computer *computadora de primera generación* La primera fase de la tecnología de computación digital electrónica, que tuvo lugar de mediados de los cuarenta a finales de los cincuenta. Enormes, costosas y con un tremendo consumo de energía, esas computadoras usaban tubos de vacío como dispositivos de conmutación. Los logros más significativos durante este periodo fueron: el concepto de programa almacenado; la noción de que las instrucciones del programa, así como los datos, se podían almacenar en la memoria de la computadora; el uso de números binarios en lugar de decimales para propósitos de procesamiento, y el desarrollo del almacenamiento auxiliar mediante unidades de cinta magnética.

first generation programming language *lenguaje de programación de primera generación*   Los primeros lenguajes de programación, en los cuales era necesario escribir instrucciones en *lenguaje de máquina.*

fixed disk *disco fijo*   Sinónimo de *disco duro.*

fixed-frequency monitor *monitor de frecuencia fija*   *Monitor analógico* diseñado para recibir señales de una sola frecuencia, en contraste con un *monitor multisincrónico*, el cual ajusta la señal de entrada de manera automática. La mayoría de los monitores *VGA* que se venden junto con los sistemas 486 económicos son monitores de frecuencia fija.

fixed length field *campo de longitud fija* En un *programa de administración de bases de datos*, campo cuya longitud es fija y no puede variar, en oposición con el campo de longitud variable, que puede ampliarse para recibir entradas de diferentes longitudes.

fixed numeric format *formato numérico fijo* En programas de *hoja de cálculo*, *formato numérico* en el que los valores se redondean al número de lugares decimales que se especifique.

Fkey Programa de utilería para *Macintosh* que se ejecuta al oprimir las teclas Command (⌘) y Mayús junto con una tecla numérica del 0 al 9; estas teclas corresponden a las teclas de función de las computadoras *compatibles con la PC de IBM*. Con el software del *Sistema Macintosh* se incluyen cuatro utilerías Fkey, y a través de *shareware* y de proveedores comerciales se pueden conseguir otras (además del *software* para su manejo).

F key Vea *function key*.

flag *indicador* 1. Variable que sirve para mostrar el estado de un *programa*, *archivo* o dato. Un indicador en un *registro de base de datos*, por ejemplo, puede ser verdadero si los otros campos del registro muestran que ya venció la fecha de alquiler de una cinta de video. 2. Sinónimo de *atributo de archivo*.

flame *mensaje incendiario* En *Usenet* y correo electrónico, mensaje que contiene lenguaje insultante, amenazador, obsceno o provocativo.

flame bait *carnada incendiaria* En un *grupo de noticias no moderado*, publicación con opiniones que provocan *mensajes incendiarios* —comentarios insultantes y ofensas personales—, los que, en última instancia, desencadenan una *guerra de mensajes incendiarios*. Entre los temas de las carnadas incendiarias se encuentran el aborto, la homosexualidad y la conveniencia de utilizar *Microsoft Windows 95*. Las carnadas incendiarias verdaderas provocan estas respuestas de manera accidental; cuando lo hacen de forma intencional, se conocen como *embaucamientos*. Vea *moderated newsgroup*.

flame war *guerra de mensajes incendiarios* En *grupos de noticias, LISTSERV y listas de correo,* debate largo y acalorado, además de improductivo. Vea *flame, flame bait,* y *unmoderated newsgroup*.

flash BIOS   Chip de *memoria de sólo lectura (ROM)* que almacena el *sistema básico de entrada-salida (BIOS)* susceptible de reprogramación mediante software, con lo cual se evita la necesidad de quitar el *chip* de BIOS, reprogramarlo en una máquina especial y reinstalarlo en su lugar. Con el Flash BIOS, un fabricante de computadoras puede actualizar fácilmente los chips de BIOS simplemente enviando al usuario un *disco flexible* apropiadamente codificado. El Flash BIOS es posible gracias a la *Memoria Flash de Sólo Lectura, Borrable y Programable (Flash EPROM).*

Flash Erasable Programmable Read-Only Memory (Flash EPROM)
Memoria Flash de Sólo Lectura, Borrable y Programable   Tipo de *memoria de sólo lectura (ROM)* que se puede borrar mediante una corriente eléctrica y a continuación reprogramarse con nuevas instrucciones a velocidades muy altas. Después de la reprogramación, los circuitos retienen esas instrucciones incluso si se interrumpe la corriente. La Flash EPROM se utiliza en *Flash BIOS* así como en *módems* que se configuran de forma que el usuario pueda descargar e instalar soporte para nuevos *protocolos* de comunicaciones en cuanto estén disponibles.

flat *plano*   Carente de estructura. Se dice que un sistema de archivos sin *subdirectorios* en los que se puedan agrupar archivos, es plano. Tales sistemas cayeron en desuso desde los primeros días de la computación personal.

flat address space *espacio plano de direcciones*   Método para organizar la memoria de una computadora de manera que el *sistema operativo* pueda asignar porciones de *memoria* sin restricciones. Lo opuesto al espacio plano de direcciones es la *arquitectura de memoria segmentada* de MS-DOS y Microsoft Windows 3.1, la cual divide la memoria en secciones de 64 KB (llamadas segmentos). Un diseño con espacio plano de direcciones es más eficiente porque el procesador no tiene que relacionar cada dirección de memoria con un segmento específico de 64 KB. Sin embargo, un diseño de esta naturaleza requiere el uso de direcciones de memoria de 32 bits. *Microsoft Windows 95,* que emplea este último tipo de direcciones, crea un espacio plano de direcciones para sus aplicaciones.

flatbed scanner *escáner de cama plana*   *Escáner* con un área de digitalización suficientemente grande para acomodar una página tamaño carta (21.59 × 27.94 cms) o más. Existe la opción de acoplar una alimentadora de hojas para automatizar la digitalización de documentos de varias páginas. Vea *digitize.*

flat-file database management program *programa de administración de bases de datos de archivos planos*   *Programa de administración de bases datos* que almacena, organiza y recupera información de un archivo a la vez. Este tipo de programa carece de características de *administración de bases de datos relacionales*. Vea *data integrity*.

flat-panel display *pantalla plana*   Pantalla delgada que usa diversas tecnologías, como electroluminiscencia, *pantalla de gas plasma, pantalla de cristal líquido (LCD)* o transistores de película delgada (TFT). Una pantalla de contraluz facilita la lectura. Aunque en la actualidad se usan por lo general en computadoras portátiles, las pantallas planas están comenzando a montarse en las computadoras de escritorio.

flat-square monitor *monitor cuadrado y plano*   *Monitor* de curvas menos pronunciadas que la mayoría, pero que no es ni cuadrado ni plano. Aunque tales monitores tienen menor distorsión que la mayoría de las pantallas, no están libres de distorsión esférica, como lo están los *monitores planos con máscara de tensión.*

flat tension-mask monitor *monitor plano con máscara de tensión*   Diseño de *monitor* que incluye una *pantalla* absolutamente plana y, por ello, libre de distorsión. Los monitores planos con máscara de tensión son los únicos disponibles que verdaderamente no presentan distorsión, aunque son demasiado costosos para la mayoría de los usuarios de computadoras. Vea *flat-square monitor* y *vertically flat.*

flicker *parpadeo*   Distorsión visible que se presenta al desplazar la pantalla de un *monitor* que emplea una *velocidad de actualización* baja. También, distorsión visible en las áreas claras de un monitor entrelazado. Vea *interlacing.*

floating graphic *gráfico flotante*   Gráfico que no se ha fijado en una posición absoluta dentro de la página, por lo que se mueve hacia arriba o hacia abajo de ésta cuando el usuario borra o inserta texto antes de la posición del gráfico.

floating-point *punto flotante*   Método para guardar y calcular números en el que la posición del punto decimal no está fija sino flotante (el punto decimal se desplaza cuando usted necesita que se tomen en cuenta los dígitos significativos en los cálculos). Los cálculos de punto flotante pueden implementarse en los coprocesadores matemáticos o en el software, lo que mejora la precisión de los cálculos por computadora.

floating-point unit (FPU) *unidad de punto flotante*   Porción de un *microprocesador* que maneja operaciones en las cuales el punto decimal se mueve hacia la izquierda y la derecha para proporcionar alta precisión al procesar números demasiado grandes o demasiado pequeños. Por lo general, una FPU acelera notoriamente el funcionamiento de un microprocesador.

floppy disk *disco flexible, disquete*   Medio de almacenamiento de datos removible y de uso común que emplea un disco flexible de

Mylar, recubierto magnéticamente y colocado dentro de una cubierta o funda de plástico. En ocasiones, los editores de software ofrecen sus aplicaciones en discos flexibles. En otra época también fueron el único medio de almacenamiento de datos para *computadoras personales*; sin embargo, la disponibilidad de *discos duros* económicos ha relegado los discos flexibles a un empleo complementario. Vea *double density, head access aperture, high density, read/write head, single-sided disk* y *write-protect notch.*

floppy disk controller *controlador de disco flexible*   Circuitería responsable de la operación de la *unidad de disco flexible*. El controlador de disco flexible, por lo general basado en el *chip* controlador 765, mueve la *cabeza de lectura/escritura* y opera el *motor del eje* bajo instrucciones del *adaptador host*.

floppy disk drive *unidad de disco flexible*   Mecanismo que permite a una computadora leer y escribir información en *discos flexibles*. Las unidades de disco flexible se presentan en dos medidas —3½ y 5¼ *pulgadas*— y varias *densidades*, para manejar varios tipos de discos flexibles. Una unidad de *alta densidad* puede trabajar tanto con discos de *alta* como de *doble densidad*, pero una unidad de doble densidad sólo puede trabajar con discos de esta misma densidad.

floptical disk *disco óptico flexible*   *Disco óptico* removible cuyo tamaño es igual al de un *disco flexible de 3½ pulgadas*, pero cuya capacidad es de 20 a 25 MB.

floptical drive *unidad de discos ópticos flexibles*   Dispositivo de almacenamiento de datos que usa la tecnología láser para iluminar pistas ópticas en un *disco óptico flexible*. Un fotodetector percibe el reflejo de la luz con lo que genera una señal que permite una colocación más precisa de las *cabezas de lectura/escritura*. El patrón de *pistas*, creado al fabricar el disco, es sumamente compacto, lo que permite crear discos ópticos flexibles del tamaño de un *disco flexible de 3½ pulgadas*, pero con capacidad para almacenar 21 MB de información. Las unidades de discos ópticos flexibles, fabricadas por compañías como Iomega, pueden leer y escribir en los discos flexibles comunes.

flow *flujo*   Característica que permite al texto de una página ajustarse en torno de un gráfico y pasar automáticamente de una columna a otra (llamadas *columnas de periódico* o serpenteantes). Los *programas de diseño de páginas* y los mejores procesadores de texto pueden dar formato al texto de esta manera.

flow chart *diagrama de flujo*   Diagrama que contiene símbolos referentes a operaciones de cómputo, que describen cómo se ejecuta el programa.

flow control *control de flujo*   Método para asegurar que un dispositivo de datos, como un *módem* o un *sistema de computación*, no desborde a un dispositivo receptor, como un módem. El *acuerdo de conexión de software* (también llamado *acuerdo de conexión XON/XOFF*) regula la comunicación entre dos módems. El *acuerdo de conexión de hardware (CTS/RTS)* regula el flujo de datos entre la computadora y el módem.

flush *vaciar*   Limpiar o borrar. Al apagar durante unos segundos una impresora y prenderla nuevamente, se vacía la *memoria de acceso aleatorio (RAM)* de ésta, con lo cual se pueden corregir ciertos problemas.

flush left *alineación a la izquierda*   En *procesamiento de texto*, alineación de texto a lo largo del margen izquierdo, lo que deja el margen derecho con una presentación irregular. Vea *justification*.

flush right *alineación a la derecha*   En *procesamiento de texto*, alineación de texto a lo largo del margen derecho, lo que deja el margen izquierdo con una presentación irregular. Esta alineación casi no se usa, excepto para efectos decorativos o en portadas. Vea *justification*.

FMD   Vea *frequency division multiplexing*.

FM synthesis *síntesis FM*   En *tarjetas de sonido* que utilizan el estándar *Interfaz Digital para Instrumentos Musicales (MIDI)*, método para simular instrumentos musicales. Este método es menos costoso que la *síntesis de tabla de onda,* pero también tiene una calidad mucho menor.

folder *carpeta*   En el *Finder* de Macintosh y en el escritorio de *Microsoft Windows 95,* representación en pantalla de una carpeta dentro de la cual es posible organizar los *archivos*. En *MS-DOS,* estas carpetas se denominan *directorios*.

follow-up post *publicación de seguimiento*   En un *grupo de noticias* en línea, mensaje que se envía en respuesta a un mensaje anterior. A diferencia de una respuesta, este tipo de mensaje es público y podrán observarlo todos los que sigan al grupo. Las publicaciones de seguimiento forman *una cadena* de discusión. Vea *distributed bulletin board, netiquette* y *Usenet*.

font *fuente*   Colección completa de letras, signos de puntuación, números y caracteres especiales con *tipo de letra, peso* (normal o negrita), *postura* (vertical o cursiva) y *tamaño de fuente* consistentes e identificables; el término a veces se usa incorrectamente para referirse a tipo de letra o *familia de fuentes*. Hay dos clases de fuentes: las de *mapas de bits* y las *perfiladas*. Cada una viene en dos versiones: para *pantalla* y para *impresora*. Vea *book weight*.

font cartridge *cartucho de fuentes*   Cartucho insertable de *memoria de sólo lectura (ROM)* —diseñado para insertarse en un receptáculo de la *impresora*—, que contiene una o más *fuentes* e incrementa el repertorio de fuentes de la impresora. Vea *cartridge font*.

Font/DA Mover   *Programa de utilería* suministrado con el software de sistema de *Macintosh* que añade *fuentes* y *accesorios de escritorio* a la *Carpeta de sistema* del *disco de arranque* de la computadora.

font downloader *cargador de fuentes*   Vea *downloading utility*.

font family *familia de fuentes*   Conjunto de *fuentes* en varios tamaños y pesos que comparte el mismo tipo de letra. Una familia incluye varios tipos de letra similares. Por ejemplo, Arial, Helvetica y MS Sans Serif se consideran parte de la familia Swiss.

font ID conflict *conflicto de identificación de fuente*   En el ambiente *Macintosh*, error de sistema causado por un conflicto entre los números de identificación asignados a las fuentes para pantalla almacenadas en la *Carpeta de sistema*. El sistema operativo y muchas *aplicaciones* de la Macintosh reconocen y recuperan fuentes por el número de identificación y no por su nombre. El primer sistema operativo de Macintosh permitía asignar sólo 128 números únicos, por lo que era común ensamblar de manera inadvertida números conflictivos y ocasionar errores de impresión. A partir del System 6 se introdujo un esquema de Nueva Tabla de Numeración de Fuentes (NFNT) que permite asignar 16,000 números únicos, lo que reduce pero no descarta la posibilidad de conflictos de identificación de fuentes.

font metric *métrica de fuentes*   Información de anchura y altura para cada carácter de una *fuente*. La métrica de fuentes se guarda en una tabla de anchuras.

font smoothing *suavizado de fuente*   En *impresoras láser* de alta resolución, reducción de la *distorsión* al imprimir texto o *gráficos*.

font substitution *sustitución de fuente*   Reemplazar una *fuente perfilada* en lugar de una *fuente de mapa de bits* con propósitos de impresión. En el ambiente de *Macintosh*, el controlador de impresora LaserWriter de Apple sustituye las fuentes perfiladas *Helvetica*, Times Roman y Courier en lugar de las fuentes de pantalla Geneva, New York y Monaco.

font utility *utilería de fuentes*   *Programa de utilería*, empleado en las primeras impresoras láser, que transfería fuentes a la memoria de la impresora con el fin de que se utilizaran para imprimir un documento. En la actualidad, las funciones o utilerías para fuentes se integran en los sistemas operativos, como en *Microsoft Windows 95*.

footer *pie de página*   En un programa de *procesamiento de texto* o en uno de *diseño de páginas*, texto que se imprime en la parte inferior de cada página del documento. Vea *header*.

footnote *nota a pie de página*   En un programa de *procesamiento de texto* o en uno de *diseño de páginas*, referencia o nota colocada en la parte inferior de la página. La mayoría de los programas de procesamiento de texto numera las notas de manera automática y las vuelve a numerar cuando se inserta o elimina alguna nota. Los mejores programas son capaces de dividir las notas a pie de página extensas y trasladarlas a la siguiente página para que no ocupen más de la mitad de una página. Vea *endnote*.

footprint *huella*   Espacio que ocupa una computadora, impresora, monitor u otro dispositivo sobre un escritorio o el piso.

forced page break *salto de página forzado*   *Salto de página* insertado por el usuario; así, el salto siempre ocurrirá en esa posición. El término es sinónimo de *salto de página manual*.

forced perfect termination *terminación perfecta forzada*   Al igual que la *terminación activa* y la *terminación pasiva*, se trata de una forma de finalizar una *cadena de margarita SCSI*. La finalización de una cadena de dispositivos SCSI presenta un problema, porque el terminador puede reflejar señales, causando errores. La terminación perfecta forzada monitorea activamente las características eléctricas del bus para asegurarse de que no ocurra ninguna reflexión.

forecasting *pronóstico*   Mediante un programa de *hoja de cálculo*, método de análisis que implica la proyección de tendencias pasadas hacia el futuro.

foreground task *tarea en primer plano*   En una computadora con capacidad para *multitareas*, *trabajo* que se realiza en la *ventana activa*. En *redes* y *MS-DOS*, una tarea en primer plano es un trabajo que recibe prioridad sobre las *tareas en segundo plano*. Por ejemplo, los cálculos o la *impresión en segundo plano* se ejecutan en breves pausas mientras se lleva a cabo la tarea en primer plano.

forgery *falsificación*   En *Usenet*, listas de correo y *correo electrónico*, mensaje escrito por alguien distinto al autor aparente. El software de *Internet* permite a cualquier persona con un mínimo de conocimientos técnicos falsificar mensajes. Una costumbre habitual en Usenet son las falsificaciones del Día de los Inocentes (que son inofensivas). Sin embargo, hay algunas que tienen como objeto molestar o avergonzar al destinatario. Una famosa falsificación de 1995 simulaba un boletín de prensa anunciando que Microsoft Corporation había adquirido a la Iglesia Católica Romana. Microsoft tuvo que emitir declaraciones desmintiendo esa versión.

form *formulario*   1. En *bases de datos*, formulario en pantalla que permite a los usuarios proporcionar información introduciendo datos en las áreas provistas para ese fin. 2. En documentos de

Lenguaje de Marcación de Hipertexto (HTML) y *World Wide Web (WWW)*, conjunto de características de un documento (incluyendo áreas de captura de textos, cuadros de listas desplegables, casillas de verificación y botones de opción) que permiten interactuar con una página Web. No todos los *navegadores Web* pueden interactuar con formularios. Vea *forms-capable browser*.

format *formato*   Arreglo de información para guardarla, imprimirla o exhibirla. El formato de los *discos flexibles* y los *duros* es un patrón magnético establecido por la utilería de formateo. En un documento, el formato incluye los márgenes, la *fuente* y la *alineación* utilizados para el texto, los encabezados, los pies de página, la numeración de página y la forma en que se despliegan los números. En un programa de *administración de bases de datos*, el formato es la disposición física de los nombres de campo y los campos de datos en un formulario de inserción de datos en pantalla.

formatting *formateo*   Operación que establece un patrón para la exhibición, el almacenamiento o la impresión de información. En sistemas operativos, operación que prepara un disco flexible para que se pueda utilizar en un sistema de computación particular mediante la imposición de un patrón magnético. Vea *format, high-level format* y *low-level format*.

form factor *factor de forma*   El tamaño físico (generalmente sólo la altura) de las *unidades de disco duro* o *de disco flexible*. La mayoría de los discos duros y flexibles modernos caben en *bahías de media altura*, aunque algunos discos duros de alta capacidad requieren *bahías de altura completa*.

form feed *form feed*   Comando que obliga a la impresora a expulsar la página actual e iniciar otra.

forms-capable browser *navegador con soporte para formularios*   Navegador Web que reconoce las etiquetas del *Lenguaje de Marcación de Hipertexto (HTML),* mediante las cuales se crean *formularios* interactivos. Algunos de los primeros navegadores Web no pueden interactuar con formularios; sin embargo, los programas líderes como *Microsoft Internet Explorer* y *Netscape Navigator* sí incluyen soporte para formularios.

formula *fórmula*   En un programa de *hoja de cálculo, definición de celda* que establece la relación entre dos o más *valores*. En un programa de administración de bases de datos, expresión que ordena al programa realizar cálculos sobre los datos numéricos que se encuentren en uno o más campos de datos. Vea *calculated field* y *precedence*.

formula bar *barra de fórmulas*   En *Microsoft Excel,* barra debajo de la *barra de herramientas,* donde se introducen o editan *fórmulas* y se despliega la dirección de la *celda activa*.

FOR/NEXT loop *ciclo FOR/NEXT*   En *programación*, estructura de control de ciclos que lleva a cabo un procedimiento un número determinado de veces. Suponga que tiene una lista de 10 elementos. Un ciclo FOR/NEXT para cambiar cada elemento sería: "Inicia la cuenta en 1. Selecciona hasta el final de la línea. Aplica el formato. Baja una línea. Enseguida, incrementa en uno la cuenta previa. Realiza lo anterior hasta que la cuenta sea igual a 10". Vea *macro*.

FORTH   *Lenguaje de programación de alto nivel* que ofrece control directo sobre los dispositivos de hardware. Fue desarrollado en 1970 por un astrónomo llamado Charles Moore para que le ayudara en el control del equipo en el Kitt Peak National Radio Observatory. FORTH, abreviatura de *lenguaje de programación de cuarta generación*, ha tenido poca aceptación como lenguaje de programación de propósito general. Como FORTH acepta comandos definidos por el usuario, el código de un programador de FORTH puede ser ininteligible para otro programador. A veces se prefiere FORTH para adquisición de datos de laboratorio, robótica, control de máquinas, juegos por computadora, automatización, monitoreo de pacientes e interfaces con dispositivos musicales.

FORTRAN   Primer *lenguaje de programación de alto nivel* compilado. FORTRAN (abreviatura de FORmula TRANslator), muy parecido a *BASIC*, permite a los programadores describir y resolver cálculos matemáticos complejos. Es ideal para aplicaciones matemáticas y muy usado en ambientes científicos, académicos y técnicos. Vea *modular programming, Pascal* y *structured programming*.

forum *foro*   Vea *newsgroup*.

Forum of Incident Response and Security Teams (FIRST) *Foro de Equipos de Seguridad y Respuesta a Incidentes*   Unidad de la *Sociedad de Internet* que coordina las actividades de varios *Equipos de Respuesta a Emergencias de Cómputo (CERTs)* a nivel mundial. El propósito de FIRST es conjuntar a esos equipos para promover la cooperación y la coordinación ante la ocurrencia de incidentes relacionados con la seguridad, y alentarlos a compartir información concerniente a los peligros de seguridad que enfrenta Internet.

forward chaining *razonamiento hacia adelante*   En *sistemas expertos*, técnica de inferencia que solicita al usuario establecer toda la información relevante antes del procesamiento. Un sistema de razonamiento hacia adelante comienza con la información y trabaja hacia adelante, mediante sus reglas, para determinar si se necesita más información y cómo hacer la inferencia. Vea *backward chaining* y *knowledge base*.

foundation classes *clases fundamentales*   En un *lenguaje* de *programación orientada* a *objetos (OOP)*, *biblioteca* de *rutinas* básicas que los programadores pueden utilizar para controlar funciones esenciales de los programas, como responder a la entrada de los usuarios, desplegar ventanas en pantalla e interactuar con los dispositivos periféricos.

fourth-generation computer *computadora de cuarta generación* Computadora electrónica digital creada usando tecnología de *Integración a Escala Muy Grande (VLSI)*, incluyendo *microprocesadores*. La tecnología VLSI, que se originó a finales de los setenta, permite a los fabricantes de computadoras fabricar complicados circuitos de cómputo en grandes cantidades, lo cual ha llevado al fenómeno de la computación ubicua, en la cual las computadoras han penetrado profundamente en casi todas las facetas de nuestra existencia.

fourth-generation programming language *lenguaje de programación de cuarta generación*   Lenguaje de programación diseñado para trabajar con una aplicación, produciendo efectos importantes con un mínimo de esfuerzo de programación. Un ejemplo es el lenguaje para generación de informes de un programa de *base de datos*.

four-way set-associative cache *caché de conjunto asociativo de cuatro vías*   El diseño de *caché de conjunto asociativo* que alcanza el mejor equilibrio entre velocidad y control de costo. Los cachés de conjunto asociativo de cuatro vías son más rápidos que los *cachés de conjunto asociativo de dos vías* y los *cachés de mapeo directo*, pero también son más caros.

FPM   Siglas de Modo Rápido de Página. Tipo de *memoria dinámica de acceso aleatorio (DRAM)* que divide a la memoria en páginas que pueden ser transferidas en bloque (vea *page mode RAM*) y a las cuales el microprocesador puede acceder directamente. El FPM no es suficientemente rápido para los microprocesadores modernos y ha sido superado por la *EDO RAM* y, más recientemente, por la *SDRAM*.

fps   Vea *frames per second*.

FPU   Vea *floating-point unit*.

fragmentation *fragmentación*   Vea *file fragmentation*.

frame *cuadro, marco, trama*   1. En comunicaciones de datos, una trama es una unidad (*paquete*) de datos transmitida a través de la red. 2. En *autoedición (DTP)* y *procesamiento de texto*, un marco es un área rectangular de posición absoluta en la página. El marco puede contener texto, imágenes o ambos. 3. En *World Wide Web (WWW)*, un marco es una sección de la ventana que se divide para desplegar un documento separado, lo cual se logra mediante *etiquetas* de marco. 4. En *animación* y video, un cuadro representa a una de las imágenes fijas que, desplegadas rápidamente (vea *frame rate*), producen el efecto de movimiento continuo.

frame buffer *búfer de cuadro, búfer de marco*   1. Porción de *memoria de video* que almacena la información utilizada para generar una imagen en pantalla. Generalmente, la *unidad central de procesamiento (CPU)* escribe datos en el búfer de cuadro y a continuación el *controlador de video* los lee, aunque la *RAM de video (VRAM)* de puerto dual permite lecturas y escrituras simultáneas. Un búfer de cuadro que puede manejar más información que la contenida en pantalla puede utilizarse para el *paneo de hardware.* 2. En *Lotus 1-2-3*, el búfer de marco es el borde sombreado, ubicado en la parte superior de la hoja de cálculo que contiene las letras de las columnas, y en el borde izquierdo que contiene los números de filas.

FrameMaker   Vea *Adobe FrameMaker.*

frame rate *tasa de cuadros*   En *animación* y video, el número de imágenes fijas que se presentan por segundo. La tasa de cuadros se mide en *cuadros por segundo (fps).*

frames per second (fps) *cuadros por segundo*   El número de imágenes fijas (cuadros) presentadas por segundo en una *animación* o video. Para producir la ilusión de movimiento, una animación o video deben desplegar por lo menos 15 cuadros por segundo, aunque son necesarios alrededor de 30 para producir un efecto convincente de movimiento fluido.

free-form text chart *gráfico de texto de forma libre*   En *gráficos para presentaciones*, diagrama con texto empleado para manejar información que no se puede expresar con facilidad mediante listados, como explicaciones amplias, instrucciones, invitaciones y certificados.

Freehand   Vea *Macromedia Freehand.*

freenet *freenet*   *Sistema de boletines electrónicos (BBS)* comunitario, al cual se tiene acceso generalmente desde una biblioteca pública, que intenta poner recursos útiles a la disponibilidad de los ciudadanos locales. Tales recursos incluyen transcripciones de juntas del consejo de la ciudad, el catálogo de la biblioteca local, nombres y direcciones de organizaciones comunitarias y acceso (cada vez mayor) a *Internet*. Para mantener la orientación pública de la freenet, el acceso es gratuito o de muy bajo costo.

Free Software Foundation (FSF) *Fundación para el Software Gratuito* Organización no lucrativa, localizada en Massachussetts, dedicada a promover el uso gratuito de software con propósitos no comerciales. Para ello, la FSF apoya un *sistema operativo* (llamado GNU) y utilerías de sistemas compatibles con *Unix*, que pueden redistribuirse en forma gratuita bajo la Licencia Pública General (GPL) de la FSF. Vea *copyleft.*

freestanding pointing device *dispositivo apuntador independiente* Dispositivo apuntador, como un *ratón* o un *trackball*, conectado a la computadora a través de un puerto serial o para ratón y que no está conectado a la computadora de otra manera. Vea *building pointing device, clip-on pointing device.*

free text search *búsqueda de texto libre* En una *base de datos*, búsqueda que se realiza a través de una o más *palabras clave*, las cuales el software de búsqueda intenta encontrar en un *archivo invertido* (un índice de todas las palabras que aparecen en los *registros de datos*). Aunque la búsqueda de texto libre es sencilla, los resultados a menudo son insatisfactorios porque la lista de elementos encontrados a veces contiene *resultados irrelevantes* (registros que no pertenecen al tema real de la búsqueda). Además, las búsquedas de texto libre generalmente logran una *recuperación* pobre (medida del porcentaje de registros de la base de datos que fueron obtenidos en la búsqueda). Para mejorar los resultados de una búsqueda pueden agregarse ciertas restricciones como en las *búsquedas sensibles a mayúsculas y minúsculas*, de *vocabulario controlado*, *búsquedas basadas en campos* y *búsquedas de frases.*

freeware *freeware* *Programas* con derechos de autor que se ponen al alcance del público sin ningún costo. Estos programas no pueden revenderse para obtener ganancias. Vea *public domain program* y *shareware.*

freeze *congelar* 1. Interrupción del desarrollo de software en un punto en el que se considera que el software es lo bastante estable para lanzarlo al mercado. 2. Interrupción del funcionamiento (sinónimo de *caída*).

frequency division multiplexing (FDM) *multiplexión por división de frecuencia* En *redes de área local (LANs)*, técnica para transmitir dos o más señales a través de un cable, para lo cual se asigna a cada señal su propia frecuencia. Esta técnica se emplea en redes de *banda ancha* (analógicas). Vea *multiplexing.*

frequency modulation (FM) recording *grabación de modulación de frecuencia* Antiguo método de baja densidad para grabación de señales digitales en medios como *cintas* y discos. El término es sinónimo de grabación de *densidad sencilla*. Vea *Modified Frequency Modulation (MFM).*

frequency shift keying (FSK) *manipulación por desplazamiento de frecuencia* En *módems*, forma obsoleta de comunicar datos mediante el cambio de frecuencia de la *portadora*. El protocolo *Bell 103A* emplea FSK, pero los protocolos más recientes utilizan *codificación grupal* o *modulación de código enrejado (TCM).*

Freccuently Asked Questions (FAQ) *Preguntas frecuentes* En *Usenet*, documento publicado automática y periódicamente en un *grupo de discusión* con el fin de ayudar a los nuevos usuarios. Una lista FAQ contiene las preguntas que se publican comúnmente en el grupo, junto con las respuestas que han surgido de la experiencia colectiva de los participantes. Vale la pena leer las Préguntas frecuentes por dos razones: primero, porque le evitan la pena de publicar una pregunta demasiado común y, segundo, porque muchas están excepcionalmente bien desarrolladas y contienen la mejor información que pudiera encontrarse.

friction feed *alimentación por fricción*   Mecanismo de alimentación de papel que conduce, a través de una impresora, hojas de papel individuales mediante la presión que ejerce un rodillo sobre el papel. Vea *cut-sheet feeder* y *tractor feed*.

fried *frito*   Quemado; que sufrió un corto circuito.

front end *aplicación para el usuario, interfaz*   Sección de un *programa* que interactúa directamente con el usuario. Una aplicación para el usuario también puede ser un programa independiente que actúa como una *interfaz* amigable con el usuario para un ambiente más difícil; por ejemplo, el *Lenguaje de Marcación de Hipertexto (HTML)* se considera como aplicación para el usuario de Internet. En una *red de área local (LAN)*, esta parte del programa puede estar distribuida en cada estación de trabajo para que el usuario interactúe con la aplicación de *servicios de fondo* que se encuentra en el *servidor de archivos*. Vea *client/server*.

FrontPage   Vea *Microsoft FrontPage*.

FTP   Siglas de Protocolo de Transferencia de Archivos. Estándar de *Internet* para intercambio de archivos. FTP (en mayúsculas) es un conjunto específico de reglas que conforman un *protocolo de transferencia de archivos (ftp, en minúsculas)*. Para utilizar FTP, primero debe tenerse un cliente FTP, *programa de aplicación* que permite al usuario ponerse en contacto con otra computadora en Internet e intercambiar archivos con ella. Para lograr el acceso a la otra computadora, normalmente es necesario proporcionar un nombre de inicio de sesión y una contraseña, después de lo cual es posible entrar al *directorio* de archivos de la computadora, y es posible enviar (cargar) y recibir (descargar) archivos. Una excepción es el *FTP anónimo*, el cual pone a la disposición pública un archivo para todos los usuarios de Internet que posean un cliente FTP. En este caso, en respuesta a las solicitudes de autenticación, el usuario sólo debe introducir la palabra "anonymous" en lugar de un nombre de inicio de sesión y, como cortesía, proporcionar su dirección de correo electrónico como contraseña. Muchos *navegadores Web* pueden funcionar como clientes FTP para descargar archivos de archivos FTP anónimos.

FTP client *cliente FTP*   Programa capaz de ayudar al usuario para cargar o descargar archivos desde y hacia un *sitio FTP*. Hay varios clientes FTP autónomos, y algunos *navegadores Web* como *Netscape Navigator* tienen integrada la capacidad para descargar archivos FTP.

FTP server *servidor FTP*   En *Internet*, un programa *servidor* que permite a los usuarios externos *cargar* o *descargar* archivos desde y hacia un directorio o grupo de directorios específico. En *FTP anónimo,* el servidor acepta todas las solicitudes externas para descargar archivos, aunque impide cargar archivos y realizar otras operaciones.

FTP site *sitio FTP*   En *Internet,* un *host* que ejecuta un servidor FTP, el cual contiene una gran cantidad de archivos susceptibles de descargarse. Vea *anonymous FTP.*

full associative cache *caché totalmente asociativo*   Diseño de *caché secundario* superior al *caché de mapeo directo* pero inferior al *caché de conjunto asociativo.* Los cachés totalmente asociativos obligan a la *unidad central de procesamiento (CPU)* a buscar en todo el *caché* una pieza requerida de información. Vea *four-way set-associative cache.*

full backup *copia de seguridad completa*   Copia de todos los archivos del disco duro. El término es sinónimo de *copia de seguridad global.* Aunque el procedimiento puede ser tedioso si lo hace en discos flexibles, es necesario por seguridad. Si el procedimiento *para hacer copias de seguridad* toma demasiado tiempo, considere agregar una unidad de cinta a su sistema. Vea *incremental backup.*

full bleed *rebase completo*   Texto o imagen que se extiende de un borde al otro de la página. Vea *bleed capability.*

full duplex *dúplex total*   Protocolo de *comunicación asíncrona* en la que el canal de comunicaciones puede enviar y recibir señales al mismo tiempo. Vea *communications protocol, echoplex* y *half duplex.*

full-height drive bay *bahía para unidad de altura completa*   Espacio de instalación en el *gabinete* de la computadora para un componente que mida 3.38 pulgadas de altura. Como originalmente fue diseñada para aceptar un viejo *disco duro* de IBM, una sola bahía de altura completa puede alojar dos discos duros modernos. Vea *half-height drive.*

full justification *justificación completa*   Vea *justification.*

full-motion video adapter *adaptador de video de movimiento completo*   Adaptador de video capaz de exhibir imágenes de video en movimiento —pregrabadas o en vivo— en una *ventana* que aparece en la pantalla. Para presentar imágenes de video, el adaptador se conecta a una videocasetera, un reproductor de discos láser o una cámara de video. La mayoría de los adaptadores de video de movimiento completo vienen acompañados con el programa que permite el desarrollo de toda una presentación de *multimedia* con animación y sonido. Se espera que las aplicaciones de movimiento completo adquieran un papel más relevante tanto en las presentaciones profesionales y corporativas como en aplicaciones de capacitación.

full-page display *monitor de página completa* Monitor capaz de mostrar una página completa de texto a la vez; se usa con más frecuencia en los *sistemas de computación* dedicados a la *autoedición (DTP)*. Con un monitor de este tipo, es posible ver y editar a la vez una página completa con texto y gráficos, lo que permite tener una mejor perspectiva de la estructura y la organización general de un documento. Si piensa equipar su sistema DOS con un monitor de página completa, recuerde que no todos los programas que use pueden aprovechar las ventajas de este monitor. Revise la documentación de sus programas. El *Finder de Macintosh* y *Microsoft Windows 95* soportan los monitores de página completa.

full-screen editor *editor de pantalla completa* Utilería de *procesamiento de texto,* incluida con frecuencia en los *sistemas de desarrollo de aplicaciones,* diseñada para crear y editar *programas.* Un editor de este tipo incluye características especiales para sangrar líneas de código, búsqueda de caracteres no estándar, e interacción con intérpretes y compiladores de programas. Vea *line editor* y *programming environment.*

full-travel keyboard *teclado de recorrido completo* Teclado en el cual las teclas pueden ser oprimidas por lo menos un octavo de pulgada. Este tipo de teclados proporciona buena *respuesta al tacto* y permite a los mecanógrafos profesionales trabajar con rapidez.

fully formed character printer *impresora de carácter preformado* Impresora, como las *impresoras de rueda de margarita*, que imprime un carácter a la vez.

function *función* En *lenguajes de programación* y *programas de hoja de cálculo*, procedimiento denominado y guardado que regresa un valor. El término es sinónimo de *función integrada.*

function key *tecla de función* Tecla programable (numerada de manera convencional como F1, F2, etc.) que proporciona funciones especiales de acuerdo con el *programa* que esté en uso. Vea *Fkey.*

fuser wand *barra fundidora* En *impresoras láser*, un rodillo caliente que funde el *tóner* sobre la página. Las barras fundidoras sucias a menudo dejan líneas verticales sobre las páginas impresas.

game port *puerto de juegos*   Enchufe que le permite conectar a su computadora un *dispositivo para juegos*, controles de vuelo (dispositivo que simula el panel de control de una aeronave) u otros dispositivos para control de juegos. El puerto de juegos puede estar integrado a su *tarjeta de sonido*.

gamut *gama*   En *gráficos*, rango de colores que puede exhibirse en un *monitor* a color.

garage *estacionamiento*   Compartimiento especial en el cual puede almacenarse un cartucho de tinta nuevo para que la tinta no se seque. Además, el lugar a donde va la *cabeza de impresión* cuando no está en uso.

garbage characters *basura*   En *módems*, caracteres sin sentido causados por el *ruido en la línea*. En *impresoras*, caracteres sin sentido causados por ruido en la línea, un *controlador de impresora* defectuoso o incompatible u otro problema de comunicación.

garbage collection *recolección de basura*   Proceso por el cual un programa pasa a través de la *memoria de acceso aleatorio (RAM)*, decide cuál información almacenada ahí ya no es útil y prepara las direcciones que la contienen para su reutilización. La recolección de basura evita que los programas llenen la RAM con información inútil y causen una *caída*.

gas plasma display *pantalla de gas plasma*   Vea *plasma display*.

gateway *puerta de enlace*   1. Medio por el cual los usuarios de un servicio de computación o red pueden acceder a ciertos tipos de información ubicados en otro servicio o red. Esto puede lograrse por medio de dispositivos de hardware llamados *puentes*, por programas de comunicaciones que efectúan la traducción necesaria, o por ambos. Por ejemplo, los usuarios del correo electrónico de *Internet* pueden intercambiar información con los de *CompuServe* por medio de una puerta de enlace. De manera similar, las personas que utilizan *navegadores Web* pueden acceder al servicio Archie por medio de una página Web que funciona como una puerta de enlace Archie. 2. En *redes*, dispositivo que conecta dos *redes de área local (LANs)* diferentes, o una red de área local con una *red de área amplia (WAN)*, con una *minicomputadora* o con un *mainframe*. Una puerta de enlace tiene su propio procesador y memoria y puede realizar conversiones de *protocolos de red* y de *ancho de banda*. Vea *bridge*.

GB   Abreviatura de *gigabyte*.

Gbps   *Vea bits per second.*

GDI   Vea *Graphical Device Interface.*

GDI printer *impresora GDI*   Vea *Graphical Device Interface (GDI) printer.*

general format *formato general*   En la mayoría de los programas de *hoja de cálculo, formato numérico* predeterminado en el que se muestran todos los números a ambos lados del punto decimal (hasta el último siempre que no sea cero), pero sin comas o signos monetarios. Cuando un número es demasiado grande para desplegarlo con el ancho de columna activo, se usa la notación científica.

General MIDI (GM)   En *multimedia*, estándar controlado por la *Asociación de Fabricantes de MIDI (MMA)*, que define un conjunto de 96 voces estándar que corresponden a los instrumentos musicales tradicionales, y un conjunto adicional de voces que corresponde a instrumentos de percusión no melódicos. Al usar los números de código estándar de estos conjuntos para crear un archivo *MIDI*, cualquier sintetizador compatible con GM reproducirá los sonidos en el archivo tal como usted los concibió.

general protection fault (GPF) *falla de protección general*   En *Microsoft Windows 3.1, caída* de una computadora causada por la invasión, por parte de un programa, del espacio de memoria de otro. Las caídas relacionadas con GPFs son comunes en Windows 3.1 y en general en los sistemas operativos con modo *multitareas cooperativo*, en el cual los programas deben diseñarse muy cuidadosamente para que puedan coexistir en la memoria de la computadora. Otros sistemas operativos más recientes, como *Microsoft Windows 95*, ofrecen *multitareas por preferencias*, modo en el cual el sistema operativo interviene en los conflictos por espacio de memoria; tales sistemas operativos ofrecen una operación significativamente más confiable. Vea *protected mode.*

General Public License (GPL) *Licencia Pública General*   Licencia para *freeware*, creada por la *Fundación para el Software Abierto (OSF)*, en la cual se estipula que un programa determinado se puede utilizar sin pago o autorización en tanto que el uso que se le dé no tenga fines comerciales.

general-purpose computer *computadora de propósito general*   En contraste con una computadora *dedicada* a un fin específico —tal como la recolección de resultados de un experimento de laboratorio—, una computadora de propósito general es aquella diseñada para ejecutar una variedad de aplicaciones. La función de una computadora de propósito general depende de las aplicaciones específicas que ejecuta, más que de la configuración de su hardware.

generate *generar*   Producir algo mediante la activación de un procedimiento automático. Por ejemplo, después de marcar las entradas e indicar la tabla, lista y ubicaciones en el índice, el usuario puede generar una tabla de contenido, lista de figuras o un índice alfabético con un *programa de procesamiento de texto* mediante la elección del comando correspondiente para generar.

GEnie   Servicio de *información en línea* desarrollado por General Electric que, al igual que *CompuServe*, ofrece muchas de las atracciones de un *sistema de boletines electrónicos (BBS)* y las cotizaciones actuales de la bolsa, conferencias, acceso al *correo electrónico de Internet*, servicio de compras desde el hogar y actualización de noticias.

geometry *geometría*   La disposición física de la superficie de un *disco duro,* incluyendo el número de *pistas*, de *sectores*, de pistas por sector y la ubicación de la *zona de aterrizaje*. Las especificaciones de la geometría de un disco son parte de sus *parámetros de configuración*.

ghost *fantasma*   Efecto que provoca una imagen cuando se despliega en forma continua en la pantalla. Tales imágenes queman el *fósforo* de la pantalla, lo que produce el fantasma. Vea *screen saver*.

GIF   Archivo de *gráficos* desarrollado originalmente por *CompuServe* y ampliamente usado para codificar e intercambiar archivos de gráficos en Internet. El formato GIF de *mapa de bits* emplea una técnica patentada de *compresión sin pérdida* (llamada *LZW*) que reduce el tamaño del archivo. Aunque las imágenes GIF son muy populares, el formato *JPEG* (que utiliza *compresión con pérdida*) reduce el tamaño de los archivos de gráficos a alrededor de un tercio de los archivos GIF correspondientes, lo cual permite una transmisión más rápida por *Internet*. Sin embargo, las imágenes GIF son más eficientes que las JPEG si la imagen contiene muchas áreas de color sólido. Dado que las imágenes GIF están basadas en un algoritmo de compresión patentado, actualmente se realizan esfuerzos para sustituir las GIFs con imágenes PNG, las cuales utilizan algoritmos del dominio público. Vea *animated GIF* y *GIF89a*.

GIF89a   Versión corregida del formato *GIF* de CompuServe, que permite animación, fondos transparentes y entrelazado. Vea *animated GIF*.

giga- *giga-*   Prefijo que indica mil millones (10^9).

gigabit *gigabit*   Unidad de medida que equivale a unos mil millones de bits (1,073.741,824). En general se usa para indicar la cantidad de datos que se pueden transferir o transmitir por segundo.

gigabyte *gigabyte* Unidad de medición de memoria que equivale a unos mil millones de bytes (1,073,741,824). Se usa al establecer una cantidad de memoria o la capacidad de un disco. Un gigabyte es igual a 1,000 MB (megabytes).

GIGO Siglas de "entra basura, sale basura", que se indica en relación con una salida inútil que se atribuye a una entrada errónea (como un comando mal escrito).

glare *reflejo* Luz proveniente de una fuerte externa —una lámpara o una ventana— reflejada en la *pantalla* y enviada a sus ojos. Los reflejos dificultan la lectura en pantalla y pueden causar cansancio ocular y dolores de cabeza. Existen varias técnicas *antirreflejantes*, pero la más simple de ellas es acomodar el *monitor* apropiadamente.

glitch *glitch* Interrupción momentánea de suministro eléctrico u otra fluctuación inesperada en los circuitos electrónicos, como los causados por *picos* de voltaje o conexiones inapropiadas, que provocan que los sistemas de computación generen basura o, en casos extremos, que se *caigan*. Un glitch es un problema de *hardware*, mientras que un *bug* es uno de software.

global backup *copia de seguridad global* Vea *full backup*.

global format *formato global* En una *hoja de cálculo*, selección de un *formato numérico* o de una *alineación de rótulos* que se aplica a todas las *celdas* de la hoja de trabajo. En la mayoría de los programas se puede ignorar el formato global si se define un formato para un rango de celdas.

global heap *pila global* En *Microsoft Windows 3.1*, el total de memoria disponible para programas de usuario, que incluye los 640 KB de *memoria convencional* y toda la *memoria extendida* instalada en la computadora. Esta pila global no es realmente global; un inconveniente de Windows 3.1 es que las bibliotecas de vínculos dinámicos deben almacenarse en el atiborrado espacio de la memoria convencional, lo cual causa que con frecuencia Windows 3.1 quede corto de memoria para ejecutar aplicaciones, aunque haya varios megabytes de memoria extendida libres.

global kill file *archivo de eliminación global* En un programa lector de noticias de *Usenet,* archivo que contiene palabras, frases, nombres o direcciones de *red* que hayan sido identificados como señales de un mensaje indeseado (como "¡Gane dinero rápidamente!"). El programa filtra los artículos entrantes con esas señas y los borra automáticamente incluso antes de que el usuario los vea. Un archivo de eliminación global desempeña esta función en todos los grupos de discusión, mientras que *un archivo de eliminación de grupo de discusión* borra los mensajes indeseados sólo en grupos específicos.

glossary *glosario*   En un *programa de procesamiento de texto*, característica empleada para guardar frases y *texto modelo* de uso frecuente para insertarlos posteriormente en documentos cuando se les necesite.

glossy finish *acabado brillante*   Cualidad de un papel que refleja la luz de manera intensa. El papel con acabado brillante es menos popular para uso en impresoras láser que el papel con *acabado mate*.

GM   Vea *General MIDI*.

Gopher   En los sistemas Unix enlazados a *Internet*, programa basado en menús que ayuda a encontrar archivos, programas, definiciones y otros recursos y temas específicos. Gopher, diseñado originalmente en la Universidad de Minnesota, recibió tal nombre por la mascota de dicha institución. A diferencia de *FTP* y *Archie*, Gopher no pide que el usuario sepa y use los detalles de los nombres de host, directorio y archivo. Basta con que recorra los menús y oprima Entrar al encontrar algo interesante. Por lo general aparecerá otro menú, con más opciones, hasta que finalmente se encuentre una opción que despliegue la información. A continuación se puede leer dicha información o guardarla en disco después de obtenerla con *FTP anónimo*. *World Wide Web (WWW)* ha dejado en la obsolescencia a Gopher y otras herramientas de búsqueda basadas en texto, aunque aún están en operación algunos servidores Gopher.

gopherspace *goferespacio*   En *Gopher*, el enorme "espacio" creado por la diseminación global de recursos accesibles mediante Gopher. Una herramienta de búsqueda llamada *Veronica* le permite buscar *títulos de directorio* y recursos que coincidan con palabras clave en el goferespacio.

gov   *Nombre de dominio* que denota una oficina o agencia gubernamental.

grabber hand *manita de sujeción*   En *programas de gráficos* y *HyperCard*, puntero del *ratón* con la forma de una pequeña mano con la cual es posible seleccionar y mover texto o imágenes de un lugar a otro dentro de la pantalla.

grab handle *controlador de tamaño*   En un *programa de gráficos*, los cuadritos negros colocados alrededor de un objeto. Arrastrando esos controladores, el usuario puede mover, dimensionar o cortar el objeto.

Grand Challenge *Gran Reto*   Un problema científico o de ingeniería sin resolver, de una complejidad tal que ningún investigador o instituto individuales pueden aspirar a resolver por sí mismos. Ejemplos de ello incluyen la creación de un mapa del genoma humano o el entendimiento de la astrofísica de la Vía Láctea. Las *redes* avanzadas pueden ayudar a los investigadores a afrontar los Grandes Retos permitiendo la investigación en *colaboratorios* y la compartición de recursos por medio de *bases de datos confederadas*.

granularity of allocation *granularidad de la asignación*   La mínima unidad de espacio de almacenamiento disponible. La granularidad de los *discos duros* o los *discos flexibles* es determinada por el tamaño de sus *clústeres*; si un disco tiene clústeres de 100 *KB*, incluso a un archivo menor a 100 KB se le asignará un clúster completo.

Graphical Device Interface (GDI) *interfaz gráfica de dispositivo*   Recurso de programación —parte de una interfaz gráfica de usuario— que permite a los programadores generar cuadros de diálogo y otros elementos gráficos en un estilo consistente. Las GDIs se encargan del trabajo detallado de dibujar esos elementos en la pantalla; el programador sólo debe indicar a la GDI qué dibujar y dónde hacerlo.

Graphical Device Interface (GDI) printer *impresora para interfaz gráfica de dispositivo*   Sinónimo de impresora para Windows, es decir, una *impresora* que no tiene *procesador de imágenes de trama (RIP)* y deja al *software* mucho del trabajo de preparación de una página para su impresión. Las impresoras GDI se pueden utilizar sólo con Microsoft Windows, y cargan de trabajo a la *unidad central de procesamiento (CPU)*, que a menudo ya tiene suficientes tareas que realizar; además, quizá dejen de tener soporte en versiones futuras de Windows, por lo que probablemente no sean una buena compra.

Graphical User Interface (GUI) *interfaz gráfica de usuario*   Diseño para la parte de un programa que interactúa con el usuario y que usa *iconos* para representar las características del programa. Los ambientes operativos Apple Macintosh y Microsoft Windows son GUIs muy populares. Luego de descubrir que la gente reconoce con más rapidez las representaciones gráficas que las palabras o frases que lee, un equipo de investigadores de Xerox diseñó una interfaz con imágenes llamadas *iconos*. Una GUI típica funciona con una *interfaz de ratón* con *menús descendentes, cuadros de diálogo, casillas de verificación, botones de opción, cuadros de listas desplegables, barras de desplazamiento, cuadros de desplazamiento* y elementos semejantes. Los programas con una GUI requieren una computadora con suficiente velocidad, potencia y memoria para desplegar una pantalla de mapa de bits de alta resolución.

graphical Web browser *navegador Web gráfico*   Vea *Web browser*.

graphics *gráficos*   En computación personal, creación, modificación e impresión de imágenes. Los dos tipos básicos de gráficos generados por computadora son los *orientados a objetos*, conocidos también como gráficos vectoriales, y los de *mapas de bits*, llamados a veces gráficos de tramas. Los programas de *gráficos vectoriales*, conocidos también como *programas de dibujo*, guardan las imágenes en forma de representaciones matemáticas que se pueden escalar sin distorsión. Los programas de gráficos orientados a objetos son apropiados para arquitectura, diseño asistido por computadora, diseño de interiores y otras aplicaciones en las que las capacidades de precisión y escalamiento son más relevantes que los efectos artísticos. Los programas de *gráficos de mapa de bits*, conocidos también como *programas de pintura*, guardan las imágenes en forma de patrones de pixeles de pantalla. A diferencia de los programas de dibujo, los de pintura pueden crear finos patrones de sombras que sugieren un toque artístico, pero cualquier intento por ajustar el tamaño o escalar el gráfico puede dar por resultado una distorsión inaceptable.

graphics accelerator *acelerador de gráficos*   Vea *graphics accelerator board*.

graphics accelerator board *tarjeta aceleradora de gráficos*   Tarjeta que incluye un *coprocesador de gráficos* y toda la circuitería que se encuentra por lo general en un *adaptador de video*. La tarjeta aceleradora de gráficos controla la tarea de procesamiento de gráficos, lo que deja libre a la *unidad central de procesamiento (CPU)* para realizar otras tareas importantes, con lo cual, mejora de forma notable la ejecución de *Microsoft Windows* y otras aplicaciones gráficas.

graphics adapter *adaptador de gráficos*   Vea *video adapter*.

graphics board *tarjeta de gráficos*   Vea *video adapter*.

graphics card *tarjeta de gráficos*   Vea *video adapter*.

graphics character *carácter gráfico*   En un conjunto de *caracteres integrados* de la computadora, carácter compuesto de líneas, rectángulos sombreados u otras formas. Los caracteres gráficos pueden combinarse para formar *gráficos de bloques*: imágenes, ilustraciones y plecas sencillas. Algunos programas, llamados *programas basados en caracteres* no utilizan más imágenes que aquellas que pueden crearse usando los caracteres gráficos.

graphics coprocessor *coprocesador de gráficos*   *Microprocesador* diseñado especialmente para acelerar el proceso y despliegue de imágenes de video de *alta resolución*. Una *tarjeta aceleradora de gráficos* que incluya un coprocesador puede hacer más rápido el despliegue de programas que utilicen *interfaces gráficas de usuario (GUIs),* como Microsoft Windows. Entre los coprocesadores de gráficos más populares están el Weitek W5086 y el W5186, así como el 86C911 de S3 Inc.

graphics file format *formato de archivo de gráficos*   En un *programa de gráficos*, forma en que se organiza y guarda en un *disco* la información necesaria para mostrar un gráfico.

Graphics Interchange Format *Formato para Intercambio de Gráficos*   Vea *GIF*.

graphics mode *modo de gráficos*   En adaptadores de video, modo de despliegue en el cual todo lo que aparece en pantalla, tanto texto como imágenes, se dibuja mediante *pixeles* en lugar de con elementos del *conjunto de caracteres*. Muchos adaptadores también ofrecen un *modo de caracteres*, el cual se ejecuta con mayor rapidez ya que usa los caracteres integrados en la computadora, listos para usarse, en lugar de componerlos uno por uno. Algunos programas permiten cambiar entre una *vista de gráficos,* la cual usa el modo de gráficos y muestra con precisión cómo quedará una salida impresa, y una vista de caracteres, que se despliega con mayor rapidez.

graphics primitive *primitiva de gráficos*   En un *programa de gráficos orientados a objetos*, unidad básica de expresión gráfica, como una línea, arco, círculo, rectángulo u óvalo.

graphics scanner *escáner de gráficos*   Dispositivo de entrada para *gráficos* que transforma un dibujo en una imagen que se puede exhibir en pantalla.

graphics spreadsheet *hoja de cálculo gráfica*   Programa de hoja de cálculo que muestra la hoja de trabajo en pantalla mediante *gráficos de mapas de bits*, en lugar de depender del *conjunto de caracteres* integrados de la computadora. Las hojas de cálculo gráficas como *Microsoft Excel* y *Lotus 1-2-3* para Windows incluyen herramientas de *autoedición*, como múltiples *tipos de letra*, tamaños de tipos, *reglas* y pantallas (áreas grises). Además, los documentos pueden combinar hojas de cálculo y gráficos de negocios en una página.

graphics tablet *tableta de gráfica*   Dispositivo de entrada que permite dibujar con una pluma electrónica sobre un tablero electrónicamente sensible. Los movimientos de la pluma son reproducidos en la pantalla. Vea *pen computer*.

graphics view *vista de gráficos*   En algunas aplicaciones del DOS, modo en el que el programa conmuta la circuitería de la pantalla a su *modo de gráficos*. En este modo, la computadora es capaz de mostrar gráficos de mapa de bits. En todas las computadoras, excepto en las más rápidas, el modo de gráficos es significativamente más lento que el de *caracteres*. Algunos programas tienen una *vista de caracteres* rápida que no ofrece las funciones *lo-que-ve-es-lo-que-obtienes (WYSIWYG)* de la vista de gráficos.

grayscale *escala de grises*   En gráficos de computadora, serie de sombras que van del color blanco al negro.

grayscale monitor *monitor con escala de grises*   *Monitor* (y *adaptador de video* compatible) capaz de exhibir en pantalla todo un rango de sombras (o tonos) que van del color blanco al negro, pero no colores.

grayscale scanner *escáner de escala de grises*   *Escáner* que genera salida *monocromática* en varias intensidades de gris. Los mejores escáneres de escala de grises pueden producir salida con una gama tonal muy parecida a la de las fotografías en blanco y negro.

greeking *simulación*   Presentación en pantalla de una versión simulada de página que muestra líneas o barras en vez de texto a fin de apreciar el diseño global de la página. Algunos programas de procesamiento de texto y de diseño de páginas utilizan una vista preliminar parecida a la simulación.

Greek text *texto simulado*   Bloque de texto o líneas simuladas empleado para representar la colocación y el tamaño del texto (en puntos) en el diseño de una página. El texto simulado se emplea para simular la apariencia de un documento a fin de valorar la estética del diseño de la página.

Green Book   Estándar de Philips para empacar texto, sonido y video en un CD-ROM; es mejor conocido como *CD-I (Compact Disk-Interactive)*.

green PC *PC ecológica*   Sistema de computación (sin incluir la impresora) diseñado para operar de manera eficiente con respecto a la energía. Las potentes PCs ecológicas utilizan de 90 a 130 watts cuando trabajan a toda su potencia, mientras que los sistemas estándar gastan de 130 a 160 watts. Una PC ecológica también incluye otros modos de ahorro de energía, en los cuales se apaga el *monitor* y se detiene la rotación del *disco duro* cuando no están en uso. En *modo latente*, todo el sistema gasta de 28 a 36 watts. La eficiencia eléctrica puede traducirse en grandes ahorros en dinero, sobre todo en oficinas equipadas con cientos de máquinas. Vea *Energy Star*.

Group 1 *Grupo 1*   Un estándar muy lento, ya obsoleto, para máquinas de *fax*.

Group 2 *Grupo 2*   Un estándar muy lento, ya obsoleto, para máquinas de *fax*.

Group 3 *Grupo 3*   El estándar más común para máquinas de *fax* y *fax módems*, publicado por el *ITU-TSS*. Las especificaciones del Grupo 3 dictan métodos por los cuales un fax de una página puede ser enviado en un minuto o menos. Muchos otros estándares aceptan el Grupo 3, incluyendo los *V.27ter*, *V.29* y *V.17*.

Group 4 *Grupo 4*   Estándar para transmisión de *fax* diseñado para trabajar con redes de transmisión digital como la *Red Digital de Servicios Integrados (ISDN)*. El estándar Grupo 3 continuará predominando hasta que las *comunicaciones digitales* sean comunes en un mayor número de casas y oficinas.

group coding *codificación de grupo*   Al igual que la *manipulación por desplazamiento de frecuencia (FSK)*, un medio utilizado por un *módem* para transmitir datos alterando el carácter de la *portadora*. A diferencia de FSK, sin embargo, la codificación de grupo permite al módem transportar más de un *bit* por cambio en la portadora. La codificación de grupo, la cual se utiliza en la mayoría de los módems actuales, utiliza *modulación de cuadratura* y otras técnicas de *modulación* para modificar la portadora.

groupware *groupware* Programas de aplicación que incrementan la cooperación y la productividad conjunta de pequeños grupos de colaboradores. Un ejemplo de groupware es ForComment (de Broderbund Software), diseñado para facilitar la redacción en colaboración. El programa permite que cada miembro del grupo inserte comentarios y haga cambios al texto, sujetos a la aprobación de los demás miembros. Algunos observadores de la industria creyeron que el groupware era sólo un truco de mercadotecnia, después de que se informó que Broderbund no había empleado ForComment para escribir las colaboraciones internas. El éxito de *Lotus Notes*, programa de grupo diseñado para *minicomputadoras* y *mainframes*, así como para *redes de área local (LANs)* y *redes de área amplia (WANs)*, puede sugerir lo contrario.

guest *invitado* En una *red de área local (LAN)*, privilegio de acceso que le permite entrar a otra computadora de la red sin tener que proporcionar una *contraseña*.

GUI Vea *Graphical User Interface*.

guide *guía* En un programa de diseño de páginas, línea punteada y no imprimible que aparece en pantalla para mostrar la ubicación real de los márgenes, medianiles y otros elementos de diseño de una página.

guru *gurú* En computación, experto que puede hablar acerca de temas altamente técnicos de manera inteligible (una rara cualidad) y que no le preocupa hacerlo así (todavía más raro).

gutter *medianil* Vea *binding offset*.

gzip Programa de compresión de *Unix*, creado por la *Fundación para el Software Abierto (OSF)* y libre de restricciones de patente, que es ampliamente utilizado para comprimir archivos en *Internet*. Los archivos comprimidos con gzip tienen la extensión .gz.

hack *hack*   1. Nueva disposición inteligente y poco usual de los recursos existentes del sistema o red que produce, como por arte de magia, una mejora notable en el rendimiento del sistema, o una jugarreta casi igual de sorprendente. Un hacker es quien usa las computadoras para producir estos efectos y no es, necesariamente, un criminal informático. Vea *cracking, hacker ethic* y *phreaking.* 2. Un trabajo "rápido y práctico" que produce resultados, pero sin seguir ningún procedimiento lógico u ordenado.

hacker *hacker*   1. Entusiasta aficionado a las computadoras cuya diversión estriba en aprender todo acerca de un sistema de computación o red y, mediante una *programación* hábil, llevar el sistema al nivel máximo de rendimiento. 2. La prensa lo utiliza como sinónimo de *cracker.* 3. Programador experto.

hacker ethic *ética del hacker*   Conjunto de principios morales que fueron comunes a la primera generación de la comunidad de *hackers* (alrededor de 1965-1982), descrita por Steven Levy en *Hackers* (1984). De acuerdo con la ética del hacker, toda la información técnica debería, en principio, estar a la disposición de todo el mundo, de modo que no es inmoral entrar a un sistema para explorarlo y obtener más conocimiento. Sin embargo, siempre es inmoral destruir, alterar o mover datos de tal forma que cause daño o gastos a otros. Cada vez son más los lugares de Estados Unidos donde esta actividad está penalizada. Vea *cracker, cyberpunk, cyberspace, hack* y *phreaking.*

half duplex *semidúplex*   Protocolo de comunicación asíncrona en el que el canal de comunicación puede manejar una sola señal a la vez. Las dos estaciones alternan sus transmisiones. El término es sinónimo de *local echo.* Vea *communications protocol, echoplex* y *full duplex.*

half-height drive *unidad de media altura*   Unidad que ocupa la mitad del espacio de las unidades de tres pulgadas de altura de la primera computadora personal de IBM. Las *unidades* y las *bahías de media altura* son el estándar de las PCs actuales.

half-height drive bay *bahía para unidad de media altura*   Espacio de instalación para dispositivos de media altura, como las *unidades de media altura*, en el *gabinete* de una computadora. Una bahía para unidad de media altura mide alrededor de 1.625 pulgadas. Vea *full-height drive bay.*

halftone *mediotono*   1. En gráficos por computadora, imagen de tono continuo, como una fotografía, que ha sido digitalizada por medio de *tramado*, en el cual se utilizan patrones de puntos negros y blancos para simular tonos de gris. 2. En impresión, copia de una fotografía preparada para impresión mediante la descomposición de las gradaciones continuas de los tonos en una serie de puntos, con una pantalla o *escáner* especiales. Los tonos oscuros se consiguen con patrones densos de puntos gruesos, y los claros, con patrones menos densos de puntos más pequeños. Vea *Tagged Image File Format (TIFF)*.

hand-held scanner *escáner manual* *Escáner* que el usuario sostiene y pasa sobre el material a digitalizar. Los escáneres de mano son algo menos costosos que los de *cama plana*, pero a menudo requieren más de una pasada para digitalizar documentos del tamaño de una página. Evite este tipo de escáneres a menos que vaya a digitalizar solamente material angosto, como *columnas de periódicos*. Vea *sheet-fed scanner*.

handle *controlador de tamaño, identificador, seudónimo* 1. En un *salón de conversación* por computadora o en *Internet Relay Chat (IRC)*, un alias o seudónimo. 2. En programación, un identificador es un número único que se puede utilizar para acceder a un dispositivo periférico o a un *objeto,* como una ventana o archivo. Cuando los programas solicitan acceso a un recurso desde el *sistema operativo,* reciben un identificador, mediante el cual acceden al recurso necesitado. Por ejemplo, en *Microsoft Windows*, cuando un programa solicita memoria extendida, *HIMEM.SYS* da al programa un identificador hacia un bloque de memoria extendida. El parámetro /NUMHANDLES=num se usa para informar a HIMEM.SYS el número de identificadores que debe controlar. 3. En aplicaciones para gráficos, los controladores de tamaño son los pequeños cuadros negros que rodean un objeto seleccionado y permiten que el usuario lo arrastre, agrande o escale. Vea *draw program* y *vector graphics*.

handler *manejador* Controlador, *programa de utilería* o subrutina que se encarga de una tarea. Por ejemplo, el manejador A20 es una rutina que controla el acceso a la *memoria extendida.* Cuando HIMEM.SYS no puede obtener el control de la línea de dirección A20, se utiliza el parámetro /MACHINE:código para indicarle a HIMEM.SYS el tipo de computadora utilizada, lo que por lo general resuelve el problema. Los manejadores también pueden ser un conjunto de instrucciones de programación asociadas a un *botón de comando.* Las instrucciones controlan lo que ocurre al seleccionar el botón. Vea *event-driven environment* y *object-oriented programming (OOP) language*.

handshaking *acuerdo de conexión, saludo inicial* Método para controlar el flujo de una comunicación serial entre dos dispositivos a fin de que uno de ellos sólo transmita cuando el otro esté listo.

En el *acuerdo de conexión de hardware* se emplea un alambre de control independiente para enviar una señal cuando el dispositivo receptor está listo para recibir la transmisión; el *acuerdo de conexión de software* usa caracteres de control especiales. El acuerdo de conexión de hardware se emplea en dispositivos como las *impresoras seriales*, debido a que están cerca y se puede usar un cable especial en ellas. Puesto que el sistema telefónico usa sólo dos alambres, las conexiones telefónicas utilizadas por los *módems* necesitan el acuerdo de conexión de software. Las dos técnicas de acuerdo de conexión de software son *ETC/ACK*, que usa el carácter *ASCII* Ctrl+C para hacer una pausa en la transmisión de datos, y *XON/XOFF*, que usa Ctrl+S para hacer la pausa y Ctrl+Q para reiniciar la transmisión.

hang *colgarse*　Tipo de *caída* de una computadora, en el cual un programa inicia una operación pero no puede completarla por alguna razón. El programa no puede responder y es necesario reiniciar el sistema para continuar el procesamiento.

hanging indent *sangría francesa*　Sangría de párrafo en la cual la primera línea se ajusta con el margen izquierdo y las subsecuentes (llamadas *líneas de vuelta*) van sangradas.

hard *duro, fijo, manual, rígido*　Permanente, definido físicamente, alambrado de forma permanente o fija, en oposición a *suave* (que puede modificarse o está sujeto a cambio). Por ejemplo, la versión impresa de un documento es dura, pues modificar un documento impreso es difícil. En contraste, un documento que sigue en la memoria de la computadora es *suave*, ya que aún se le pueden hacer cambios. Vea *hard copy*, *hard hyphen*, *hard return*, *hard space* y *hard wired*.

hard boot *arranque duro*　Reinicio del sistema mediante la opresión del *interruptor para reinicio de hardware* o, en computadoras que carecen de este interruptor, mediante el apagado y encendido de la computadora. Puede hacerse necesario un arranque duro después de una caída tan grave que no funcionen los controles utilizados para el procedimiento normal de reinicio (un *arranque suave*).

hard card *tarjeta rígida*　*Disco duro* y *controlador de unidad de disco duro* integrados en un solo *adaptador*. Es sencillo agregar un disco duro al sistema usando una tarjeta rígida; basta con empujar el adaptador en la *ranura de expansión* correspondiente, como se inserta cualquier otro adaptador.

hard copy *documento impreso*　Información impresa, a diferencia de la guardada en el disco o en la memoria.

hard disk *disco duro*　*Medio de almacenamiento secundario* que usa varios discos rígidos cubiertos con un material magnéticamente sensible; está alojado, junto con las cabezas de lectura, en un mecanismo sellado en forma hermética. Las capacidades de almacenamiento características varían entre 1 y 4 *gigabytes* (*GB*). El rendimiento del disco duro se mide en términos de *tiempo de acceso*, *tiempo de búsqueda*, *velocidad de rotación* (medida en revoluciones por minuto) y *tasa de transferencia de datos*. Los *estándares de interfaz* de un disco duro —es decir, los medios por los cuales un disco transmite su contenido a las otras partes de la computadora— incluyen *ST506/ST-412*, *IDE*, *ESDI*, *SCSI* y *SCSI Amplio*. IDE y SCSI son los estándares más comunes en la actualidad.

hard disk backup program *programa de copia de seguridad de disco duro* *Programa de utilería* que hace la copia de seguridad de los datos y programas de un *disco duro* en *discos flexibles*. Vea *backup utility*.

hard disk controller *controlador de disco duro*   La circuitería, generalmente montada en el *disco duro* mismo, que controla el *motor del eje* y el *actuador de la cabeza* de un disco duro. Bajo instrucciones del *adaptador host*, el controlador de disco duro busca la información requerida y la comunica al resto de la computadora. Los controladores de disco duro del tipo *Electrónica Integrada en la Unidad (IDE)* se deben configurar en distintas maneras, dependiendo de si se trata de unidades *maestras* o *esclavas*.

hard disk drive *unidad de disco duro*   Vea *hard disk*.

hard disk interface *interfaz de disco* duro   Estándar electrónico para la conexión de un *disco duro* a la computadora. Vea *Enhanced System Device Interface (ESDI)*, *Integrated Drive Electronics (IDE)* y *Small Computer System Interface (SCSI)*.

hard drive *unidad de disco duro*   Vea *hard disk*.

hard hyphen *guión fijo*   En *programas de procesamiento de texto*, guión especial que actúa como un carácter regular para que el texto no se corte en ese guión. El término es sinónimo de *guión de no separación*. Vea *soft hyphen*.

hard page break *salto de página manual*   *Salto de página* insertado por el usuario, que sigue vigente aunque se agregue o elimine texto antes del salto. En contraste, un *salto de página automático*, que es el que inserta el programa de manera automática, puede desplazarse cuando se modifica el texto. El término es sinónimo de *salto de página forzado*.

hard return *retorno fijo, retorno manual*   En *programas de procesamiento de texto*, *salto de línea* que se crea al oprimir la tecla Entrar; al contrario que un *retorno automático* —el cual es creado automáticamente por el programa al final de una línea—, uno fijo permanece en el mismo sitio aunque se borre o agregue texto.

hard space *espacio de no separación*   En *programas de procesamiento de texto*, espacio con formato especial para que el texto no inicie una nueva línea, y con ello rompa la frase, en la ubicación del espacio. Los espacios de no separación se usan a veces para conservar juntos los sustantivos propios compuestos por dos palabras o las fechas como **Key Biscayne**,[espacio de no separación]**West Point** y **Enero**[espacio de no separación]**25**.

hardware *hardware*   Componentes electrónicos, tarjetas, periféricos y equipo que conforman un sistema de computación. El hardware se distingue del *software* (los programas), que es el que les indica a los componentes mencionados lo que deben hacer.

hardware cache *caché de hardware*   *Búfer* en un *controlador de disco duro* o agregado directamente a una unidad de disco. El caché guarda las instrucciones y los datos del programa a los que se accede frecuentemente, así como las *pistas* adicionales de datos que podrían necesitarse posteriormente. Así, cuando la computadora necesita datos que ya están en el caché, tiene acceso a ellos mucho más rápido que si estuvieran en el disco. Los datos son enviados tan rápido como el *bus de expansión* pueda transportarlos. Hoy día, ya hay tarjetas controladoras de caché de disco de 32 y 16 bits. Vea *disk drive controller*.

hardware error control *control de errores de hardware*   Circuitos físicos de un módem que implementan un *protocolo* de corrección de errores, como *MNP4* o *V.42*. La alternativa (como la de los módems menos costosos) es el control de errores de software, el cual requiere que la *unidad central de procesamiento (CPU)* vigile el *flujo de datos* para detectar los posibles errores.

hardware handshaking *acuerdo de conexión de hardware*   En un dispositivo de comunicaciones seriales, como un *módem*, método para sincronizar dos dispositivos en un canal de comunicación por medio de circuitos físicos separados, los cuales se utilizan para enviar señales que indican que un dispositivo está listo para recibir información. En el *acuerdo de conexión de software*, en comparación, esta tarea se realiza mediante la inserción de información en el flujo de datos. Vea *CTS/RTS*.

hardware panning *paneo de hardware*   Característica de un *adaptador de video* que le permite a éste simular una *pantalla* más amplia que aquella a la cual está conectado el adaptador. Mediante *memoria de video* adicional y la posibilidad de cambiar la porción de memoria de video designada como *búfer de cuadro*, un adaptador de video permite arrastrar el *ratón* hacia el borde de la pantalla para recorrer otras partes de una pantalla "virtual" más amplia.

hardware platform *plataforma de hardware*   Estándar de *hardware*, como el de las computadoras *compatibles con la PC de IBM* o el de las *Macintosh*. Los dispositivos o programas creados para una plataforma no corren en otras. Vea *device independence* y *platform independent*.

hardware reset *reinicio de hardware*   Reinicio del sistema que se consigue al oprimir el *interruptor para reinicio de hardware* de la computadora. Cuando se *detiene totalmente* el sistema de una forma tal que los comandos del teclado no responden a la orden de nuevo arranque (Ctrl+Alt+Supr en el DOS), es necesario un reinicio de hardware. Vea *hard boot, soft boot* y *warm boot*.

hardware reset switch *interruptor para reinicio de hardware*   Interruptor o botón, localizado generalmente en la parte frontal del gabinete de la computadora, que produce un *reinicio de hardware* (sinónimo de *arranque duro*).

hardware sprite *sprite de hardware*   Característica de un *adaptador de video* que le permite a éste dibujar un *cursor* o *puntero de ratón* en la pantalla sin tener que redibujarla en su totalidad. Los sprites de hardware, incluidos en todos los estándares de video desde el adaptador *Matriz de Gráficos Extendida (XGA)* de finales de los ochenta, facilitan la programación ya que los programas pueden mover el cursor o puntero con comandos muy simples.

hardware tree *árbol de hardware*   En *Microsoft Windows 95*, representación gráfica de los múltiples dispositivos y adaptadores instalados en una computadora. Se puede observar en el cuadro de diálogo Sistema (desde el Panel de control).

hardware windowing *manejo de ventanas mediante hardware*   Método, empleado por la mayoría de las *tarjetas aceleradoras de gráficos*, para mejorar el rendimiento de video. Un diseño con manejo de ventanas mediante hardware es particularmente apropiado para ambientes *multitareas*, como *Microsoft Windows 95* o el *Operating System/2 (OS/2)*, ya que controla el área de pantalla (o ventana) en la cual corre cada programa. Además de liberar a la *unidad central de procesamiento (CPU)* del manejo de las ventanas, los sistemas con manejo de ventanas mediante hardware permiten a la tarjeta aceleradora de gráficos un funcionamiento más rápido, porque ésta sólo tiene que modificar la ventana donde ocurre un cambio, y no toda la pantalla.

hard-wired *alambrado de forma permanente*   Función integrada en los circuitos de la computadora y que no se obtiene mediante instrucciones de un *programa*. Para mejorar el desempeño de las computadoras, los diseñadores de éstas incluyeron circuitos que realizan funciones específicas, como multiplicaciones y divisiones, a grandes velocidades. Estas funciones están alambradas de forma permanente. El término alambrado de forma permanente se refiere también a las instrucciones de programa contenidas en la *memoria de sólo lectura (ROM)* de la computadora o *firmware*.

hash *hash*   1. Valor de identificación producido mediante la realización de una operación numérica llamada *función de hash* sobre un elemento de datos. El valor no sólo identifica al dato sino que requiere mucho menos espacio de almacenamiento; por esta razón, la computadora puede buscar valores de hash más rápidamente que

los datos mismos, de mayor extensión. Una *tabla de hash* asocia exclusivamente cada valor de hash con un elemento de datos.
2. Valor de identificación utilizado para verificar la *integridad de datos* de los mensajes transmitidos a través de una red de computadoras. Mediante un algoritmo secreto, la computadora transmisora calcula el valor de hash para el mensaje. Este valor constituye, en efecto, una huella digital para el mensaje, ya que el valor de hash es un producto único del contenido del mensaje. Adicionalmente, el algoritmo de hash no puede ser derivado del contenido del mensaje o del valor de hash (vea *one-way hash function*). A continuación, el mensaje y el valor de hash son transmitidos; la computadora receptora, que también conoce el algoritmo de hash secreto, efectúa el mismo cálculo sobre el mensaje. Si el valor de hash resultante no corresponde con el valor recibido desde la computadora transmisora, entonces se determina que el mensaje fue alterado en el camino y se descarta.

hash function *función de hash*   En *bases de datos,* cálculo efectuado en la *clave* de un *registro de datos* que produce un valor, llamado valor de *hash*, el cual identifica en forma única al registro. La función de hash graba su valor, así como un *apuntador* hacia la ubicación física del registro, en una *tabla de hash*.

hash mark *signo de libras*   Vea *hash sign*.

hash sign *signo de libras*   Expresión coloquial para el signo de libras (#).

hash table *tabla de hash*   En *bases de datos*, una tabla de valores de *hash* que proporciona acceso rápido a *registros de datos*. Los valores de hash se generan aplicando una *función de hash* sobre las *claves* de cada registro, como el apellido de una persona. La función de hash identifica de manera única a cada registro, mientras que la tabla de hash incluye los *apuntadores* hacia cada registro.

hat *sombrero*   Expresión coloquial común para el símbolo (^).

Hayes command set *conjunto de comandos Hayes*   Conjunto estándar de instrucciones empleado para controlar *módems,* creado por Hayes, fabricante pionero de módems. Los comandos Hayes más comunes son los siguientes:

AT	Atención (usada para iniciar todos los comandos)
ATDT	Atención, modo de marcación por tonos
ATDP	Atención, modo de marcación por pulsos
+++	Pasar al modo de comandos durante la sesión de comunicación
ATH	Atención, colgar

Hayes-compatible modem *módem compatible con Hayes*   Módem que reconoce el *conjunto de comandos Hayes*.

HDD Siglas de *unidad de disco duro*, que frecuentemente se utilizan en anuncios.

head *cabeza* Vea *read/write head.*

head access aperture *abertura para acceso de la cabeza* Abertura en la *cubierta de un disco flexible* que permite a la *cabeza de lectura/escritura* trabajar con el medio de grabación. En los *discos flexibles de 3½ pulgadas*, la abertura está cubierta por un obturador metálico deslizante, mientras que en los *discos flexibles de 5¼ pulgadas,* la abertura queda expuesta cuando se saca el disco de su sobre protector.

head actuator *actuador de la cabeza* En una *unidad de disco,* mecanismo que mueve el montaje que contiene a las *cabezas de lectura/escritura* a través de la superficie del disco hasta la posición en la que los datos deben inscribirse o leerse. Vea *random access* y *sequential access.*

head arm *brazo de la cabeza* En una *unidad de disco,* brazo rígido con una *cabeza de lectura/escritura* que se conecta de forma flexible en un extremo y se une a un único montaje móvil en el otro. Varios brazos de la cabeza se conectan, uno a cada lado de cada plato del disco duro, al mismo montaje para que puedan moverse como una unidad.

head crash *colisión de la cabeza* Choque de la *cabeza de lectura/escritura* de un *disco duro* contra la superficie del disco —generalmente causado por un golpe seco dado al gabinete de la computadora—, lo que daña la superficie del disco y, posiblemente, la cabeza.

header *encabezado* 1. Texto repetido, como un número de página o una versión breve del título de un documento, que aparece en la parte superior de cada página del mismo. 2. En conectividad de redes de computadoras, la porción de un *paquete* de datos que antecede al contenido y proporciona información acerca del origen y el destino del *paquete.* 3. En *correo electrónico* o un *artículo* de *Usenet,* el inicio de un mensaje. El encabezado contiene información importante acerca de la dirección del remitente, el asunto y otros datos. 4. En programación, una línea precedente que indica el propósito de un programa, función o subrutina.

head-mounted display (HMD) *dispositivo de visualización* Conjunto estereoscópico de goggles que produce una sensación de espacio tridimensional. Estos dispositivos son parte integral de los sistemas de *realidad virtual,* que permiten a los usuarios sentir que exploran un mundo real que de hecho ha sido creado dentro del sistema de computación. Vea *stereoscopy.*

head parking *estacionamiento de la cabeza* Colocación de la *cabeza de lectura/escritura* sobre la *zona de aterrizaje* para evitar una *colisión de la cabeza,* en la cual ésta golpea, y generalmente daña, la superficie del disco. Los discos duros más antiguos requerían que el usuario emitiera un comando para estacionar la cabeza; los más recientes presentan *estacionamiento automático de la cabeza.*

head seek time *tiempo de búsqueda de la cabeza*   Vea *access time.*

head slot *ranura de la cabeza*   Vea *head access aperture.*

heap *heap*   1. Sección de memoria que un sistema operativo o aplicación aparte para almacenar cierto tipo de datos. 2. En programación, lista de datos ordenados sólo parcialmente, pero lo suficiente para que un valor dado se pueda localizar de manera más rápida de lo que sería si la lista estuviera completamente desordenada.

heat sink *disipador de calor, enfriador*   Rejilla metálica ensamblada sobre un componente, como un *microprocesador,* que disipa el calor que éste emite para evitar su sobrecalentamiento. Los microprocesadores *Pentium* se calientan sobremanera y casi siempre requieren un disipador de calor —y algunas veces un ventilador de CPU— para mantenerse fríos.

heavy client *cliente pesado*   En una red *cliente/servidor,* complejo programa *cliente* de difícil aprendizaje, costoso mantenimiento y de poca flexibilidad. Vea *light client.*

helper program *programa auxiliar*   En un *navegador Web,* programa complementario que le permite al navegador manejar archivos *multimedia* como animaciones, videos y sonidos. Cuando el navegador encuentra un archivo que no es capaz de leer, examina la *extensión* de archivo; a continuación consulta una tabla que le indica cuál programa auxiliar debe iniciar (los usuarios deben configurar esta tabla de consulta de manera manual y asegurarse de que estén instalados los programas auxiliares necesarios). Cuando el programa auxiliar se activa, se ejecuta independientemente, a diferencia de los *conectores,* los cuales amplían las capacidades de los navegadores y frecuentemente pueden desplegar la información multimedia dentro de la ventana del navegador.

Helvetica   *Tipo de letra sans serif* empleado con frecuencia para el *tipo de pantalla* y ocasionalmente para el *tipo del cuerpo del texto.* Helvetica, una de las fuentes de mayor uso en el orbe, se incluye como *fuente integrada* en muchas *impresoras láser.* El siguiente ejemplo presenta el tipo Helvetica:

ABCDEFGHIJKLMNOPQRSTUVWXYZ
abcdefghijklmnopqrstuvwxyz1234567890

Hercules Graphics Adapter *Adaptador de Gráficos Hércules*
Adaptador monocromático de video para computadoras *compati-*

bles con la PC de IBM. Este adaptador despliega texto y gráficos en un *monitor* monocromático con una resolución de 720 *pixeles* en posición horizontal por 320 líneas en posición vertical. Los adaptadores Hercules son obsoletos ahora, pero en su apogeo fueron reconocidos por la fina resolución gráfica que ofrecían en monitores monocromáticos. Vea *Monochrome Display Adapter (MDA)*.

hertz (Hz) *hertzio*   Unidad de medida de vibraciones eléctricas; un Hz es igual a un ciclo por segundo. Vea *megahertz (MHz)*.

heterogeneous network *red heterogénea*   Red que incluye computadoras y dispositivos de distintos fabricantes y transmite datos usando más de un *protocolo* de comunicaciones.

heuristic *heurística*   Método de resolver un problema mediante reglas empíricas producto de la experiencia. A diferencia de un *algoritmo, la* heurística es incapaz de garantizar una solución, aunque puede proporcionar el único modo de encarar un problema complejo. Vea *expert system* y *knowledge base*.

Hewlett-Packard Graphics Language (HPGL) *Lenguaje para Gráficos de Hewlett-Packard*   Lenguaje de descripción de páginas (PDL) y *formato de archivo* para impresión de gráficos con la línea de impresoras LaserJet HP, los *trazadores* HP y las *impresoras de inyección de tinta* de alta calidad, muy emuladas ahora por las impresoras láser compatibles con HP. Vea *Hewlett-Packard Printer Control Language (HPPCL)*.

Hewlett-Packard Printer Control Language (HPPCL) *Lenguaje de Control de Impresora de Hewlett-Packard*   Lenguaje de control de impresora (PCL) propietario de Hewlett-Packard, introducido en 1984 con la primera impresora láser de la compañía. Al igual que el conjunto de *comandos Hayes* en el mundo de los *módems*, el HPPCL se ha convertido en un estándar.

hex   Vea *hexadecimal*.

hexadecimal *hexadecimal*   Sistema numérico que usa una base (raíz) 16. A diferencia de los números decimales (base 10), los números hexadecimales tienen 16 dígitos: 0, 1, 2, 3, 4, 5, 6, 7, 8, 9, A, B, C, D, E y F. Aunque poco convenientes y difíciles de leer, los números *binarios* son lo más adecuado para los dispositivos empleados en las computadoras. La longitud de los números binarios crece con rapidez. Por ejemplo, 16 es 1000 en binario y 10 en formato hexadecimal. Por lo tanto, los *programadores* usan números hexadecimales como un medio apropiado de representar números binarios. Por comodidad, un *byte* se representa como dos números hexadecimales consecutivos.

Hexadecimal	Decimal	Binario
0	0	0000
1	1	0001
2	2	0010
3	3	0011
4	4	0100
5	5	0101
6	6	0110
7	7	0111
8	8	1000
9	9	1001
A	10	1010
B	11	1011
C	12	1100
D	13	1101
E	14	1110
F	15	1111

hidden character *carácter oculto*   En procesamiento de texto,
carácter con un formato especial que evita que se vea en un
documento impreso.

hidden codes *códigos ocultos*   Códigos de formato de texto ocultos
e insertados en un documento mediante un programa de procesamiento de texto. Tales códigos son propietarios, lo cual explica por
qué los archivos creados por un programa de procesamiento de
texto no pueden ser leídos por otro, a menos que se traduzcan
mediante una *utilería de conversión*.

hidden file *archivo oculto*   *Archivo* cuyo atributo de oculto está
activado para que el nombre del archivo no aparezca al ver el
directorio mediante el comando DIR. Los archivos ocultos no se
pueden copiar o borrar.

hierarchical file system *sistema de archivos jerárquico*   En un *sistema
operativo*, método para organizar los archivos en una *estructura de
árbol*. El nivel superior, llamado *directorio raíz*, contiene hojas,
llamadas *subdirectorios*, que pueden contener más subdirectorios.
Cuando se escribe con mayúscula inicial se refiere a la Macintosh.
Vea *Hierarchical File System (HFS)*.

Hierarchical File System (HFS) *Sistema de Archivos Jerárquico*   Sistema de almacenamiento en disco de *Macintosh,* diseñado para usarse con *discos duros,* que guarda archivos en carpetas para que sólo una pequeña lista de archivos aparezca en los *cuadros de diálogo.*

hierarchy *jerarquía*   1. Método para organizar datos de manera que la categoría más general quede al inicio de la lista; debajo de ella se acomodan categorías de segundo nivel, cada una de las cuales puede contener más subcategorías. Vea *hierarchical file system.* 2. En *Usenet,* categoría de *grupos de noticias.* Por ejemplo, dentro de los grupos de noticias estándar existen siete jerarquías: *comp, misc, news, rec, sci, soc* y *talk.* El término *jerarquías* sugiere la forma en que los grupos de noticias están organizados internamente; por ejemplo, la jerarquía rec.* incluye varios grupos de noticias relativos a pasatiempos y recreación; la jerarquía rec.comics.* aloja varios grupos para coleccionistas de cómics, y el grupo de noticias rec.comics.elfquest se concentra en las historietas sobre Elfquest de Wendy y Richard Pini. Vea *alt hierarchy, local newsgroup hierarchies* y *standard newsgroup hierarchies.*

high bit *bit alto*   En un *número binario,* el *bit más significativo (msb).* Es el dígito situado en el extremo izquierdo de un número binario común.

high density *alta densidad*   Técnica de almacenamiento en *discos flexibles* que requiere el uso de partículas magnéticas de grano muy fino. La fabricación de discos de alta densidad es más costosa que la de los discos de *doble densidad;* sin embargo, los de alta densidad pueden almacenar un megabyte o más de información en un disco de 5¼ o de 3½ pulgadas. El término es sinónimo de *densidad cuádruple.*

high-density disk *disco de alta densidad*   Vea *floppy disk.*

High-Density Multimedia CD (HDMMCD) *CD Multimedia de Alta Densidad*   Vea *MMCD.*

high end *alta calidad*   Producto costoso que ocupa los primeros lugares de la mercancía de una compañía; incluye características o capacidades que sólo pueden necesitar usuarios muy experimentados o profesionales. Vea *low end.*

higher-order characters *caracteres de orden superior*   Vea *extended character set.*

high-level format *formato de alto nivel*   Operación de formateo que crea el registro de arranque, la *tabla de asignación de archivos (FAT)* y el *directorio raíz* de un disco.

high-level programming language *lenguaje de programación de alto nivel*   *Lenguaje de programación,* como *BASIC* o *Pascal,* que proporciona un nivel de abstracción superior al del *lenguaje* *ensamblador*, con el fin de que los programadores puedan escribir usando instrucciones más legibles (como FOR NEXT o PRINT). Los lenguajes de programación de alto nivel permiten a los programadores crear programas más rápida y fácilmente que si los escribieran en ensamblador, aunque el programa debe ser traducido a lenguaje de máquina por un *intérprete* o un *compilador*, lo cual resulta en pérdida de eficiencia.

highlight *resaltado*   Carácter, palabra, bloque de texto o comando desplegado en pantalla en *video inverso*, que indica la *selección* actual.

highlighting *resaltar*   Proceso de marcar caracteres o nombres de comandos en la pantalla en *video inverso*. El término es sinónimo de *seleccionar*.

high/low/close/open (HLCO) graph *gráfico alto/bajo/cerrado/abierto* En *gráficos para presentaciones*, *gráfico de líneas* en el que se muestran un valor alto, uno bajo, un precio de cierre y un precio abierto. El *eje x* (eje de categorías) se alinea horizontalmente, y *el y* (eje de valores), verticalmente. Otra aplicación para un gráfico de este tipo es un registro de las temperaturas diarias máximas, mínimas y promedio. El término es sinónimo de *diagrama HLCO*. Vea *column graph* y *line graph*.

high memory *memoria alta*   Vea *high memory area*.

high memory area (HMA) *área de memoria alta*   En una computadora con el DOS, primeros 64 KB de *memoria extendida* arriba de 1 megabyte. Los programas que cumplen con la *Especificación de Memoria Extendida (XMS)* pueden usar la HMA como una extensión directa de la *memoria convencional*. A partir de la versión 5.0 del *MS-DOS*, la mayoría de las partes del DOS que se deben cargar en la memoria convencional se pueden cargar en el área de memoria alta, colocando el comando DOS=HIGH en el archivo *CONFIG.SYS*.

High Performance Computing Act of 1991 *Acta de 1991 para la Computación de Alto Rendimiento*   Acta legislativa federal de Estados Unidos mediante la cual se intenta promover el desarrollo de redes gigabit (*redes de área amplia [WANs]* capaces de transmitir mil millones o más de bits de información por segundo). El acta pide la construcción de la *Red Estadounidense de Investigación y Educación (NREN)*, cuyo propósito es vincular a varios centros de investigación en supercomputación. El acta creó el programa Computación y Comunicaciones de Alto Rendimiento (HPCC), el cual agrupa a varias agencias federales para apoyar a la computación de alto rendimiento.

high resolution *alta resolución*   En los sistemas de computación, uso de un número suficiente de *pixeles* en los *monitores* o de *puntos por*

pulgada al imprimir para producir caracteres de texto bien definidos, así como curvas bien definidas en imágenes. Los estándares
para lo que constituye la alta resolución cambian a medida que la
tecnología avanza. Actualmente, un adaptador de video y un
monitor de alta resolución pueden exhibir 1,024 pixeles en
posición horizontal por 768 líneas en posición vertical; una
impresora de alta resolución puede imprimir por lo menos
300 puntos por pulgada (dpi). Vea *low resolution*.

high-rez *alta resolución* Expresión coloquial en inglés para *alta resolución*.

High Sierra Estándar obsoleto para codificar datos en *CD-ROMs*.
Aunque se basa en el High Sierra, el ampliamente utilizado estándar
ISO 9660 es incompatible con él.

high-speed modem *módem de alta velocidad* Módem que transfiere
datos a o cerca de la velocidad más alta posible permitida por los
actuales *protocolos de modulación*. El estándar para lo que constituye la alta velocidad cambia a medida que avanza la tecnología. Al
momento de escribir esto, el término se aplicaba a módems capaces
de transferir datos a velocidades de, por lo menos, 33,600 *bps*.

High Speed Technology (HST) *Tecnología de Alta Velocidad* Estándar
propietario para transmisión de datos, desarrollado por U.S.
Robotics, para módems. El HST permite transmisión de datos a
14,400 *bits por segundo (bps)* en la dirección en la que la mayor
parte de la información se esté moviendo, y a 450 bps en la
dirección contraria. El protocolo *V.32bis* ha sustituido al HST, que
se ha vuelto obsoleto.

HIMEM.SYS *Controlador de dispositivo del MS-DOS* que configura
la *memoria extendida* y el *área de memoria alta (HMA)* para que los
programas que cumplan la *Especificación de Memoria Extendida
(XMS)* puedan acceder a éstas. Vea *CONFIG.SYS, eXtended Memory
Specification (XMS), high memory area (HMA)* y *upper memory
area*.

hint *sugerencia* En *X Windows*, solicitud para la modificación de
las propiedades de un objeto (como el tamaño de la ventana), que el
software de manejo de ventanas intentará satisfacer, si es posible.

hinting *adelgazamiento* En *tipografía* digital, reducción del peso
(espesor) de un *tipo de letra* para que las fuentes de tamaños
diminutos puedan imprimirse sin que aparezcan borrosas o pierdan
detalle en impresoras de 300 *puntos por pulgada (dpi)*.

histogram *histograma* En un *gráfico de columnas apiladas*,
colocación de las columnas una cerca de las otras para destacar
variaciones en la distribución de los elementos de datos de cada
pila. Al apilar los datos en una columna, se resalta la contribución
de cada elemento de datos que conforma el todo (como en un
gráfico circular). Al colocar las columnas adyacentes, una junto a

otra, el ojo es atraído para que compare las proporciones relativas de un elemento de datos a medida que el elemento varía de una columna a otra.

history list *historial*   En un navegador Web, ventana que muestra todos los sitios Web a los que el navegador ha tenido acceso durante un periodo determinado (los últimos treinta días, por ejemplo).

hit *acierto, solicitud*   1. En búsquedas en bases de datos, un acierto es un *registro de datos* que coincide con el criterio de búsqueda. 2. En *World Wide Web (WWW)*, solicitud, generada externamente, de un archivo específico, como una imagen o página *HTML*, por medio del *Protocolo de Transferencia de Hipertexto (HTTP)*. Los servidores registran el número de solicitudes que un sitio Web recibe, el cual no es igual al número de usuarios que han accedido al sitio, pues debido a que muchas páginas contienen gráficos, applets de *Java*, sonidos y otros recursos, desplegar una página puede requerir una docena o más de solicitudes. 3. Vea *cache hit*.

hit rate *tasa de aciertos*   El porcentaje de solicitudes de datos que se cumplen desde la *memoria caché*. Si los datos han expirado en el caché, deben ser recuperados desde una unidad más lenta de memoria, como el disco duro.

HLCO graph *gráfico HLCO*   Vea *high/low/close/open (HLCO) graph*.

HMA   Vea *high memory area*.

holy war *guerra santa*   Prolongado y a menudo encendido debate dentro de la comunidad informática en relación con los méritos de una computadora, sistema operativo o estilo de programación en particular. El término refleja con precisión las posiciones inflexibles, y a menudo dogmáticas, que los participantes asumen en el debate. Las guerras santas famosas incluyen el debate entre aquellos que sienten que el bit más significativo en una unidad de datos representados debe ir al principio (*big-endian*) y los que piensan que debe ir al último (*little-endian*). Las guerras santas tienden a parecer ridículas a los observadores ajenos a ellas.

home computer *computadora casera*   *Computadora personal* diseñada y comercializada específicamente para aplicaciones del hogar, como educación infantil, juegos, manejo de una chequera, pago de facturas y control de iluminación o aparatos eléctricos.

home directory *directorio de inicio*   En Unix, *directorio* asignado a un usuario para almacenar sus archivos, incluyendo los de configuración. Normalmente, es lo mismo que el *directorio de inicio de sesión*.

Home key *tecla Inicio*   En los teclados de las computadoras personales, tecla empleada a menudo para mover el cursor al inicio de la línea o a la parte superior de la pantalla; sin embargo, su asignación depende del *programador*.

home page *página de inicio, página principal*   1. En un sistema de *hipertexto,* incluyendo *World Wide Web (WWW)*, documento que se pretende sirva como punto de partida a una *web* de documentos relacionados. También llamada a veces página de bienvenida, una página de inicio contiene información general introductoria así como *hipervínculos* a recursos relacionados. Una página de inicio bien diseñada contiene *botones de navegación* interna, los cuales ayudan al usuario a encontrar el camino hacia los diversos documentos que la página o sitio ponen a disposición. 2. Depósito central de información acerca de un tema dado ("ésta es la página de inicio para usuarios del velero Catalina 27"). 3. La *página de inicio* desplegada automáticamente al ejecutarse un *navegador Web* o hacer clic sobre el botón Inicio del programa. 4. Página personal que lista la información de los contactos de un individuo, sus vínculos favoritos y (generalmente) alguna información —que va de lo críptico a lo voluminoso— acerca de lo que el individuo espera de la vida.

home server *servidor de inicio*   En *Gopher*, el servidor que el programa cliente de Gopher despliega automáticamente cuando el usuario inicia el programa.

homophone error *error de homofonía*   Error ortográfico que implica el uso de una palabra incorrecta que suena igual que la palabra correcta (Ayer fui a mi caza temprano). La utilería de verificación ortográfica incluida en muchos programas de aplicación no encuentra estos errores, pero los programas de verificación gramatical sí.

hook *gancho*   Característica del *software* o *hardware* que permite a los *programadores* añadir características de su propio diseño. Por ejemplo, *Microsoft Word* tiene ganchos que permiten a los expertos crear *cuadros de diálogo* adaptados, lo que amplía en gran medida la funcionalidad del programa para aplicaciones específicas. En hardware, un sistema de *arquitectura abierta* puede facilitar el diseño de herramientas especializadas de vigilancia o capacidades mejoradas de sonido.

hop *salto*   En *redes de área amplia (WANs)*, la trayectoria que la información sigue de un *ruteador* al siguiente. Con el fin de que los datos lleguen a su destino, pueden hacerse necesarios varios saltos. Esto requiere tiempo de procesamiento, lo cual resulta en *latencia* de red.

horizontal application *aplicación horizontal*   Programa de utilidad tan generalizada que se puede aplicar a una amplia variedad de usos. Ejemplos de aplicaciones horizontales son los *programas* *de hoja de cálculo* o los *programas de procesamiento de texto*. Vea *vertical application*.

horizontal frequency *frecuencia horizontal*   Medida (generalmente expresada en *kilohertz [KHz]*) de qué tan rápido dibuja líneas horizontales en la *pantalla* un *monitor*. A diferencia de la *frecuencia vertical*, la horizontal no varía significativamente de un monitor a otro. Es sinónimo de frecuencia *de barrido horizontal* y de tasa de líneas.

horizontal retrace *redibujado horizontal, retrazo horizontal*   El trayecto del haz de electrones en un *tubo de rayos catódicos (CRT)* cuando es dirigido, por el *yugo*, del fin de una línea de barrido horizontal al inicio de la siguiente. Los *adaptadores de video* deben dejar tiempo para el retrazo horizontal al preparar la señal de video.

horizontal scan rate *frecuencia de barrido horizontal*   Vea *horizontal frequency*.

horizontal scroll bar *barra de desplazamiento horizontal*   Vea *scroll bar/scroll box*.

host *host*   1. En *Internet*, cualquier computadora que pueda funcionar como el punto final y de inicio de transferencias de datos. Un host de Internet tiene una dirección única (llamada *dirección IP*) y un *nombre de dominio* exclusivo. 2. En *redes* de computadoras y telecomunicaciones, *servidor* que realiza funciones centralizadas, como poner al alcance de las demás computadoras los programas y los archivos de datos disponibles.

host adapter *adaptador host*   El *adaptador* que transfiere datos e instrucciones entre un *controlador de disco duro* o de *disco flexible* y la *unidad central de procesamiento (CPU)*. Generalmente, el adaptador host (que se conecta en el *bus de expansión*), cumple con una especificación como *IDE, EIDE* o *SCSI*.

HotBot   *Máquina* que realiza búsquedas de *palabras clave* en *World Wide Web (WWW)*, creada por la revista *Wired*, que produce resultados notablemente mejores para *búsquedas de texto libre* que las demás máquinas de búsqueda. Las listas de sitios encontrados de HotBot son generalmente más cortas y contienen más elementos *relevantes* que las producidas por *AltaVista* y *Lycos*. Para restringir la búsqueda, puede recurrirse a la *sensibilidad a mayúsculas y minúsculas* y a *búsquedas de frases*.

HotDog   *Editor HTML*, publicado por Sausage Software, que ofrece varias funciones atractivas para los autores de sitios complejos, incluyendo un administrador de proyectos que abre automáticamente todos los archivos de un sitio y los carga, vía *FTP*, de una forma que preserva su localización dentro de la estructura de directorios del servidor.

hot key *tecla rápida*   Método abreviado de teclado que activa un comando de menú. Una *tecla de método abreviado*, en contraste, proporciona acceso directo a un cuadro de diálogo u otra característica.

hot link *vinculación activa*   En *Vinculación e Incrustación de Objetos (OLE)*, método para copiar información de un documento (el *documento origen*) a otro (el *documento destino*), de tal modo que si cambia información en el documento origen, el cambio se refleja de manera automática en el documento destino.

hotlist *lista de favoritos*   En un *navegador Web*, lista de *sitios Web* preferidos que un usuario guarda para uso futuro al navegar. Para recuperar los elementos de esta lista, el usuario selecciona el elemento de un menú o cuadro de diálogo y después elige el comando Ir a o su equivalente. En *Netscape Navigator,* los elementos de la lista de favoritos se denominan *marcadores,* y la lista se conoce como lista de marcadores. En *Microsoft Internet Explorer*, el término preferido es *Favoritos*.

hotlist item *favorito*   En una *lista de favoritos de un navegador Web*, un *URL* almacenado que permite al usuario regresar rápidamente al sitio correspondiente mediante la selección del elemento desde un menú. Es sinónimo de *marcador*.

HoTMetaL   *Editor HTML* autónomo, creado por SoftQuad Systems, para sistemas *Microsoft Windows 95*. Ampliamente distribuido como *shareware*, HoTMetaL también está disponible en una versión profesional llamada HoTMetaL Pro.

housekeeping *mantenimiento*   Tareas de mantenimiento de la computadora, entre las que se encuentran la organización de archivos y directorios en forma lógica, la ejecución de programas de utilería —como los de *desfragmentación* y los *detectores de virus*—, y la eliminación de archivos innecesarios para liberar espacio de almacenamiento en disco.

HP-compatible printer *impresora compatible con HP*   Impresora que responde al *Lenguaje de Control de Impresora de Hewlett-Packard (HPCL)*, que de hecho se ha convertido en el estándar de impresión láser en el mundo IBM y compatibles.

HPGL   Vea *HewlettPackard Graphics Language*.

HPPC   Vea *High Performance Computing Act of 1991*.

HPPCL   Vea *Hewlett-Packard Printer Control Language*.

HTML   Siglas de *Lenguaje de Marcación de Hipertexto. Lenguaje declarativo* para marcar las porciones de un documento (llamados *elementos*), con el fin de que, cuando sea cargado por un programa llamado *navegador Web*, cada porción aparezca con un formato distintivo. HTML es el lenguaje de marcación que se halla detrás de la apariencia de los documentos de *World Wide Web (WWW)*. HTML está estandarizado por medio de una *definición de tipo de documento (DTD)* integrada en el *Lenguaje Estándar de Marcación Generalizada (SGML)*. HTML incluye capacidades que permiten a los autores insertar *hipervínculos,* los cuales, cuando se hace clic sobre ellos, despliegan otros documentos HTML. La agencia responsable de la estandarización de HTML es el *Consorcio World Wide Web (W3C)*.

HTML 1.0   La especificación *HTML* original, proyectada en 1990. Dado que contiene ciertas *etiquetas* que ya no se usan, esta especificación se considera obsoleta. También se conoce como HTML Nivel 1. La especificación *HTML 3.2* es la versión autorizada (al momento de escribir estas líneas).

HTML 2.0   Especificación de *HTML*, ahora obsoleta, que alrededor de 1994 describía las características de HTML y las formalizó como un *Borrador de Internet.* Las actualizaciones más importantes en comparación con *HTML 1.0* son la inclusión de formularios y la eliminación de ciertas *etiquetas* poco utilizadas. La especificación HTML 2.0 no incluye muchas características, como las tablas y las *extensiones de Netscape*, que han surgido desde su publicación.

HTML 3.0   Especificación propuesta de *HTML* que extendería este lenguaje enormemente con respecto al estándar 2.0. Sin embargo, esta especificación no se ajusta lo suficientemente con las prácticas prevalecientes en Web y ha sido superada por el estándar 3.2, el cual se recomienda actualmente.

HTML 3.2   La especificación de HTML que es (al momento de redactar estas líneas) la recomendada por el *Consorcio World Wide Web (W3C)*, la organización responsable de la estandarización de las prácticas en Web. HTML incorpora muchas funciones ampliamente utilizadas y solicitadas, incluyendo tablas, caracteres sub y superíndices, flujo de texto alrededor de imágenes, applets de *Java* y *hojas de estilo*. Vea *Cougar*.

HTML editor   *editor HTML*   Programa que proporciona asistencia en la preparación de documentos para *World Wide Web (WWW)* utilizando *HTML*. El editor HTML más simple es un programa para procesamiento de texto que le permite escribir el contenido y agregar las *etiquetas* HTML manualmente. Los editores HTML independientes proporcionan asistencia automatizada con codificación HTML y despliegue de algunos formatos en pantalla. Vea *HoTMetaL* y *HotDog*.

HTTP El estándar *Internet* que hace posible el intercambio de información en *World Wide Web (WWW)*. Definiendo *localizadores universales de recursos (URLs)* y la manera en que se pueden utilizar para recuperar recursos (incluyendo no sólo documentos Web sino también archivos accesibles mediante el *Protocolo de Transferencia de Archivos [FTP]*, *grupos de discusión Usenet* y menús *Gopher*) desde cualquier parte de Internet, el HTTP permite incrustar *hipervínculos* en documentos para Web. HTTP define el proceso mediante el cual un cliente Web, llamado *navegador*, origina una solicitud de información y la envía a un *servidor Web*, un programa diseñado para responder a solicitudes HTTP y proporcionar la información deseada. HTTP 1.0, ampliamente en uso, tiene muchos inconvenientes, incluyendo un diseño poco eficiente y un desempeño lento; una nueva especificación, la HTTP 1.1, enfrenta estos problemas directamente y resultará en un mejor desempeño en la red, aunque esto implique que se tendrán que actualizar los *servidores*.

HTTPS 1. Variación del HTTP que proporciona seguridad *SSL* para transacciones en línea a través de *World Wide Web (WWW)*. 2. *Servidor Web* para *Microsoft Windows NT* creado y mantenido por el proyecto Centro Académico Europeo de Microsoft Windows NT (EMWAC) de la Universidad de Edimburgo. El servidor se puede acceder mediante *FTP anónimo* e incorpora varias funciones exclusivas, como la capacidad de buscar información en *bases de datos WAIS* en respuesta a consultas desde el navegador.

hub En una *red de área local (LAN)*, dispositivo usado para crear una red a pequeña escala conectando varias computadoras en conjunto.

hub ring *anillo central* El anillo de teflón o plástico ubicado en el centro de un *disco flexible de 5¼ pulgadas*. El anillo central, el cual no tienen todos los discos, protege al disco contra el desgaste causado por el contacto con el *eje*.

Huffman encoding *codificación Huffman* Técnica para *compresión de datos* que aprovecha el hecho de que la información de computadora contiene muchos patrones repetidos. En lugar de un patrón, se crea un símbolo de codificación mucho más corto que el patrón. Los símbolos de codificación más cortos son utilizados para los patrones de datos más largos. Ésta es una técnica de *compresión sin pérdida* ya que, cuando el usuario descomprime los datos, éstos se restituyen a su estado original exacto anterior a la compresión.

human-computer interaction (HCI) *interacción humano-computadora* Campo organizado de estudio que se concentra en la forma en que la gente usa realmente las computadoras para formular lineamientos para el diseño de sistemas amigables con el usuario.

hung *colgado* Que no responde a la entrada de datos. Vea *crash*, *hang* y *hung system*.

hung system *sistema colgado*   Computadora que sufre una falla de sistema y ya no procesa datos, aunque el cursor siga parpadeando en pantalla; la única opción, en la mayoría de los casos, consiste en reiniciar el sistema, lo que implica la pérdida de cualquier trabajo que no haya sido guardado.

HyperCard   Producto de software, disponible en la computadora Macintosh de Apple, para el desarrollo de sistemas de información con base en *hipertexto*. Vea *HyperTalk*.

hyperlink hiperlance, *hipervínculo hiperlance,*   En un sistema de *hipertexto,* palabra o frase subrayada o enfatizada de alguna otra forma que, cuando se hace clic sobre ella con el *ratón,* despliega otro documento.

hypermedia *hipermedios*   Sistema de *hipertexto* que emplea recursos *multimedia* (imágenes, videos, animaciones y sonidos). Los mejores sistemas hipermedios emplean varios medios en formas que son más que "adornos de ventanas" y que materialmente cargan con el peso del objetivo de la presentación.

HyperTalk   *Lenguaje de creación de scripts* que se suministra con *HyperCard*, que es un programa accesorio que se entrega con cada Macintosh. HyperTalk es un *lenguaje orientado a eventos.* Para crear un programa en HyperTalk, se comienza por usar HyperCard para crear objetos de pantalla (tarjetas con campos de texto, *botones de comando* y otras características) y después se escriben pequeños programas, llamados *scripts*, que le indican a HyperCard qué hacer cuando se manipula uno de estos objetos. La programación en HyperCard es divertida e introduce a los programadores novatos a los principios básicos de la *programación orientada a objetos (OOP).* Sin embargo, el lenguaje es demasiado lento para el desarrollo de programas profesionales, propósito para el que no fue creado. Vea *SmallTalk*.

hypertext *hipertexto*   Método de preparar y publicar texto ideal para la computadora, en el cual los lectores pueden elegir su propia ruta a través del material. Para preparar hipertexto, primero es necesario "descomponer" la información en pequeñas unidades manejables, tales como páginas de texto (esas unidades se denominan *nodos*). Después se insertan los *hipervínculos* (también llamados anclas) en el texto. Cuando el lector hace clic sobre un hipervínculo, el software para hipertexto despliega un nodo diferente. El proceso de avanzar por entre los nodos vinculados de esta forma se llama *navegar*. Una colección de nodos interconectados por hipervínculos se denomina *web. World Wide Web (WWW)* es un sistema de hipertexto a escala mundial. Las aplicaciones de hipertexto son particularmente útiles para trabajar con enormes cantidades de texto, como enciclopedias e informes legales de varios volúmenes.

HyperText Markup Language *Lenguaje de Marcación de Hipertexto* Vea *HTML*.

HyperText Transfer Protocol *Protocolo de Transferencia de Hipertexto*   Vea *HTTP*.

HyperText Transfer Protocol Daemon (httpd) *Demonio del Protocolo de Transferencia de Hipertexto* *Servidor Web* desarrollado originalmente en el *Consejo Europeo para la Investigación Nuclear (CERN)* suizo y llamado httpd CERN. Subsecuentemente, el httpd experimentó un desarrollo independiente en el *Centro Estadounidense para Aplicaciones de Supercomputación (NCSA)* para sistemas Unix. El httpd NCSA, que significó una importante innovación en la historia de los servidores Web, introdujo *formularios, mapas de imagen* seleccionables, *autenticación* y *búsquedas por palabra clave*. La mayor parte de esas características se dan ahora por sentadas en otros servidores Web. Ya existe una adaptación del programa para *Microsoft Windows 95*, llamada *Windows httpd*.

hyphenation *división silábica*   En programas de *procesamiento de texto* y de *diseño de páginas*, operación automática que, de acuerdo con la necesidad, coloca guiones en las palabras al final de las líneas. Si se usa con precaución y se confirma de forma manual cada guión, una utilería de división silábica puede mejorar la apariencia de un trabajo impreso, especialmente en *columnas tipo periódico* o con márgenes grandes. Vea *hard hyphen, hyphen ladder* y *soft hyphen*.

hyphen ladder *escalera de guiones*   Falla de formato ocasionada por la repetición de guiones al final de dos o más líneas consecutivas. Las escaleras de guiones distraen la atención del ojo y distorsionan la legibilidad del texto. Si inserta los guiones de forma automática, revise los resultados con cuidado. Si se presentan escaleras de guiones, ajuste el espaciado de texto y coloque los guiones de manera manual.

Hytelnet   Guía basada en *hipertexto* de los recursos de *Telnet* accesibles en Internet, incluyendo bibliotecas, *freenets, sistemas de boletines electrónicos (BBS)* y otros sitios de información. Ya está disponible una versión de puerta de enlace para *World Wide Web (WWW)*.

IAB Vea *Internet Architecture Board*.

IAC Vea *Inter-Application Communication*.

IANA Vea *Internet Assigned Numbers Authority*.

I-beam pointer *puntero en forma de I* En aplicaciones de *Macintosh* y de *Microsoft Windows*, puntero de *ratón* con forma de I que aparece en un área de la pantalla cuando el usuario puede editar texto. El puntero en forma de I es lo suficientemente delgado para que se le pueda colocar con precisión entre caracteres.

IBM 486SLC2 *Microprocesador* con ahorro de energía, diseñado por IBM para usarse en *computadoras portátiles*, que presenta *compatibilidad de pines* con los chips *Intel 486*. Se dice que el 486SLC2 tiene un desempeño igual al del *Intel 486SX*.

IBM 8514 Adaptador de video para las computadoras Personal System/2 de IBM que, con circuitería *VGA*, produce una resolución de 1,024 *pixeles* en posición horizontal y 768 líneas en posición vertical. El adaptador también contiene su propia circuitería de procesamiento, lo que reduce la demanda de la *unidad central de procesamiento (CPU)*. El 8514 sustituye a los adaptadores 8514/A y MCGA, que ya han sido descontinuados. Vea *Super VGA*.

IBM Blue Lightning *Microprocesador* de 32 bits, introducido en 1993, que es funcionalmente idéntico al *Intel 486DX4*.

IBM PC-compatible *compatible con la PC de IBM* Computadora personal que ejecuta todos o casi todos los programas desarrollados para la computadora personal de IBM y que acepta las tarjetas, los adaptadores y los dispositivos periféricos de las computadoras IBM.

ICCP Vea *Institute for Certification of Computer Professionals*.

icon *icono* En una *interfaz gráfica de usuario (GUI)*, símbolo en pantalla que representa un *programa*, un *archivo* de datos u otra entidad o función de la computadora. Es posible agrupar varios iconos en una barra de iconos, es decir, una fila de *botones*, generalmente ubicada en la parte superior de la *ventana* de documento, que permite al usuario seleccionar opciones de menú de uso frecuente sin tener que usar los *menús* correspondientes. En cada botón hay un icono que muestra su función; por ejemplo, el botón Imprimir puede desplegar una pequeña imagen de una impresora.

icon bar *barra de iconos*   En una aplicación, fila de botones que pueden ser oprimidos para iniciar comandos. Es sinónimo de *barra de herramientas*.

IDE   Vea *Integrated Drive Electronics*.

IDEA   Vea *International Data Encryption Algorithm*.

IDE drive *unidad IDE*   Disco duro que contiene la mayor parte de los circuitos de control dentro de la misma unidad. Diseñadas para conectarse a computadoras AT, las unidades IDE combinan la velocidad de las unidades *ESDI* con la integración de la interfaz de unidad de disco duro *SCSI*. Este desempeño se ofrece a un precio inferior al de la mayoría de las unidades ESDI y SCSI. Vea *Integrated Drive Electronics (IDE)*.

identifier *identificador*   En *administración de bases de datos*, *descriptor* empleado para especificar la unicidad de la información contenida en el registro de datos. Por ejemplo, el descriptor "Noruega" aparece en el registro de datos de la única película de viajes que describe paisajes de ese país.

IEEE 802   Serie de estándares de telecomunicaciones que controlan las *redes de área local (LANs)*. Establecidos por el *Instituto de Ingenieros Eléctricos y Electrónicos (IEEE)*, los estándares incluyen el cableado 10Base2 y 10Base-T, puentes de red y *topologías*. Vea *bridge, bus network, EtherNet, fiber optics* y *star network*.

IEEE 1284   Estándar desarrollado por el *Instituto de Ingenieros Eléctricos y Electrónicos (IEEE)* que gobierna el diseño de *puertos paralelos bidireccionales*. Tanto el *puerto paralelo mejorado (EPP)* como el *puerto de capacidades extendidas (ECP)* cumplen con el estándar. IEEE 1284.

IEEE Computer Society *Sociedad de Computación del IEEE*   Vea *Institute of Electrical and Electronic Engineers Computer Society*.

IESG   Vea *Internet Engineering Steering Group*.

IETF   Vea *Internet Engineering Task Force*.

IF/THEN/ELSE   Estructura que prueba una variable o dato para ver si se satisface una condición. Si la condición se cumple, entonces el programa se bifurca a una opción; si no se satisface, se bifurca a otra opción. Estas estructuras, con ligeras variaciones según el lenguaje, se usan al escribir *macros*, como códigos de combinación, como funciones en el software de *hoja de cálculo* y como parte de todos los *lenguajes de programación de alto nivel.*

IIOP   Vea *Internet Inter-ORB Protocol.*

ill-behaved *raquítico, deficiente*   De diseño pobre, ineficiente, incapaz de usar óptimamente los recursos de un sistema debido a errores fundamentales de diseño.

illegal character *carácter ilegal*   Carácter que no puede usarse de acuerdo con las reglas de sintaxis de programas controlados por comandos y *lenguajes de programación.* Este tipo de caracteres está reservado por lo general para una función específica del programa. Por ejemplo, en el DOS no se puede asignar un *nombre de archivo* si el nombre incluye un asterisco (*). El asterisco está reservado para emplearlo como carácter *comodín.* Las comas, espacios, diagonales y otros caracteres de puntuación también son ilegales para los nombres de archivo.

Illustrator   Vea *Adobe Illustrator.*

image compression *compresión de imágenes*   Empleo de una técnica de compresión para reducir el tamaño de un archivo de *gráficos,* que generalmente consume enormes cantidades de espacio en el disco. Por ejemplo, un solo *archivo TIFF de escala de grises* con 100 KB de espacio se puede reducir hasta en un 96 por ciento, a 4 o 5 KB, para propósitos de almacenamiento o de *telecomunicaciones.* Algunos programas de gráficos comprimen las imágenes automáticamente.

image map *mapa de imagen*   En *HTML,* imagen codificada de manera que ciertas áreas específicas de la misma están asociadas con *URLs* específicos. Cuando el usuario hace clic sobre una de las regiones, el navegador inicia un salto de *hipervínculo* al documento o recurso asociado. Vea *image map utility.*

image map utility *utilería de mapa de imagen*   En *HTML,* programa que permite crear fácilmente un mapa de imagen, dibujando rectángulos, círculos y polígonos sobre el gráfico que se convertirá en mapa de imagen y asociando la región seleccionada con un *URL.*

image processing *procesamiento de imágenes*   En *gráficos* por computadora, uso de una técnica para resaltar, mejorar o refinar una imagen. Las operaciones de procesamiento características incluyen técnicas para resaltar o reducir el contraste, modificar colores para que la imagen pueda analizarse con más facilidad, corregir la exposición deficiente o excesiva y delinear objetos para que se les pueda identificar.

imagesetter *máquina de composición tipográfica* Máquina profesional de composición que genera salidas de resolución muy alta en papel fotográfico o película.

imaging model *modelo de imagen* Método de representar una salida en pantalla. Por ejemplo, en una *interfaz gráfica de usuario (GUI)* el objetivo del modelo de imagen es que la *fuente de pantalla* se parezca lo más posible al texto impreso.

IMAP Vea *Internet Message Access Protocol*.

IMAP4 Siglas de la versión 4 del Protocolo de Acceso a Mensajes de Internet.

IMHO En *salones de conversación de Usenet*, siglas de "en mi humilde opinión".

impact printer *impresora de impacto* *Impresora* que genera salida al igual que las máquinas de escribir, es decir, golpeando sobre la página con algo sólido. Las *impresoras* de *rueda de margarita* y las de *matriz de puntos* son impresoras de impacto, las cuales son lentas y ruidosas, aunque baratas y necesarias para llenar formularios con varias copias.

import *importar* Cargar un archivo creado por un programa en un programa diferente. Vea *export*.

include *incluir* 1. Citar un mensaje de *correo electrónico* o *Usenet* dentro del mensaje propio. 2. Incorporar otro archivo dentro del archivo en uso.

increment *incrementar* Aumentar un valor. Vea *decrement*.

incremental backup *copia de seguridad incremental* Proceso en el que un *programa para hacer copias de seguridad* de un disco duro *respalda* sólo los *archivos* modificados a partir de la última copia de seguridad. Vea *archival backup*.

incremental update *actualización incremental* Vea *maintenance release*.

indent style *estilo de sangría* En un lenguaje de programación, las convenciones utilizadas para controlar las sangrías de las líneas de código. Esas sangrías facilitan la lectura del código.

indentation *sangría* *Alineación* de un párrafo a la izquierda o derecha de los márgenes de un documento.

index *índice* 1. En programas de *administración de bases de datos*, archivo que contiene información acerca de la posición física de los registros en un archivo de base de datos. Al revisar u ordenar la base de datos, el programa usa el índice y no toda la base de datos. Tales operaciones son más rápidas que si se ordenara o buscara en la base de datos real. Sinónimo de *índice invertido*. 2. En programas de *procesamiento de texto*, un índice es un apéndice que lista palabras, nombres y conceptos importantes en orden alfabético y con los números de página donde aparece el término. En la mayoría de los programas de procesamiento de texto es necesario marcar los términos que serán incluidos en el índice que elaborará el programa. Vea *active index, concordance file, sort* y *sort order*. 3. En *World Wide Web (WWW)*, una página Web que reúne los mejores hipervínculos acerca de un área temática en particular.

indexed sequential access method (ISAM) *método de acceso secuencial indexado*   En *disco duros,* método para acceder a información residente en un disco duro que combina el acceso secuencial con la indexación, lo cual resulta en el aceleramiento general de las velocidades de acceso. A los datos que son almacenados secuencialmente puede accederse directamente sin consultar el índice.

index hole *orificio de índice*   En un *disco flexible*, orificio que la unidad de disco detecta electro-ópticamente cuando busca el inicio del primer *sector* del disco. Pocas unidades de disco utilizan actualmente el orificio de índice.

indexing *indexación*   Método que una *unidad de disco flexible* utiliza para localizar la *pista* en la cual se encuentra la información necesitada. La indexación implica mover la *cabeza de lectura/escritura* hasta la pista más externa del disco y hacerla avanzar hacia dentro, pista por pista, hasta que se llegue a la que se necesita.

Industry Standard Architecture (ISA) *Arquitectura Estándar de la Industria*   Diseño del *bus de expansión* de la computadora AT (Tecnología Avanzada) de IBM, que emplea un bus de 16 bits con varias ranuras de 8 bits para compatibilidad hacia atrás. El *bus AT* añadió más que la simple duplicación del ancho del bus de datos. El *bus de direcciones* se incrementó hasta 24 líneas, lo suficiente como para controlar 16 MB de memoria. La compatibilidad hacia atrás se logró mediante un conector adicional al original de 8 bits y 62 pines. Además, se añadieron nuevas líneas de *solicitud de interrupción (IRQ)* y líneas de control de *acceso directo a memoria (DMA)*. Vea *channel, Extended Industry Standard Architecture (EISA), local bus* y *Micro Channel Architecture (MCA)*.

Industry Standard Architecture (ISA) expansion bus *bus de expansión de Arquitectura Estándar de la Industria*   Diseño de *bus de expansión* de 16 bits, ya en desuso, desarrollado a principios de los ochenta. El bus de expansión ISA podía transferir datos a 8 MB por segundo y era adecuado para conectar adaptadores a la *unidad central de procesamiento (CPU)* hasta que, a principios de los noventa, el desempeño de los microprocesadores creó un *cuello de botella del bus de expansión* con el estándar ISA.

industry standard interface *interfaz estándar de la industria* *Interfaz de usuario* que incluye las funciones de manejo de ventanas popularizadas por la Apple Macintosh, incluyendo ventanas redimensionables, menús desplegables o sensibles al clic del ratón, cuadros de diálogo y el uso del ratón para controlar la interfaz.

infection *infección*   Presencia de un *virus* dentro de un sistema de computación o en un disco. La infección podría pasar inadvertida para el usuario; por ejemplo, muchos virus permanecen en segundo plano hasta una fecha y hora específicas, cuando presentan mensajes en broma o borran información. Vea *Trojan horse*, *virus* y *worm*.

infinite loop *ciclo infinito*   En *programación*, un *ciclo* cuya condición para finalizar nunca se cumple. Por ejemplo, un ciclo diseñado para agregar 5 a una variable de tipo entero hasta que ésta sea igual a 133.2 nunca terminaría, al menos no antes de una *caída* de la computadora o de que ésta sea *reiniciada*.

infix notation *notación de infijo, notación infija*   En lenguajes de programación, preferencia de *sintaxis* en la cual las funciones u operadores se colocan entre los *operandos* (tal como a + b). Vea *prefix notation* y *Reverse Polish Notation (RPN)*.

Infobahn   Término preferido por algunos para referirse a la *Supercarretera de la Información*, un sistema de información de alta velocidad que enlazaría casas, escuelas y oficinas con sistemas locales de distribución, de enormes anchos de banda, y sistemas de red vertebral capaces de transmitir datos en el orden de los gigabits por segundo.

information *información*   Datos —sean en forma de números, imágenes o palabras— que han sido organizados, sistematizados y presentados de manera que los patrones subyacentes resulten claros. Los informes de temperatura, humedad y viento provenientes de miles de estaciones climatológicas son datos; la simulación de una computadora que muestra cómo estos datos predicen una fuerte posibilidad de tornados es información.

information kiosk *quiosco de información*   Vea *kiosk*.

information service *servicio de información*   Vea *bibliographic retrieval service*, *BBS* y *online information service*.

Information Superhighway *Supercarretera de la Información*   Una proyectada infraestructura de información que pondrá las redes de computadoras de alta velocidad al alcance de casas, escuelas y oficinas. El término puede causar cierta confusión en el sentido de que las supercarreteras, es decir, las redes vertebrales de alta velocidad, ya existen; de lo que se carece es de un buen sistema de caminos locales. El actual sistema telefónico no tiene el ancho de banda requerido para llevar servicios digitales de alta velocidad a las casas; sería necesaria una inversión de capital de 325,000 millones de dólares para sustituir las líneas telefónicas existentes con cable de fibra óptica de alta velocidad. La sustitución se llevará a cabo, pero tomará algunas décadas hacerlo.

Infoseek   *Máquina de búsqueda* que realiza búsquedas por *palabras clave* dentro de *World Wide Web (WWW)*, creada por Infoseek Corporation. Los usuarios pueden seleccionar entre Ultraseek, una máquina de búsqueda en Web excepcionalmente capaz, o Ultrasmart, la cual despliega vínculos con categorías temáticas posiblemente relevantes para las palabras clave proporcionadas. La máquina de búsqueda es capaz de realizar búsquedas *sensibles a mayúsculas y minúsculas, reconocimiento automático de nombre, búsquedas basadas en campos, búsquedas de frases* y detección automática de variantes de palabras.

infrared port *puerto infrarrojo*   Puerto que permite a una PC intercambiar datos con *computadoras portátiles* y dispositivos *periféricos* sin usar cables. Los puertos infrarrojos pueden transmitir datos a más de 115,000 *bits por segundo (bps)*.

inheritance *herencia*   En *programación orientada a objetos (OOP)*, la habilidad de *objetos* recién creados para tomar las *propiedades* de los existentes.

INIT   En ambiente Macintosh, *programa de utilería* que se ejecuta durante el inicio o reinicio del sistema, como SuperClock, que muestra la fecha y la hora actuales del sistema en la *barra de menús*, y Adobe Type Manager, que usa tecnología de fuentes perfiladas para presentar *fuentes para pantalla* de Adobe.

initial *inicial*   En *tipografía*, letra alargada al principio de un capítulo o párrafo. Las iniciales que van hacia abajo del texto son *capitulares descendentes*, y las iniciales que se levantan por encima de la línea superior del texto son *capitulares iniciales*.

initial base font *fuente básica inicial*   *Fuente* que emplean los *programas de procesamiento de texto* para todos los documentos, a menos que el usuario indique algo diferente. La fuente básica inicial es parte de la definición de la *impresora*. Siempre que seleccione una impresora diferente, la fuente básica inicial puede cambiar.

initialization *inicialización*   1. En *módems*, establecimiento de una *configuración activa* que, íntegra o parcialmente, elimina la *configuración de fábrica*. Mediante una *cadena de inicialización*, el usuario puede configurar el módem para que funcione bien con su *programa de comunicaciones*. 2. En computación personal, proceso de *formateo* de un disco duro o flexible que lo deja listo para uso.

initialization string *cadena de inicialización* En *módems*, grupo de *comandos AT*, enviados al módem por un *programa de comunicaciones* al inicio de una sesión de comunicación, para establecer una *configuración activa*. Las cadenas de inicialización permiten a los programas de comunicaciones funcionar apropiadamente con una amplia variedad de módems y, frecuentemente, el usuario puede seleccionar una cadena apropiada para su módem de entre una lista proporcionada por el programa de comunicaciones. Vea *initialization*.

initialize *inicializar* Preparar el *hardware* o *software* para que ejecute una tarea. Un *puerto serial* se inicializa mediante el comando MODE para establecer los valores de *baudios*, *paridad*, *datos* y *bit de parada*, por ejemplo. En algunos programas, el acto de inicializar puede consistir en establecer un contador o *variable* en cero antes de ejecutar un procedimiento.

inkjet printer *impresora de inyección de tinta* *Impresora de no impacto* que forma una imagen mediante la inyección de tinta desde una matriz de pequeños pulverizadores.

inline *en línea* En tipografía, colocado dentro o directamente adyacente a líneas de texto. Vea *in-line image*.

in-line image *imagen en línea* Imagen colocada de manera que aparezca en la misma línea que el texto. En *HTML*, las imágenes en línea se definen mediante la etiqueta IMG, la cual especifica la fuente del gráfico, su alineación (arriba, en medio o abajo) y el texto a desplegar si se accede al documento mediante un navegador de sólo texto.

in-order execution *ejecución en orden* En una arquitectura de *computadora con conjunto reducido de instrucciones (RISC)*, método para proporcionar programas con un medio para asegurar que ciertas instrucciones específicas sean llevadas a cabo en un orden determinado.

in-place activation *activación in situ* En *Vinculación e Incrustación de Objetos (OLE)*, en *Microsoft Windows 95*, el uso de funciones de una *aplicación servidora* dentro de la *aplicación cliente*, sin la necesidad de cambiar a la *ventana* que contiene a la primera.

input *entrada* *Información* introducida a la computadora con propósitos de procesamiento.

input device *dispositivo de entrada* Cualquier *periférico* que ayude a introducir información a la computadora: un *teclado*, un *ratón*, un *trackball, un sistema de reconocimiento de voz, tableta gráfica o módem.*

input/output (I/O) redirection *redirección de entrada/salida (E/S)*   En el DOS y *Unix*, envío de la *salida* de un programa a un *archivo* o dispositivo, o envío de la entrada de un programa desde un archivo y no desde el *teclado*. La mayoría de los comandos del DOS (como DIR) envían la salida a la pantalla, pero usted puede redireccionar la salida del comando con facilidad con el símbolo mayor que (>). Por ejemplo, para redireccionar la salida de DIR hacia el puerto LPT1 (la impresora), escriba DIR > lpt1 y presione Entrar. Para redireccionar la salida del comando a un archivo, introduzca DIR > dir.txt y presione Entrar. En el DOS, la redirección de la entrada a menudo se usa con filtros. Vea *filter* y *MS-DOS.*

input/output (I/O) system *sistema de entrada/salida (E/S)*   Uno de los componentes principales de la arquitectura de un sistema de computación, enlace entre el *microprocesador* y los componentes circundantes.

Insert (Ins) key *tecla Insert*   En los *teclados* de las computadoras compatibles con la PC de IBM, tecla programable empleada con frecuencia (pero no siempre) para conmutar entre los modos de *inserción* y de *sobreescritura* cuando se edita texto.

insertion point *punto de inserción*   En aplicaciones Macintosh y *Microsoft Windows*, barra vertical parpadeante que muestra el punto donde aparecerá el texto cuando se comience a escribir. En aplicaciones del DOS, el punto de inserción es análogo al *cursor.*

insert mode *modo de inserción*   En *programas de procesamiento de texto*, modo de programa en el que el texto insertado empuja al existente hacia la derecha y abajo. La tecla Insert se usa para alternar los *modos de inserción* y de *sobreescritura.*

installation program *programa de instalación*   *Utilería* proporcionada con un programa de *aplicación* que le ayuda a instalar el programa en un *disco duro* y a configurar el mismo para su uso.

instantiate *instanciar*   Crear una *instanciación.*

instantiation *instanciación*   En *lenguajes de programación orientados a objetos (OOP)*, producir un *objeto* completo llenando valores en el lugar de las variables en una plantilla de *clase.*

Institute for Certification of Computer Professionals (ICCP)
Instituto para la Certificación de Profesionales de la Computación
Organización que realiza exámenes para establecer la competencia profesional en varios campos de la computación. El ICCP proporciona certificados en procesamiento de datos y programación de computadoras, convirtiendo a quienes aprueban los exámenes en

Procesadores de Datos Certificados (CDPs) y *Programadores de Computadoras Certificados (CCPs).* Aunque la certificación del ICCP es reconocida como un logro profesional, rara vez es solicitada para dar un empleo o para otorgar un contrato.

Institute of Electrical and Electronic Engineers (IEEE) *Instituto de Ingenieros Eléctricos y Electrónicos*   Organización de ingenieros, científicos y estudiantes. El IEEE, la sociedad técnica más grande del mundo con más de 300,000 miembros diseminados en varios países, también ha declarado estándares para las computadoras y las comunicaciones. De particular interés es el estándar *IEEE 802* para las redes de área local, aunque el IEEE también estableció un conjunto completo de especificaciones para el *bus AT,* llamado también bus ISA. Vea *Industry Standard Architecture (ISA).*

Institute of Electrical and Electronic Engineers Computer Society (IEEE Computer Society) *Sociedad de Computación del Instituto de Ingenieros Eléctricos y Electrónicos*   Parte del *Instituto de Ingenieros Eléctricos y Electrónicos (IEEE)* especializada en asuntos de computación. La Sociedad de Computación del IEEE organiza conferencias y patrocina publicaciones acerca de temas relacionados con la computación.

instruction *instrucción*   En programación de computadoras, código de programa interpretado o compilado en *lenguaje de máquina.* Vea *interpreter* y *compiler.*

instruction cycle *ciclo de instrucción*   Tiempo que le toma a la *unidad central de procesamiento (CPU)* efectuar una instrucción y proseguir a la siguiente.

instruction mnemonic *instrucción mnemónica*   En *lenguaje ensamblador,* abreviatura que representa las instrucciones de una máquina, tales como ADD o MOVE.

instruction set *conjunto de instrucciones*   Lista de palabras clave que describen todas las acciones u operaciones que puede realizar la *unidad central de procesamiento (CPU).* Vea *complex instruction set computer (CISC)* y *reduced instruction set computer (RISC).*

integer *entero*   Número entero. Si el número contiene cifras decimales, los números a la izquierda del punto decimal son las cifras enteras del número.

integrated accounting package *paquete de contabilidad integrado*   *Programa de contabilidad* que incluye las principales funciones de contabilidad: libro mayor general, cuentas por pagar, cuentas por cobrar, nómina e inventario. Los programas integrados actualizan el libro mayor general cada vez que ocurre una transacción de cuentas por pagar o por cobrar.

integrated circuit (IC) *circuito integrado*   *Semiconductor* que
contiene más de un componente electrónico. El término es
sinónimo de chip. Un circuito integrado se fabrica en una pastilla
de silicio. Para producir los diferencias de resistencia que generan
el efecto de componentes electrónicos separados, tales como los
transistores, algunas áreas de la pastilla son mezcladas diferencial-
mente, en un procedimiento llamado *adulteración,* con otros
elementos. El primer circuito integrado ofrecía el rendimiento
equivalente a unos cuantos transistores, pero ciertas mejoras en
su diseño y fabricación han conducido a espectaculares avances
en la densidad de circuitos (los *microprocesadores* de hoy contienen el equivalente de hasta diez millones de transistores). Vea
Small Scale Integration (SSI), large-scale integration (LSI) y *very
large scale intergation (VLSI).*

Integrated Drive Electronics (IDE) *Electrónica Integrada en la Unidad*
Estándar de *interfaz de disco duro* para computadoras 80286,
80386, 80486 y Pentium que ofrece un alto rendimiento a un bajo
costo. El estándar IDE transfiere la mayor parte de la electrónica
del controlador al mecanismo del disco duro. Por esta razón, la
interfaz IDE puede estar en la tarjeta madre de la computadora;
no se necesita *tarjeta controladora* ni ranura de expansión. Vea
IDE drive.

integrated program *programa integrado*   Programa que combina
dos o más funciones de software, como un *procesador de texto* y
un *administrador de bases de datos.* Microsoft Works y
ClarisWorks son ejemplos de programas integrados.

Integrated Services Digital Network *Red Digital de Servicios
Integrados*   Vea *ISDN.*

Intel   El fabricante de *microprocesadores* y otros *semiconductores* más grande del mundo, con oficinas centrales en Santa Clara,
California. Cerca de tres cuartos del total de *microcomputadoras*
en el mundo tienen *unidades centrales de procesamiento (CPUs)*
de *Intel.* Este fabricante enfrenta la competencia de varias
compañías, tales como *Advanced Micro Devices (AMD), Cyrix* y
NexGen.

Intel 386DX   Vea *Intel 80386.*

Intel 386SL   Variación con ahorro de energía del *Intel 386SX,*
diseñado con características de *administración de energía* para
utilizarse en *computadoras portátiles.* El 386SL incluye un *modo
latente* que preserva el trabajo usando muy poca electricidad,
durante los periodos de inactividad.

Intel 386SX   Versión más lenta pero también menos costosa del
microprocesador Intel 80386. El 386SX utiliza un *bus externo de
datos* de 16 bits (el 386DX tiene una trayectoria de datos de 32

bits). El 386SX puede dirigir sólo 20 MB de *memoria de acceso aleatorio (RAM)*; el 386DX puede manejar hasta 4 GB de RAM.

Intel 4004   El primer microprocesador, de 4 bits, lanzado en 1971, que contenía el equivalente a 2,300 transistores.

Intel 486DX   *Microprocesador de 32 bits* que dominó el mercado de las PCs antes de la introducción del *Pentium*. Introducido en 1989, el 486DX ofrecía una mejora significativa en la velocidad en relación con el Intel *386DX*, su predecesor. Mediante el uso de canalización y un *coprocesador numérico* integrado, el 486DX puede manejar 4 GB de *memoria de acceso aleatorio (RAM)* y 64 TB de *memoria virtual*. Las dos versiones del 486DX operan a *velocidades de reloj* de 25 y 33 *megahertz*, aunque las versiones a *doble* y *triple velocidad* operan a velocidades de reloj mayores. Vea *Intel 486DX2, Intel 486DX4* e *Intel 486SX*.

Intel 486DX2   Versión mejorada del *Intel 486DX* que utiliza técnicas de duplicación de velocidad para alcanzar *velocidades de reloj*, dentro del *microprocesador*, de 50 o 66 *megahertz (MHz)*, aunque el microprocesador esté instalado en una *tarjeta madre* que corra a la mitad de la velocidad de reloj del chip (25 o 33 MHz, respectivamente). Aunque el rendimiento del microprocesador rebasa por mucho el de la tarjeta madre, un buen diseño de *caché externo* puede minimizar el tiempo que un microprocesador a doble velocidad gasta esperando a la tarjeta madre.

Intel 486DX4   Versión mejorada del *microprocesador Intel 486DX* que, por medio de triplicación de velocidad, opera a *velocidades de reloj* de 75 o 100 *megahertz (MHz)*. El 486DX4 manifiesta tener un *caché interno* mayor que el de otros modelos 486 y que opera a 3.3 voltios en lugar de 5.

Intel 486SL   Versión con ahorro de energía del *microprocesador Intel 486DX*. Diseñado para *computadoras portátiles*, el 486SL incluye un *modo latente* que permite al usuario dejar de trabajar y volver a comenzar después sin tener que *reiniciar*.

Intel 486SX   *Microprocesador* de 32 bits basado en el *Intel 486DX*, pero sin el *coprocesador numérico*. Lanzado como una alternativa más lenta pero menos costosa que el 486DX, las dos versiones del 486SX corren a *velocidades de reloj* de 20 y 25 *megahertz (MHz)*.

Intel 8080   El *microprocesador de 8 bits* de la Altair, una popular *microcomputadora* de los setenta. El Intel 8080, que corre a *velocidad de reloj de 2 MHz*, tiene un bus de direcciones de 16 bits y puede manejar medio millón de instrucciones por segundo.

Como fue lanzado en 1974, el 8080 ya era obsoleto a principios de los ochenta; sin embargo, la arquitectura irregular y proclive a errores de su direccionamiento de memoria continúa afectando el diseño de los microprocesadores Intel, porque la compañía está comprometida con el aseguramiento de que sus microprocesadores más recientes tengan compatibilidad con los anteriores.

Intel 8086   *Microprocesador de 16 bits,* introducido en 1978, basado en la arquitectura del *Intel 8080* y que presentaba compatibilidad hacia atrás con código escrito para el mismo. Dado que el 8086 puede procesar dos bytes de datos al mismo tiempo, en contraste con los microprocesadores de 8 bits (que sólo pueden manejar uno), era considerablemente más rápido que los anteriores chips de Intel. Sin embargo, el 8086 no tuvo un uso extendido debido al alto costo y poca disponibilidad de periféricos de 16 bits a principios de los 80. Vea *Intel 8088.*

Intel 8088   El Intel 8088 era, esencialmente, un Intel 8086 con bus de datos de 8 bits a 4.77 *megahertz (MHz)* y constituía el motor de las primeras computadoras personales de IBM. Aunque era un *microprocesador* de 16 bits, el bus de datos de 8 bits del 8088 permitía a los fabricantes de computadoras usar los *periféricos,* muy populares y baratos, de 8 bits. Fue introducido en 1979 e impulsaba a la altamente exitosa PC de IBM, lanzada en 1981.

Intel 80186   *Microprocesador de 32 bits*, introducido en 1981, que operaba a 6 MHz. Funcionalmente es muy similar al *Intel 8086* (ambos chips emplean bus interno y externo de datos de 16 bits), pero incluye funciones adicionales que anteriormente tenían que repartirse en otros chips de apoyo muy costosos, como temporizadores, canales *DMA* y controladores de interrupción. Las tarjetas madre creadas con el 80186 podían usar hasta 22 chips de apoyo menos que las tarjetas madre de 8086. Dado que el Intel 80286, técnicamente superior, apareció poco después que el 80186, este último fue poco utilizado.

Intel 80286   El ahora obsoleto *microprocesador de 16 bits* que fue usado por la Computadora Personal AT de IBM, presentada en 1984, y compatibles. Fue introducido en 1982 y opera a *velocidad de reloj* de hasta 20 MHz. El 80286 representa un intento de superar las limitaciones de direccionamiento de memoria de la arquitectura de los 80x6 previos, la cual estaba limitada a un máximo de 1 MB de RAM. Mediante el recurso de cambiar el *modo real* de los compatibles con 80x6 en un nuevo modo, llamado *modo protegido*, el chip podía usar hasta 16 MB de *memoria de acceso aleatorio (RAM)*. Desafortunadamente, el 80286 no puede cambiar de modo sin *reiniciar*, una grave falla de diseño que llevó a su sustitución por el Intel 80386.

Intel 80386   *Microprocesador de 32 bits* que ayudó a iniciar la era de Windows. Gracias a la incorporación de una circuitería para la administración avanzada de memoria, el Intel 80386 permitía a los programas cambiar de *modo real* a *modo protegido* sin *reiniciar*; en breve, el Intel 80386 hizo posibles por primera vez a los sistemas operativos y aplicaciones con modo protegido. El *bus de direcciones* de 32 bits del chip le permite manejar hasta 4 GB de *memoria de acceso aleatorio (RAM)* y 64 TB de *memoria virtual*. Varias versiones del 80386 corren a *velocidades de reloj* de 16, 20, 25 y 33 *megahertz (MHz)*. El 80386, introducido en 1985, fue redenominado Intel 386DX cuando el *Intel 386SX* (una versión más barata del microprocesador, con un bus de datos de 16 bits) fue lanzado al mercado.

Intel 80486   *Microprocesador de 32 bits*, lanzado en 1989, con compatibilidad hacia atrás con el *Intel 80386*, que incorpora ciertas mejoras en el diseño, como un *caché primario* mayor y un *coprocesador matemático* integrado. Después de que Intel encontró que no podía proteger el sistema numérico 80x86 contra el uso por parte de otros fabricantes de semiconductores, la compañía cambió a otro esquema; el 80486 original fue redenominado *Intel 486DX*. Es sinónimo de i486 e iAPX 80486.

Intel 80x86   Nombre genérico para la familia de microprocesadores *CISC (computadora con conjunto complejo de instrucciones)* de *Intel* que domina el mercado de computadoras personales. Vea *Intel 80186, Intel 80286, Intel 80386, Intel 80486, Pentium, Pentium Pro* y *Pentium II*.

intellectual property *propiedad intelectual*   Ideas, al igual que la expresión tangible de las mismas, que derivan de los esfuerzos intelectuales intensos de un individuo. La sociedad no puede esperar que los individuos creativos, como los artistas y los inventores, generen propiedad intelectual sin algún medio de proteger los frutos de sus esfuerzos; esta protección se proporciona por medio de patentes y derechos de autor. Sin embargo, en áreas de alta tecnología, como la computación, las autoridades responsables de otorgar las patentes pueden cometer errores al distinguir entre propiedad intelectual genuina e ideas bien establecidas que deben permanecer en el dominio público con el fin de que el progreso tecnológico continúe.

Intel Pentium   Vea *Pentium, Pentium Pro* y *Pentium II*.

interactive *interactivo* Capaz de entablar diálogo con el usuario, generalmente por medio de una interfaz basada en texto.

interactive processing *procesamiento interactivo* Método de uso de la computadora en el que las operaciones de ésta se revisan directamente en pantalla para que el usuario pueda detectar y corregir errores antes de que se complete una operación de procesamiento.

interactive videodisk *videodisco interactivo* Tecnología de *enseñanza asistida por computadora (CAI)* que se vale de una computadora para proporcionar acceso hasta a dos horas de información en video guardada en un videodisco. Al igual que los *CD-ROMs*, los videodiscos son un medio de almacenamiento óptico de *sólo lectura*, pero están diseñados para el almacenamiento y la recuperación de *acceso aleatorio* de imágenes, incluyendo video fijo y continuo. Para tener acceso a la información guardada en el videodisco, se necesita una *aplicación para el usuario*. Con un videodisco de pinturas de la Galería Nacional de Arte, el usuario puede solicitar: "Muéstrame todas las pinturas del Renacimiento donde aparecen flores o jardines" y ser conducido a través de una serie de vívidas experiencias instructivas, con un control completo.

Inter-Application Communication (IAC) *Comunicación entre Aplicaciones* En el *System 7* de Macintosh, especificación para crear *vínculos activos* y *pasivos* entre aplicaciones.

interface *interfaz* 1. Conexión entre dos dispositivos de *hardware*, entre dos *aplicaciones* o entre diferentes secciones de una *red* de computadoras. 2. La porción de un programa que interactúa con el usuario.

interface standard *estándar de interfaz* Conjunto de especificaciones para la conexión entre dos dispositivos de *hardware*, como los controladores de unidades y la electrónica de la unidad de disco duro. Entre las interfaces estándares comunes en computación personal están la ST506, la *Interfaz Mejorada para Dispositivo de Sistema (ESDI)* y la *Interfaz Pequeña para Sistemas de Computación (SCSI)*. Existen otros estándares para conexiones con puertos seriales y paralelos como la *interfaz Centronics*. Vea *ST-506/ST-412*.

Interior Gateway Protocol *Protocolo de Puerta de Enlace Interior* Estándar (*protocolo*) de *Internet* que gobierna el direccionamiento de datos dentro de un *sistema autónomo (AS)*, una red o grupo de redes que se encuentra bajo el control de un solo administrador.

interlaced *entrelazado* Vea *interlacing*.

interlaced GIF *GIF entrelazado* Imagen GIF guardada en un formato especial (definido por el estándar GIF 89a) que permite a un programa de gráficos o navegador Web desplegar inmediatamente un bosquejo de la imagen. Otros elementos de la página, como el texto, pueden aparecer mientras que los detalles de la imagen van afinándose.

interlacing *entrelazado* 1. Método para desplegar o transferir información de manera que los contornos en sucio sean bosquejados inmediatamente para, posteriormente, ir detallando la imagen. Vea *interlaced GIF*. 2. Tecnología de pantallas para *monitores* que usa el cañón de electrones del monitor para pintar sólo la mitad de la pantalla en la primera pasada; la otra mitad se pinta en la segunda pasada. Cuando la mayor parte de la pantalla es un fondo sólido de color claro, el ojo percibe esta acción como un ligero parpadeo. Esta técnica proporciona una resolución más alta, pero con cierta incomodidad visual.

interleaved memory *memoria intercalada* Método de recuperación rápida de los datos guardados en los chips de *memoria dinámica de acceso aleatorio (DRAM)* mediante la división de la RAM en dos o cuatro grandes bancos y el almacenamiento de bits secuenciales de datos en bancos alternos. El microprocesador accede a un banco mientras el otro se está actualizando. Por supuesto, este ordenamiento de la memoria no mejora la velocidad cuando la CPU solicita bits de datos no secuenciales. Vea *random access memory (RAM)*.

interleave factor *factor de intercalación* En un disco duro, proporción de *sectores* físicos de disco que son omitidos por cada sector que se emplea de verdad en las operaciones de escritura. Si el factor es de 6:1, el disco inscribe en un sector y salta seis, inscribe en otro y así sucesivamente. La computadora imagina lo que necesitará a continuación y envía su solicitud a la unidad de disco duro mientras el disco salta los sectores. Las computadoras 80386SX y posteriores operan más rápido que los discos duros, por lo que el factor 1:1 es el estándar en la actualidad. Este factor lo establece el fabricante del disco duro, pero el software de sistema capaz de realizar un *formateo de bajo nivel* puede cambiarlo. El término es sinónimo de intercalación de sectores.

interleaving *intercalación* Método de desacelerar intencionalmente la lectura de datos en un *disco duro* para evitar que éste rebase el funcionamiento de otras partes de la computadora. Colocando los sectores en un orden no secuencial, la cabeza de lectura/escritura tiene que saltar de un lado a otro en la recolección de datos. El *factor de intercalación* describe la cantidad de intercalación empleada por un disco duro.

internal cache *caché interno* Memoria *caché* de alta velocidad integrada directamente en los circuitos electrónicos de un microprocesador, en contraste con el *caché externo* o *caché L2*, el cual requiere un circuito separado. Es sinónimo de caché primario.

internal command *comando interno*   En el DOS, comando como DIR o COPY que es parte de COMMAND.COM y que, por ello, permanece en memoria y disponible siempre que el indicador del DOS esté visible en pantalla. Vea *external command*.

internal data bus *bus de datos interno*   Circuitería en la cual los datos se mueven dentro de un *microprocesador*. El tamaño del bus de datos interno se mide en *bits*; entre más bits pueda manejar (es decir, mientras más ancho sea), más rápido podrá transportar datos. El bus de datos interno es independiente del *bus de datos externo*, el cual frecuentemente mide la mitad del ancho del bus interno.

internal font *fuente interna*   Vea *printer font*.

internal hard disk *disco duro interno*   *Disco duro* diseñado para instalarse en una bahía de la computadora y usar la *energía* suministrada por la *fuente de poder*.

internal modem *módem interno*   *Módem* diseñado para ajustarse al *bus de expansión* de una computadora personal. Vea *external modem*.

internal navigation aid *ayudas internas de navegación*   En una serie de documentos relacionados en *World Wide Web (WWW)*, los hipervínculos o botones oprimibles que proporcionan a los usuarios una forma de navegar a través de los documentos sin perderse. Por ejemplo, si el usuario puede ver un botón Inicio en una de las páginas Web, puede recurrir a él para regresar a la *página de bienvenida*. Esto es diferente de hacer clic sobre el botón Inicio del navegador, el cual despliega la página de inicio predeterminada del navegador. Vea *home page*.

International Data Encryption Algorithm (IDEA) *Algoritmo Internacional para Encriptación de Datos*   Técnica de *encriptación* que emplea una *clave* de 128 bits y es considerada por la mayoría de los criptólogos como la más segura en la actualidad.

International Standards Organization (ISO) *Organización Internacional de Estándares*   Organización no lucrativa, con oficinas generales en Ginebra, Suiza, que busca el avance tecnológico y científico por medio del establecimiento de estándares abiertos (es decir, que no sean propietarios). La ISO, organización responsable de los cuerpos de estándares de más de 90 naciones, es también responsable del desarrollo del *Modelo de Referencia de Interconexión de Sistemas Abiertos (OSI)*, un medio para conceptualizar redes de computadoras que ha tenido mucha influencia en el ámbito de la computación. En Estados Unidos, la ISO está representada por el *Instituto Estadounidense de Estándares Nacionales (ANSI)*.

International Telecommunications Union-Telecommunications Standards Section (ITU-TSS) *Unión Internacional de Telecomunicaciones-Sección de Estándares para Telecomunicaciones*   Organización, patrocinada por las Naciones Unidas, que establece estándares para tecnología de comunicaciones. En computadoras, los estándares ITU-TSS, como el ampliamente usado protocolo *V.32bis*, que gobierna algunas comunicaciones por *módem de alta velocidad,* permite a un *módem* de un fabricante comunicarse con los de otro. La ITU-TSS es la sucesora del Comité Consultivo Internacional para la Telefonía y Telegrafía (CCITT).

International Traffic in Arms Regulation *Regulación Internacional de Tráfico de Armas*   Vea *ITAR.*

internet *interred*   Grupo de *redes de área local (LANs)* que han sido conectadas por medio de un protocolo de comunicaciones común y dispositivos de redireccionamiento de *paquetes* llamados *ruteadores*, de manera que, desde la perspectiva del usuario, este grupo de redes funciona como una red de gran tamaño. Observe la "i" minúscula; existen muchas interredes además de *Internet,* incluyendo muchas basadas en *TCP/IP* pero no vinculadas a Internet (por ejemplo, la Red de Datos de la Defensa de Estados Unidos).

Internet   Sistema de redes de computadoras enlazadas, con alcance mundial y de continuo crecimiento, que facilita servicios de transmisión de datos como el inicio de sesión remoto, transferencia de archivos, correo electrónico, World Wide Web y grupos de noticias. Internet, la cual descansa sobre *TCP/IP,* asigna a cada computadora conectada una *dirección Internet* única, conocida también como *dirección IP,* con el fin de que dos computadoras conectadas puedan localizarse entre sí en la red para intercambiar datos. Aunque existen conexiones de Internet en prácticamente todos los países, el idioma predominante en la red es el inglés y la mayoría de los usuarios viven en países angloparlantes. Dentro de estas naciones, *Internet* es vista como un nuevo medio de comunicación pública, potencialmente a la par con el sistema telefónico o la televisión por su ubicuidad e impacto.

Internet access provider (IAP) *proveedor de acceso a Internet*   Compañía o consorcio que proporciona acceso de alta velocidad a Internet a negocios, universidades, organizaciones no lucrativas y proveedores de servicios de Internet (ISPs), quienes a su vez proporcionan acceso a Internet a individuos. Algunos IAPs son ISPs.

Internet Activities Board (IAB) *Consejo de Actividades de Internet*   Organización, fundada en 1983, a quien se encomendó el desarrollo de TCP/IP; sus actividades han sido asumidas por el *Consejo de la Arquitectura de Internet (IAB)*.

Internet address *dirección Internet*   La dirección única de 32 bits asignada a una computadora conectada a Internet, representada en notación decimal punteada (por ejemplo, 128.117.38.5). Es sinónimo de *dirección IP*.

Internet Architecture Board (IAB) *Consejo de la Arquitectura de Internet* Unidad de la *Sociedad Internet (ISOC)* que proporciona supervisión amplia sobre el desarrollo técnico de *Internet* y resuelve disputas técnicas que surgen durante el proceso de establecimiento de estándares. Entre las unidades que la organización supervisa se encuentran la *Fuerza de Trabajo de Ingeniería de Internet (IETF)*, la *Fuerza de Trabajo de Investigación de Internet (IRTF)* y la *Autoridad de Números Asignados en Internet (IANA)*.

Internet Assigned Numbers Authority (IANA) *Autoridad de Números Asignados en Internet*   Unidad del *Consejo de la Arquitectura de Internet (IAB)* que supervisa la asignación de direcciones IP, direcciones de puerto y otros estándares numéricos en *Internet*.

Internet Control Message Protocol (ICMP) *Protocolo de Mensajes de Control en Internet*   Extensión del *Protocolo Internet (IP)* original que proporciona un muy necesitado control de errores y congestión. Por ejemplo, un ruteador que utilice ICMP le puede "decir" a otros ruteadores que una rama específica de la red está congestionada o no responde. ICMP proporciona una función de eco que permite a aplicaciones *ping* determinar si un *host* dado está disponible.

Internet Draft *Borrador Internet*   Documento emitido por la *Fuerza de Trabajo de Ingeniería de Internet (IETF)*, unidad del *Consejo de la Arquitectura de Internet (IAB)*. Los Borradores Internet son documentos de discusión sin carácter oficial, que tienen como fin circular en *Internet*, y no se espera de ellos que delineen nuevos estándares.

Internet Engineering and Planning Group (IEPG) *Grupo de Planeación e Ingeniería de Internet*   Unidad de la *Sociedad Internet (ISOC)* que promueve la coordinación técnica de las operaciones cotidianas de *Internet*. El IEPG está compuesto de proveedores de servicios de red vertebral de Internet y no se dedica al desarrollo de nuevos estándares.

Internet Engineering Steering Group (IESG) *Grupo Conductor de la Ingeniería de Internet*   Unidad de la *Sociedad Internet* que revisa los estándares propuestos creados por la *Fuerza de Trabajo de Ingeniería de Internet (IETF)*, en cooperación con el *Consejo de la Arquitectura de Internet (IAB)*; los estándares son publicados en forma de *Solicitudes de Comentarios (RFC)*.

Internet Engineering Task Force (IETF) *Fuerza de Trabajo de la Ingeniería de Internet*   Unidad del *Consejo de la Arquitectura de Internet (IAB)* a la cual concierne los retos técnicos inmediatos relativos a *Internet*. El trabajo técnico de la IETF se lleva a cabo en varios grupos operativos, los cuales están organizados por temas, como seguridad, ruteo y administración de redes. La IETF, administrada por el *Grupo Conductor de la Ingeniería de Internet (IESG)*, realiza varias juntas al año y publica las actas correspondientes.

Internet Experiment Notes (IEN) *Notas Experimentales de Internet* Obsoleta serie de publicaciones, anteriormente usada para informar los resultados de la investigación relativa a protocolos *TCP/IP*.

Internet Explorer   Vea *Microsoft Internet Explorer (MSIE)*.

Internet Inter-ORB Protocol (IIOP) *Protocolo Inter-ORB de Internet* Estándar (*protocolo*) de Internet que permite la *interoperabilidad* entre clientes de Internet y servidores CORBA, por un lado, y entre clientes CORBA y servidores de Internet por el otro. CORBA, siglas de *Arquitectura Común de Agente de Solicitud de Objetos*, es un estándar de *middleware* para *redes de área local (LANs)* multiplataformas a gran escala. En una red CORBA, los programadores crean un objeto (un miniprograma con una función bien definida) sólo una vez y lo ponen disponible a través de la red. Mediante el uso de los estándares CORBA, los programas pueden solicitar la funcionalidad de un objeto; por ejemplo, si un programa necesita efectuar un análisis estadístico, puede requerir una copia del objeto que realiza esta tarea, y obtiene la funcionalidad sin ningún problema. IIOP extiende esta funcionalidad a través de Internet.

Internet Message Access Protocol (IMAP) *Protocolo de Acceso a Mensajes de Internet*   En *correo electrónico* de Internet, uno de dos protocolos fundamentales (el otro es *POP-3*) que gobiernan la forma y el sitio en el que los usuarios almacenan su correo entrante. IMAP almacena los mensajes en el servidor de correo, más que facilitar la transferencia de los mismos a la computadora del usuario, como lo hace el estándar POP3. Para muchos usuarios, este estándar puede resultar más conveniente que POP3 porque todo el correo de una persona es almacenado en una ubicación central, donde puede ser organizado, almacenado y puesto a la disposición desde ubicaciones remotas. IMAP4 es soportado por *Netscape Messenger*, el paquete de correo de *Netscape Communicator*, y por otros programas líderes.

Internet Monthly Report (IMR) *Informe Mensual de Internet* Publicación mensual del *Consejo de la Arquitectura de Internet (IAB)* que resume el estado más actualizado de Internet. El informe incluye resúmenes estadísticos de uso, descripciones de los retos técnicos y los pasos tomados para encararlos, y los informes de varios comités técnicos.

Internet PCA Registration Authority (IPRA) *Autoridad de Registro PCA de Internet*   Unidad de la *Sociedad Internet (ISOC)* dedicada a la habilitación global de aplicaciones de *criptografía de clave pública* en *Internet,* con fines de *autenticación* y *privacía.*

Internet Protocol (IP) *Protocolo Internet*   En *TCP/IP*, el estándar que describe la forma en que una computadora conectada a Internet debe descomponer los datos en paquetes para su transmisión a través de la red, y cómo se deben direccionar con el fin de que lleguen a su destino. IP es la parte sin conexiones de los protocolos TCP/IP; el *Protocolo de Control de Transmisión (TCP)* especifica la forma en que dos computadoras pueden establecer un enlace confiable de datos por medio del *acuerdo de conexión.* Vea *connectionless protocol* y *packet.switching network.*

Internet Relay Chat (IRC)   Servicio de conversación en tiempo real en Internet, en el cual el usuario puede encontrar participantes "en vivo" de todo el mundo. Creado por Jarkko Oikarinen de Finlandia en 1988, el IRC requiere un programa cliente, el cual despliega una lista de los canales IRC activos. Los nombres de cada canal, originados por participantes con el conocimiento técnico necesario para crearlos y denominarlos, algunas veces indican el área de interés del canal, como Elfquest comics. Después de unirse a un canal, el usuario puede ver lo que otros participantes escriben en pantalla y escribir su propia respuesta. Sin embargo, a menudo se experimenta un frustrante retardo antes de que los demás vean el mensaje escrito y respondan al mismo.

Internet Research Task Force (IRTF) *Fuerza de Trabajo de Investigación de Internet*   Unidad del *Consejo de la Arquitectura de Internet (IAB)* que enfrenta los retos de largo alcance relativos a Internet, como la falta de direcciones IP suficientes.

Internet Service Provider (ISP) *Proveedor de servicios de Internet*   Compañía que proporciona cuentas y conexiones de Internet a individuos y empresas. La mayoría de los ISPs ofrecen una amplia variedad de opciones de conexión, que van desde conexiones de acceso telefónico por medio de módems hasta *ISDN* de alta velocidad. También proporciona *correo electrónico, Usenet* y asistencia para publicar material en *World Wide Web (WWW).* Vea *Internet access provider (IAP).*

Internet Society (ISOC) *Sociedad de Internet*   Organización no lucrativa internacional, con oficinas generales en Reston, Virginia, que busca mantener y extender la disponibilidad de *Internet.* La ISOC, creada en 1992, está gobernada por un consejo electo de administradores. Entre los miembros se incluyen individuos y organizaciones (incluyendo proveedores de servicios, proveedores de productos, operadores de empresas en Internet, instituciones educativas, organizaciones de profesionales de la computación, organizaciones para tratados internacionales y agencias gubernamentales). La organización patrocina conferencias anuales y tiene numerosos programas de publicaciones. La Sociedad de Internet encabeza la operación y el desarrollo técnico de Internet, y coordina las actividades del *IAB, la IETF, el IESG, el IEPG, la IANA* y la *IPRA*.

Internet Worm *Gusano de Internet*   Travieso programa, manifiestamente desarrollado como un experimento inofensivo, que se propagó a través de Internet en 1988, sobrecargando y desactivando miles de sistemas de computación a escala mundial. Robert Morris, Jr., el autor del programa y en ese momento estudiante graduado en ciencias de la computación en la Universidad de Cornell, fue sentenciado a tres años de libertad condicional, 400 horas de servicios comunitarios y multa de 10,000 dólares, por cargos contemplados en el *Acta relativa a los fraudes y abusos de la computación de 1986.*

InterNIC   Consorcio de dos organizaciones que proporcionan servicios de información en red a la comunidad de *Internet* bajo contrato con la *Fundación Estadounidense para la Ciencia (NSF)* de Estados Unidos. Actualmente, AT&T proporciona servicios de directorio y bases de datos, mientras que Network Solutions, Inc. provee servicios de registro para nuevos *nombres de dominio* y *direcciones IP.*

interoperatibility *interoperabilidad*   La capacidad de un sistema de computación para controlar otro, incluso aunque ambos sistemas estén construidos por diferentes fabricantes. La interoperabilidad es uno de los principales logros técnicos de los protocolos *TCP/IP;* por ejemplo, mediante el *Protocolo de Transferencia de Archivos (FTP)*, el usuario puede usar una Macintosh para iniciar sesión en una estación de trabajo *Sun* y dirigirla para que le envíe un archivo vía Internet. En otro ejemplo, un *módem* U.S. Robotics puede intercambiar datos con un módem Zoom, en tanto que ambos cumplan con un estándar común como el *V.32bis.*

interpolated resolution *resolución interpolada*   Medio para mejorar la salida de un *escáner* a través de un *algoritmo* de software. En lugar de confiar solamente en los *dispositivos de carga acoplada (CCDs)*, los escáneres con resolución interpolada promedian las lecturas de cada par de dispositivos de carga acoplada e insertan un pixel adicional entre ellos. Aunque una resolución interpolada no es tan buena como la misma *resolución óptica*, puede mejorar, en términos de la relación costo-beneficio, la calidad de digitalización.

interpreted *interpretado*   Ejecutado línea por línea a partir del *código fuente* más que del *código objeto* creado por un *compilador*. Vea *interpreted code, interpreter*.

interpreted code *código interpretado*   Código de programa que requiere un *intérprete* para ejecutarse, en contraste con los programas *compilados*, que son *ejecutables*.

interpreter *intérprete*   *Traductor* de un *lenguaje de programación de alto nivel* que traduce y ejecuta el programa al mismo tiempo. Los intérpretes son excelentes para aprender a programar, ya que si ocurre un error, el intérprete le muestra el lugar preciso (y algunas veces la causa) del mismo. Puede corregir el problema de manera inmediata y ejecutarlo otra vez. De esta forma, puede aprender interactivamente a crear con éxito un programa. Sin embargo, los programas interpretados corren mucho más lentamente que los compilados. Vea *compiler*.

interprocess communication (IPC) *comunicación entre procesos*   En un ambiente *multitareas* como el de *Microsoft Windows* que corre en *modo 386 Extendido*, comunicación de datos o comandos de un programa a otro mientras ambos están en ejecución, cuestión que es posible gracias a las especificaciones de *intercambio dinámico de datos (DDE)*. Por ejemplo, en *Microsoft Excel* puede escribir un comando DDE que acceda dinámicamente a información en modificación continua, como los precios de acciones, y recibirá la información en línea en un programa de comunicaciones.

interrupt *interrupción*   Señal enviada al *microprocesador* que indica la ocurrencia de un evento que requiere la atención del mismo. El procesamiento se detiene momentáneamente para que se lleve a efecto una operación de entrada/salida o de otro tipo. Al terminar la operación, el procesamiento continúa.

interrupt controller *controlador de interrupciones*   Parte del *conjunto de chips* de la *tarjeta madre* que distribuye las *líneas de solicitudes de interrupción (IRQs)*. El controlador de interrupciones evita que más de un dispositivo *periférico* se comunique con el *microprocesador* al mismo tiempo.

interrupt handler *manejador de interrupciones*   Programa que se ejecuta cuando ocurre una *interrupción*. Tales programas trabajan con eventos que ocurren fuera de la percepción del usuario; por ejemplo, manejan cuestiones como la recepción de caracteres que se introducen desde el teclado.

interrupt request (IRQ) *petición de interrupción, solicitud de interrupción*   En *microprocesadores*, líneas de entrada sobre las que los *periféricos* (impresoras o módems, por ejemplo) pueden obtener la atención del microprocesador cuando el dispositivo está listo para enviar o recibir información.

InterSLIP   Programa de *freeware*, creado por InterCon Systems Corp., que proporciona conectividad de *Protocolo Internet de Línea Serial (SLIP)*, incluyendo un programa de acceso telefónico para computadoras Macintosh. InterSLIP requiere *MacTCP*.

intranet   Red de computadoras, basada en tecnología *Internet (TCP/IP)*, diseñada para satisfacer las necesidades internas de una sola organización o compañía. Una intranet, que no necesariamente está abierta a Internet y que casi nunca es accesible desde el exterior, permite a las organizaciones poner recursos a la disponibilidad interna, mediante *clientes* familiares a Internet como *navegadores Web*, *lectores de noticias* y *correo electrónico*. Tan sólo con la publicación de información, como manuales de empleado o directorios telefónicos en Web más que en medios impresos, las compañías pueden lograr significativas *recuperaciones sobre la inversión (ROI)* mediante la creación de intranets. Una intranet selectivamente abierta a aliados estratégicos (incluyendo proveedores, clientes, laboratorios de investigación y otros posibles usuarios externos), se denomina *extranet*.

inverted file *archivo invertido*   Vea *inverted index*.

inverted index *índice invertido*   En *bases de datos*, archivo que contiene *Claves* y *apuntadores*. Cada clave describe exclusivamente un *registro de datos*, mientras que los apuntadores indican al programa la ubicación precisa en la cual puede localizarse de manera física un registro dentro de la base de datos. El índice está invertido en el sentido de que está ordenado por las claves, no por los apuntadores. Esto elimina la necesidad de clasificar los registros en sí, los cuales permanecen (en la mayoría de los sistemas) en el orden en que fueron agregados a la base de datos.

invisible file *archivo invisible*   Vea *hidden file*.

I/O *E/S*   Abreviatura común para *entrada/salida*, porción de la arquitectura de una computadora que trata con la recepción y transmisión de señales a los *periféricos* de la computadora. Vea *input/output (I/O) system*.

I/O adapter *adaptador I/O*   *Adaptador* que se conecta al *bus de expansión* de la computadora y proporciona varios puertos a los cuales pueden conectarse dispositivos periféricos. Generalmente, un adaptador I/O proporciona un *puerto paralelo bidireccio-*

nal, un *puerto serial* con *Transmisor/Receptor Universal Asíncrono (UART) 16550A*, y un *puerto de juegos*. A menudo, los puertos están integrados en la *tarjeta madre* y no es necesario un adaptador I/O.

I/O buffering *almacenamiento de E/S en búfer*   Función de impresoras de alto rendimiento para red que les permite imprimir un documento mientras reciben información acerca de otro, el cual será impreso a continuación.

Iomega Corporation   El fabricante líder de *discos duros removibles*, incluyendo la *unidad Jaz* y la *unidad Zip*. Iomega, cuyas oficinas centrales se localizan en Roy, Utah, fue fundada en 1980.

IP address *dirección IP*   *Número binario* de 32 bits que identifica de manera única y precisa la ubicación de una computadora en particular dentro de *Internet* (cada computadora directamente conectada a Internet debe tener una dirección IP). Como los números binarios son difíciles de leer, las direcciones IP se expresan en números decimales de cuatro partes, cada una de las cuales representa 8 bits de los 32 totales (por ejemplo, 128.143.7.226). En redes y conexiones *SLIP/PPP* que asignan números IP automáticamente cuando el usuario inicia una sesión, este número puede cambiar de una sesión a otra.

IPC   Vea *interprocess communication*.

IPng   Vea *IPv6*.

IP number *número IP*   Vea *Internet address*.

IPv6   El Protocolo Internet de la Siguiente Generación, también conocido como IPng, una extensión evolutiva del actual *Protocolo Internet (IP)*, actualmente en desarrollo por la *IETF*. IPv6 fue originalmente concebido para solucionar el cercano agotamiento de *direcciones IP*, un problema serio causado por el rápido crecimiento de Internet. Sin embargo, el esfuerzo de desarrollo se ha ampliado para afrontar una serie de deficiencias en las versiones actuales de los protocolos fundamentales de Internet, incluyendo la seguridad, la carencia de soporte para la *computación móvil*, la necesidad de configuración automática en dispositivos de red, la carencia de soporte para asignar ancho de banda a transferencias de datos de alta prioridad, y otras limitaciones de los protocolos vigentes. Una cuestión sin resolver es si el comité de trabajo será capaz de persuadir a los proveedores de equipo de red para que se actualicen a los nuevos protocolos.

IPX/SPX   El *protocolo de transporte* utilizado en las redes *Novell NetWare*.

IRC Vea *Internet Relay Chat.*

IRPA Vea *Internet PCA Registration Authority.*

IRQ Vea *interrupt request.*

IRQ conflict *conflicto IRQ* Problema que resulta cuando a dos dispositivos *periféricos* se les ha asignado la misma *línea* de *solicitud de interrupción (IRQ)* e intentan comunicarse con el *microprocesador* simultáneamente. La asignación de una línea IRQ sin usar a un nuevo periférico, por lo general se lleva a cabo por medio de prueba y error, aunque se supone que el estándar *Plug-and-Play* debe eliminar el trabajo de adivinanzas al instalar nuevos *adaptadores.*

IRTF Vea *Internet Research Task Force.*

ISA Vea *Industry Standard Architecture.*

ISAPI Siglas de *Interfaz de Programación de Aplicaciones para Servidores de Internet. Interfaz de programación de aplicaciones (API)* que permite a los programadores incluir vínculos a programas dentro de páginas Web, como los que efectúan búsquedas en bases de datos. La ISAPI está diseñada para funcionar con Microsoft Information Server y proporciona la misma funcionalidad que la *Interfaz Común de Puerta de Enlace (CGI)*, pero con funciones mejoradas y una *sobrecarga* reducida; las solicitudes ISAPI hacen uso extensivo del ambiente de programación de Windows, y los programas invocados permanecen residentes en memoria por si se necesitan nuevamente.

ISA slot *ranura ISA* Receptáculo en la *tarjeta madre* que acepta *periféricos* diseñados para cumplir con el estándar *Arquitectura Estándar de la Industria (ISA)*. Las ranuras ISA no son tan rápidas como las *ranuras de bus local VESA* o *las ranuras de bus de Interconexión de Componentes Periféricos (PCI)*, pero siguen apareciendo junto a las ranuras correspondientes a esos buses de expansión de las computadoras modernas. Vea *expansion bus.*

ISDN *RDSI* Estándar mundial para la distribución de telefonía digital y servicios de datos en casas, escuelas y oficinas. Los servicios ISDN caen en tres categorías; *Interfaz de Servicios Básicos (BRI), Interfaz de Servicios Primarios (PRI)* e *ISDN de Banda Amplia (B-ISDN)*. Diseñada como la opción básica para los consumidores, la Interfaz de Servicios Básicos ofrece dos canales de 64,000 bits por segundo para voz, imágenes y datos, más uno de 16,000 bits por segundo para propósitos de señalización. La ISDN de Servicios Primarios proporciona 23 canales con capacidad de 64,000 bits por segundo. La ISDN de Banda Amplia, aún en desarrollo, podría proporcionar hasta 150 millones de bits por segundo en capacidad de transmisión de datos.

ISO   Vea *International Standards Organization*.

ISO 9660   El estándar vigente para codificar datos en *CD-ROMs*. Prácticamente todas las *unidades de CD-ROM* se pliegan al estándar ISO 9660, aunque unos pocos usan el obsoleto e incompatible *High Sierra*, en el cual se basa el ISO 9660.

ISO Latin 1   Conjunto de caracteres definido por la *Organización Internacional de Estándares (ISO)*. ISO Latin 1 contiene los caracteres necesarios para la mayoría de los idiomas europeo-occidentales además de un espacio de no separación, un indicador de guión suave, 93 *caracteres gráficos* y 25 caracteres de control. Con ciertas excepciones, el ISO Latin 1 es el conjunto predeterminado que se usa en el *Lenguaje de Marcación de Hipertexto (HTML)*.

ISP   Vea *Internet service provider*.

issue restrictions *restricciones de caso*   En un *microprocesador* con *arquitectura superescalar* y varios *canales*, el conjunto de reglas que determinan si dos instrucciones pueden ser procesadas simultáneamente. Por lo general, entre menos restricciones de caso tenga un microprocesador, más rápido procesa las instrucciones. Vea *data dependency* y *false dependency*.

IRQ   Vea *interrupt request*.

italic *cursivas*   Característica de un *tipo de letra*, empleada en general para dar énfasis, en la que los caracteres están inclinados hacia la derecha. En la siguiente oración dos palabras están en cursivas. Vea *oblique* y *Roman*.

ITAR   Siglas de Regulación Internacional de Tráfico de Armas (ITAR). Sección de las regulaciones del gobierno de Estados Unidos manifestadas bajo el Acta de 1994 sobre Control de Exportaciones donde se prohíbe a individuos o compañías norteamericanos que exporten software o utilerías de encriptación que no se pueden descifrar por medio de *análisis criptográfico*. Las restricciones emanan de las preocupaciones de expertos militares conscientes de que las tecnologías de encriptación han jugado un papel decisivo en las guerras del siglo xx. Sin embargo, los algoritmos restringidos están ya ampliamente disponibles fuera de Estados Unidos de manera que —de acuerdo con las críticas de la industria informática a la ITAR— la única función de las restricciones es evitar que las compañías norteamericanas compitan en el lucrativo mercado internacional de la seguridad en las comunicaciones de negocios.

iteration *iteración*   Repetición de un comando o instrucción de programa. Vea *loop*.

ITU-TSS   Vea *International Telecommunications Union-Telecommunications Standards Section*.

J++ *Ambiente de programación* para *Java* creado por Microsoft Corporation. El paquete incluye todas las herramientas necesarias para crear *applets* y *aplicaciones de Java* de manera eficiente, incluyendo un *compilador* y un *depurador*. La implementación de Microsoft de este ambiente de programación ha recibido ciertas críticas, porque incluye muchos ganchos para la versión de Microsoft de la *máquina virtual de Java (VM)*, una versión que se optimizó para ejecutarse de manera eficiente en Microsoft Windows. Los programas escritos con estas funciones tal vez no se ejecuten apropiadamente en otras plataformas, contradiciendo así el beneficio "escribir una vez, ejecutar en cualquier parte" de la programación en Java. Sin embargo, es posible utilizar J++ para escribir applets o aplicaciones que se ejecutarán apropiadamente en un ambiente de plataforma cruzada.

jaggies *bordes dentados*   Vea *aliasing*.

Java *Lenguaje de programación* de plataforma cruzada creado por Sun Microsystems que permite a los programadores escribir un programa que se ejecutará en cualquier computadora capaz de ejecutar un intérprete de Java (que está incorporado en los principales *navegadores Web* actuales). Java es un *lenguaje de programación orientados a objetos (OPP)* muy similar a C++, con la excepción de que elimina algunas características de C++ que los programadores consideran tediosas y que ocupan tiempo. Los programas Java se compilan en *applets* (pequeños programas diseñados para ejecutarse en un navegador) o *aplicaciones* (programas más grandes e independientes, que requieren la presencia de un *intérprete* Java en la computadora del usuario), pero el código compilado no contiene *código de máquina*. En lugar de eso, la salida del compilador es *código de bytes* (algo intermedio entre el *código fuente* y el *código de máquina*), que puede transmitirse a través de redes de computadora, incluyendo Internet. Al recibirse, el código de bytes es interpretado, lo que significa que los programas Java se ejecutan más lentamente que los programas que se diseñan con un procesador específico en mente. Sin embargo, los programas Java se ejecutan más rápidamente que los lenguajes interpretados "puros", como BASIC, donde el código no es compilado en un formato intermedio. Con un *compilador JIT* Java, el código de bytes también puede compilarse sobre la marcha a código de máquina, lo que mejora el desempeño. Para evitar que programas tramposos destruyan datos en la computadora del usuario, los applets de Java se ejecutan en una *máquina virtual* (también conocida como *caja de arena*), donde no tienen acceso al sistema de archivos de la computadora en donde se están ejecutando. Sin embargo, esta limitación restringe a los applets de Java a un nivel relativamente trivial de funcionalidad. Por medio de *certificados* que dan fe de su autenticidad, es posible aumentar la funcionalidad de los applets de Java, además de que también se protege la seguridad del sistema del usuario.

Java applet *applet de Java, subprograma de Java*   Pequeño programa diseñado para su distribución en *World Wide Web* (WWW) y para que se interprete en un *navegador Web*, como *Microsoft Internet Explorer* o *Netscape Navigator*, que soporte Java. Los applets de Java se ejecutan dentro de la ventana del navegador y agregan funcionalidad a las páginas Web. Sin embargo, su funcionalidad depende de restricciones de seguridad, que evitan que los applets logren acceso al sistema de archivos de la computadora. Vea *Java application*.

Java application *aplicación de Java*   Programa de Java que, a diferencia de un applets, se ejecuta en su propia ventana y tiene acceso completo al sistema de archivos de la computadora. Para ejecutar una aplicación de Java, la computadora del usuario debe estar equipada con un intérprete Java independiente, como el que se incluye en el *Kit de Desarrollo de Java* (JDK). Si las aplicaciones de Java se escriben de acuerdo con las especificaciones *Java 100% Puro* de Sun, se ejecutarán en cualquier computadora que pueda ejecutar un intérprete Java.

JavaBean   *Objeto reutilizable*, creado con *Java* y que cumple con las especificaciones *Java 100% Puro* de Sun, que se empaqueta de acuerdo con las especificaciones de JavaBeans. Un JavaBean se diferencia de un applet de Java en que tiene *persistencia* (permanece en el sistema del usuario después de la ejecución). Además, los Beans tienen la capacidad de comunicarse e intercambiar datos con otros JavaBeans por medio de *comunicación entre procesos*. En este sentido un JavaBean es similar a un *control ActiveX*, pero con una excepción muy importante: a diferencia de los controles ActiveX, que sólo se ejecutan en computadoras que soportan la *Vinculación e Incrustación de Objetos (OLE)* a nivel del *sistema operativo*, un JavaBean se ejecutará en cualquier plataforma de computadora que ejecute un intérprete Java. Los usuarios encontrarán que los Beans agregan funcionalidad a las aplicaciones orientadas a Beans, en tanto que los desarrolladores pueden crear rápidamente aplicaciones combinando los componentes de JavaBeans.

JavaBeans   *Arquitectura de componentes* para *applets* y *aplicaciones de Java* que permite a los programadores de Java empaquetar programas de Java en un contenedor, similar a *ActiveX*, para aumentar la capacidad de interoperación con otros *objetos* y mejorar la seguridad. Los ambientes de desarrollo de Java que se ajustan a la especificación de JavaBeans permiten a los programado-

Java Virtual Machine (VM) 275

res crear Beans, que son componentes reutilizables basados en Java con capacidad de intercambiar datos con otros componentes.

Java Development Kit (JDK) *Kit de Desarrollo de Java* Paquete de utilerías y herramientas de desarrollo para Java, creado por Sun Microsystems y distribuido sin costo, que representa el *estándar de facto* para el lenguaje de programación *Java*. El paquete contiene un *intérprete* que permite a los usuarios ejecutar *aplicaciones de Java*.

JavaScript *Lenguaje de creación de scripts* para publicación en Web, desarrollado por *Netscape Communications*, que permite a los autores Web incrustar instrucciones sencillas de programación similares a *Java* dentro del texto HTML de sus páginas Web. Originalmente llamado LiveScript, JavaScript fue más parecido a Java después de que Netscape Communications se dio cuenta de que Java tendría éxito, sin embargo JavaScript carece de las poderosas características de *herencia* de Java y, en el mejor de los casos, es un simple lenguaje de creación de scripts. JavaScript es un lenguaje interpretado que se ejecuta mucho más lentamente que Java (que es un lenguaje híbrido entre compilado e interpretado), y que requiere su propio intérprete, el cual está integrado en los navegadores Web populares. Sin embargo, JavaScript todavía no se ha estandarizado eficazmente; Microsoft ha desarrollado una versión competidora llamada *Jscript* para implementarla en *Microsoft Internet Explorer*, y se reporta que esta versión tiene tantas diferencias con JavaScript que los programas de Jscript tal vez no se ejecuten apropiadamente con otros navegadores. Hasta hace poco, JavaScript era un *estándar de facto*; ahora se ha sometido a la Asociación Europea de Fabricación de Computadoras (ECMA) para su estandarización.

JavaScript style sheet (JSS) *hoja de estilo de JavaScript* Extensión propietaria para los estándares de *hojas de estilo en cascada (CSS)* del *Consorcio Worl Wide Web (W3C)*. La JSS está diseñada para permitir a los programadores de *JavaScript* crear efectos dinámicos al incluir instrucciones de JavaScript en las diferentes definiciones de estilo. Vea *style sheet*.

JavaSoft Subsidiaria de *Sun Microsystems* responsable del desarrollo y la promoción del lenguaje de programación *Java* y los productos relacionados.

Java Virtual Machine (VM) *máquina virtual de Java* Intérprete y *ambiente* de tiempo de ejecución de Java para *applets* y *aplicaciones de Java*. A este ambiente se le llama máquina virtual porque, sin importar el tipo de computadora donde se esté ejecutando, crea una computadora simulada que proporciona la plataforma correcta para ejecutar programas de Java. Además, este método aísla de aplicaciones perjudiciales al sistema de archivos de la computadora. Hay máquinas virtuales de Java disponibles para la mayor parte de las computadoras.

Jaz drive *unidad Jaz*   Popular *unidad de disco* removible, creada por Iomega Corporation, que ofrece más de un gigabyte de almacenamiento.

JDBC   Siglas de Conectividad de Bases de Datos de Java. *Interfaz de programación de aplicaciones (API)* desarrollada por *JavaSoft*, que permite a los programas Java interactuar con cualquier programa de base de datos que soporte el lenguaje de consultas *SQL*.

JDK   Vea *Java Development Kit*.

JIT compiler *compilador JIT*   Abreviatura de compilador Justo a Tiempo. Un *compilador* que recibe el *código de bytes* de una aplicación o *applets* de Java y compila sobre la marcha el código de bytes a *código de máquina*. El código compilado con JIT se ejecuta mucho más rápido que un código ejecutado con un *intérprete* Java, como los incorporados en los *navegadores Web* populares.

jitter *inestabilidad*   En una *red*, variación inoportuna y perceptible en el tiempo que tardan varias estaciones de trabajo para responder a los mensajes (algunas responden rápidamente, en tanto que otras lo hacen con lentitud y algunas no responden en absoluto). La inestabilidad es de esperarse cuando la red no puede asegurar una latencia fija, que es el tiempo requerido para que un mensaje viaje de un punto A a un punto B en una red.

job *trabajo*   Tarea realizada por una computadora. La palabra se deriva de los días cuando la gente tenía que llevar sus *programas* a un departamento de computación para que se ejecutaran en un *mainframe*; con este proceso realmente se asignaba un trabajo al departamento de computación.

job control language (JCL) *lenguaje de control de trabajos*   En computación de *mainframes*, lenguaje de programación que permite a los programadores especificar instrucciones de *procesamiento por lotes*, que la computadora realiza después. La abreviatura JCL se refiere al lenguaje de control de trabajos utilizado en mainframes de IBM.

job queue *cola de trabajos*   Serie de tareas que ejecuta la computadora de manera automática, una después de otra. En el procesamiento de datos en *mainframes*, durante las décadas de los años 50 y 60, la cola de trabajos era literalmente una cola o fila de gente esperando ejecutar sus programas. Con la computación interactiva multiusuarios y la computación personal, generalmente ya no es necesario formarse en una línea para que se realice el trabajo (aunque los trabajos sigan apilándose en una *impresora* ocupada).

join *unión*   En un *programa de administración de bases de datos relacionales*, operación de recuperación de información en donde la nueva *tabla de datos* se elabora a partir de dos o más tablas existentes. Para comprender la forma como trabaja una unión y la razón por la que son convenientes estas operaciones en aplicaciones de bases de datos, suponga que creó una tabla de base de datos llamada RENTAS para su tienda de video. La tabla es una lista de las cintas rentadas con el número telefónico de la persona que rentó la cinta y la fecha de vencimiento. También creó otra tabla de base de datos, llamada CLIENTES, con una lista del número telefónico, el nombre y el número de tarjeta de crédito de todos los clientes. Para encontrar a los clientes que tienen dos semanas de retraso en la entrega de una cinta, tendrá que juntar la información de las dos bases de datos. Suponga que quiere saber el título y la fecha de vencimiento de la cinta, además del número telefónico y el nombre del cliente. El siguiente comando en *Lenguaje de Consultas Estructurado (SQL)* recupera la información que necesita:

```
SELECT TITULO, FECHA_VENC, NUM_TEL, APELLIDO, NOMBRE
FROM RENTAS, CLIENTES
WHERE FECHA_VENC=<05/07/99
```

Este comando le indica al programa que presente la información contenida en los campos de datos TITULO, FECHA_VENC, NUM_TEL, APELLIDO y NOMBRE, pero sólo para aquellos registros en donde el campo de datos FECHA_VENC contenga una fecha igual o anterior al 7 de mayo de 1999. El resultado es la pantalla siguiente:

TITULO	FECHA_VENC	NUM_TEL	APELLIDO	NOMBRE
Ben-Hur	05/07/99	499-1234	Ramos	Silvia
Belle Epoque	05/05/99	499-7890	Anaya	Javier

Vea *join condition*.

join condition *condición de unión*   En un programa de *administración de bases de datos relacionales*, instrucción de la forma como se deben unir dos bases de datos para formar una sola tabla. La instrucción especifica por lo general un campo común a ambas bases como la condición para unir los registros. Vea *join*.

Joint Photographic Experts Group (JPEG*)* *Grupo Unido de Expertos en Fotografía*   Comité de expertos en imágenes de computadora, patrocinado de manera conjunta por la *Organización Internacional de Estándares (ISO)* y el *Comité Consultivo Internacional de Telegrafía y Telefonía (CCITT)*, que desarrolló el estándar de imágenes *JPEG*.

joystick *joystick*   Dispositivo de control muy usado, como alternativa para el teclado, en los juegos de computadora y algunas aplicaciones profesionales, como en el diseño asistido por computadora.

JPEG   Formato de gráficos ideal para ilustraciones complejas de escenas naturales del mundo real, incluyendo fotografías, arte realista y pinturas. (El formato no es conveniente para dibujos de línea, texto, ni dibujos animados sencillos.) Desarrollado por el *Grupo Unido de Expertos en Fotografía (JPEG)*, comité creado por dos cuerpos internacionales de estándares, el formato gráfico JPEG emplea *compresión con pérdida*. Explotando una propiedad conocida de la vista humana (que los pequeños cambios de color son menos evidentes que los cambios en la brillantez), la compresión JPEG no es evidente a menos que se elija una relación de compresión muy elevada. Por lo general, JPEG puede alcanzar proporciones de compresión de 10:1 o 20:1 sin degradación evidente en la calidad de la imagen (una proporción de compresión mucho mejor que la del *Formato para Intercambio de Gráficos [GIF]*).

JPEGView   Popular administrador de gráficos para computadoras Macintosh que puede abrir y desplegar imágenes en formatos *JPEG, PICT, GIF, TIFF, BMP, MacPaint* o *pantalla de inicio*.

Jscript   Versión de Microsoft de *JavaScript*; sin embargo, no es completamente compatible con JavaScript; por esta razón no se utiliza mucho.

Jughead   En *Gopher*, servicio de búsqueda que permite buscar en todo el *Ghopherespacio* palabras clave que aparecen en los títulos del directorio (no en elementos de menú). Para buscar en títulos de directorio y elementos de menú, utilice *Veronica*.

jukebox *jukebox*   *Periférico* que permite el acceso a un grupo de discos. Vea *CD-ROM changer*.

jumper *jumper*   Conector eléctrico que permite al usuario seleccionar una configuración particular en una *tarjeta de circuitos*. El jumper es un pequeño rectángulo de plástico con dos o tres receptáculos. Para instalarlo, basta con empujarlo hacia abajo en dos o tres de los pines que fueron seleccionados de los que sobresalen de la superficie de la tarjeta de circuitos. La colocación del jumper completa el circuito y establece la configuración deseada.

jumper settings *configuración de jumpers*   Configuración de conductores móviles en un *adaptador*. La configuración de jumpers determina la manera como interactúa un adaptador con el resto del sistema al especificar su canal de *solicitud de interrupción (IRQ)*.

jump line *línea de continuación*   Mensaje al final de un fragmento de un artículo que indica la página donde continúa éste. Los programas de *autoedición (DTP)* incluyen características que facilitan el uso de líneas de continuación.

justification *justificación*   Alineación de varias líneas de texto al margen izquierdo, derecho o ambos. El término justificación se usa a menudo para referirse a una justificación completa, o a la alineación de un texto en ambos márgenes. Vea *color*.

K56plus   Uno de los dos *protocolos de modulación* en competencia para los *módems* de 56 Kbps. El estándar K56plus está respaldado por Lucent y Rockwell; el estándar competidor x.2 es respaldado por U.S. Robotics. Los dos estándares no funcionan juntos. La *ITU-TSS* tomará una decisión relacionada con el estándar para módems de 56 Kbps.

Kb   Abreviatura de *kilobit* (1,024 bits).

KB   Abreviatura de *kilobyte* (1,024 bytes).

Kbps   Vea *bits per second (bps)*.

Kerberos   Sistema de *autenticación* para redes de computadoras desarrollado en el Instituto Tecnológico de Massachusetts (MIT). A diferencia de los sistemas de autenticación basados en el servidor, que sólo proporcionan un punto de entrada a la red, Kerberos permite la administración y el manejo de autenticación al nivel de la red. Las contraseñas se encriptan para evitar intercepciones mientras el mensaje va en camino.

Kermit   Protocolo de *comunicación asíncrona* que facilita la transmisión de archivos de programas sin errores a través del sistema telefónico. Desarrollado por la Universidad de Columbia y puesto en el dominio público, Kermit es utilizado en instituciones académicas porque, a diferencia de *XMODEM*, se puede implementar en sistemas mainframes que transmiten siete bits por byte. Vea *communications protocol*.

kernel *núcleo*   En un *sistema operativo*, componentes principales del programa que residen en memoria y llevan a cabo las tareas más importantes del sistema operativo, como la ejecución de operaciones de entrada y salida a disco y el manejo de la memoria interna.

kerning *kerning*   Ajuste de espacio entre ciertos pares de caracteres para que éstos se impriman con un toque estético.

Kerr effect *efecto Kerr*   Tendencia de la luz polarizada a cambiar ligeramente su orientación cuando se refleja sobre una superficie magnetizada. Las *unidades magneto-ópticas (MO)* dependen del efecto Kerr para leer y escribir datos.

key *clave*   1. En *criptografía*, procedimiento que se utiliza para cifrar un mensaje, de modo que, aparentemente, carezca de sentido. La clave también se necesita para *descifrar* el mensaje. En la criptografía de *clave pública* hay dos claves, una *privada* y otra *pública*. Un usuario da a conocer la clave pública a otros, que la utilizan para cifrar mensajes; sólo el destinatario puede descifrar estos mensajes, utilizando la clave privada. 2. En bases de datos, valor único que se utiliza para identificar un *registro*. Sinónimo de *clave principal*.

key assignments *asignación de teclas*   Funciones que asigna un programa de computadora a determinadas teclas. Casi todas las teclas del *teclado* de una computadora personal son programables, lo que significa que un programador puede usarlas de distintas maneras. Sin embargo, los mejores programas se apegan a la *interfaz estándar de la industria*.

keyboard *teclado*   *Dispositivo de entrada* más empleado de cualquier computadora. El teclado proporciona un conjunto de teclas alfabéticas, numéricas, de puntuación, de símbolos y de control. Cuando se presiona una tecla alfanumérica o de puntuación, el teclado envía una señal de código de entrada a la computadora, que responde a la señal mostrando un carácter en la pantalla. Vea *autorepeat key, keyboard layout* y *toggle key*.

keyboard buffer *búfer del teclado*   Vea *keystroke buffer*.

keyboard layout *disposición del teclado*   Disposición que guardan las teclas en el *teclado* de una computadora. Un teclado de PC usa el formato estándar QWERTY que las máquinas de escribir han empleado durante un siglo. Sin embargo, para la disposición de las teclas especiales de la computadora, como Ctrl y Alt, se usan tres estándares diferentes: el teclado original de la PC de IBM de 83 teclas, el teclado AT de la PC de IBM de 84 teclas y el teclado mejorado, que es el estándar actual, de 101 teclas.

J
K
L

keyboard template *plantilla de teclado*   Tarjeta o banda de plástico adhesiva que puede colocarse sobre el *teclado* para visualizar la forma como un programa configura el teclado. Muchas aplicaciones suministran plantillas de teclado, que son útiles cuando se está aprendiendo a usar el programa.

key disk *disco con clave*   Esquema de protección de software para computadora que solicita al usuario que inserte un *disco flexible* con un código especial, antes de que arranque el programa. Con esto se pretende evitar que los poseedores de copias ilegales del programa ejecuten éste en sus máquinas. Los esquemas de protección que incluyen discos con clave son un problema y se están volviendo poco comunes. Vea *software piracy*.

key escrow *custodia de claves*   Esquema, fuertemente promovido por las oficinas de seguridad del gobierno de Estados Unidos, que permitiría a los investigadores tener la autorización judicial para descifrar mensajes confusos. Para que esto funcione, tendría que cambiarse el diseño de las herramientas de *encriptación* para que una clave para *descifrar* pueda ponerse bajo resguardo de una oficina independiente apropiada. La fallida propuesta *Clipper Chip* del gobierno de Estados Unidos hubiera servido para esto, pero se demostró que tenía vulnerabilidades que permitía que los mensajes encriptados con Clipper fueran interceptados por personas no autorizadas.

key status indicator *indicador de estado de tecla*   Mensaje de estado que despliegan en pantalla muchos programas de aplicación para informar al usuario cuáles teclas de conmutación están activas en el teclado, en caso de que las haya.

keystroke *tecleo*   Acción física de oprimir una tecla para introducir un carácter o iniciar un comando desde el teclado.

keystroke buffer *búfer de tecleo*   Área de almacenamiento en memoria empleada para guardar los *tecleos* cuando el usuario escribe algo mientras el *microprocesador* está ocupado. Por ejemplo, si comienza a escribir mientras se guarda un archivo, los caracteres escritos se colocan en este búfer. Una vez que se llena (por lo general a los 20 caracteres), se escucha un sonido cada vez que se oprime otra tecla, lo que indica que ya no se acepta dicha entrada. Cuando el microprocesador termina su tarea, los caracteres del búfer se envían a la pantalla.

key variable *variable clave*   En un programa de *hoja de cálculo*, constante colocada en una *celda* y a la que se alude en toda la hoja mediante *referencias de celda absolutas*.

keyword *palabra clave*   1. En *lenguajes de programación* (incluyendo los de comandos de software), palabra que describe una acción u operación que la computadora es capaz de reconocer y ejecutar. Una *consulta a una base de datos* podría incluir varias palabras clave. 2. En el resumen de un documento, una o más palabras que describen brevemente el contenido de un documento. Un ejemplo podría ser una carta que solicite información acerca de las *PCs ecológicas* y una palabra clave sería electricidad.

keyword search *búsqueda por palabras clave*   En un sistema de *base de datos*, búsqueda que comienza proporcionando a la computadora una o más palabras que describan el tema de su búsqueda. Para recuperar elementos sobre bancos externos en Guadalajara, por ejemplo, podría escribir "bancos" y "externos". En casi todos los sistemas puede utilizar *operadores booleanos* para concentrar o ampliar la búsqueda. Por ejemplo, si escribe "bancos and externos", el sistema recuperará sólo aquellos documentos donde aparezcan las dos palabras.

kick *expulsar*   En *Internet Relay Chat (IRC)*, acción que emprende un *operador de canal* para expulsar del canal a un usuario indeseable. Es obvio que esto se hará sólo cuando el usuario haya violado en exceso la etiqueta de IRC, pero algunas veces se hace muy arbitrariamente, o para diversión del operador del canal.

kill *eliminar*   Detención de un proceso en marcha. En los mejores *lectores de noticias* Usenet, eliminación de un artículo que contiene cierta palabra, nombre o sitio de origen para que los artículos que contengan esta información no aparezcan posteriormente en el selector del artículo. Vea *article selector, global kill file* y *kill file.*

kill file *archivo de eliminación*   En un lector de noticias *Usenet*, archivo que contiene una lista de los temas o nombres que el usuario no desea que aparezcan en la lista de mensajes que puede leer. Por ejemplo, si ya no desea leer los mensajes de David Garza, puede añadir el nombre de esta persona en el archivo de eliminación, con lo que se descartarán sus contribuciones en forma automática antes de llegar a su pantalla.

kilo-   Prefijo que denota mil (10^3).

Kilobit (Kb) *Kibbit*   1,024 bits de información.

kilobyte (KB) *kibbyte*   Unidad básica de medida para la memoria de las computadoras y la capacidad de los discos, que equivale a 1,024 bytes. El prefijo kilo- sugiere 1,000, pero el mundo de las computadoras trabaja con base dos, no con base 10: $2^{10} = 1,024$. Como un byte es lo mismo que un carácter en computación personal, 1KB de datos puede contener 1,024 caracteres (letras, números o signos de puntuación).

kiosk *quiosco*   Sistema de computación accesible públicamente que se ha establecido para permitir la revisión interactiva de información. En un quiosco, el sistema operativo de la computadora se oculta a la vista y los programas se ejecutan en modo de pantalla completa, lo que proporciona algunas herramientas sencillas de navegación. Vea *kiosk mode.*

kiosk mode *modo de quiosco*   En un *navegador Web*, modo de acercamiento del programa para que llene la pantalla, permitiendo su uso como herramienta de revisión de información en un *quiosco.*

kluge *parche*   Solución improvisada y técnicamente deslucida para un problema.

knowbot *knowbot, robot de conocimientos*   Vea *agent.*

knowledge *conocimiento*   En contraste con *datos* o *información*, conjunto de proposiciones sobre algo que permite generar proposiciones adicionales mediante la deducción. Por ejemplo, alguien puede inferir de las siguientes proposiciones que Sri Lanka es un país del sur de Asia: (1) Sri Lanka colinda con la India. (2) Sri Lanka es un país. (3) Todos los países colindantes con la India están en el sur de Asia.

knowledge acquisition *adquisición del conocimiento* En programación de *sistemas expertos*, proceso para adquirir y sistematizar el conocimiento de los expertos. Una de las limitaciones más importantes de la actual tecnología de sistemas expertos radica en que el conocimiento deben adquirirlo los *ingenieros del conocimiento*, quienes, en un proceso lento y cuidadoso, llamado *representación del conocimiento*, lo sistematizan para expresarlo en reglas legibles para la computadora.

knowledge base *base del conocimiento* En un *sistema experto*, parte del programa que expresa el conocimiento de un experto, a menudo mediante reglas SI/ENTONCES (IF/THEN), como "Si la presión del tanque excede las 600 libras por pulgada cuadrada, entonces sonará una señal de advertencia".

knowledge domain *dominio del conocimiento* En *inteligencia artificial (AI)*, área de habilidad de los expertos en la solución de problemas. La actual tecnología de inteligencia artificial trabaja bien únicamente en dominios del conocimiento perfectamente delimitados, como la configuración del sistema de computación de un fabricante, la reparación de un sistema robótico específico o el análisis de inversiones para un rango limitado de valores.

knowledge engineer *ingeniero del conocimiento* En programación de *sistemas expertos*, especialista que obtiene el conocimiento propio de expertos sobre un tema y lo expresa en una forma que pueda usarlo un sistema experto. Vea *knowledge domain*.

knowledge representation *representación del conocimiento* En programación de *sistemas expertos*, método empleado para codificar y guardar el conocimiento en una *base del conocimiento*. Aunque se emplean varios esquemas alternativos de representación del conocimiento, la mayor parte de los sistemas expertos disponibles en el mercado usan el método de sistema de producción, donde el conocimiento se representa en forma de reglas de producción como las siguientes:

```
SI {condición} ENTONCES {acción}
```

Una regla determinada puede tener condiciones múltiples, como en el siguiente ejemplo:

```
SI {una persona tiene presión intraocular elevada}
Y {la persona sufre dolor en la región cuadrática izquierda}
ENTONCES {se recomienda hospitalización inmediata}
```

Korn Shell *Shell Korn* *Shell* (interfaz de usuario) popular para el sistema operativo *Unix*. Algunas veces se abrevia ksh. Interfaz de *línea de comandos* cuyo aprendizaje se le dificulta a los neófitos en computación. No obstante, el Shell Korn es muy estimado por los usuarios experimentados, debido a sus opciones de programación y a la gran cantidad de métodos abreviados que ahorran tiempo.

ksh Vea *Korn Shell*.

L1 cache *caché L1*   Vea *primary cache.*

L2 cache *caché L2*   Vea *secondary cache.*

label *etiqueta, rótulo*   1. En un programa de hoja de cálculo, el rótulo es un texto colocado en una celda. Un número escrito en una celda, por contraste, es un *valor.* 2. En los archivos de procesamiento por lotes de DOS, la etiqueta es una cadena de caracteres precedida por el signo de dos puntos que marca el destino de un comando GOTO.

label alignment *alineación de rótulos*   En un programa de *hoja de cálculo*, manera como se alinean los *rótulos* en una celda (a la izquierda, centrados, a la derecha o repitiéndose en toda la celda). A menos que el usuario indique lo contrario, los rótulos se alinean a la izquierda de la celda. Vea *label prefix.*

label prefix *prefijo de rótulo*   En la mayor parte de los programas de *hoja de cálculo*, signo de puntuación al inicio de la entrada de una celda que le indica al programa que la entrada es un rótulo y especifica la forma como el programa debe alinear el rótulo dentro de la celda. Los programas que usan prefijos introducen el prefijo de rótulo predeterminado —por lo general un apóstrofo (')— cuando la entrada de la celda empieza con una letra. El usuario puede controlar la alineación de un rótulo mientras lo escribe si inicia con alguno de estos prefijos:

Prefijo de rótulo	Alineación
'	Justificado a la izquierda
^	Centrado
"	Justificado a la derecha
\	Repetición a lo largo de la celda

Este sistema ha caído en desuso a medida que más y más programas ofrecen comandos de alineación en sus barras de herramientas y menús, que son más fáciles de utilizar que estos prefijos.

label printer *impresora de etiquetas*   *Impresora* diseñada específicamente para imprimir nombres y direcciones en etiquetas de alimentación continua.

LAN   Vea *local area network.*

LAN-aware program *programa orientado a LAN*   Versión de un *programa de aplicación* modificado específicamente para que funcione en un ambiente de *red de área local (LAN)*. Las versiones para red de programas de *aplicaciones transaccionales* (como los de administración de bases de datos) crean y mantienen archivos compartidos. Por ejemplo, un programa de procesamiento de facturas tiene acceso a una base de datos de cuentas por cobrar. Las versiones para red de *programas no transaccionales*, como los programas de procesamiento de texto, incluyen características de seguridad de archivos para evitar que usuarios no autorizados tengan acceso a sus documentos. Los programas orientados a LAN ostentan características, como *control de concurrencia*, que maneja varias copias de archivos, y *bloqueo de archivos*, además de que impide a los usuarios no autorizados el acceso a ciertos archivos. Los programas orientados a LAN por lo general se almacenan en un *servidor de archivos*.

LAN backup program *programa para respaldo de LAN*   Programa diseñado específicamente para respaldar programas y datos guardados en un servidor de archivos de *red de área local (LAN)*. Los mejores programas para respaldo de LAN respaldan el servidor de archivos en forma automática y bajo un calendario establecido, sin intervención del usuario.

landing zone *zona de aterrizaje*   La única área de la superficie de un *disco duro* que toca la *cabeza de lectura/escritura*. Mediante un proceso llamado *estacionamiento de la cabeza*, la cabeza de lectura/escritura se mueve sobre la zona de aterrizaje antes de que la computadora se apague y se asienta allí. La zona de aterrizaje, en donde no se codifica ningún dato, está diseñada para impedir que la cabeza de lectura/escritura dañe partes del disco utilizadas para almacenar datos.

landscape font *fuente horizontal*   *Fuente* donde los caracteres están orientados hacia el lado más amplio de la página. Vea *portrait font*.

landscape orientation *orientación horizontal*   Diseño de página en donde el texto y/o las imágenes se imprimen paralelamente al lado más amplio de la página. Compare con *portrait orientation*.

landscape printing *impresión horizontal*   Impresión para que las *imágenes* y los caracteres queden paralelos al lado más amplio de la página. En la impresión horizontal, los lados de 11 pulgadas de una *página de tamaño carta* son las partes superior e inferior de la página.

LAN-ignorant program *programa no orientado a LAN*   *Programa de aplicación* diseñado para emplearse exclusivamente como programa independiente y que no incluye características para su uso en una red, como *bloqueo de archivos* y *control de concurrencia*.

LAN memory management program *programa de administración de memoria en LAN*   *Programa de utilería* diseñado específicamente para liberar la *memoria convencional*, de modo que el usuario pueda ejecutar aplicaciones en una estación de trabajo en red. Cada estación de trabajo debe ejecutar software de *red de área local (LAN)*, que puede ocupar hasta 100 KB de *memoria convencional*. Como resultado, quizá las estaciones de trabajo no puedan ejecutar ciertas aplicaciones que ocupan mucha memoria. Los administradores de memoria en una *red de área local (LAN)* mueven el software de red, además de los *controladores de dispositivos*, programas *residentes en memoria (TSR)* y otras utilerías, hacia el área de memoria superior o hacia la *memoria extendida* o *expandida*. NetRoom (de Helix Software) es un programa popular y bien catalogado de administración de LAN. Vea *network operating system (NOS)*.

LAN server *servidor LAN*   Vea *file server* y *print server*.

LAPM   Vea *Link Access Protocol for Modems*.

laptop computer *computadora laptop*   Pequeña computadora portátil que es tan ligera y pequeña que le permite al usuario colocarla sobre su regazo. A las computadoras laptop más pequeñas, que pesan menos de 2.5 kg y entran en un pequeño portafolio, se les conoce como *computadoras* o *notebook*. A las computadoras portátiles más pequeñas, que pesan aproximadamente 2 kilos, se les llama computadoras *subnotebook*.

large-scale integration (LSI) *integración a gran escala*   En tecnología de circuitos integrados, inclusión de hasta 100,000 transistores en un solo chip. Vea *very large scale integration (VLSI)*.

laser font *fuente láser*   Vea *outline font*.

laser printer *impresora láser*   Impresora de alta resolución que usa una versión de la tecnología de reproducción electrostática de las fotocopiadoras para plasmar texto e imágenes gráficas en papel. Los circuitos de control de la impresora reciben las instrucciones de impresión desde la computadora y crean un mapa de bits de cada punto de una página. El controlador asegura que el láser del *motor de impresión* transfiera una réplica precisa de este mapa de bits a un tambor o banda con sensibilidad fotostática. Activado y desactivado con rapidez, el haz cruza el tambor y, a medida que se mueve, carga las áreas de éste que quedan expuestas al haz. Las áreas cargadas atraen el tóner (tinta cargada eléctricamente) mientras el tambor gira y pasa por el cartucho de tóner. Un alambre cargado eléctricamente atrae el tóner del tambor al papel, y unos rodillos calientes funden el tóner en el papel. Un segundo alambre cargado eléctricamente neutraliza la carga eléctrica del tambor. Vea *light-emitting diode (LED) printer* y *resolution*.

latency *latencia*   1. En una red de computadoras, el tiempo requerido para que un mensaje viaje de la computadora transmisora a la receptora. Esto está lejos de ser instantáneo en una red de *conmutación de paquetes*, debido a que el mensaje debe ser leído y transmitido por varios *ruteadores* antes de alcanzar su destino. 2. En unidades de disco, demora ocasionada por la rotación del disco hasta que la información deseada queda colocada bajo la *cabeza de lectura/escritura*. Mientras más rápido gire una unidad de disco, menor será su latencia.

LaTeX *Lenguaje de descripción de páginas (PDL)* que permite al programador preparar una página para la composición tipográfica. No es muy utilizado.

launch *lanzar* Iniciar un programa.

layer *capa* 1. En algunas aplicaciones de ilustración y diseño de páginas, hoja en pantalla sobre la cual el usuario puede colocar texto o imágenes, de modo que queden independientes del texto o las imágenes de otras hojas. La capa puede ser opaca o transparente. 2. En una red de computadoras, parte de la arquitectura total de la red que se diferencia de otras partes porque tiene una función distintiva, como preparar datos para su transmisión a través de los medios físicos de la red. El diseño de la red recibe ayuda al diferenciar funcionalmente capas y asignar estándares, o protocolos, a cada una. Vea *OSI Reference Model* y *protocol stack*.

layout *diseño* En *autoedición* y *procesamiento de texto*, proceso de acomodar texto e imágenes en una página. En sistemas de administración de bases de datos, disposición de los elementos de un informe, como los encabezados y los campos, en una página impresa.

LBA Vea *Logical Block Addressing*.

LCD Vea *liquid crystal display*.

LCD printer *impresora LCD* Vea *liquid crystal display (LCD) printer*.

LCS printer *impresora LCS* Vea *liquid crystal shutter (LCS) printer*.

LDAP Vea *Lightweight Directory Access Protocol*.

leader *relleno* En *procesamiento de texto*, renglón de puntos o guiones que proporciona una ruta para que el ojo la siga de un lado a otro de la página. El relleno se usa a menudo en tablas de contenido para guiar el ojo del lector desde la entrada hasta el número de página. La mayor parte de los programas de procesamiento de texto permiten definir topes de tabulador que insertan relleno al presionar la tecla Tab.

leading *interlineado* Espacio entre líneas, medido de la *línea base* de un renglón a otro. Es sinónimo de espacio entre líneas.

El término se originó con la tecnología de impresión por linotipo donde se insertaban delgadas tiras de plomo entre las líneas de tipos para añadir espacio entre éstas.

leading zero *cero a la izquierda*   Ceros que se agregan antes de los valores numéricos para que una cifra ocupe todos los espacios requeridos en un campo de datos. Por ejemplo, en el número 00098.54, hay tres ceros a la izquierda.

leased line *línea alquilada, línea arrendada línea rentada*   Línea telefónica conectada permanentemente y acondicionada para que proporcione conectividad a la *red de área amplia (WAN)* para una organización o negocio. La mayor parte de las líneas rentadas transfieren datos digitales a *56 Kbps*.

least significant bit (LSB) *bit menos significativo*   En un *número binario*, el último bit (el del extremo derecho) que transmite la menor cantidad de información, tomando en cuenta el bajo valor de su ubicación.

LED   Vea *light-emitting diode*.

LED indicator *indicador LED*   Vea *drive activity light*.

LED printer *impresora LED*   Vea *light-emitting diode (LED) printer*.

left justification *justificación a la izquierda*   Sinónimo de alineación irregular a la derecha. Vea *justification*.

legacy aplication *aplicación heredada*   Programa de computadora diseñado específicamente para *hardware heredado*. Sigue utilizándose, a pesar de su poca eficiencia, una mala interfaz de usuario u otras deficiencias, porque el sistema es demasiado caro para reemplazarlo.

legacy hardware *hardware heredado*   Computadoras o *periféricos* de computadora más antiguos que no se ajustan a los estándares o niveles de desempeño de equipos más recientes. Por ejemplo, un adaptador que no se ajusta al estándar *Plug and Play* es hardware heredado. En redes, este término se refiere al hardware que se diseña para funcionar con protocolos de comunicación *propietarios* en lugar de hacerlo con *estándares abiertos*.

legacy system *sistema heredado*   Sistema de computación, integrado por aplicaciones y hardware obsoletos, que se desarrolló para solucionar un problema específico. Muchos sistemas heredados todavía se utilizan porque solucionan bien el problema y reemplazarlos sería demasiado costoso. Vea *legacy application* y *legacy hardware*.

legend *leyenda*   Área de un diagrama o un gráfico que explica los datos que se están representando mediante los patrones o colores empleados en el gráfico.

Lempel-Ziv compression *compresión Lempel-Ziv*   También conocida como LZW. Método de compresión que busca patrones repetidos (continuos) en datos que habrán de comprimirse y asigna una clave más corta para cada patrón. El archivo comprimido resultante es significativamente más pequeño que el original, pero puede descomprimirse para que el archivo de salida resultante sea una copia exacta del original. Unisys posee una patente para la compresión LZW.

letter-quality printer *impresora con calidad de máquina de escribir*   Impresora de impacto que ofrece los caracteres de texto bien formados que produce una máquina de escribir de oficina de alta calidad.

library *biblioteca*   Conjunto de programas conservados en un sistema de computación y disponibles para propósitos de procesamiento. El término se refiere a veces a un conjunto de *rutinas de biblioteca* escritas en un lenguaje de programación, como C o Pascal.

library routine *rutina de biblioteca*   En *programación*, subrutina, procedimiento o función bien verificados, en determinado lenguaje de programación. Las rutinas de biblioteca manejan tareas que todos o casi todos los programas necesitan, como la lectura de datos de discos. El programador puede recurrir a esta biblioteca para desarrollar programas con rapidez.

ligature *ligadura*   En *tipografía*, dos o más caracteres diseñados y formados como una unidad distinta por razones estéticas, como el carácter æ.

light client *cliente ligero*   Sinónimo de *navegador Web*. En el modelo *cliente/servidor* de arquitectura de red, los programas cliente tradicionales eran propietarios, complejos y caros de mantener. Al utilizar navegadores Web familiares como clientes universales para todo tipo de servidores, los diseñadores de redes pueden reducir de manera sustancial el costo de mantenimiento del cliente y la capacitación del usuario, en tanto que, al mismo tiempo, aseguran que los usuarios de diferentes tipos de computadoras tengan acceso a datos importantes. Vea *heavy client*.

light-emitting diode (LED) *diodo emisor de luz*   Pequeño dispositivo electrónico construido con materiales semiconductores. Un LED emite luz cuando la corriente eléctrica fluye por él. Los LEDs se usan en pequeños indicadores luminosos, pero como ocupan más energía eléctrica que las *pantallas de cristal líquido (LCD)*, pocas veces se emplean en pantallas de computadora.

light-emitting diode (LED) printer *impresora con diodo emisor de luz*   Impresora de alta calidad que se parece mucho a la *impresora láser* porque funde electrostáticamente tóner en el papel; sin embargo, la fuente de luz es una matriz de diodos emisores de luz, en lugar de un láser. Para crear la imagen, los diodos se prenden y apagan sobre un tambor de impresión giratorio. Vea *liquid crystal display (LCD) printer.*

light pen *pluma óptica*   *Dispositivo de entrada* que usa un estilete sensible a la luz para que el usuario pueda dibujar en la pantalla o en una tableta gráfica, o seleccionar elementos de menús.

Lightweight Directory Access Protocol (LDAP*) Protocolo Ligero de Acceso a Directorios*   Estándar de *Internet* (*protocolo*) que permite a los usuarios de *navegadores Web* acceder a bases de datos de directorio y realizar búsquedas en ellas (por ejemplo, un directorio telefónico corporativo).

LIM EMS   Vea *Lotus-Intel-Microsoft Expanded Memory Specification.*

line *línea*   En *programación*, instrucción de programa. En comunicación de datos, circuito que conecta de manera directa dos o más dispositivos electrónicos.

line adapter *adaptador de línea*   En comunicación de datos, dispositivo electrónico que convierte señales de una forma a otra para que el usuario pueda transmitirlas. Un *módem* es un adaptador de línea que convierte las señales digitales de la computadora en equivalentes analógicos para poder transmitirlos a través de las líneas estándar del sistema telefónico.

line art *dibujo lineal*   En *gráficos*, dibujo que no contiene *medios tonos*. El dibujo lineal puede reproducirse con precisión en impresoras de baja o mediana *resolución*, con capacidad limitada de impresión de medios tonos, o que carecen por completo de ésta.

line chart *gráfico de líneas*   Vea *line graph.*

line editor *editor de línea*   Rudimentaria utilería de *procesamiento de texto* que se suministra a menudo con un sistema operativo, como parte de su ambiente de programación. A diferencia de los *editores de pantalla completa*, el usuario sólo puede escribir o editar una línea del código del programa a la vez. Vea *programming environment.*

line feed *avance de línea*   Señal que indica a la impresora el momento de iniciar otra línea. Vea *carriage return* y *Enter/Return.*

line graph *gráfico de líneas*   En gráficos analíticos y para presentaciones, gráfico que usa líneas para mostrar las variaciones de datos en el tiempo o la relación entre dos variables numéricas. En general, el *eje x* (eje de categorías) se alinea horizontalmente, y *el y* (eje de valores), verticalmente. Sin embargo, un gráfico de líneas puede tener dos ejes y. Vea *bar graph* y *presentation graphics*.

line interactive UPS *UPS de línea interactiva*   Tipo de *sistema de alimentación ininterrumpida* (UPS) que proporciona protección de apagones parciales o de fallas de suministro de energía eléctrica. Un UPS de línea interactiva monitorea la corriente eléctrica de un tomacorriente de pared y proporciona energía eléctrica para seguir con una operación completa, si el voltaje de la línea se cae o desaparece. Vea *standby UPS*.

line mode terminal *terminal de modo de línea*   Terminal diseñada para comunicarse con el usuario a través de una línea de texto a la vez, como una antigua máquina de teletipos (en realidad, la abreviatura de esas terminales es TTY, de "teletype"). El usuario escribe un comando de una línea y la *terminal* responde con una confirmación o un mensaje de error de una línea. Vea *network virtual terminal (NVT)* y *Telnet*.

line noise *ruido en la línea*   Interferencia en una línea telefónica causada por fluctuaciones en la corriente eléctrica, malas conexiones del equipo telefónico, cruce con líneas adyacentes o condiciones ambientales como rayos. El ruido en la línea reduce la *tasa de transferencia de datos* que puede sustentar un *módem*, o introduce *caracteres basura* en el flujo de datos.

liner *forro*   Cubierta de tela que se encuentra entre el medio de grabación de un *disco flexible* y su *cubierta*. El forro reduce la fricción y mantiene libre de polvo el medio de grabación.

line rate *frecuencia de línea*   Vea *horizontal frequency*.

line spacing *espacio entre líneas*   Vea *leading*.

link *enlace, vinculación*   Establecer una conexión entre dos archivos o elementos de información para que la modificación que se haga en uno se refleje en el otro. Una *vinculación pasiva* requiere la intervención y acción del usuario, como la apertura de ambos archivos y el uso de un comando de actualización, para asegurarse de que hayan ocurrido los cambios; una *vinculación activa* se efectúa automáticamente. Vea *hot link* y OLE.

Link Access Protocol for Modems (LAPM) *Protocolo de Acceso a Enlaces para Módems*   *Protocolo de corrección de errores* incluido en el estándar *V.42*. Éste trata de establecer una conexión con LAPM, pero probará *MNP4*, en caso de que falle. Como otros protocolos de corrección de errores, LAPM existe para asegurar que la información se transmita con exactitud y que se elimine la *basura*.

J
K
L

linked list *lista vinculada*   Vea *list*.

linked object *objeto vinculado*   En *Vinculación e Incrustación de Objetos* (OLE), documento o parte de un documento (un objeto) creado con una aplicación e insertado en un documento creado con otra aplicación. La vinculación coloca una copia del objeto, con información oculta acerca del origen del objeto, en el *documento destino*. Al modificar el documento origen mientras el documento destino está abierto, se actualiza de manera automática la copia que está en el documento destino. Si el documento destino no está abierto, el objeto se actualizará la siguiente vez que el usuario lo abra. La Vinculación e Incrustación de Objetos sólo es posible cuando se usan aplicaciones compatibles con OLE en un sistema *Microsoft Windows* o en uno Macintosh que se ejecute en el System 7. Vea *embedded object*.

linked pie/column chart *gráfico circular de columnas vinculado*   Vea *linked pie/column graph*.

linked pie/column graph *gráfico circular/de columnas vinculado*   En *gráficos para presentaciones*, gráfico circular que se une a uno de columnas para que este último presente la distribución interna de los elementos de la información, que se encuentra en una de las secciones.

link rot *vínculo roto*   En *World Wide Web* (WWW), expresión coloquial para indicar que un *hipervínculo* está *descontinuado* (dejó de funcionar) cuando se ha movido la página a la que apunta el hipervínculo, o ha desaparecido por completo.

Linux   Versión del sistema operativo *Unix* desarrollada para microprocesadores *Intel*. Linux está disponible como *freeware*, bajo los términos de la *Licencia Pública General (gpu)* de la Fundación de Software Gratuito.

liquid crystal display (LCD) *pantalla de cristal líquido*   Tecnología para *monitores* de bajo consumo eléctrico empleada en *computadoras laptop* y pequeños dispositivos electrónicos de baterías, como medidores, equipos probadores y relojes digitales. La pantalla del dispositivo usa moléculas de cristal en forma de barra que cambian de orientación cuando una corriente eléctrica fluye a través de ellas. Algunos diseños de LCD utilizan *pantalla de contraluz* para mejorar la legibilidad, pero a costa de consumir más energía eléctrica.

liquid crystal display (LCD) printer *impresora de pantalla de cristal líquido*   *Impresora* de alta calidad que se asemeja mucho a la *impresora láser*, porque funde electrostáticamente tóner en el papel; sin embargo, la fuente de luz es una matriz de obturadores de cristal líquido. Los obturadores se abren y cierran para crear el patrón de luz que cae sobre el tambor de impresión. Vea *light-emitting diode (LED) printer*.

liquid crystal shutter (LCS) printer *impresora con obturadores de cristal líquido* *Impresora* que utiliza una fuente de luz y una serie de obturadores y lentes, en lugar de un rayo láser, para crear una carga electrostática sobre una página. Las impresoras LCS tienen una vida más larga que las *impresoras láser* porque incluyen menos partes movibles.

LISP *Lenguaje de programación de alto nivel,* empleado a menudo en la investigación de *inteligencia artificial,* que no hace distinción entre el programa y los datos; además, se le considera ideal para la manipulación de texto. Uno de los más antiguos lenguajes de programación que sigue vigente, es un *lenguaje declarativo;* el programador compone listas que declaran las relaciones entre valores simbólicos. Las listas son la estructura de datos fundamental de LISP, y el programa realiza cálculos sobre los valores simbólicos expresados en esas listas. Sin embargo, al igual que otros lenguajes de programación del dominio público, hay varias versiones de LISP que no se comunican entre sí. Common LISP es una versión estandarizada, totalmente configurada y ampliamente aceptada. Vea *interpreter.*

list *lista* En *programación,* estructura de datos que elabora una lista de todos los elementos de información y los vincula con un apuntador que muestra la ubicación física del elemento en una base de datos. Mediante una lista, un programador puede organizar la información de varias maneras sin alterar la ubicación física de los datos. Por ejemplo, el programador puede mostrar en pantalla una base de datos en orden alfabético, aunque los registros físicos estén almacenados en el orden en que se introdujeron.

LISTSERV Administrador comercial de listas de correo, desarrollado en 1986 para listas de correo BITNET, que desde entonces se han llevado a plataformas *Unix, Microsoft Windows* y *Windows 95.* L-Soft Internacional comercializa LISTSERV. Vea *Majordomo.*

literal *literal* En programación, una constante, en contraposición con una *variable.*

lithium-ion battery *batería de iones de litio* En *computadoras portátiles,* tecnología de baterías recargables que ofrece hasta el doble de la capacidad de carga de las tecnologías competidoras (baterias NiCad y NiMH) con riesgo de contaminación ambiental significativamente menor. Las baterías de iones de litio cuestan más, pero se espera que disminuya la diferencia en precio, a medida que las fábricas aumenten la producción.

little-endian *little-endian* En arquitectura de computadoras, filosofía de diseño que prefiere colocar el *bit menos significativo* al principio de una *palabra.*

live copy/paste *copiado/pegado activo*   Vea *hot link*.

load *cargar*   Transferencia de instrucciones de un programa o de datos de un disco a la *memoria de acceso aleatorio (RAM)* de la computadora.

local area network (LAN) *red de área local*   Computadoras personales y de otro tipo enlazadas, dentro de un área limitada, mediante cables de alto desempeño para que los usuarios puedan intercambiar información, compartir periféricos y extraer programas y datos almacenados en una computadora dedicada, llamada servidor de archivos. En una enorme gama de tamaños y complejidades, las LANs pueden enlazar unas cuantas computadoras personales a un costoso periférico compartido, como una *impresora láser*. Los sistemas más complejos usan computadoras centrales (*servidores de archivos*) y permiten que los usuarios se comuniquen entre sí a través de *correo electrónico*, para compartir programas multiusuario y para tener acceso a bases de datos compartidas. Vea *AppleTalk, baseband, broadband, bus network, EtherNet, multi-user system, NetWare, network operating system (NOS), peer-to-peer network, ring network* y *star network*.

local bus *bus local*   Arquitectura de bus de alta velocidad para computadoras IBM compatibles que vincula directamente la *unidad central de procesamiento (CPU)* de la computadora con una o más ranuras del *bus de expansión*. Esta vinculación directa significa que las señales de un adaptador (por ejemplo, un controlador de video o de disco duro) no tienen que viajar por el bus de expansión de la computadora, que es mucho más lento. Los diseños de bus locales tuvieron mucha importancia a mediados de la década de los años 90, pero los nuevos sistemas utilizan el *bus PCI*, que ofrece mejor desempeño. Vea *VESA local bus*.

local drive *unidad local*   En una *red de área local (LAN)*, unidad de disco que forma parte de la *estación de trabajo* que está empleando el usuario y que es diferente a una unidad de la red (unidad a la que tiene acceso el usuario a través de la *red*).

locale *zona*   En *Microsoft Windows 95*, la ubicación geográfica de una computadora. La zona determina el lenguaje en el que aparecerán los mensajes; el formato de la hora, fecha y las expresiones monetarias, además de la hora del día.

local echo *eco local*   Vea *half duplex*.

local loop *ciclo local*   *Par de alambres de cobre* que conectan una casa o una oficina a una estación de conmutación de la compañía telefónica. Los alambres de ciclo local tienen un *ancho de banda* bajo, y deben reemplazarse si se requieren telecomunicaciones *digitales* de alta velocidad, como las proporcionadas por la *Red Digital de Servicios Integrados (ISDN)*.

local printer *impresora local*   En una *red de área local (LAN)*, *impresora* conectada directamente a la *estación de trabajo* del usuario; es diferente a la impresora de la red (que puede usarse a través de la *red*).

LocalTalk   Cables y conectores físicos fabricados por Apple Computer para redes *AppleTalk*.

local Usenet hierarchy *jerarquía local de Usenet*   En *Usenet*, categoría de *grupos de noticias* configurados únicamente para distribución local (por ejemplo, dentro de los límites de una universidad o una empresa). No es posible acceder a los grupos de noticias locales desde el exterior de la organización.

locked file *archivo bloqueado*   En una *red de área local (LAN)*, atributo de archivo que evita que una aplicación o un usuario actualice o borre el archivo.

log *registro*   En *programas de comunicación*, una característica de registro puede grabar todo lo que aparece en el *monitor* para revisarlo posteriormente, lo que ahorra dinero, si el usuario está pagando una tarifa de conexión por tiempo.

logarithmic chart *diagrama logarítmico*   Vea *logarithmic graph*.

logarithmic graph *gráfico logarítmico*   En *gráficos analíticos* y para *presentaciones*, gráfico donde los valores representados en el *eje y* (eje de valores) aumentan exponencialmente en potencias de diez. En un *eje y* común, al 10 le siguen el 20, el 30, el 40, etc. Sin embargo, en una escala logarítmica, al 10 le siguen el 100, el 1,000, el 10,000, etc. Esto resulta útil cuando hay una gran diferencia entre los valores de los datos graficados. En un gráfico común, es difícil ver una serie de datos o algún dato con valores pequeños; sin embargo, en un diagrama logarítmico se muestran mucho mejor los valores pequeños.

logical *lógico*   Que tiene la apariencia de algo real y se trata como tal, aunque no exista. Vea *logical drives* y *physical drives*.

Logical Block Addressing (LBA) *Direccionamiento Lógico de Bloques*   Parte del estándar *IDE mejorado*, LBA permite que el *disco duro* almacene hasta 8.4 GB de datos.

logical drives *unidades lógicas*   Secciones de un *disco duro* que reciben un formato y la asignación de una letra de unidad; cada una de ellas se le presenta al usuario como si se tratara de una unidad independiente. Otra forma de crear las unidades lógicas es sustituir un directorio por una letra de unidad. Además, las *redes* por lo general asocian los directorios con letras de unidad, lo que produce unidades lógicas. Vea *logical*, *partition* y *physical drive*.

J
K
L

logical format *formateo lógico*   Vea *high-level format*.

logical network *red lógica*   Una *red*, tal como aparece ante el usuario. En realidad, la red tal vez esté integrada por dos o más redes físicas, o parte de éstas, que están enlazadas y coordinadas de manera que parecen una unidad. Uno de los hechos más notables de *Internet* es que, a pesar de que enlaza a decenas de miles de redes físicamente heterogéneas, aparece ante el usuario como si fuera una sola e inmensa red de proporciones mundiales.

logical operator *operador lógico*   Vea *Boolean operator*.

logic board *tarjeta lógica*   Vea *motherboard*.

logic bomb *bomba lógica*   En programación, forma de sabotaje en el cual un programador inserta código que provoca que el programa realice una acción destructiva cuando ocurre un detonador, como el despido del programador de su empleo.

logic gate *compuerta lógica*   Conmutador automático, incorporado en *microprocesadores* y otros *chips*, que prueba ciertas condiciones y toma ciertas acciones si esas condiciones se satisfacen. Las compuertas lógicas se encuentran en el eje de la capacidad de la computadora para seguir instrucciones y resolver problemas. Vea *arithmetic-logic unit*.

login *inicio de sesión*   En una red de computadoras, el proceso de autenticación donde un usuario proporciona un *nombre de inicio de sesión* y una *contraseña*. En inglés, también se escribe *logon*.

login ID *identificación de inicio de sesión*   Vea *login name*.

login name *nombre de inicio de sesión*   En una *red*, nombre único asignado al usuario por parte del administrador del sistema. Se usa como medio de identificación inicial. El usuario debe escribir ese nombre, junto con su *contraseña*, para tener acceso al sistema.

login script *script de inicio de sesión*   En *acceso telefónico*, lista de instrucciones que guía al *programa* de acceso telefónico para el proceso de marcar telefónicamente el número del proveedor de servicio, proporcionando el nombre de inicio de sesión del usuario y la contraseña, y estableciendo la conexión.

login security *seguridad de inicio de sesión*   Proceso de *autenticación* que requiere que el usuario escriba una *contraseña* para poder entrar al sistema.

Logo   *Lenguaje de programación de alto nivel* muy adecuado para enseñar a los niños conceptos fundamentales de programación. Logo, una versión especial de *LISP*, fue diseñado como lenguaje educativo para ilustrar la recursión, extensibilidad y otros conceptos de programación, sin requerir habilidades matemáticas. El lenguaje también proporciona un ambiente en que los niños pueden desarrollar sus habilidades de razonamiento y solución de problemas e incluye imágenes de una tortuga, que representan una ayuda para la enseñanza: requiere que se le diga a una "tortuga" en la pantalla cómo hacer dibujos.

log off *cierre de sesión, desconexión*   Proceso con el que se termina de manera metódica una sesión con un sistema de computación o un dispositivo *periférico*.

log on *conexión, inicio de sesión*   Proceso con el que se establece conexión con un sistema de computación o un dispositivo *periférico*, o se obtiene acceso a él. En MS-DOS, una conexión se refiere al proceso de pasar a otra unidad, para lo que se escribe la letra de la unidad y el signo de dos puntos y después se presiona Enter. En *redes*, quizá deba escribir una *contraseña* para conectarse.

logon file *archivo de inicio de sesión*   En una *red de área local (LAN)*, archivo de procesamiento por lotes o de configuración que inicia el software de red y establece la conexión con ésta cuando el usuario enciende la *estación de trabajo*.

lookup function *función de consulta*   Procedimiento en que un *programa* consulta información guardada, en forma de lista, en una tabla o *archivo*.

lookup table *tabla de consulta*   En un programa de *hoja de cálculo*, datos introducidos en un *rango* de *celdas* y organizados para que una función de consulta pueda usarlos; por ejemplo, para determinar la tasa de impuestos correcta basada en el ingreso anual.

loop *bucle, ciclo*   En *programación*, *estructura de control* en que un bloque de instrucciones se repite hasta que se satisface una condición. Vea *DO/WHILE loop* y *FOR/NEXT loop*.

loopback plug *conexión de ciclo de retorno*   En *comunicaciones seriales*, conexión de diagnóstico que conecta entradas y salidas seriales para que puedan probarse todos los circuitos del puerto.

lossless compression *compresión sin pérdida*   Técnica de *compresión de datos* que reduce el tamaño de un archivo sin sacrificar los datos originales, empleada por programas de compresión de archivos para comprimir todos los archivos de programa y documentos de un *disco duro*. En la compresión sin pérdida, el archivo restaurado o expandido es una réplica exacta del archivo original antes de su compresión, mientras que en la *compresión con pérdida*, se pierden datos de una manera imperceptible para el hombre. La compresión sin pérdida es adecuada para texto y código de computadora, mientras que la compresión con pérdida es buena sobre todo para reducir archivos gráficos y de audio.

lossy compression *compresión con pérdida*   Técnica de *compresión de datos* en que algunos de éstos se descartan en forma deliberada para lograr reducciones importantes en el tamaño del archivo comprimido. Las técnicas de compresión con pérdida pueden reducir un archivo a 1/50 de su tamaño anterior (o menos), en comparación con el promedio de 1/3 logrado por las técnicas de compresión sin pérdida. La compresión con pérdida se usa para los archivos gráficos en los que la pérdida de datos no es perceptible, como información de algunos de los millones de colores de una imagen. Un ejemplo es la técnica de compresión para archivos *JPEG*. Vea *lossless compression*.

lost chain *cadena perdida*   En *MS-DOS*, grupo de clústeres conectados entre sí en la *tabla de asignación de archivos (FAT)*, pero que ya no están conectados a un *archivo* específico.

lost cluster *clúster perdido, unidad de asignación perdida*   *Clúster* que permanece en el disco, aunque la *tabla de asignación de archivos (FAT)* ya no contenga el registro de su vínculo con un archivo. Los clústeres perdidos pueden presentarse cuando se apaga repentinamente la computadora (u ocurre una interrupción del suministro eléctrico) o se intenta realizar otras operaciones mientras se está escribiendo sobre un archivo.

Lotus 1-2-3   *Programa de hoja de cálculo* con múltiples funciones, conocido por su capacidad para trabajar con *Lotus Notes* y programas de *correo electrónico*. Lotus 1-2-3 compite con *Microsoft Excel* y con *Quattro Pro*. Aunque se le aprecia por su fortaleza en el manejo de varios *análisis "qué pasaría si"* y su capacidad para vincular información de hojas de cálculo con mapas, a 1-2-3 se le considera el último entre los tres principales programas de hoja de cálculo.

Lotus Approach   *Programa de administración de base de datos* para *Microsoft Windows* que tiene la distinción de ser fácil de utilizar y capaz de manejar operaciones complejas. Competidor de *Microsoft Access* y de *dBASE* para Windows, Lotus Approach permite analizar *datos* en varios formatos (incluyendo dBASE, Microsoft Access, *Microsoft Excel* y Paradox de Borland) sin programación.

Lotus Domino   Servidor basado en Internet para el software *Lotus Notes* propiedad de Lotus, que lleva funciones de *groupware* (incluyendo *correo electrónico*, colaboración y calendarización) a redes empresariales. Domino compite con el *Microsoft Exchange Server*. A diferencia del ofrecimiento de Microsoft, que se utiliza mejor donde se ha tomado la decisión de estandarizar las estaciones de trabajo y los servidores en Windows, Domino es un producto de *plataforma cruzada* que incluye soporte para *Unix* y *OS/2*.

Lotus-Intel-Microsoft Expanded Memory Specification (LIM-EMS)
Especificación de Memoria Extendida Lotus-Intel-Microsoft   Estándar
de *memoria expandida* que permite a los programas que reconocen
el estándar trabajar con más de 640KB de RAM bajo DOS. El
estándar LIM versión 4.0, introducido en 1987, soporta hasta
32*MB* de memoria expandida y permite que los programas corran
en memoria expandida.

Lotus Notes   *Aplicación de groupware* propietaria que
ofrece *funciones* como seguimiento de discusiones, *correo electrónico*, calendarización de grupo y capacidad de compartir
bases de datos en grupos de trabajo grandes y pequeños. Lanzado por primera vez en 1988, Lotus Notes es la aplicación de
groupware más popular. Lotus Notes incluye un elaborado lenguaje de desarrollo de aplicaciones que permite adecuarlo a las
necesidades de un grupo de trabajo particular. Lotus Notes tiene
competencia en *Microsoft Exchange*. Una versión compatible con
Internet de Notes, *Lotus Domino*, lleva las funciones de Notes a
redes basadas en *TCP/IP*.

Lotus Organizer   *Administrador de información personal
(PIM)* incluido en *Lotus SmartSuite* y diseñado para funcionar
bien con *Lotus Notes*. Con Lotus Organizer, otros usuarios de
Notes observan la hora de una cita introducida por el usuario,
para que no traten de concertar citas con el usuario en ese
momento.

Lotus SmartSuite   *Grupo de programas de aplicación*, publicado
por Lotus, que incluye *Lotus Word Pro, Lotus 1-2-3, Lotus Approach* y *Lotus Organizer*. Lotus SmartSuite compite con *Corel
WordPerfect Suite* y *Microsoft Office Proffessional*.

Lotus Word Pro   Antes llamado Ami Pro, *programa de procesamiento de texto* creado por Lotus Corporation para sistemas
Windows. Para cumplir con el compromiso de Lotus de
groupware, Word Pro pone énfasis en la escritura colaborativa
(incluyendo revisión y edición de documentos compartidos),
mientras que también ofrece un conjunto completo de características de escritura y edición que se encuentran en otros
programas de procesamiento de texto líderes (como *Word de
Microsoft*).

low end *terminado ordinario*   Producto económico que ocupa los
últimos lugares de los ofrecimientos de una firma; incluye sólo un
subconjunto de las características disponibles en los productos más
caros y quizá dependa de tecnología obsoleta o que está a punto de
serlo para mantener los costos bajos.

low-level format *formateo de bajo nivel*   Definición de la posición
física de las *pistas* y los *sectores* magnéticos de un disco. Esta

operación, conocida también como formateo físico, es diferente del *formateo de alto nivel*, que establece las secciones donde se guardan los archivos de DOS y que registra las pistas libres y las áreas usadas del disco.

low-level programming language *lenguaje de programación de bajo nivel*   En *programación* de computadoras, lenguaje (como el de *máquina* o el *ensamblador*) que describe de manera exacta los procedimientos que se seguirán en la *unidad central de procesamiento (CPU)*. Vea *high-level programming language*.

low-power microprocessor *microprocesador de bajo consumo eléctrico*   Microprocesador que se ejecuta con 3.3 voltios de electricidad, o menos. Los microprocesadores de bajo consumo eléctrico se utilizan a menudo en *computadoras portátiles* para conservar la energía eléctrica de la batería. Vea *0.5-micron technology* y *Complementary Metal-Oxide Semiconductor (CMOS)*.

low resolution *baja resolución*   En *monitores* de computadoras e *impresoras*, definición visual que da como resultado caracteres e imágenes con contornos dentados. Por ejemplo, el *Adaptador de Gráficos a Color (CGA)* de IBM y un monitor pueden desplegar 640 pixeles en posición horizontal, pero sólo 200 líneas en posición vertical, lo que produce una definición visual deficiente. Los monitores y las impresoras de *alta resolución* producen caracteres bien definidos o curvas delineadas con suavidad en imágenes gráficas.

LPT   En DOS, nombre de dispositivo que remite a un puerto paralelo en que se pueden conectar impresoras paralelas.

LSB   Vea *least significant bit*.

LSI   Vea *large-scale integration*.

lurk *acechar, merodear*   Acto de leer en un grupo de noticias o una lista de correos sin enviar jamás un mensaje propio. Vea *delurk*.

LViewPro   Programa visor de imágenes *shareware* para Microsoft Windows, creado por Leonardo H. Loureiro y ampliamente disponible en Internet. Se utiliza a menudo como *programa auxiliar* para navegadores Web, el programa puede leer archivos JPEG, TIFF, Targa, GIF, PCX, mapa de bits de Windows, mapa de bits de OS/2, PBM, PGM y PPM. Una característica especialmente interesante para los desarrolladores de Web es la capacidad de LViewPro para crear *GIFs transparentes*.

Lycos   *Máquina de búsqueda* para localizar documentos en *World Wide Web*. Lycos, que recibe su nombre de una araña que caza de noche y posee una gran energía, depende de una rutina de búsqueda automatizada (llamada *araña*) que recorre Web, descubre nuevos documentos Web, *FTP* y *Gopher* (unos 5,000 diarios). Las adiciones se vuelven parte de la enorme base de datos de Lycos. Para cada documento Lycos crea índices para palabras de título, encabezados, subencabezados, todos los hipervínculos del documento, las 100 palabras más importantes de éste, y las palabras de las primeras 20 líneas de texto. Un usuario que desee localizar los documentos que contengan palabras que están en una parte más profunda de la página debe utilizar *AltaVista*, que crea índices para todo el texto del documento. Una desventaja importante de la máquina de búsqueda Lycos es que carece de las provisiones necesarias para reducir el alcance de la búsqueda, incluyendo *búsquedas sensibles a minúsculas/mayúsculas*, *búsquedas basadas en campos* y *búsquedas de frases*. Vea *Infoseek*.

LYNX   *Navegador Web* que sólo muestra texto, a pantalla completa, para computadoras *Unix*, creado por Lou Montoulli de la Universidad de Kansas. LYNX es un navegador Web muy completo, pero no puede mostrar *imágenes en línea*.

LZW   Iniciales de Lempel-Zif-Welsh. Técnica de *compresión de datos* que utilizan varias aplicaciones (incluyendo archivos gráficos *GIF*, impresión *PostScript*, compresión *V.42bis* y *Adobe Acrobat*). La patente de la compresión LZW pertenece a Unisys Corporation, que cobra una cuota por licencia a cada editor de software que crea programas que utilizan el algoritmo LZW. La especificación *Gráficos Portables de Red (PNG)* es un estándar gráfico abierto que no emplea ningún algoritmo patentado.

J
K
L

Mac   Vea *Macintosh*.

MAC   Vea *media access control*.

MacBinary   *Protocolo de transferencia de archivos* (ftp) para las computadoras *Macintosh*. Permite almacenar archivos Macintosh en computadoras de otro tipo sin perder información importante *de la bifurcación de recursos* de archivos Macintosh, incluyendo *iconos*, imágenes e información concerniente al archivo (la fecha de creación, por ejemplo). La mayor parte de los *programas de comunicaciones* de Macintosh transmite y recibe archivos en MacBinary.

machine code *código de máquina*   Las instrucciones de programa leídas por los circuitos de procesamiento de la computadora, con base en las cuales actúan éstos. El código de máquina se escribe como *números binarios* y a los humanos les resulta casi imposible leerlo; por esta razón, los programadores utilizan *lenguaje ensamblador* o un *lenguaje de programación de alto nivel* para escribir programas, que luego se *compilan* en código de máquina. En algunos procesadores (sobre todo *RISC*), las instrucciones en código de máquina generan directamente señales de control que le indican al procesador cuál tarea desarrollar, pero un diseño más común utiliza *microcódigo*, un lenguaje de control integrado, intermediario, para interpretar las instrucciones en código de máquina. Como el código de máquina aprovecha las características únicas de un procesador determinado, un programa compilado escrito para un procesador (o familia de procesadores) no se ejecutará en un diseño de procesador diferente; entonces, para desarrollar programas para más de un sistema, es necesario utilizar *compiladores* que generan el código necesario para cada tipo de procesador. Sinónimo de lenguaje de máquina.

machine cycle *ciclo de máquina*   Proceso completo, de cuatro pasos, que la unidad de procesamiento de la computadora desarrolla para cada instrucción de *código de máquina*; en este proceso una instrucción es traída de la memoria, decodificada para que el procesador pueda generar las señales de control correctas y ejecutada generando las señales de control. Los resultados se almacenan en la memoria.

machine dependent *dependiente de la máquina*   La incapacidad de un programa para ejecutarse en una computadora diferente de aquella para la cual se diseñó. Vea *device dependent*.

machine language *lenguaje de máquina*   Vea *machine code*.

machine learning *aprendizaje de la máquina*   La capacidad de un programa o sistema de computación para mejorar su eficiencia, velocidad o algún otro aspecto de desarrollo con base en conclusiones obtenidas de experiencias anteriores.

MacHTTP *Servidor Web* popular para computadoras *Macintosh*, fácil de usar, que puede manejar hasta 10 conexiones simultáneas. WebStar es una versión comercial con más opciones.

Macintosh   Línea de *computadoras personales* creada por *Apple Computer*, lanzada en 1984. La Macintosh fue pionera de la *interfaz gráfica de usuario* (GUI), misma que fue desarrollada, pero no comercializada con éxito, por Xerox Corporation. Macintosh también fue pionera en el concepto de periféricos *Plug and Play* (PnP), soporte integrado a dispositivos *SCSI* y conectividad integrada para redes de área local. Las primeras Macs estaban basadas en la serie de microprocesador Motorola 680x0; las actuales *Power Macintosh* utilizan el microprocesador *PowerPC* de Motorola, un chip *RISC*. Desde la introducción de Microsoft Windows, Apple ha visto fuertemente desgastado su liderazgo en tecnología; esto se ha complicado con la incapacidad de la empresa para desarrollar un nuevo sistema operativo para la Macintosh con capacidad de *multitarea por preferencias*. Entre las medidas tomadas recientemente para detener la declinación de Macintosh se incluyen la licencia del sistema operativo de Macintosh, *MacOS*, a fabricantes de *clones* (un paso que los críticos de Apple aseguran que debió darse a finales de los años 80), y la compra de NeXT, Inc., sobre todo por su innovador sistema operativo (vea *Rhapsody*).

Macintosh file system *sistema de archivos Macintosh*   La arquitectura de almacenamiento de archivos de la computadora *Macintosh*, en la cual cada archivo tiene dos componentes, llamados bifurcaciones. La *bifurcación de datos* almacena datos, como una hoja de cálculo o un documento de procesamiento de texto; este componente corresponde al contenido de los archivos de otros sistemas de computación. El segundo componente es único de la Macintosh, la *bifurcación de recursos*, que contiene iconos de programas e información sobre el programa, como el nombre de la aplicación que lo creó. Vea *MacBinary*.

MacOS   Sistema operativo de las computadoras *Macintosh*. Al ofrecer una *interfaz gráfica de usuario* (GUI) y capacidad limitada de *multitareas*, MacOS empezó a quedarse atrás de sistemas operativos de la competencia (como *Windows 95* y *Microsoft Windows NT*) a mediados de los años 90, sobre todo porque Apple dejó de introducir características cruciales para ejecutar varios programas al mismo tiempo en un ambiente de sistema operativo estable. (Entre estas características se incluye *procesamiento en múltiples subprocesos, multiprocesamiento simétrico, multitareas por preferencias y memoria protegida.*) La falla del muy retrasado proyecto *Copland*, que hubiera traído éstas y muchas otras características al System 8 (el sucesor del actual System 7), condujo a Apple a comprar una actualización para su sistema operativo. Después de considerar *BeOS*, Apple adquirió *NextStep*, el sistema operativo de computadoras NeXT, y *OpenStep*, la *interfaz de programación de aplicaciones* (*API*) orientada a objetos desarrollada por NeXT, que permite un desarrollo de aplicaciones rápido y económico. Estos elementos se integrarán en una interfaz de usuario de Macintosh que se liberará como el software de sistema de la siguiente generación de Apple (con el actual nombre de código *Rhapsody*). Sin embargo, actualmente no hay planes para que este nuevo sistema operativo sea *compatible hacia atrás* con las Macintosh actuales o con las aplicaciones de Macintosh. Por esta razón, Apple ha introducido una estrategia de sistema operativo de dos puntas, que incluirá soporte para el actual MacOS durante tres o cuatro años más. *MacOS 8* ofrece una ruta de actualización para los usuarios actuales de Macintosh; la revisión debe llevar a la muy esperada estabilidad del sistema operativo para los usuarios de sistemas Macintosh.

MacPaint   El *programa de pintura* original, desarrollado para las primeras Macintosh (1984).

macro *macro*   *Programa* compuesto por *tecleos* grabados y por un *lenguaje de comandos* propio de la aplicación que, al ejecutarse dentro de la aplicación, ejecuta los tecleos y los comandos para llevar a cabo una tarea. Las macros sirven para automatizar tareas tediosas y de uso reiterado (como guardar y respaldar un archivo en un disco flexible) o para crear *menús* especiales para acelerar la entrada de datos.

Macromedia Director   Programa líder de *animación* y *autoría* de multimedia para sistemas Windows y Macintosh, creado por Macromedia. El software *Shockwave* de la empresa permite a los autores de multimedia incrustar animaciones en páginas Web; para reproducir estas animaciones, el navegador debe estar equipado con el *complemento* Shockwave.

Macromedia Freehand   Programa líder de gráficos vectoriales para sistemas de Windows y Macintosh, creado por Macromedia, que está optimizado para publicación en Web, además de estarlo para diseño e ilustración profesionales. Vea *Adobe Illustrator*.

MacTCP   *Programa de utilería para Macintosh*, desarrollado por *Apple Computer* e incluido con el System 7.5, que proporciona el soporte necesario de *TCP/IP* para conectar computadoras

Macintosh a Internet. Se necesita un *programa de comunicaciones* por separado para conectar a través de los protocolos *SLIP* o *PPP*.

magic cookie *cookie mágica*   Antiguo término de *Unix* para una pequeña unidad de datos que se pasa de un programa a otro con el fin de que el programa que la recibe pueda desarrollar una operación. Sinónimo de *cookie*.

magnetic disk *disco magnético*   En almacenamiento de datos, el medio de almacenamiento de *acceso aleatorio* más popular para guardar y recuperar programas de computación y archivos de datos. En computación personal, los discos magnéticos comunes son los *flexibles* de 5¼ y 3½ pulgadas y los *duros* de distintos tamaños. El disco está recubierto con un material sensible al magnetismo. La *cabeza* magnetizada de *lectura/escritura* se mueve transversalmente sobre la superficie del disco giratorio, bajo el control automático de la unidad de disco, hasta llegar a la ubicación de la información deseada. La información almacenada en un disco magnético se puede borrar y escribir reiteradamente, al igual que en cualquier otro medio de almacenamiento magnético.

magnetic medium *medio magnético*   Medio de *almacenamiento secundario* que usa técnicas magnéticas para guardar y recuperar información en discos o *cintas* recubiertas con materiales sensibles al magnetismo. Al igual que las limaduras de hierro sobre una hoja de papel encerado, estos materiales adquieren una nueva orientación cuando un campo magnético pasa sobre ellos. Durante los procesos de escritura, la *cabeza de lectura/escritura* emite un campo magnético que orienta los materiales magnéticos del disco o la cinta para representar datos codificados. Durante el proceso de lectura, la cabeza de lectura/escritura percibe los datos codificados en el medio magnético.

magnetic tape *cinta magnética*   Vea *tape* y *tape drive*.

magneto-optical (MO) cartridge *cartucho magneto-óptico*   Dispositivo de almacenamiento removible utilizado en la *unidad magnetoóptica (MO)*. Los cartuchos MO son de 5¼ pulgadas de diámetro (con capacidad de hasta 1,300 MB) o de 3½ pulgadas de diámetro (con capacidad de hasta 230 MB). Los datos de un cartucho magneto-óptico son muy estables, a diferencia de los datos en los *discos flexibles* o *duros*, que tienden a borrarse solos si los datos no son reescritos regularmente.

magneto-optical (MO) drive *unidad magneto-óptica*   Dispositivo para almacenamiento de datos que emplea tecnología láser para calentar un punto extremadamente pequeño del *cartucho magneto-óptico (MO)*, con el propósito de que la orientación magnética del medio magnético usado en el disco MO pueda ser cambiada por la *cabeza de lectura-escritura*. Aunque las unidades magneto-ópticas son lentas (tienen un *tiempo* promedio de *búsqueda* de 30 *milisegundos [ms]*, en comparación con los menos de 15 ms necesarios para las unidades de disco duro) y caras, son muy adecuadas tanto para el almacenamiento de copias de seguridad como de grandes programas o datos a los que no se tiene acceso con frecuencia.

magneto-resistive (MR) head *cabeza magneto-resistiva*   Tipo tecnológicamente avanzado de *cabeza de lectura-escritura* que utiliza una aleación especial de metal que mejora la *densidad de área* al empaquetar *pistas* de manera más compacta y aumentar la *velocidad real de transporte* mediante partes separadas de lectura y escritura. Las cabezas MR se utilizan a menudo en *discos duros* que emplean *tecnología de canal de lectura PRML*.

mail bombing *bombardeo por correo*   Forma de acoso en que se envían muchos mensajes largos de *correo electrónico* al buzón electrónico de una persona.

mailbox *buzón electrónico*   En *correo electrónico*, lugar de almacenamiento separado para guardar los mensajes dirigidos a un usuario.

mailbox name *nombre de buzón electrónico*   En una dirección de *correo electrónico de Internet*, una de las dos partes básicas de la dirección de una persona: la parte a la izquierda de la "arroba" (@), que especifica el nombre del *buzón electrónico* de la persona. A la derecha del signo @ se encuentra el *nombre de dominio* de la computadora que alberga al buzón electrónico. El nombre de buzón electrónico de una persona a menudo es el mismo que su *nombre de inicio de sesión*.

mail bridge *puente de correo*   *Puerta de enlace* que permite a los usuarios de una *red* o un *servicio de información en línea* intercambiar *correo electrónico* con usuarios de otras redes o servicios. Por ejemplo, los usuarios de *CompuServe* pueden intercambiar correo con usuarios de *Internet* por medio de una puerta de enlace.

mail client *cliente de correo*   Vea *e-mail client*.

mail exploder *distribuidor de correo*   Vea *mailing list manager*.

mail filter *filtro de correo*   Programa o utilería de *filtro* dentro de un programa de *correo electrónico* que vigila el correo entrante y luego ordena el correo en carpetas o directorios, de acuerdo con el contenido encontrado en uno o más de los campos del mensaje. Por ejemplo, el correo proveniente de una lista de correo puede dirigirse a una carpeta separada para una lectura posterior, con el fin de que esos mensajes no enturbien el correo personal más importante en la bandeja de entrada del usuario.

mail gateway *puerta de enlace de correo*   Computadora que permite que dos redes mutuamente incompatibles intercambien *correo electrónico*. Por ejemplo, los usuarios de America Online pueden intercambiar correo electrónico con usuarios de *Internet* por medio de una puerta de enlace. En algunos casos, las puertas de enlace no pueden manejar *archivos adjuntos*.

Mailing List Manager *Administrador de Listas de Correo*   Programa que permite que un moderador de listas de correo maneje una lista de correo electrónico. Los principales administradores de listas de correo, como Majordomo, proporcionan herramientas para suscribir y cancelar la suscripción de usuarios, distribuir información entre la lista y redistribuir mensajes entrantes para que todos los que integran la lista reciban una copia. También se le llama distribuidor de correo.

mail merge *combinación de correspondencia*   En *programas de procesamiento de texto*, utilería que extrae información de una *base de datos* (por lo general una lista de correo) y la incorpora en un documento modelo para crear varias copias de éste. Cada copia contiene información proveniente de un registro de la base de datos. El uso más común de las utilerías para combinación de correspondencia es la personalización de cartas modelo. En lugar de generar cartas dirigidas al "Apreciable solicitante", el usuario puede utilizar la utilería de combinación de correspondencia para generar cartas dirigidas al "Apreciable señor Rodríguez".

mail reflector *reflector de correo*   Vea *LISTSERV* y *Mailing List Manager*.

mail server *servidor de correo*   *Programa* que responde automáticamente los mensajes de *correo electrónico*. Existen servidores de correo que introducen o cancelan suscripciones a listas de correo y envían información como respuesta a una solicitud.

mailto *mailto*   En *HTML*, *atributo* que permite a los autores Web crear un vínculo con la dirección de *correo electrónico* de una persona. Cuando el usuario hace clic en el vínculo mailto, el navegador despliega una ventana para redactar un mensaje de correo electrónico que se enviará a esa dirección.

mail user agent *agente de usuario de correo*   Vea *e-mail client*.

mainframe *mainframe*   Computadora multiusuario concebida para cubrir los requisitos de computación de grandes empresas. Al principio, el término mainframe se refería al gabinete metálico que albergaba a la *unidad central de procesamiento (CPU)* de las primeras computadoras. El término llegó a usarse de manera general para referirse a las enormes computadoras centrales creadas en las décadas de los 1950 y 1960 para satisfacer las necesidades de control administrativo y de información de grandes empresas. Los mainframes más grandes pueden manejar miles de *terminales tontas* y emplear terabytes de *almacenamiento secundario*. Vea *minicomputer*, *personal computer* (PC) y *workstation*.

main loop *ciclo principal*   En un *programa orientado a eventos*, el nivel superior de la *estructura de control* del programa. Por lo general, el ciclo principal espera la entrada del usuario en forma de un clic o un tecleo.

main memory *memoria principal*   Vea *random-access memory (RAM)*.

main program *programa principal*   En *programación*, la parte del *programa* que contiene la secuencia maestra de instrucciones, diferente de las *subrutinas*, los procedimientos y las funciones, que son llamados por el programa principal.

main storage *almacenamiento principal*   Vea *randon-access memory (RAM)*.

maintenance programming *mantenimiento de programas*   Modificación de un *programa* después de que se ha utilizado por un tiempo. El mantenimiento de programas puede realizarse para agregar *funciones*, corregir *errores* que escaparon a la detección durante la prueba, o actualizar variables clave (como la tasa de inflación) que cambian con el tiempo.

maintenance release *versión corregida*   Revisión de programa que corrige un *defecto* menor o que agrega un nuevo componente menor, como un *controlador de impresora* reciente. Estas versiones corregidas se enumeran por lo general con décimas (3.2) o centésimas (2.01), para distinguirlas de revisiones de programa más importantes. El término es sinónimo de actualización intermedia.

Majordomo   Administrador popular de lista de correo de *freeware* para sistemas *Unix*. Vea *LISTSERV* y *Mailing List Manager*.

male connector *conector macho*   En cables de computadora, dispositivo terminal y de conexión cuyos pines sobresalen de la superficie. Los conectores macho se insertan en *conectores hembra*.

mall *centro comercial*   En *World Wide Web (WWW)*, servicio de compras que proporciona espacio para publicar *escaparates* (páginas Web que describen ventas al menudeo u ofrecimientos de servicio). Por lo general, los centros comerciales permiten hacer pedidos con tarjeta de crédito por medio de servidores seguros y *canastas de compra*, las cuales dan la facilidad al usuario de que seleccione los productos que desee y que los pague todos al final.

management information base *base de administración de información*   En una red, base de datos de varios dispositivos de red, como *ruteadores*, que permiten a los administradores de red detectar fallas y optimizar el desempeño de la red. Vea *Simple Network Management Protocol (SNMP)*.

management information system (MIS) *sistema de información para la administración*   *Sistema de computación* asentado en un *mainframe*, una *minicomputadora*, una red de área local (LAN) o una red de área amplia (WAN) y concebido para proporcionar al personal administrativo información actualizada sobre el funcionamiento de la empresa.

man page *página del manual*   En *Unix*, página de documentación en línea relacionada con un comando determinado.

manual recalculation *recálculo manual*   En un *programa de hoja de cálculo*, método que suspende el recálculo de valores hasta que el usuario emite un comando para que se realice el recálculo.

map *mapa*   Representación de los *datos* almacenados en memoria. Vea *bitmap*.

MAPI   Vea *Messaging Application Programming Interface*.

mapping *asignación, asociación, correspondencia, conversión*   1. En una *red de área local (LAN)*, el término se refiere a la asignación de letras de *unidad* a volúmenes y directorios específicos. 2. Proceso para convertir *datos* codificados de un *formato* a otro. Por ejemplo, en *administración de bases de datos*, el índice de la base de datos proporciona un medio para convertir los *registros de datos* reales (guardados en el disco en un orden específico) en formas útiles para presentarlos en la pantalla del monitor.

marquee *marquesina, recuadro de selección*   1. En páginas Web, una marquesina es un letrero desplazable que contiene información o publicidad. 2. En *Microsoft Excel*, un recuadro de selección es una línea punteada que se mueve alrededor de la celda o celdas recién cortadas o copiadas. 3. En programas, pantalla o letrero inicial que presenta los nombres del programa y del editor.

mask *máscara*   1. Patrón de símbolos o caracteres que, al imponerlo sobre un *campo de datos*, limita el tipo de caracteres que puede escribir en el campo. Por ejemplo, en un *programa de administración de bases de datos*, la máscara AZ permite que el usuario escriba cualquier carácter alfabético, en mayúsculas o minúsculas, pero no números u otros símbolos. Sinónimo de máscara de entrada. 2. En imágenes por computadora, patrón que permite a un diseñador gráfico eliminar detalles o aislar una imagen del fondo.

massively parallel processing *procesamiento paralelo masivo*   Tipo de arquitectura de *procesamiento paralelo* que emplea más de mil *microprocesadores* económicos pero rápidos para afrontar un problema científico o de ingeniería inusualmente complejo.

mass storage *almacenamiento masivo*   Vea *secondary storage*.

master *maestro*   Primer disco en un arreglo de dos discos unidos a un *adaptador host* de Electrónica Integrada en la Unidad (IDE). Aunque el disco maestro no controla al disco *esclavo*, interpreta comandos del adaptador host para él.

M
N
O

master document *documento maestro*   En *procesamiento de texto*, *documento* con comandos que le indican al programa que imprima documentos adicionales en la ubicación de los comandos. El programa imprime todos los documentos como si se tratara de uno solo, con encabezados, pies de página y numeración de página consistentes. Vea *chain printing*.

masthead *recuadro legal*   En *autoedición (DTP)*, sección de un tabloide o revista que presenta los pormenores concernientes al equipo de trabajo, el propietario, la publicidad, los precios de suscripción, etcétera.

math coprocessor *coprocesador matemático*   *Microprocesador* secundario que libera a la *unidad central de procesamiento (CPU)* de tareas tediosas que requieren cálculos intensos. Los coprocesadores matemáticos pueden acelerar de manera significativa los dibujos del *diseño asistido por computadora (CAD)* y los cálculos en *hojas de cálculo*, pero no mejoran de manera significativamente el desempeño de *Microsoft Windows 95*. Algunas CPUs, como *Intel 486DX* y *Pentium,* tienen coprocesadores matemáticos integrados. Vea *numeric coprocessor*.

Mathematica   Ambiente de punta para computación técnica, creado por Wolfram Research, que puede resolver ecuaciones y producir gráficos científicos. Ampliamente utilizado en ciencias e ingeniería para visualización de datos y resolución de problemas, también tiene un amplio uso como herramienta de enseñanza.

matte finish *acabado mate*   Calidad de papel que no refleja tanto la luz como un *acabado brillante*. La mayoría de los usuarios prefiere el papel de acabado mate más que el de acabado brillante, porque es el más adecuado para las cualidades de absorción de luz del texto de las *impresoras láser*.

maximize *maximizar*   Método para ampliar o agrandar una ventana para que cubra toda la pantalla. Vea *minimize*.

maximize button *botón para maximizar*   En *Microsoft Windows 3.1* y otras *interfaces gráficas de usuario*, botón que le permite al usuario *maximizar* una ventana en forma tal que llene toda la pantalla.

maximum RAM *RAM máxima*   La cantidad de *memoria de acceso aleatorio (RAM)* que podría instalarse en una *tarjeta madre* particular. Las especificaciones de RAM máxima por lo general se expresan en frases como "expandible hasta" en los anuncios, como "La tarjeta madre tiene 8 *MB* de RAM, expandibles hasta 128 MB".

maximum transmission unit (MTU) *unidad máxima de transmisión*   El *paquete* más grande que puede transmitirse en una *red de conmutación de paquetes*.

MB   Abreviatura de megabyte (1.048,576 bytes).

Mbone   Método experimental de distribución de paquetes de datos en Internet en que un servidor difunde datos a dos o más servidores simultáneamente. Esta técnica, también llamada *multidifusión IP*, transmite los paquetes de datos a sus diversos destinos a través de flujos en lugar de a través de paquetes, y por lo tanto es más adecuada para audio y video en tiempo real que la red TCP/IP estándar. Requiere ruteadores especiales.

Mbps   Vea *bits per second (bps)*.

MCA   Vea *Micro Channel Architecture*.

MCD   Vea *magneto-optical (MO) drive*.

MCGA   Siglas de Matriz de Gráficos Multicolores. *Estándar de video* del Personal System/2 de IBM. MCGA agrega 64 tonos de *escala de grises* al estándar *Adaptador de Gráficos a Color (CGA)* y proporciona al estándar *Adaptador Mejorado de Gráficos (EGA) resolución* de 640 *pixeles* por 350 líneas con 16 colores posibles.

MCI   Vea *Media Color Interface*.

MDA   Vea *Monochrome Display Adapter*.

MDI   Vea *multiple document interface*.

mean time between failures (MTBF) *tiempo promedio entre fallas*   En estadística, tiempo promedio de funcionamiento entre el inicio de vida de un componente y su primera avería electrónica o mecánica.

mechanical mouse *ratón mecánico*   A diferencia del ratón óptico, un *ratón* mecánico transmite sus movimientos a la *unidad central de procesamiento (CPU)* a través de baleros metálicos que giran por contacto con la bola de hule del ratón. Aunque los ratones mecánicos pueden utilizarse casi en todos lados, su mecanismo interno tiende a ensuciarse y requiere limpieza.

mechanicals *originales mecánicos*   En *autoedición (DTP)*, las páginas finales o cartulinas con galeras de tipografía e *ilustraciones* pegadas, por lo general cubiertas de acetato o de papel de copia para añadir notas y *separaciones de color,* que se envían a impresión offset. Vea *camera-ready copy*.

media *medios*   Plural de medium (medio). Vea *secondary storage*.

media access control (MAC) *control de acceso a medios*   En una *red*, la *capa* que controla las circunstancias bajo las que una *estación de trabajo* puede tener acceso a los medios físicos para originar un mensaje a otra estación de trabajo. Se necesita un *protocolo* para

M
N
O

evitar *colisiones* entre datos, que ocurren cuando dos estaciones de trabajo empiezan a transmitir simultáneamente. Las redes *Ethernet* utilizan el protocolo de acceso *CSMA/CD*.

Media Control Interface (MCI) *Interfaz de Control de Medios*   En *Microsoft Windows 95*, *extensiones multimedia* que simplifican en gran medida la labor de *programar* las funciones de dispositivos multimedia, como Alto, Reproducir y Grabar.

Media Player *Reproductor multimedia*   Accesorio que acompaña a *Microsoft Windows 95* para suministrar un centro de control para dispositivos *multimedia*, como *unidades de CD-ROM*. Los botones se parecen a los controles comunes de una grabadora de audio.

medium *medio*   Vea *medio de almacenamiento*.

meg   Abreviatura común de *megabyte*.

mega-   Prefijo que significa un millón.

megabyte (MB) *megabyte*   Unidad de capacidad de almacenamiento equivalente a aproximadamente un millón de *bytes* (1,048,576 bytes).

megaflop *megaflop*   *Prueba comparativa* empleada para evaluar *estaciones de trabajo, mainframes* y *minicomputadoras profesionales*; un megaflop equivale a un millón de operaciones de punto flotante por segundo.

megahertz (MHz) *megahertzio*   Unidad de medida que equivale a un millón de vibraciones eléctricas o ciclos por segundo; se usa por lo general para comparar las *velocidades de reloj* de las computadoras.

membrane keyboard *teclado de membrana*   *Teclado* plano y económico cubierto con una película de plástico contra el polvo y la suciedad, y en el cual sólo aparece el perfil bidimensional de las teclas. El usuario oprime sobre la cubierta de plástico y activa un interruptor oculto que está debajo. Aunque la escritura sobre un teclado de membrana es más difícil, estos teclados son útiles en cocinas de restaurantes y otros lugares donde los usuarios no siempre traen limpias las manos.

memory *memoria*   *Almacenamiento primario* de la computadora, como la *memoria de acceso aleatorio (RAM)*, que se distingue del *almacenamiento secundario*, como las *unidades de disco*.

memory address *dirección de memoria*   Número en código que designa a una localidad específica en la *memoria de acceso aleatorio (RAM)* de la computadora.

memory cache *caché de memoria*   Vea *cache memory*.

memory check *revisión de memoria*   Parte de la *autoprueba de encendido (POST)* que verifica que la *memoria de acceso aleatorio (RAM)* esté insertada adecuadamente y funcione bien. A medida que la computadora recorre la rutina de *arranque*, es posible observar el avance de la revisión de memoria en la *pantalla*. Si hay un problema con la memoria, asegúrese de registrar la *dirección de memoria* del error y darlo a un técnico en reparación de computadoras.

memory controller gate array *matriz de compuertas del controlador de memoria*   Término alterno para la *Matriz de Gráficos Multicolores (MCGA)*, *estándar de video* utilizado alguna vez en los modelos de *terminado ordinario* de las computadoras Personal System/2 de IBM.

memory leak *fuga de memoria*   Defecto de programación que hace que un programa utilice una nueva parte de la memoria en lugar de reescribir en partes utilizadas anteriormente. Un programa con una fuga de memoria (un defecto común de *software beta*) consumirá memoria adicional a medida que se utilice; en el peor de los casos, el programa consumirá toda la memoria disponible y, con el tiempo, hará que la computadora deje de operar.

memory management *administración de memoria*   Término que abarca varias estrategias cuyo propósito es asegurar que los programas tengan suficiente memoria disponible para funcionar correctamente. Vea *memory-management program* y *virtual memory*.

memory management unit (MMU) *unidad de administración de memoria*   En una computadora equipada con *memoria virtual*, chip *(circuito integrado)* que permite que la computadora utilice una parte del disco duro como si fuera una extensión de la *memoria de acceso aleatorio (RAM)*. Vea *virtual memory*.

memory-management program *programa de administración de memoria*   Programa de utilería que aumenta el tamaño aparente de la *memoria de acceso aleatorio (RAM)* al hacer que la *memoria expandida*, la *memoria extendida* o la *memoria virtual* queden disponibles para la ejecución de programas. Vea *EMM386.EXE*, *expanded memory emulator* y *HIMEM.SYS*.

memory map *mapa de memoria*   Asignación arbitraria de porciones de *memoria de acceso aleatorio (RAM)* de una computadora, que establece las áreas que la computadora usará para propósitos específicos.

memory protection *protección de memoria*   Vea *protected memory*.

memory-resident program *programa residente en memoria*   Vea *terminate-and-stay-resident (TSR) program*.

memory word *palabra de memoria*   Vea *word*.

menu *menú*   Elemento de una *interfaz gráfica de usuario (GUI)* que presenta una lista con los comandos disponibles. Vea *menu bar* y *pulldown menu*.

menu bar *barra de menús*   En *interfaces gráficas de usuario (GUI)*, barra que se extiende a lo largo de la parte superior de la pantalla (o de la *ventana*) y que contiene los nombres de los *menús desplegables* disponibles. Vea *industry standard interface*.

menu-driven program *programa controlado por menús*   Programa que proporciona menús para seleccionar opciones de programa; así el usuario no tiene que memorizar comandos. Contraste con *programa controlado por comandos*.

merge printing *impresión de combinación*   Vea *mail merge*.

message queue *cola de mensajes*   En Microsoft Windows, espacio de la memoria que se aparta para enlistar los mensajes que las aplicaciones se envían entre sí. En Microsoft Windows 3.1 sólo hay una cola de mensajes. Si una aplicación se cuelga y evita que otras aplicaciones revisen la cola, todo el sistema se congela y es imposible recuperarlo. En *Microsoft Windows 95*, todas las *aplicaciones de 32 bits* tienen su propia cola de mensajes. Si se *aborta* una aplicación, no se afecta a las demás.

message transfer agent (MTA) *agente de transferencia de mensajes*   En *correo electrónico*, programa que envía mensajes de correo electrónico a otro agente de transferencia de mensajes. En *Internet*, el MTA más utilizado es *sendmail*.

Messaging Application Programming Interface (MAPI) *Interfaz de Programación de Aplicaciones de Mensajería*   Implementación de Microsoft de una *interfaz de programación de aplicaciones* que facilita a los desarrolladores de software el acceso a los servicios de mensajería. La versión 3.2 de la MAPI proporciona recursos a los programadores para mensajería en plataformas cruzadas independiente del sistema operativo y del hardware subyacente y permite que las aplicaciones utilicen sistemas de correo. La MAPI puede enviar mensajes hacia y desde *programas* de *Mensajería Independientes del Fabricante (VIM)*.

metal-oxide semiconductor (MOS) *semiconductor de óxido metálico*   Chip basado en las propiedades de conducción y aislamiento del dióxido de silicio, óxido de aluminio y otros metales oxidados. Los chips MOS son eléctricamente eficientes, pero deben manejarse con cuidado porque la electricidad estática puede destruirlos. Vea *Complementary Metal-Oxide Semiconductor (CMOS)* y *semiconductor*.

metal-oxide varistor (MOV) *varistor de óxido metálico*   Dispositivo utilizado para proteger a la computadora de voltajes de línea anormalmente altos. Un MOV conduce la corriente eléctrica sólo cuando excede cierto voltaje. Un MOV en un *supresor de picos* aparta a la computadora de corrientes superiores a 350 voltios. Vea *surge*.

MFM   Vea *Modified Frequency Modulation*.

MHz   Abreviatura de *megahertzio*.

MIB/MI   Vea *Plug and Print*.

mice *ratones*   Vea *mouse*.

micro-   Prefijo que significa pequeño o millonésimo; apócope (aunque cada vez más raro) de microcomputadora.

Micro Channel Architecture (MCA) *Arquitectura de Microcanal*   Especificaciones de diseño del *bus de microcanal* propiedad de IBM. Un periférico compatible con MCA está diseñado para acoplarse directamente en un *bus de microcanal*, pero no funcionará en otras arquitecturas de bus.

Micro Channel Bus *Bus de Microcanal*   Bus de expansión de 32 bits introducido por IBM (y ahora obsoleto) para sus computadoras PS/2.

microcode *microcódigo*   Instrucciones de programa incrustadas en la circuitería interna de un *microprocesador*. El microcódigo facilita el trabajo de los programadores porque les permite apartarse de los detalles de lo que pasa físicamente dentro de un microprocesador. Sin embargo, dificulta la tarea de los diseñadores de *chips*. Como los chips equipados con microcódigo necesitan componentes internos extra para traducir instrucciones externas en acciones físicas, necesitan ser más grandes, más lentos y más complejos. Vea *complex instruction set computer (CISC)* y *reduced instruction set computer (RISC)*.

Microcom Networking Protocol (MNP) *Protocolo de Conectividad Microcom*   Uno de los 10 *protocolos de compresión de datos* y corrección de errores utilizados por *módems*. MNP 1 es obsoleto; MNP-2, MNP-3 y *MNP-4* son protocolos de corrección de errores utilizados en el estándar *v.42*. *MNP-5* es un protocolo de compresión de datos sobre la marcha utilizado por los módems más modernos, y de MNP-6 a MNP-10 son estándares de comunicaciones *propietarios*.

microcomputer *microcomputadora*   Cualquier computadora con su *unidad de aritmética y lógica (ALU)* y su *unidad de control* incluidas en un *circuito integrado*, llamado *microprocesador*. En la década de los 1980, las microcomputadoras podían diferenciarse en forma bastante clara de las *minicomputadoras* y los mainframes y podían tipificarse como sistemas económicos de un solo usuario. Sin embargo, en la actualidad ya no es así, porque las minicomputadoras e incluso los mainframes emplean microprocesadores. Vea *personal computer (PC)* y *professional workstation.*

microfine toner *tóner microfino*   *Tóner* especial para *impresoras láser* y de *obturador de cristal líquido (LCS)* que contiene partículas más finas que el tóner estándar, lo cual le permite imprimir texto e *imágenes* con detalles más finos.

micron *micra, micrón*   Millonésima parte de un metro (alrededor de 0.0000394 de pulgada).

microphone *micrófono*   Dispositivo que convierte los sonidos en señales eléctricas que pueden procesarse en una computadora. Por lo general se encuentran en computadoras *Macintosh* aunque cada vez son más comunes en computadoras *compatibles con la PC de IBM.* Los micrófonos pueden utilizarse para grabar nuevos sonidos del sistema o para agregar anotaciones de voz a los *documentos.*

microprocessor *microprocesador*   *Circuito integrado* que contiene la *unidad de aritmética y lógica (ALU)*, la *unidad de control* y a veces la *unidad de punto flotante (FPU)* de la *unidad central de procesamiento (CPU)* de una computadora. Muchos microprocesadores han estado, están o estarán disponibles, incluyendo el *Am386*, el *Am486*, el *Am486DX2*, el *Am486DX4*, el *AMD K5*, el *Cyrix 486DLC*, el *Cyrix 486DX2*, el *Cyrix 486SLC*, el *Cyrix CX486DRu2*, el *Cyrix 6x6MX*, el *IBM Blue Lightning*, el *Intel 80386*, el *Intel 386SL*, el *Intel 386SX*, el *Intel 80486*, el *Intel 486DX/2*, el *Intel 486/DX4*, el *Intel 486SL*, el *Intel 486SX*, el *Pentium Pro*, el *Motorola 68000*, el *Motorola 68020*, el *Motorola 68030* y el *Pentium.*

microprocessor architecture *arquitectura de microprocesador* El concepto general de diseño del *microprocesador.* Las dos opciones arquitectónicas de alto nivel son la *computadora con conjunto complejo de instrucciones (CISC)* y la *computadora con conjunto reducido de instrucciones (RISC).*

Microsoft   El editor más grande y con más éxito del mundo de *sistemas operativos* y *programas de aplicación* para computadoras personales, cuyas oficinas centrales se encuentran en Redmond, WA, con ventas anuales en 1996 de 8,700 millones de dólares. Entre sus productos clave se encuentran *Windows 95*, *Windows NT*, *Access*, *Office*, *Internet Explorer* y *Exchange.* Percibida antes por muchas corporaciones como proveedora de sistemas operativos y aplicaciones para un solo usuario, Microsoft está penetrando ahora en el mercado de *cliente/servidor* para empresas, gracias a la creciente popularidad de *Windows NT* y los poderosos *servidores* basados en Intel.

Microsoft Access   *Sistema de administración de bases de datos relacionales (RDBMS)* que incluye *asistentes*, ayudantes automatizados que auxilian en la organización y localización de datos, y Visual BASIC, un *lenguaje de programación de aplicaciones*.

Microsoft at Work   Arquitectura originada en Microsoft para conectar computadoras que ejecutan *Microsoft Windows 3.1* con varios periféricos de oficina, incluyendo faxes y fotocopiadoras. Los estándares se han incorporado en *Microsoft Windows 95*.

Microsoft BackOffice   Paquete de programas y utilerías para *servidor Web*, de Microsoft Corporation, diseñado para redes basadas en *Windows NT*. El paquete incluye *Microsoft Windows NT Server, Microsoft Internet Information Server, Microsoft FrontPage* y una serie de utilerías, entre ellas Microsoft Exchange Server (*correo electrónico* para toda la empresa), Microsoft SQL Server (búsqueda en bases de datos), Microsoft Proxy Server (permite acceso externo a Internet desde atrás de una firewall), Microsoft Systems Management Server (proporciona herramientas de administración centralizada para administradores de red) y Microsoft SNA Server (integra *sistemas heredados* existentes con *intranets*).

Microsoft BASIC   Versión del lenguaje de programación BASIC, diseñado para principiantes en computación, originalmente desarrollado por Bill Gates, cofundador de Microsoft, para Altair, la primera microcomputadora disponible comercialmente. *Microsoft Visual BASIC* ha sustituido a Microsoft BASIC.

Microsoft Bookshelf   *Aplicación* basada en CD-ROM que lleva a la computadora *The Original Roget's Thesaurus, The American Heritage Dictionary, The Columbia Dictionary of Quotations, The Hammond Intermediate World Atlas* y *The World Almanac and Book of Facts*. Se le considera un recurso valioso para escritores y otros expertos que necesitan acceso inmediato a datos de consulta. Microsoft Bookshelf ahorra el tiempo que se requiere para buscar información en un grueso volumen.

Microsoft Excel   El *programa de hoja de cálculo* que domina el mercado, creado por Microsoft Corporation, para computadoras Windows y Macintosh y que se vende solo o como parte del grupo de programas *Microsoft Office*. Excel contiene una gran cantidad de herramientas de *formato* y algunas *funciones integradas* fundamentales para muchas disciplinas, entre ellas

M
N
O

finanzas, ingeniería y estadística. Excel compite con *Quattro Pro* y *Lotus 1-2-3*.

Microsoft Exchange   Programa de administración de mensajes con capacidad para manejar faxes y varios tipos de *correo electrónico* en una *red de área local*. Microsoft Exchange Server proporciona correo electrónico y soporte de groupware a toda una empresa. Como muchas organizaciones están construyendo *extranets* que requieren intercambiar datos más allá de los límites de la LAN corporativa, Microsoft está migrando Exchange a una base de protocolos de *Internet*; Exchange 5.0 da soporte a noticias *NNTP*, *POP3*, correo *IMAP* y otros protocolos de Internet.

Microsoft FrontPage   Editor *WYSIWYG* para *HTML*, creado por Microsoft, que combina publicación avanzada en Web con administración gráfica de sitios. Algunas de las características avanzadas no funcionan a menos que su *proveedor de servicios de Internet (ISP)* esté ejecutando las extensiones de FrontPage para *Microsoft Internet Information Server*. El programa está disponible para sistemas Windows y Macintosh.

Microsoft Intellimouse   *Ratón* innovador que incluye una rueda de desplazamiento colocada entre los dos botones del ratón. En aplicaciones compatibles, la rueda sirve para hacer acercamientos y desplazar ventanas.

Microsoft Internet Assistant   *Editor HTML* y complemento para *navegador Web* de *Microsoft Word 6.0*. Distribuido de manera gratuita, el Microsoft Internet Assistant convierte a Word en un editor HTML con la característica *lo-que-ve-es-lo-que-obtiene (WYSIWYG),* en que el usuario observa los resultados de aplicar las *etiquetas* HTML en lugar de observar las etiquetas en sí mismas.

Microsoft Internet Explorer (MSIE)   Popular *navegador Web* para computadoras *Macintosh* y *Microsoft Windows*. Competencia importante del paquete más popular de navegación, *Netscape Communicator*, el grupo de programas de Internet Explorer incluye correo electrónico y grupos de noticias con *Microsoft Outlook Express*, soporte a *medios de actualización automática* con *Webcaster*, redacción HTML *WYSIWYG* con una versión reducida de *Microsoft FrontPage* llamada *FrontPage Express*, telefonía y videoconferencias en Internet con *Microsoft NetMeeting* y flujo continuo de audio y video con *Microsoft NetShow*.

Microsoft Internet Information Server   *Servidor Web* creado por Microsoft Corporation para sistemas *Windows NT*, que ofrece excelente desempeño en una plataforma de hardware mucho más económica que sus competidores, los servidores *Unix*. Incluye una máquina de búsqueda integrada para búsqueda en documentos, herramientas de administración, *Microsoft FrontPage* y soporte a *ODBC* para búsqueda en bases de datos externas. Estrechamente integrado con Windows NT (requiere Windows NT Server), este servidor es una buena opción para empresas que han adoptado Windows y que tienen experiencia técnica en este ambiente; *Netscape Enterprise Server* es más adecuado para redes de *plataforma cruzada* que incluyen sistemas *Unix*.

Microsoft Mail   Estándar de *correo electrónico* a nivel empresarial, propiedad de *Microsoft* e introducido con su aplicación de mensajería *Microsoft Exchange*. Microsoft está migrando actualmente sus formatos de correo hacia protocolos de *Internet*.

Microsoft Money   Programa de administración financiera para el hogar, parecido a *Quicken*, que permite a usuarios de computadoras caseras saldar sus chequeras, llevar registro de los estados de cuenta de su tarjeta de crédito y elaborar el presupuesto de los gastos familiares.

Microsoft Mouse   *Ratón*, con su software correspondiente, para computadoras *compatibles con la PC de IBM*, incluidas las PS/1 y PS/2 de IBM. Disponible tanto para la versión serial como la de bus, el Microsoft Mouse emplea la tecnología *mecánica de ratón* preferida por la mayoría de usuarios.

Microsoft Natural Keyboard   Teclado *ergonómico* desarrollado por Microsoft Corporation que divide las teclas en dos paneles separados, dispuestos en ángulo para que las muñecas de los usuarios no se doblen cuando escriben. Se cree que este diseño reduce la incidencia de *lesiones por tensión repetitiva (RSI)* como el *síndrome del túnel carpiano (CTS)*.

Microsoft NetMeeting   Aplicación de telefonía y videoconferencias para *Microsoft Windows 95* y *Microsoft Windows NT* que permite a los usuarios hacer llamadas telefónicas de larga distancia a través de Internet. Una vez conectados, los usuarios pueden participar en videoconferencias, conversar por escrito, utilizar un tablero compartido y (si ambos están ejecutando Windows 95 o NT) compartir aplicaciones de Windows para hacer modificaciones en pantalla a una ventana compartida.

Microsoft NetShow   Aplicación de *flujo continuo de video y audio* para *Microsoft Windows 95* y *Microsoft Windows NT*. Proporcionado con *Internet Explorer*, NetShow permite difusión con calidad televisiva, a alta velocidad y en tiempo real en LANs corporativas, además del envío de audio y video pregrabados de calidad aceptable en conexiones de módem de 28.8 Kbps. La transmisión con

NetShow requiere el servidor NetShow, incluido con *Microsoft Internet Information Server (IIS)*.

Microsoft Office Professional   Grupo de *programas de aplicación* publicado por *Microsoft Corporation*, que incluye *Microsoft Access*, además de los programas de *Microsoft Office Standard*. Microsoft Office Professional compite con *Lotus SmartSuite* y *Corel Office Pro*.

Microsoft Office Standard   Grupo de *programas de aplicación* publicado por *Microsoft Corporation*, que incluye *Microsoft Word*, *Microsoft Excel*, *Microsoft PowerPoint*, *Microsoft Outlook* y *Microsoft Mail*. *Microsoft* Office Standard compite con *Corel WordPerfect Suite* y *Lotus SmartSuite*. Vea *Microsoft Office Professional*.

Microsoft Outlook   *Administrador personal de información (PIM)*, creado por Microsoft Corporation, que combina *correo electrónico*, funciones de calendarización y agenda, un *programa de administración de contactos*, *administración simple de proyectos* y los sitios y documentos favoritos de *World Wide Web (WWW)*. Para computadoras Windows, Outlook está disponible por separado o como parte del paquete *Microsoft Office*.

Microsoft Outlook Express   Programa de *correo electrónico* fácil de usar, distribuido con Internet Explorer, que incluye características avanzadas como *filtros* y encriptación *S-MIME*.

Microsoft PowerPoint   Programa de *gráficos para presentaciones* que permite incorporar información de *hojas de cálculo* y *procesadores de texto* (sobre todo *Microsoft Excel* y *Microsoft Word*, con los que PowerPoint coexiste en los grupos de programas *Microsoft Office Professional* y *Microsoft Office Standard*) en presentaciones atractivas y persuasivas. PowerPoint facilita la inclusión de elementos con color y de *imágenes prediseñadas* que atraen la atención a números y listas que de otro modo serían aburridos.

Microsoft Project   *Programa de administración de proyectos* para sistemas Windows y Macintosh, creado por Microsoft Corporation, que permite a los planificadores y administradores de proyectos planificar tareas y asignar recursos en un ambiente gráfico.

Microsoft Publisher   Programa de *autoedición (DTP)* orientado al usuario casero y de empresas pequeñas. Carece de las características sofisticadas de programas como QuarkXPress y *Adobe PageMaker*, pero proporciona muchas plantillas prediseñadas y es muy fácil de usar.

Microsoft Visual BASIC   Versión del lenguaje de programación *BASIC* que permite a los programadores desarrollar rápidamente aplicaciones que funcionen en Windows. Como está estrechamente integrado con *Microsoft* Windows, Visual BASIC evita la necesidad de crear la interfaz de usuario; los programadores utilizan herramientas integradas para crear visualmente la interfaz y luego agregan código a los diversos objetos en pantalla. La Professional Edition incluye un *compilador* que crea programas ejecutables que no requieren *intérprete*. Una gran cantidad de utilerías de Microsoft y otras empresas permiten a los programadores agregar componentes rápidamente, como búsqueda en bases de datos o conectividad con Internet.

Microsoft Windows   Nombre genérico para los diferentes *sistemas operativos* de la familia Microsoft Windows, entre ellos *Microsoft Windows CE, Microsoft Windows 3.1, Microsoft Windows 95* y *Microsoft Windows NT*.

Microsoft Windows 3.1   *Sistema operativo de 16 bits* para *microprocesadores* Intel que permite a los usuarios de computadoras MS-DOS utilizar programas con una interfaz gráfica de usuario (GUI). En esencia es un programa de *MS-DOS* que cambia el microprocesador al *modo protegido*. Windows permite a los usuarios ejecutar *aplicaciones de Windows 3.1*, pero sin proporcionar protecciones que prohíban a los programas invadir el espacio en memoria de otros cuando se ejecutan simultáneamente (vea *protected memory*). La función de *multitareas* es lenta porque Windows 3.1 no soporta *múltiples subprocesos*. A pesar de estas debilidades, Windows 3.1 aún se utiliza en millones de computadoras en todo el mundo (incluyendo un 74% de PCs corporativas) y muchos usuarios no ven razones para actualizarse a los productos más recientes de Microsoft (Windows 95 y Windows NT).

Microsoft Windows 95   *Sistema operativo de 32 bits* para *microprocesadores* Intel que aprovecha por completo las capacidades de procesamiento de los microprocesadores *Intel 80486* y *Pentium*, pero conservando la compatibilidad hacia atrás con programas de Windows 3.1. Comparado con este último, Windows 95 ofrece una *Interfaz Gráfica de Usuario (GUI)* que mejora la facilidad del aprendizaje, además del uso diario. Entre las mejoras adicionales se incluyen *nombres de archivo* largos, sistemas de disco y de archivos de 32 bits, *multitareas por preferencias, múltiples subprocesos*, manejo mejorado de problemas con los *recursos del sistema, fallas de protección general (GPF)* y soporte integrado para *Microsoft Network* e *Internet*. También combina *código fuente* de 16 y 32 bits para asegurar la operación confiable de aplicaciones de 16 bits. Windows 95 no es

M
N
O

un verdadero sistema operativo de 32 bits (como *OS/2 Warp* o *Windows NT*); no obstante, muchos usuarios agradecen esto ya que no tienen que actualizar sus aplicaciones de 16 bits. Para ambientes corporativos, Windows 95 incluye soporte integrado a red a través de una interfaz consistente para acceso a recursos de red en varios medios físicos. Como ayuda en el frecuentemente arduo trabajo de instalar nuevos componentes de hardware, Windows 95 incorpora funciones *Plug and Play (PnP)*, que permiten la instalación y configuración casi automáticas de accesorios compatibles (como tarjetas de sonido y unidades de CD-ROM).

Microsoft Windows CE   *Sistema operativo de 32 bits* para computadoras portátiles. Tiene cierto parecido con Windows 95 pero con menor número de funciones. Windows CE incluye versiones miniatura ("de bolsillo") de *Microsoft Word*, *Microsoft Excel* y *Microsoft Internet Explorer*, lo que contribuye a su éxito en el mercado de *computadoras palmtop*.

Microsoft Windows NT   *Sistema operativo de 32 bits* para *microprocesadores* Intel. El nombre oficial del producto es *Microsoft Windows NT Workstation*, para distinguirlo de *Windows NT Server*, pero generalmente se conoce como Windows NT. En sistemas *Pentium* de alto nivel, Windows NT iguala el desempeño de las *estaciones de trabajo Unix* que cuestan mucho más dinero (y sin sacrificar la compatibilidad con las aplicaciones de productividad personales). Windows NT está diseñado para ingenieros, científicos, estadísticos y otros profesionales o trabajadores técnicos que realizan tareas que exigen trabajo intensivo del procesador. Además de los procesadores Intel de alto desempeño, Windows NT se ejecuta en estaciones de trabajo basadas en los procesadores Alpha y MIPS. Desde la versión 4.0, Windows NT incluye una interfaz de usuario idéntica a la utilizada en *Microsoft Windows 95*.

Microsoft Windows NT Server   *Servidor* para redes basado en Windows NT, en el cual las estaciones de trabajo ejecutan *Microsoft Windows NT* u otras versiones de Windows. Utilizando las poderosas PCs basadas en Intel que son capaces de igualar el desempeño de muchos sistemas *mainframe*, las empresas pueden crear sistemas *cliente/servidor* a través de Windows NT por una fracción del costo de las soluciones anteriores. La funcionalidad para *Internet* e *intranet* se agregan con el *Microsoft Internet Information Server*, que requiere Windows NT Server.

Microsoft Word   *Procesador de texto* con características completas que compite principalmente con *WordPerfect*, pero también con *Lotus Word Pro*. Word ha rebasado a WordPerfect, que fue el favorito durante mucho tiempo, en riqueza de *funciones* y en uso, sin mencionar la participación del mercado. Una de las características avanzadas más útiles es la Autocorrección, que corrige automáticamente errores que el usuario comete con frecuencia (como la sustitución común de "ne" por "en"). También incluyen *asistentes*, que son ayudantes automatizados que aligeran el trabajo en funciones como *formato* y *combinación de correspondencia*; además, soporta la *Vinculación e Incrustación de Objetos (OLE)*. Microsoft Word tiene muchas opciones de personalización: las *barras de herramientas* y las *barras de menús* pueden modificarse para satisfacer diferentes gustos. También se incluye un lenguaje de *macros* con muchas opciones, basado en Visual BASIC.

micro-to-mainframe *micro a mainframe*   Enlace de una *computadora personal* con redes de *mainframes o de minicomputadoras*.

middleware *middleware*   En una *red de plataforma cruzada*, programas que sirven como intermediarios entre los programas *clientes* que solicitan información y los programas *servidores* que proporcionan la información solicitada, aunque los clientes y los servidores se ejecuten en diferentes plataformas de computación y originalmente no estén concebidos para trabajar juntos. Un ejemplo simple de middleware es un script de *servidor Web* escrito de acuerdo con las directrices de la *Interfaz Común de Puerta de Enlace (CGI)*; el script permite que navegadores Web externos se comuniquen con programas que proporcionan funciones como búsqueda en bases de datos. Vea *Common Object Request Brokerage Architecture*.

MIDI   Siglas de Interfaz Digital de Instrumentos Musicales. *Protocolo estándar de comunicaciones* para el intercambio de información entre computadoras y sintetizadores musicales. MIDI proporciona herramientas que muchos compositores y músicos consideran que se están volviendo casi indispensables. Con un sintetizador, una computadora equipada con el software adecuado y un puerto MIDI, un músico puede transcribir una composición a notación musical con sólo tocarla en un *teclado*. Después de que la música se coloca en una forma representada en la computadora, es posible modificar o editar casi todos los aspectos del sonido digitalizado (tono, ataque, tiempo de espera, tempo y más). En *Internet*, una ventaja importante de MIDI es que los archivos intercambiados se basan en texto y son muy pequeños. Cuando se reproducen sonidos MIDI, se obtienen mejores resultados con una tarjeta de sonido de *síntesis de tabla de onda*.

MIDI cueing *señal en MIDI*   En *multimedia*, conjunto de mensajes *MIDI* que determina la ocurrencia de eventos diferentes a las notas musicales (como grabar, reproducir o encender los dispositivos de iluminación).

MIDI file *archivo MIDI*   Archivo que contiene datos musicales codificados de acuerdo con las especificaciones *MIDI*. En *Microsoft Windows 95* los archivos MIDI usan la extensión .MID.

MIDI interface *interfaz MIDI*   Vea *MIDI port*.

MIDI port *puerto MIDI*   Receptáculo que permite al usuario conectar directamente una computadora personal a un sintetizador musical. Vea *MIDI*.

migration *migración*   Cambio de una plataforma de *hardware*, un *sistema operativo* o una versión de software antiguos por uno más reciente. Por ejemplo, los observadores de la industria esperan que las empresas migren de Microsoft Windows 3.1 a *Microsoft Windows 95*.

milli- *mili-*   Prefijo que significa una milésima parte.

million instructions per second *millón de instrucciones por segundo*   Vea *MIPS*.

millisecond (ms) *milisegundo*   Unidad de medida que equivale a una milésima de segundo, empleada por lo general para especificar el *tiempo de acceso* de las unidades de disco duro.

MIME   Siglas de Extensiones Multipropósito de Correo de Internet. Estándar de *Internet* que especifica la manera en que las herramientas, como programas de *correo electrónico* y *navegadores Web*, pueden transferir archivos *multimedia* (incluyendo sonidos, imágenes y video) a través de Internet. Antes del desarrollo de MIME, todos los datos transferidos a través de Internet tenían que codificarse en *texto ASCII*. Vea *uuencode* y *uudecode*.

MIME encoding *codificación MIME*   En un mensaje de *correo electrónico*, método para codificar *archivos binarios* de acuerdo con el estándar de las *Extensiones Multipropósito de Correo de Internet (MIME)*. El usuario debe ejecutar un *cliente de correo electrónico* que decodifique este formato para recibir los mensajes de correo electrónico. Otro formato de codificación utilizado normalmente es *uuencode*.

MIME type *tipo MIME*   En *Extensiones Multipropósito de Correo de Internet (MIME)*, código que especifica el tipo de contenido de un archivo de multimedia. La *Autoridad de Números Asignados en Internet (IANA)* controla la denominación de tipos MIME. Un navegador Web detecta los tipos MIME al examinar la extensión del archivo; por ejemplo, un archivo con la extensión *.mpg o *.mpeg contiene un video MPEG.

mini-AT-size case *gabinete tamaño mini-AT*   Gabinete de computadora de escritorio (horizontal) en que se monta la *tarjeta madre* de la misma manera que en el *gabinete de tamaño AT*, pero que ocupa menos espacio y tiene menos *ranuras de expansión*. Vea *tower case*.

minicomputer *minicomputadora*   Computadora multiusuario concebida para cubrir las necesidades de una pequeña empresa o el departamento de una empresa. Una minicomputadora es más poderosa que una computadora personal, pero menos que un *mainframe*. En general, de cuatro a 100 personas usan una minicomputadora al mismo tiempo.

mini-driver *minicontrolador*   En *Microsoft Windows 95*, parte de un *controlador* que se relaciona directamente con el *hardware*, como una *impresora* o un *módem*. Los minicontroladores ocupan menos espacio en disco que los controladores antiguos porque comparten más recursos con el *sistema operativo*.

minimize *minimizar*   En una *interfaz gráfica de usuario (GUI)*, reducción de una ventana hasta convertirla en un *icono* en el *escritorio* o en la *barra de tareas* de *Microsoft Windows 95*. Para minimizar una ventana basta con hacer clic en el botón correspondiente (el botón de la izquierda en la esquina superior derecha) o con seleccionar la opción Minimizar en el *menú de control*.

mini-tower case *gabinete de minitorre*   Gabinete cuyo diseño le permite acomodarlo en un espacio más pequeño que un *gabinete de torre*. Aunque tienen menos espacio para *unidades de discos* y otros dispositivos que los gabinetes de torre, los gabinetes de minitorre pueden contener el mismo número de *ranuras de expansión* que los gabinetes de escritorio. Vea *AT-size case* y *mini-AT-size case*.

MIPS   Abreviatura de millones de instrucciones por segundo. Método de *prueba comparativa* para medir la tasa a la que una computadora ejecuta las instrucciones del *microprocesador*. Por ejemplo, una computadora a 0.5 MIPS puede ejecutar 500,000 instrucciones por segundo.

mirror *duplicar, espejear*   Copiar automáticamente información a otro sitio de almacenamiento.

mirror site *sitio espejo*   Sitio *FTP* que mantiene una copia exacta de otro sitio FTP, para conveniencia de los usuarios de un país o una región específica de un país, o para aligerar la carga de tráfico de un sitio muy popular.

MIS   Vea *management information system*.

misc hierarchy *jerarquía misc*   En *Usenet*, una de las *jerarquías estándar de grupos de noticias*, que contiene grupos que no se ajustan a otras jerarquías (comp, sci, news, rec, soc y talk). Entre los ejemplos de grupos de noticias misc se incluyen misc.consumers, misc.kids.computers y misc.writing.

mixed cell reference *referencia de celda mezclada*   En un *programa de hoja de cálculo*, referencia de celda en la cual la referencia de columna es absoluta pero la referencia de fila es relativa ($A9) o viceversa (A$9). Vea *absolute cell reference, cell reference* y *relative cell reference*.

mixed column/line graph *gráfico combinado de columnas/ líneas*   En gráficos para presentaciones y analíticos, gráfico que muestra una *serie de datos* por medio de columnas, y otra serie de datos por medio de líneas. El usuario se vale de un gráfico de líneas para sugerir una tendencia durante cierto tiempo; un gráfico de columnas agrupa elementos de datos para facilitar la comparación.

MMCD   Siglas de disco compacto de multimedia. Estándar propietario de *CD-ROM* de multimedia, desarrollado por Sony Corporation, que puede almacenar hasta (3.7G) de información multimedia en un solo disco. Este estándar propuesto ha sido abandonado a favor del estándar *DVD* (Disco de Video Digital) que cuenta con el consenso de toda la industria.

MMU   Vea *memory management unit*.

MMX   *Conjunto* de extensiones del *conjunto de instrucciones* para los microprocesadores *Pentium* de *Intel* que permiten la ejecución directa, a alta velocidad, de información multimedia, incluyendo voz, audio y video. Los sistemas con capacidad MMX pueden ejecutar programas multimedia hasta ocho veces más rápido que sistemas equipados con circuitería externa de procesamiento multimedia; para aprovechar las instrucciones MMX deben ejecutarse programas especialmente diseñados.

mnemonic *nemotécnico*   En programación, abreviatura o palabra que facilita recordar una instrucción compleja. Por ejemplo, en *lenguaje ensamblador*, la palabra nemotécnica MOV es abreviatura de una instrucción que mueve información a una localidad de almacenamiento.

MNP   Vea *Microcom Networking Protocol*.

MNP-4   El *protocolo de corrección de errores* más popular que filtra el *ruido en la línea* y elimina los errores que pueden ocurrir durante la transmisión y recepción de datos por medio de *módems*. Para que esta corrección de errores funcione, ambos módems (el que envía y el que recibe la transmisión) deben tener funciones de corrección de errores que se apeguen al mismo protocolo.

MNP-5   Mismo *protocolo de corrección de errores* que *MNP4*, con el añadido de un protocolo para compresión de datos para *módems* de computadora que acelera las transmisiones mediante la compresión (codificación, en realidad) de datos en el extremo de envío y la descompresión de datos en el extremo de recepción. Si los datos no fueron comprimidos con anterioridad, se puede acelerar la velocidad de transmisión hasta en 200 por ciento. Vea *data-compression protocol*.

MO cartridge *cartucho MO*   Vea *magneto-optical (MO) cartridge*.

mode *modo*   Estado de funcionamiento en que se coloca un *programa* al seleccionar una serie de opciones exclusivas de operación. Dentro de un modo determinado se dispone de ciertos comandos y combinaciones de teclas; para usar otros comandos y combinaciones de teclas es necesario cambiar de modo.

mode indicator *indicador de modo*   Mensaje en pantalla que indica el *modo* actual de operación del programa. Por ejemplo, en *Lotus 1-2-3* el indicador de modo aparece en la esquina superior derecha de la pantalla.

model *modelo*   Simulación de un sistema que existe en el mundo real, como el fuselaje de un avión o el flujo de capital activo de una empresa. La creación de un modelo pretende una mejor comprensión del prototipo (el sistema que se está modelando). Mediante la revisión o modificación de las características del modelo, el usuario puede hacer inferencias acerca del comportamiento del prototipo.

modem *módem*   Dispositivo que convierte las señales digitales generadas por el *puerto serial* de la computadora en señales analógicas moduladas, para que se puedan transmitir a través de una línea telefónica; de igual manera, transforma las señales analógicas provenientes de la línea telefónica en señales digitales que se puedan interpretar en la computadora. La velocidad con que transmite información un módem (abreviatura de modulador/demodulador) se mide en *bits por segundo* o *bps* (que desde un punto de vista técnico no es lo mismo que *baudio*, aunque ambos términos se usan con frecuencia equivocadamente de manera indistinta). Existen módems de diferentes velocidades y que utilizan varios protocolos de modulación. El estándar más reciente (al momento de escribir esto), una adición al estándar V.34, permite la comunicación a 33.6 Kbps. Se han ofrecido varios estándares propietarios para módems a 56 Kbps, entre ellos el protocolo *x.2* de U.S. Robotics. *MNP-4* y *V.42* son dos estándares comunes de *protocolo de corrección de errores* que eliminan los errores atribuibles al ruido y otros *glitches* del sistema telefónico. Para compresión de datos, predominan dos estándares: *V.42bis* y *MNP-5*.

moderated *moderado*   Supervisado por una persona y no por una computadora. Vea *moderated newsgroup*.

moderated newsgroup *grupo de noticias moderado*   En un *sistema de boletines electrónicos (BBS) distribuido,* como *Usenet,* conferencia sobre un tema en que uno o más moderadores revisan las contribuciones antes de que se publiquen. El trabajo del moderador, a veces confundido con la censura, es asegurar que los envíos se apeguen al tema establecido por el grupo. Un moderador también puede cerrar la discusión de algunos subtemas que terminen siendo *carnadas incendiarias* (envíos que puedan producir un debate improductivo).

moderator *moderador*   En *Usenet* y *listas de correo*, voluntario que realiza la tarea de revisar los mensajes remitidos a un *grupo de noticias moderado* o una lista de correos moderada.

Modified Frequency Modulation (MFM) *Modulación de Frecuencia Modificada*   Método para grabar información digital en *medios magnéticos*, como *cintas* y discos, mediante la eliminación de áreas redundantes o en blanco. Como el *esquema de codificación de datos* MFM duplica el almacenamiento que se lograba bajo la antigua técnica de grabación de modulación de frecuencia (FM), a la grabación MFM por lo general se le conoce como *doble densidad*. La MFM se usa a menudo de manera incorrecta para describir *controladores de disco duro* que se ajustan al estándar *ST-506/ST-412*. La MFM se refiere en realidad al método empleado para almacenar datos en el disco y no es equivalente a los *estándares de interfaz* de unidad de disco, como ST-506, *SCSI* o *ESDI*. Vea *Run-Lenght Limited (RLL)*.

MO drive *unidad MO*   Vea *magneto-optical (MO) drive*.

Modula-2   *Lenguaje de programación de alto nivel* que extiende las opciones de *Pascal* para que éste pueda ejecutar módulos de programa de manera independiente. Desarrollado en 1980 por Niklaus Wirth, mago europeo de la computación y creador de *Pascal*, Modula-2 da soporte a la compilación independiente de módulos de programa y corrige muchas otras fallas de Pascal. Un programador que trabaje en equipo puede escribir y compilar el módulo que se le asigne y probarlo de manera exhaustiva antes de integrarlo con los demás módulos. Aunque Modula-2 es cada vez más popular como lenguaje de enseñanza en bachillerato y universidades, el lenguaje C++ predomina en el desarrollo de software profesional. Vea *modular programming* y *structured programming*.

modular accounting package *paquete modular de contabilidad* Colección de programas de contabilidad (uno para cada una de las principales funciones de contabilidad, por ejemplo, el libro mayor general, cuentas por pagar, cuentas por cobrar, nómina e inventario) concebidos para trabajar en conjunto, aunque no estén integrados en un solo programa. Los paquetes modulares deben seguir procedimientos especiales para asegurarse de que todos los módulos funcionen en conjunto. Estos programas no han encontrado grandes mercados en la computación personal por dos razones: no se apegan a la forma en que los propietarios de pequeñas empresas llevan sus libros y el uso de la mayor parte de los programas dista mucho de ser fácil.

modular jack *conector modular* Sinónimo de conector RJ-11, el receptáculo estándar para los conectores del cable telefónico que se encuentra en los enchufes de pared y en los *módems*. Es posible que enchufes construidos antes de 1970 tengan un conector incompatible de cuatro puntas; pueden conectarse a un conector RJ-11 con un adaptador RJA1X.

modular programming *programación modular* Estilo de *programación* que separa las funciones de un programa en módulos que llevan a cabo una función completa y que contienen todos el *código fuente* y las variables necesarias para realizarla. La programación modular es una solución al problema de los programas muy extensos que son difíciles de *depurar* y mantener. Al separar el programa en módulos que ejecutan funciones claramente definidas, el usuario puede detectar con más facilidad el origen de los errores del programa. Los *lenguajes de programación orientada a objetos (OOP)*, como *HyperTalk* y *SmallTalk*, incorporan los principios de la programación modular.

modulation *modulación* Conversión de una señal *digital* a su equivalente *analógico*, en especial para la transmisión de señales por medio de líneas telefónicas y *módems*. Vea *demodulation*.

modulation protocol *protocolo de modulación* En *módems* para computadora, estándares utilizados para controlar la velocidad con que el módem envía y recibe la información a través de las líneas telefónicas. Vea *Bell 103A, Bell 212A* y *CCITT protocol*.

module *módulo* En un *programa*, unidad o sección capaz de funcionar por sí misma. Por ejemplo, en un programa integrado, el usuario puede usar el módulo de *procesamiento de texto* como si fuera un programa separado e independiente.

moiré effect *efecto moiré* Ilusión óptica, percibida como una oscilación, que se presenta en ocasiones al acercar mucho ciertos patrones de línea de alto contraste (como el sombreado con líneas entrelazadas en los *gráficos circulares*).

monitor *monitor* Dispositivo completo que produce una imagen en pantalla, incluyendo la *pantalla* y toda la circuitería de soporte interno necesaria. Al monitor también se le conoce como unidad de despliegue de video (VDU). Vea *analog monitor, digital monitor, Enhanced Graphics Display, monochrome monitor* y *multiscanning monitor*.

M
N
O

monitor program *programa para monitorear*   Programa que da seguimiento y registra la conducta de otros programas, a menudo para rastrear errores. También es un sinónimo obsoleto de *kernel*.

monochrome display adapter (MDA) *adaptador de pantalla monocromática*   *Adaptador de pantalla* de un solo color, para computadoras *compatibles con la PC de IBM*, que muestra texto (pero no imágenes) con una resolución de 720 *pixeles* en posición horizontal y 350 líneas en posición vertical, mediante la colocación de caracteres en una matriz de 7 por 9. Vea *Hercules Graphics Adapter*.

Monochrome Display and Parallel Printer Adapter *Adaptador de Pantalla Monocromática e Impresora Paralela*   Vea *Monochrome Display Adapter (MDA)*.

monochrome monitor *monitor monocromático*   *Monitor* que muestra un color sobre un fondo de color negro o blanco. Entre los ejemplos están el monitor monocromático IBM que muestra texto de color verde sobre un fondo negro y los *monitores de Matriz de Gráficos de Video (VGA)* que muestran texto de color negro sobre un fondo blanco. Vea *paper-white monitor*.

monochrome printer *impresora monocromática*   Impresora que puede generar salida en negro y tonos de gris, pero no en color.

monospace *tipo monoespaciado*   Tipo de letra, como Courier, en el cual el ancho de cada carácter es el mismo, lo que produce una salida parecida a los caracteres de una máquina de escribir. El siguiente es un ejemplo de tipo monoespaciado:

`El ancho de cada carácter en este tipo es exactamente el mismo.`

Compare con *proportional spacing*.

monospaced font *fuente monoespaciada*   Vea *monospace*.

monthly duty cycle *ciclo de servicio mensual*   Número de páginas que una *impresora* puede imprimir cada mes, de acuerdo con su diseño. Las *impresoras láser personales* pueden tener ciclos de servicio mensual de unos cuantos cientos de páginas, mientras que las *impresoras láser departamentales* pueden tener ciclos de servicio mensual que superan las 200,000 páginas.

MOO   Tipo de *Calabozo Multiusuario (MUD)* que incorpora un sofisticado *lenguaje de programación orientada a objetos*, que los participantes pueden utilizar para construir sus propios personajes y mundos personalizados.

Moore's Law *Ley de Moore*   Observación que hizo, en 1965, el cofundador de Intel, Gordon Moore, de que cada dos años, en promedio, aparecen chips con aproximadamente un doble de densidad de circuitos que sus predecesores. Aunque la predicción de Moore sigue siendo cierta al momento de escribir esto, los diseñadores de chips inevitablemente se toparán con limitaciones físicas que evitarán una mayor miniaturización de los circuitos de computadora.

morphing *metamorfosis*   Técnica revolucionaria de animación por computadora que se usa para llenar los huecos entre figuras diferentes para aparentar que una se funde con la otra, como cuando un hombre se convierte en hombre lobo, un murciélago en vampiro o un cantante de rock en pantera. Esta técnica, propia de los efectos especiales de la industria del cine, está muy relacionada con otra técnica de animación llamada *intercalación*, que se refiere a la capacidad de las computadoras para calcular y trazar cuadros intermedios entre los cuadros "clave" dibujados a mano por el artista. La metamorfosis es el proceso de intercalación hacia un objeto diferente.

MOS   Vea *metal-oxide semiconductor*.

Mosaic   *Navegador Web* creado por el *Centro Estadounidense para Aplicaciones de Supercomputación (NCSA)* y colocado como software de *dominio público*. Aunque Mosaic fue uno de los primeros navegadores Web, ha sido superado por *Netscape Navigator*. Vea *World Wide Web (WWW)*.

most significant bit (MSB) *bit más significativo*   En un *número binario*, bit que representa la posición de mayor magnitud (normalmente, el que se encuentra en el extremo izquierdo). Vea *least significant bit*.

motherboard *tarjeta madre*   Enorme tarjeta de circuitos que contiene la *unidad central de procesamiento (CPU)*, los chips de apoyo al *microprocesador*, la *memoria de acceso aleatorio (RAM)* y las *ranuras de expansión*. Sinónimo de *tarjeta lógica*.

Motif   *Interfaz gráfica de usuario (GUI)* para computadoras *Unix* que está basada en *X-Windows* y estandarizada por la *Open Software Foundation (OSF)*. Vea *OpenWindows*.

Motorola   Diseñador y fabricante de equipo electrónico, sobre todo de *semiconductores*, con oficinas centrales en Schaumburg, Illinois. Los *microprocesadores 680x0* de Motorola se utilizaron en las primeras *Macintosh* y la compañía colaboró con IBM y Apple para diseñar la serie de chips PowerPC que se encuentra en las *Power Macintosh*. Vea *PowerPC 601*.

Motorola 68000   *Microprocesador* que procesa internamente 32 *bits*, aunque use un *bus de datos* de 16 bits para comunicarse

con el resto de la computadora. La 68000 puede direccionar
hasta 32 megabytes de *memoria de acceso aleatorio (RAM)*. A una
velocidad de 8 MHz, la 68000 alimenta a la primera Macintosh
Classic.

Motorola 68020   *Microprocesador* electrónicamente parecido al
Motorola 68000, con la excepción de que usa una arquitectura
completa de 32 *bits* y corre a una *velocidad de reloj* de 16
megahertz (MHz). El 68020 alimenta a la Macintosh II original,
desplazada por los modelos más recientes que usan el chip
Motorola 68030.

Motorola 68030   *Microprocesador* completo de 32 *bits* capaz de
correr a *velocidades de reloj* sustancialmente mayores (16 a 50
megahertz [MHz]) que sus predecesores, el Motorola 68000
y el 68020. El 68030 incluye características especiales para la
administración de memoria virtual. Incorpora un chip que
controla el *la RAM en modo de página*, por lo que cualquier
Macintosh equipada con un 68030 puede establecer las características avanzadas de administración de memoria del
System 7.5.

Motorola 68040   *Microprocesador* de 32 *bits* de la familia 680x0
de *Motorola* que representa un avance evolutivo sobre su
predecesor inmediato, el *68030*. Análogo al microprocesador
Intel 80486DX, el 68040 integra más circuitería en sus diminutas dimensiones, lo que reduce la necesidad de chips de apoyo y
mejora la ejecución. Por ejemplo, el 68040 incluye un
coprocesador numérico, lo que evita la necesidad de un chip
coprocesador. El 68040 alimenta a los modelos Quadra de alto
rendimiento de las computadoras *Macintosh* de Apple
Computer.

Motorola 680x0   Cualquier *microprocesador* de la familia Motorola
68000 (incluyendo el *Motorola 68020*, el *Motorola 68030* y el
Motorola 68040).

Motorola 68881   *Coprocesador numérico* empleado con los
microprocesadores Motorola 68000 y 68020.

mount *insertar, montar*   1. Introducir un *disco flexible* en la *unidad
de disco*. 2. Montar se refiere a la instalación de hardware, como
una *tarjeta madre*, una *unidad de disco* y *adaptadores*.

mousable interface *interfaz sensible al ratón*   *Interfaz de usuario* que
responde a la entrada del *ratón* en funciones como la selección de
texto, la elección de comandos en *menús* y el *desplazamiento* de la
pantalla.

mouse *ratón*   Dispositivo de entrada que cuenta con uno o más
botones de control, alojado en un estuche que cabe en la palma de

la mano y cuyo diseño permite deslizarlo sobre la mesa, cerca del *teclado*. A medida que se mueve el ratón, sus circuitos transmiten señales que mueven en la misma dirección un puntero en la pantalla. Un ratón se distingue por el mecanismo interno que emplea para generar sus señales y por los medios con que se conecta a la computadora. Los dos tipos de mecanismos internos más populares son:

- **Ratón mecánico**. Este ratón tiene una bola cubierta de hule en la parte inferior del estuche. Así, al mover el ratón, la bola gira y los sensores ópticos detectan el movimiento. Aunque el ratón mecánico se puede usar prácticamente sobre cualquier superficie, se obtienen mejores resultados al emplear un tapete para ratón.

- **Ratón óptico**. Este ratón registra su ubicación al detectar los reflejos de un diodo emisor de luz que envía un haz hacia abajo. Es necesario contar con un tapete metálico especial para reflejar adecuadamente el haz; además, no es posible mover el ratón más allá del tapete.

Vea *built-in pointing device, clip-on pointing device, freestanding pointing device, trackball, Microsoft mouse* y *snap-on pointing device.*

mouse elbow *codo de ratón*   Dolorosa *lesión por tensión repetitiva (RSI)* similar al codo de tenista, producida por el levantamiento repetitivo de la mano para manejar el ratón de la computadora.

mouse port *puerto de ratón*   También llamado puerto de ratón de PS/2, le permite conectar un *ratón* a la computadora sin ocupar un *puerto serial*. Un puerto de ratón es un enchufe redondo y pequeño en que el usuario conecta un ratón compatible con PS/2.

MOV   Vea *metal-oxide varistor.*

moving border *contorno de selección*   Vea *marquee.*

Moving Picture Experts Group *Grupo de Expertos en Imágenes en Movimiento*   Vea *MPEG.*

MP3   Abreviatura de MPEG-I Audio Layer III. Formato de *audio MPEG* que produce audio de calidad de CD con una proporción de compresión de 12:1.

MPC   Siglas de Computadora Personal Multimedia. Estándar para software y *hardware multimedia* desarrollado conjuntamente por el MPC Consortium, que incluye a *Microsoft Corporation*, Philips, Tandy y Zenith Data Systems. Microsoft Windows 3.1 proporciona las bases para MPC. El estándar MPC supone como base una plataforma de hardware IBM PS/2 o compatible con IBM. En respuesta, Apple Computer ha ofrecido un estándar (*QuickTime*) para su computadora *Macintosh*. MPC ha sido reemplazado por el estándar *MP-3*.

MPC-2 Siglas de Computadora Personal Multimedia-2. Estándar desarrollado por un consorcio de compañías de la industria de las computadoras, que describe la configuración mínima que necesita una computadora para ejecutar aplicaciones *multimedia*. Para cumplir con este estándar se requiere un *microprocesador 486SX-25*, 8 MB de *memoria de acceso aleatorio (RAM)*, un *monitor de Matriz de Gráficos de Video (VGA)* y una *unidad de CD-ROM de doble velocidad*.

MPC-3 Siglas de Computadora Personal Multimedia-3. Estándar desarrollado por un consorcio de compañías de la industria de las computadoras, que describe la configuración mínima que necesita una computadora para ejecutar aplicaciones *multimedia*. Para cumplir con este estándar, que es el actual, se requiere un *microprocesador* Pentium de 75 MHz, 8 MB de *memoria de acceso aleatorio (RAM)*, video *MPEG* y una *unidad de CD-ROM de 4X*.

MPEG Siglas de Grupo de Expertos en Imágenes en Movimiento. Grupo de expertos en video digital que se reúne regularmente bajo los auspicios de la *Organización Internacional de Estándares (ISO)* y la Comisión Internacional Electrotécnica (IEC) para desarrollar estándares para el audio digital comprimido. Vea *MPEG audio* y *MPEG video*.

MPEG audio *audio MPEG* Formato para la compresión de audio estereofónico digitalizado que emplea un estándar desarrollado por el *Grupo de Expertos en Imágenes en Movimiento (MPEG)*. La técnica de *compresión con pérdida* de MPEG es físicoacústica; generalmente, el oído humano no percibe la información que se elimina. Los archivos MPEG estereofónicos pueden contener sonido estereofónico de excelente calidad cuando se reproducen con *tarjeta de sonido* y bocinas de buena calidad, aunque el sonido no se acerca a los estándares de los discos compactos de audio. El estándar MPEG-I requiere sonido digitalizado cercano a la calidad de disco compacto (Audio Layer II) o sonido con calidad de disco compacto con compresión de 12:1 (Audio Layer III).

MPEGPLAY Reproductor de video MPEG para *Microsoft Windows 95*, creado por Michael Simmons. Este programa *shareware* se utiliza ampliamente como *programa auxiliar* para *navegadores Web*.

MPEG video *video MPEG*   Formato para la *compresión con pérdida* de videos y animaciones digitalizados que sigue el estándar desarrollado por el *Grupo de Expertos en Imágenes en Movimiento (MPEG)*. El estándar MPEG-1 proporciona una resolución de video de "estampilla postal" de 352 × 240. El estándar MPEG-2 proporciona resolución de video de 720 × 480 y sonido estereofónico con calidad de disco compacto. Un estándar MPEG-3 propuesto y desarrollado por High-Definition Television (HDTV) se ha incorporado al MPEG-2.

MPR I   Antiguo estándar sueco, rebasado por los estándares más exigentes *MPR II* y *TCO*, para limitar la radiación electromagnética de los monitores.

MPR II   Estándar para la radiación de un monitor de computadora desarrollado en 1987 por el Consejo Nacional para el Desarrollo Industrial y Técnico de Suecia y actualizado en 1990. Para cumplir los estándares MPR II, un monitor no debe emitir más de 250 nanoteslas de radiación electromagnética a una distancia de medio metro.

MPU 401   Estándar que determina la concepción del *puerto MIDI*, que se utiliza para conectar instrumentos musicales a la *tarjeta de sonido* de la computadora. El estándar MPU-401 exige que el puerto tenga parte de su propia circuitería de procesamiento de sonido, aliviando la carga del resto de la computadora.

MR head *cabeza MR*   Vea *magneto-resistive (MR) head*.

ms   Vea *milliseconds*.

MSB   Vea *most significant bit*.

MS-DOS   *Sistema operativo* estándar para usuario único de las computadoras IBM y compatibles introducido en 1981. El MS-DOS es un sistema operativo de línea de comandos que obliga a introducir comandos, *argumentos* y *sintaxis*. Aunque numerosos usuarios están migrando a *Microsoft Windows 95* para usar su capacidad de administración de memoria y su interfaz sencilla, hay millones de antiguas computadoras compatibles con la PC de IBM que no pueden ejecutar Windows correctamente. Sin lugar a dudas, MS-DOS es el sistema operativo que más se usa en el mundo y tal parece que seguirá así los próximos años. Vea *application programming interface (API)*, *CP/M (Control Program for Microprocessors)*, *Microsoft Windows NT*, *MS-DOS QBasic*, *OS/2*, *PC DOS*, *protected mode*, *real mode*, *terminate-and-stay-resident (TSR) program* y *UNIX*.

MS-DOS QBasic *QBasic para MS-DOS*   Ambiente de programación *BASIC* mejorado, suministrado con *MS-DOS 5.0* y versiones posteriores, que incluye una ayuda en línea muy completa.

MSIE   Vea *Microsoft Internet Explorer*.

MTA   Vea *message transfer agent*.

MTBF   Vea *mean time between failures*.

MTU   Vea *maximun transmission unit*.

MUD   Siglas de Calabozo Multiusuario. Un MUD es una forma de realidad virtual diseñada para uso en red que ofrece a los participantes la oportunidad de interactuar con los demás usuarios en tiempo real. MUD, diseñado originalmente para soportar juegos de varios participantes (como Calabozos y Dragones), ha sido reemplazado por *MOO*, que es más flexible.

Multicast Backbone (Mbone)   Sistema experimental que permite transmitir audio y video en tiempo real a través de *Internet*. Con opción de transmisiones uno-a-muchos y muchos-a-muchos y bajo consumo de recursos de la red, Mbone requiere software especial, que sólo está instalado en un pequeño número de las computadoras conectadas actualmente a Internet. Los Rolling Stones transmitieron un concierto en el Mbone durante su gira Voodoo Lounge de 1994. Vea *multicasting*.

multicasting *multidifusión*   En una *red*, la transmisión de un solo mensaje a dos o más estaciones de trabajo.

MultiColor Graphics Array *Matriz de Gráficos Multicolores*   Vea *MCGA*.

MultiFinder   *Programa de utilería*, suministrado con *MacOS*, que amplía las capacidades del Finder para que la *Macintosh* pueda ejecutar más de una aplicación al mismo tiempo. Con MultiFinder, Macintosh se convierte en un sistema operativo de carga múltiple con capacidad limitada para ejecutar tareas en segundo plano, como descargar información por medio de telecomunicaciones y realizar *impresiones en segundo plano*. Contrario a la creencia común, MultiFinder no es un verdadero sistema operativo *multitarea*; cuando se activa una aplicación, la otra se congela. La falta de verdadero soporte a multitareas es la razón por la que MacOS se ha visto eclipsado por sistemas operativos de la competencia. Ese soporte tal vez aparezca finalmente en el anunciado *Sistema 8*. Vea *context switching*, *Copland*, *multiple program loading* y *shell*.

multilaunching *ejecución múltiple*   En una *red de área local (LAN)*, apertura simultánea de un *programa de aplicación* por parte de varios usuarios.

multilevel sort *ordenamiento de nivel múltiple*   En *administración de bases de datos*, operación de clasificación que emplea dos o más campos para determinar el orden de los *registros de datos*. Para realizar un ordenamiento de nivel múltiple, el usuario debe identificar dos o más *campos* como claves de ordenamiento (campos empleados para la clasificación de registros). Por ejemplo, en una base de datos de membresías, la clave principal de ordenamiento es APELLIDO, así que todos los registros se alfabetizan de acuerdo con el apellido del miembro. La segunda clave de ordenamiento, NOMBRE, entra en juego cuando dos o más registros tienen el mismo apellido. Una tercera clave de ordenamiento, FECHA_DE_INGRESO, se emplea cuando dos o más registros tienen el mismo apellido y nombre. Aplique un ordenamiento de nivel múltiple cuando no sea posible determinar el orden de dos o más registros en su base de datos con una sola clave de ordenamiento.

Multilink Point-to-Point Protocol *Protocolo de Punto a Punto Multienlace*   Estándar de *Internet* para conexiones *ISDN* entre un *proveedor de servicios de Internet (ISP)* y un adaptador terminal ISDN. MP fragmenta los paquetes de datos antes de enviarlos a través de las líneas ISDN, con lo que mejora en forma sustancial la eficiencia y la *velocidad real de transporte*.

multimedia *multimedia*   Método basado en computadora que sirve para presentar información a través de más de un medio de comunicación como texto, *gráficos* y sonido, y en el que se destaca la interactividad. Por ejemplo, en *Microsoft Bookshelf* puede ver dibujos de William Shakespeare, una lista de sus trabajos y seguir *hipervínculos* con información relacionada. Los avances en la sincronización del sonido y el video permiten mostrar imágenes de video en movimiento dentro de las *ventanas* de la pantalla. Sin embargo, como las imágenes y el sonido requieren mucho espacio de almacenamiento, la configuración mínima para un sistema multimedia incluye una *unidad de CD-ROM*.

Multimedia Compact Disc *Disco Compacto Multimedia*   Vea *MMCD*.

multimedia extensions *extensiones multimedia*   Agregados que se hacen a un *sistema operativo* para que el software *multimedia* sincronice las imágenes y el sonido. Estas extensiones (llamadas ganchos en la jerga de los *programadores*) permiten que los creadores de software multimedia incluyan opciones de audio y video sin demasiada programación no estándar. *QuickTime* de Apple es una extensión multimedia para el *System 7*. *Microsoft Windows 95* incluye las extensiones multimedia (llamada *Interfaz de Control de Medios [MCI]*) que antes sólo se obtenían por separado. Vea *application programming interface (API)*.

Multimedia Personal Computer *Computadora Personal Multimedia* Vea *MPC*.

M
N
O

Multimedia Personal Computer-2 *Computadora Personal Multimedia-2*
Vea *MPC-2*.

Multimedia Personal Computer-3 *Computadora Personal Multimedia-3*
Vea *MPC-3*.

multiple document interface (MDI) *interfaz de documentos múltiples*
En un *programa de aplicación*, interfaz de usuario que permite tener
más de un *documento* u *hoja de cálculo* abierto al mismo tiempo.
Con su *interfaz de programación de aplicaciones (API)* de *Microsoft
Windows 95*, *Microsoft Corporation* desalentó el uso de MDIs. En
cambio, favoreció la ejecución de varias copias de programas, cada
una con un documento diferente.

multiple program loading *carga de múltiples programas*   *Sistema
operativo* que le permite iniciar varios programas al mismo tiempo;
no obstante, sólo uno de ellos permanece activo en un momento
determinado. Para pasar de un programa a otro, tiene que presionar
una *tecla*. Vea *context switching* y *MultiFinder*.

multiple selection *selección múltiple*   En un *programa de hoja de
cálculo*, selección de dos o más *rangos* que no son contiguos.

multiplex *multiplexar*   Combinar o intercalar mensajes en un solo
canal de comunicaciones.

multiplexer (mux) *multiplexor*   Dispositivo que intercala las transmisiones de baja velocidad en un canal de mayor velocidad en un
extremo del enlace. Otro mux invierte el proceso en el extremo
opuesto.

multiplexing *multiplexación, multiplexión*   En *redes de área local
(LAN)*, transmisión en forma simultánea de varios mensajes por un
solo canal. Una red con capacidad de *multiplexión* permite el acceso
simultáneo de varias computadoras a la red. Sin embargo, la
multiplexión eleva el costo de una red, ya que deben incluirse
dispositivos multiplexores que permiten mezclar las señales en un
solo canal para transmisión. Vea *frequency division multiplexing,
local area network (LAN)* y *time division multiplexing*.

multiple zone recording (MZR) *grabación en múltiples zonas*   Método
para incluir más información en *discos duros* que utilizan grabación
a *velocidad angular constante (CAV)*. Las unidades MZR incluyen
datos extra en sus orillas, mismas que de otra manera no se
llenarían a toda su capacidad.

multiprocessing *multiprocesamiento*   Ejecución simultánea de
diferentes partes de un programa en un *multiprocesador*, computadora con más de una *unidad central de procesamiento (CPU)*. Vea
parallel processing y *symmetric multiprocessing (SMP)*.

multiprocessor *multiprocesador*   Computadora que contiene más
de una *unidad central de procesamiento (CPU)*. Para utilizar los

procesadores adicionales, la computadora debe ejecutar un sistema operativo o un programa con capacidad de *procesamiento paralelo*.

Multipurpose Internet Mail Extensions *Extensiones Multipropósito de Correo de Internet*   Vea *MIME*.

multiscan monitor *monitor multisincrónico*   Vea *multiscanning monitor*.

multiscanning monitor *monitor multisincrónico*   Monitor a colores capaz de ajustarse a un rango de frecuencias de entrada que le permite funcionar con diversos *adaptadores de pantalla*. A menudo se le llama monitor multisync, aunque Multisync es un nombre *propietario* de NEC para un monitor de este tipo.

multisession PhotoCD *PhotoCD de múltiples sesiones*   Estándar para grabar información de *PhotoCD* en un *CD-ROM* durante varias sesiones. A diferencia de las *unidades de CD-ROM* estándar, las unidades que son compatibles con PhotoCD de múltiples sesiones pueden leer la información que se ha grabado en un disco durante varias impresiones diferentes (una ventaja para los consumidores que no quieren esperar hasta tener suficientes imágenes para llenar un PhotoCD antes de hacer que se procesen las fotos, pero que no quieren tampoco desperdiciar la capacidad del PhotoCD).

Multisync monitor *monitor Multisync*   Vea *multiscanning monitor*.

multitasking *multitareas*   Ejecución simultánea de varios programas en un sistema de computación. No deben confundirse las multitareas con la *carga de múltiples programas*, en que dos o más programas están presentes en la *memoria de acceso aleatorio (RAM)*, pero sólo uno de ellos corre a la vez. En multitareas, la tarea activa o de primer plano responde al teclado mientras la tarea de segundo plano prosigue su ejecución (pero sin el control activo del usuario). Una solución completa de multitareas incluye la protección de la memoria, que evita que un programa invada el espacio de memoria de otro (vea *memory protection*). Además, el sistema operativo debe tener la capacidad de suspender la ejecución de un programa "indisciplinado", si es necesario (compare con *multitarea cooperativa* y *multitareas por preferencias*). Entre los sistemas operativos o shells que proporcionan multitareas se encuentran el *Operating System/2 (OS/2)*, *Unix*, *Microsoft Windows 95* y *Microsoft Windows NT*.

multithreaded application *aplicación con múltiples subprocesos*   *Programa* que ejecuta dos o más *subprocesos* (porciones independientes de un programa) al mismo tiempo. La ventaja de dividir un programa en subprocesos es que el sistema operativo puede decidir cuál de los subprocesos debe tener la prioridad en el procesamiento. Vea *preemptive multitasking*.

multithreading *múltiples subprocesos*   Arquitectura de *sistema operativo* para rápida ejecución de programas en que los programas pueden ejecutarse simultáneamente, al dividirse en varias rutas de ejecución independientes, llamadas *subprocesos.* Entre los sistemas operativos con múltiples subprocesos se encuentran *Microsoft Windows 95* y *Microsoft Windows NT.*

Multi-User Dungeon *Calabozo Multiusuario*   Vea MUD.

multi-user system *sistema multiusuario*   *Sistema* de computación que puede ser utilizado por varias personas para tener acceso a programas e información al mismo tiempo. En este tipo de sistema, cada usuario cuenta con una terminal. Si el sistema tiene una sola unidad central de procesamiento, una técnica denominada *compartición de tiempo* asigna tiempo de acceso a varias terminales. Las computadoras personales equipadas con microprocesadores avanzados, como el Intel 80486, tienen capacidad suficiente para servir como núcleo de un sistema multiusuario. Tales sistemas están equipados por lo general con *Unix, OS/2* o *Microsoft Windows NT.* Vea *AppleTalk, Ethernet, file server, local area network (LAN), mainframe, minicomputer, Netware* y *networking operating system (NOS).*

multiword DMA mode 1 *modo 1 de DMA de multipalabras*   El método que los *discos duros de IDE mejorado* usan para la transferencia de datos al resto de la computadora. El modo 1 de DMA de multipalabras permite que las unidades IDE Mejorada transfieran datos tres o cuatro veces más rápido que los discos duros de *electrónica integrada en la unidad (IDE).*

Musical Instrument Digital Interface *Interfaz Digital para Instrumentos Musicales*   Vea MIDI.

mux   Vea *multiplexer.*

My Computer *Mi PC*   En *Microsoft Windows 95,* utilería de administración de archivos y programas que reemplaza al Administrador de archivos y al Administrador de programas de Windows 3.1, combinando las funciones de esas utilerías anteriores con una interfaz simple y consistente. La ventana Mi PC despliega los archivos y programas como *iconos* grandes, la selección de los cuales proporciona acceso a los archivos. Además, los iconos pueden arrastrarse y colocarse para iniciar funciones como impresión o eliminación (a través de la *Papelera de reciclaje*).

MZR   Vea *multiple zone recording.*

n   Variable matemática común para expresar un número indeterminado de elementos.

name server *servidor de nombres*   En una *red de área local (LAN)* conectada a *Internet*, computadora que proporciona el *Servicio de Nombres de Dominio (DNS)*, es decir, la traducción entre nombres alfabéticos de dominio y *direcciones IP* numéricas. Para establecer una conexión con un proveedor de servicios de Internet, es necesario conocer la *dirección IP* del servidor de nombres.

nano- *nano-*   Prefijo que significa milmillonésimo.

nanosecond (ns) *nanosegundo*   Unidad de tiempo que equivale a una milmillonésima de segundo. Más allá de los límites de la percepción humana, los nanosegundos son importantes para las computadoras. Por ejemplo, si se anuncian chips de RAM a 80 ns, significa que éstos responden a la *unidad de procesamiento central* (CPU) dentro de un lapso de 80 ns. Vea *millisecond (ms)*.

National Center for Supercomputing Applications (NCSA) *Centro Estadounidense para Aplicaciones de Supercomputación*   Institución afiliada a la Universidad de Illinois en Urbana-Champaign, que se especializa en visualización científica. El NCSA alcanzó fama recientemente como lugar de nacimiento del *NCSA Mosaic*, el popular *navegador Web*.

National Information Infrastructure (NII) *Infraestructura Estadounidense de Información*   Propuesta de *red* de alta velocidad y gran ancho de banda capaz de dar servicios de voz, datos y video en Estados Unidos. La NII será desarrollada por empresas privadas y compañías de televisión por cable y telefónicas, con un financiamiento mínimo del gobierno. Vea *Asymmetric Digital Subscriber Line (ADSL)*.

National Research and Education Network (NREN) *Red Estadounidense de Investigación y Educación*   Red vertebral propuesta con la capacidad de transferir datos a tasas de gigabits por segundo. La NREN vinculará varios centros de investigación de supercomputadoras y no estará disponible para el público.

National Science Foundation (NSF) *Fundación Estadounidense para la Ciencia*   Agencia independiente del gobierno de Estados Unidos que busca promover el bienestar público a través del desarrollo de la ciencia y la ingeniería. Hasta 1995, la NSF subsidió y coordinó *NSFnet*, que en un tiempo fue la red vertebral de *Internet*.

National Television Standards Committee (NTSC) *Comité Estadounidense de Estándares para Televisión*   Comité que regula los estándares para la difusión televisiva en Estados Unidos y la mayor parte de Centro y Sudamérica (pero no en Europa y Asia). La televisión NTSC usa cuadros de 525 líneas y los despliega a una velocidad de 30 cuadros por segundo, empleando dos campos entrelazados a cerca de 60 cuadros por segundo para ajustarse a la frecuencia de corriente alterna estadounidense de 60 Hz. La mayor parte de las naciones europeas y asiáticas usa el estándar PAL, basado en sus propias frecuencias de alimentación de línea de 50 Hz.

native *nativo*   Diseñado para un tipo particular de computadora.

native application *aplicación nativa*   *Programa de software* diseñado para trabajar con un tipo particular de *microprocesador*; en otras palabras, un programa que tiene *compatibilidad binaria* con un microprocesador particular. Es posible que aplicaciones no nativas se ejecuten en un microprocesador determinado con la ayuda de un programa de *emulación*, pero las aplicaciones nativas casi siempre son significativamente más rápidas.

native code *código nativo*   Vea *machine code*.

native compiler *compilador nativo*   En programación, *compilador* diseñado para ejecutarse en la computadora para la cual se está generando el código.

native file format *formato de archivo nativo*   *Formato de archivo* predeterminado que emplea un programa para guardar información en disco. Se trata a menudo de un *formato de archivo propietario*. En la actualidad, muchos programas tienen la capacidad de recuperar y guardar información en diferentes formatos. Vea *ASCII*.

natural language *lenguaje natural*   Lenguaje utilizado de forma natural como el español, el francés, el alemán o el tamil; es distinto al artificial, como un *lenguaje de programación*. Los científicos se han abocado a mejorar las computadoras para que éstas respondan al lenguaje natural. Los lenguajes humanos son tan complejos que ningún modelo de sistema gramatical de algún lenguaje natural ha merecido amplia aceptación entre los lingüistas. La complejidad de los lenguajes humanos, además del desconocimiento de la información precisa que se necesita para decodificar los enunciados humanos, dificulta la creación de programas que reconozcan el habla. Los avances en la solución de estos problemas han sido lentos.

natural language processing *procesamiento de lenguaje natural*   En *inteligencia artificial*, uso de una computadora para descifrar o analizar el lenguaje humano.

natural recalculation *recálculo natural*   En un programa de *hoja de cálculo*, *orden de recálculo* que se sigue, de acuerdo con la manera dictada lógicamente por las fórmulas que el usuario coloca en las celdas. Si el valor de una fórmula depende de las referencias a otras celdas que contienen fórmulas, el programa hará primero el cálculo de las otras celdas. Vea *column-wise recalculation*, *optimal recalculation* y *row-wise recalculation*.

navigation *navegación*   En un programa o red de computadoras, proceso de interacción con la *interfaz de usuario* en un esfuerzo para encontrar recursos o archivos.

navigation button *botón de navegación*   En un navegador Web, los botones Atrás, Adelante e Inicio de la barra de herramientas, que permiten al usuario, respectivamente, regresar al documento que accedió previamente, avanzar al documento que se encontraba en pantalla antes de que hiciera clic en el botón Atrás o regresar a la página de inicio predeterminada. Vea *Web browser*.

NCSA   Vea *National Center for Supercomputing Applications*.

NCSA Mosaic   *Navegador Web* gráfico creado en el *Centro Nacional para Aplicaciones de Supercomputación (NCSA)*. Disponible como *freeware* para usos no comerciales, hay versiones de NCSA Mosaic para *Microsoft Windows 95*, *Unix* y computadoras Macintosh. Como el NCSA carece de las instalaciones y los recursos económicos necesarios, no ofrece soporte técnico y los defectos del programa pueden permanecer meses sin corregirse. Debido a estos problemas, el NCSA ha otorgado la concesión de Mosaic a Spyglass, Inc., que a su vez autorizó una versión con soporte completo del programa para editores de libros, empresas de software para computadora y otros revendedores. Una gran parte del equipo de programación que desarrolló el NCSA Mosaic se unió a Netscape Communications y produjo el popular navegador *Netscape Navigator*, que hoy es utilizado por alrededor de 75% de las personas que navegan en *World Wide Web (WWW)*.

near-letter quality (NLQ) *calidad aproximada de máquina de escribir*   Modo de las *impresoras de matriz de puntos* que imprime caracteres cuya calidad es casi igual a la de los caracteres de una máquina de escribir. Como resultado, la impresión es más lenta que en otros modos de impresión.

needle drop *reproducción de aguja*   En *multimedia*, uso de un extracto breve de una pieza musical grabada en vez de crear una composición original. El término proviene de los días en que los discos eran de vinilo y se reproducían con agujas fonográficas.

negotiation *negociación*   Vea *handshaking*.

nested structure *estructura anidada*   Método de programación en el cual una estructura de *control* se coloca dentro de otra. Vea *DO/WHILE loop*.

nested subtotal *subtotal anidado*   En una *hoja de cálculo*, *fórmula* que suma varios *valores* y que, a su vez, se incluye en una fórmula más grande que suma varios subtotales.

net.abuse *abuso de la red*   En *Usenet*, cualquier acción que interfiera con el derecho de la gente de utilizar y disfrutar Usenet; entre estas acciones se incluyen la inundación de grupos de noticias con mensajes indeseables (acción que se conoce como *spamming*), el lanzamiento de una campaña organizada de desprestigio o la realización de un esfuerzo organizado para evitar la discusión de un tema.

NetBEUI   Siglas de Interfaz de Usuario NetBIOS Extendida. *Protocolo de transporte de red* que define la *capa de red* de las *redes de área local* (*LANs*) de Microsoft e IBM.

NetBIOS   Vea *Network Basic Input/Output System*.

net.god(dess) *dios de la red*   En *Usenet*, individuo cuya larga experiencia en Usenet y cuya conducta sabia en línea lo eleva a una posición de héroe. Ejemplo de un dios de la red es James "Kibo" Parry, de quien se dice que desarrolló un script en Lenguaje Práctico de Extracción e Informes (*perl*) que le permite detectar cuándo y dónde se menciona su nombre en cualquier artículo de todos los miles de *grupos de noticias* de Usenet. Sus respuestas ingeniosas a esos artículos y su ubicuidad (en alguna ocasión afirmó que enviaba hasta dos docenas de artículos por día) pronto dio por resultado su deificación (y la creación de un grupo de noticias en su honor, llamado alt.religion.kibology).

netiquette *etiqueta en la red*   Conjunto de reglas que reflejan una experiencia de varios años para lograr la armonía en el ambiente electrónico (en *correo electrónico* y *grupos de noticias*). Los fundamentos de la etiqueta en la red son:

- Mantener mensajes breves y precisos, abreviar siempre que sea posible y no incluir una *firma* extravagante en la parte inferior del mensaje con su nombre y dirección de correo electrónico.

- No usar solamente LETRAS MAYÚSCULAS. Esto es como si estuviera gritando. Para poner énfasis en una palabra, use los asteriscos como si fueran comillas.

- Si desea hacer una crítica, critique la idea, no a la persona. No critique la ortografía ni los errores gramaticales de la persona. Las redes globales actuales destacan el deseo de los participantes por aprender el inglés; más que una crítica, merecen apoyo.

- No reaccione con exageración a los mensajes que lee en la pantalla. Si se enoja, no responda de inmediato. Salga a caminar, o mejor, consúltelo con la almohada. Es muy fácil

reenviar las respuestas de correo electrónico, así que no diga
cosas que no desee que lleguen al escritorio de su jefe.

- No pida a los miembros de un grupo de noticias que
censuren las contribuciones de una persona en particular, ni
desaliente el análisis de un tema que considere ofensivo; en
vez de ello, cree un *archivo de eliminación* para que esos
mensajes no aparezcan en su pantalla.

- Si pregunta algo en un grupo de noticias, pida que las
respuestas se le envíen en forma personal, a menos que sienta
que éstas serían de interés para todos los que leen el grupo de
noticias.

- En correo electrónico, tenga cuidado al responder a mensajes
enviados a más de un suscriptor. En algunos sistemas, su
respuesta se enviará a todas las personas que recibieron el
original, lo que podría incluir a todos los suscriptores.

- No envíe *publicaciones cruzadas* (mensajes enviados a más de
un grupo) ni responda a este tipo de mensajes, a menos que
esté siguiendo genuinamente la discusión en cada grupo de
noticias y crea que su mensaje será de interés para los lectores
de cada grupo.

- Si *publica* algo que le quite todo interés a una película,
novela o programa de televisión, ponga <*SPOILER*> en
la parte superior del mensaje. Así, las personas no lo leerán
si no desean saber quién fue el "culpable".

- Si publica algo que algunas personas podrían considerar
ofensivo, como un cuento erótico, use el comando (disponible en casi todas las redes) que *encripta* su texto para que
aparezca como basura. (En Usenet, por ejemplo, el comando
rot-13 recorre cada letra 13 caracteres, de modo que la b se
convierte en o.) Para leer ese mensaje, use el comando que
desencripta el texto. Cualquier lector que se sienta ofendido
tendrá que asumir la responsabilidad de haber desencriptado
el mensaje.

Además, sea discreto cuando tenga que tratar cuestiones personales
con otros usuarios. En la actualidad se están revisando las leyes
vigentes para que abarquen los mensajes de correo electrónico. Vea
follow-up post, *Internet* y *net.police*.

net lag *retardo de red*   En una *red de conmutación de paquetes*, la
demora en acceder a un documento, causada por la *latencia* y otros
problemas de transmisión.

netnews *noticias de red*   Forma de referirse colectivamente a los
grupos de noticias de Usenet.

NETNORTH *Red de área amplia (WAN)* canadiense, totalmente integrada con *BITNET* y que realiza las mismas funciones que ésta.

net.police *policía de red* En *Usenet*, persona o grupo de personas que se encargan de hacer valer las tradiciones y la etiqueta en Usenet. Por ejemplo, el famoso *Cancelmoose* aplica un programa automatizado (llamado *cancelbot*) que localiza y destruye anuncios que se envían a demasiados *grupos de noticias*. Vea *net.abuse* y *spam*.

Netscape Application Programming Interface *Interfaz de Programación de Aplicaciones de Netscape* Vea *NSAPI*.

Netscape Auto-admin Módulo incluido en *Netscape Communicator Pro* que permite a los administradores de una *intranet* controlar hasta 200 parámetros de configuración en copias distribuidas del paquete Communicator.

Netscape Catalog Server Servidor de *Internet* para estaciones de trabajo *Microsoft Windows NT* y *Unix* que permite a las empresas publicar en World Wide Web almacenes de documentos complejos, organizados jerárquicamente. Basado en el respetado programa de freeware llamado Harvest, Catalog Server "peina" automáticamente una *intranet* en busca de documentos legibles de todo tipo, los clasifica de acuerdo con reglas predeterminadas, los organiza en categorías predeterminadas y los hace disponibles por medio de un navegador Web. Los usuarios pueden navegar o buscar en las categorías jerárquicas, de manera muy parecida a como acceden a la información en *Yahoo*.

Netscape Certificate Server Servidor de *Internet* para estaciones de trabajo *Microsoft Windows NT* y *Unix* que permite a las organizaciones convertirse en *autoridades de certificación (CA)* al expedir *certificados* a los usuarios válidos. Los certificados pueden utilizarse para *autenticación fuerte* en la red, con lo cual ya no es necesario que el usuario proporcione un nombre de inicio de sesión y una contraseña diferentes en cada uno de los servidores a que tenga acceso.

Netscape Collabra Módulo incluido en *Netscape Communicator* que permite a los usuarios el acceso a grupos de noticias de *Usenet*. Cuando se enlaza con un servidor *Netscape Collabra*, el módulo adquiere funciones adicionales (vea *Netscape Collabra Server*).

Netscape Collabra Server Servidor *NNTP*, diseñado para ejecutarse en sistemas *Microsoft Windows NT* y estaciones de trabajo *Unix*, que permite a las empresas crear grupos de noticias privados y seguros. Entre las características avanzadas del servidor Collabra se incluyen encriptación *SSL*, *autenticación* fuerte y *no rechazo* de mensajes por medio *de firmas* y *certificados digitales*, control de acceso a grupos de noticias seleccionados y a jerarquías de éstos, y búsqueda cruzada en grupos de noticias. Para aprovechar estas características, los usuarios deben tener el cliente *Netscape Collabra*, incluido en *Netscape Communicator*.

Netscape Commerce Server   *Servidor Web* para estaciones de trabajo de *Microsoft Windows NT* y *Unix* diseñado para que las empresas puedan realizar comercio electrónico a través de Internet. La seguridad *SSL 3.0* permite la autenticación fuerte por medio de *certificados* digitales, además de comunicación segura y encriptada. Compare con *Netscape Enterprise* y *Netscape FastTrack Server*.

Netscape Communications Corporation   Editor de *navegadores Web*, *servidores Web* y software relacionado, ubicado en Menlo Park, CA. El navegador *Netscape Navigator* de la empresa, hoy en día parte del paquete *Netscape Communicator*, es actualmente el más popular en Internet, pero está enfrentando la fuerte competencia de *Microsoft Internet Explorer*. La firma reportó en 1996 ventas por 20.9 millones de dólares.

Netscape Communicator   Paquete que incluye al *navegador Web* más popular del mundo, *Netscape Navigator*, y que está disponible para *Microsoft Windows*, computadoras *Macintosh* y varias estaciones de trabajo *Unix*. El paquete Communicator está destinado al uso general de Internet e incluye los siguientes módulos, además del navegador: *Netscape Collabra* (grupos de noticias), *Netscape Conference* (telefonía en Internet), *Netscape Messenger* (*correo electrónico*), *Netscape NetCaster* (medios de actualización automática) y *Netscape Page Composer* (editor *WYSIWYG* para publicación en Web).

Netscape Communicator Pro   Paquete que contiene todas las aplicaciones incluidas en *Netscape Communicator*, además de módulos adicionales diseñados para que resulte atractivo el uso del paquete en *intranets*, entre ellos *Netscape Calendar*, *Netscape Host On-Demand* y *Netscape Auto-Admin*.

Netscape Conference   Módulo de telefonía para Internet, incluido en *Netscape Communicator*, que permite a los usuarios hacer llamadas telefónicas de voz a través de Internet. Conference se ajusta a los estándares *ITU-TSS* actuales para teleconferencias y funcionará de manera integral con otros programas de telefonía basados en estándares, como Internet Phone de Intel.

Netscape Directory Server   Servidor para estaciones de trabajo de *Microsoft Windows NT* y *Unix* que permite a las empresas publicar directorios de *páginas blancas* con direcciones de *correo electrónico* y números telefónicos de los empleados. Varias opciones de *control de acceso* y *autenticación* permiten a los administradores evitar que usuarios externos anónimos accedan a infomación interna confidencial. Directory Server se ajusta a los protocolos *LDAP* y *X.500*, y cualquier programa de *correo electrónico* compatible con LDAP puede tener acceso a las bases de datos de páginas blancas que crea.

Netscape Enterprise Server   *Servidor Web* para estaciones de trabajo de *Microsoft Windows NT* y *Unix* expresamente diseñado para cómputo empresarial, sobre todo para *intranets*. Incluye soporte a solicitudes de objetos *IIOP* a través de Netscape Communicator, búsqueda completa de texto en todos los documentos que el servidor puede acceder, control de acceso administrado por el autor y autenticación fuerte por medio de *certificados*. Compare con *Netscape Enterprise Server Pro*, *Netscape Commerce Server* y *Netscape FastTrack Server*.

Netscape Enterprise Server Pro   Versión de *Netscape Enterprise Server* para estaciones de trabajo *Microsoft Windows NT* y *Unix* que incluye una copia experimental del software de base de datos Informix OnLine Workgroup Server u Oracle7 Workgroup Server, además incluye soluciones innovadoras que permiten a las organizaciones crear aplicaciones Web-a-base de datos sin necesidad de programación.

Netscape extensions *extensiones de Netscape*   Conjunto de adiciones al estándar *HTML 2.0* que permite a los autores de contenido para Web elaborar documentos con tablas, marcos y otras características que no soporta la especificación 2.0. Hasta que los navegadores de la competencia decidieron incluir soporte a las *etiquetas* introducidas unilateralmente por Netscape, sólo los usuarios de *Netscape Navigator* podían observar estas características. La mayor parte de las extensiones han sido incorporadas en la versión 3.2 de HTML, pero Netscape (al igual que otros editores de navegadores) ha introducido recientemente nuevas etiquetas que no se incluyen en los estándares y que no son soportadas por otros navegadores.

Netscape FastTrack Server   *Servidor Web* creado por Netscape Communications y diseñado para ayudar a las empresas a establecer rápidamente su presencia en Internet. Destinado para instalación y administración por parte de los usuarios finales más que por los programadores, el programa contiene asistentes que guían a los usuarios a través de las tareas de configuración más comunes. FastTrack Server está disponible para sistemas *Microsoft Windows 95*, *Microsoft Windows NT* y *Unix*.

Netscape Messaging Server   *Servidor de correo electrónico* para estaciones de trabajo *Microsoft Windows NT* y *Unix*. El programa soporta servicios *LDAP*; protocolos de correo *SMTP*, *POP3* e *IMAP*; certificados X.509v3, y correo electrónico con abundante formato aplicado con HTML y MIME.

Netscape Navigator El *navegador Web* líder, ahora disponible como parte del paquete *Netscape Communicator*. Navigator es mucho más que un navegador Web, porque funciona como intérprete para *applets de Java* y para *JavaScript*. Producto de *plataforma cruzada*, Navigator está disponible en versiones para sistemas Windows, Macintosh y Unix.

Netscape NetCaster Cliente de *medios de actualización automática*, incluido con *Netscape Communicator*, que permite a los usuarios suscribirse a sitios Web y recibir automáticamente la versión más reciente de estos sitios en una ventana de *Netscape Navigator* o en una ventana especial a pantalla completa llamada Web de escritorio. Además, los usuarios pueden "sintonizar" la difusión de "canales" para recibir contenido comercial de proveedores como ABC News. NetCaster incorpora el cliente Castanet de Marimba, que permite a los usuarios sintonizar canales que difunden programas de *Java*; las actualizaciones a estos programas son transparentes para el usuario.

Netscape SuiteSpot Paquete de *servidor Web* y software relacionado que incluye Netscape Enterprise Server, LiveWire Pro (herramienta de desarrollo para enlace con bases de datos externas), Catalog Server (utilerías para administración y mantenimiento de catálogos de recursos de *Internet* e *intranets*), Media Server (transmisión de *audio de flujo continuo*), MailServer y Messaging Server (*correo electrónico* y soporte a groupware), News Server y Collabra Server (*grupos de noticias* internos y externos), Calendar Server (facilita la calendarización de grupo), Directory Server (proporciona soporte a *páginas blancas* para una empresa), Proxy Server (proporciona acceso a Internet a los usuarios de una intranet) y Certificate Server (permite a las empresas crear y administrar *certificados* digitales con propósitos de *autenticación*). Este producto compite con *Microsoft BackOffice*, que está orientado a redes basadas en Windows. Netscape SuiteSpot es para redes de *plataforma cruzada*, entre las que se incluyen sistemas *Unix*.

NetWare *Sistema operativo de red (NOS)*, fabricado por Novell, para *redes de área local (LANs)*. NetWare se adapta a más de 90 tipos de *tarjetas de interfaz de red*, 30 arquitecturas de red y varios *protocolos de comunicaciones*. Hay versiones de NetWare para computadoras Macintosh y compatibles con la PC de IBM.

network **red** Sistema de comunicaciones e intercambio de información que se crea mediante la conexión física de dos o más

computadoras con *tarjetas de interfaz de red* y cables, y que ejecuta
un *sistema operativo de red (NOS)*. Las redes de computadoras
personales difieren en su alcance. Las redes más pequeñas, llamadas
redes de área local (LANs), pueden conectar desde dos o tres
computadoras con un periférico costoso, como una *impresora láser*,
hasta otras que conectan a 75 computadoras o más. Las redes más
grandes, denominadas *redes de área amplia (WAN)*, emplean líneas
telefónicas u otros medios de comunicación para enlazar
computadoras separadas desde decenas hasta miles de kilómetros.
Las redes también difieren en su topología (de estrella y de bus),
arquitecturas (*cliente-servidor* y de *igual a igual*) y estándares de
comunicación (*Apple Talk, Ethernet* o *redes Token-Ring de IBM*).
Vea *baseband, broadband, bus network, Internet, intranet, network
architecture, network protocol, network topology, star network* y
token-ring network.

network administrator *administrador de red*   En *redes de área local
(LANs)*, persona encargada de mantener la red y prestar ayuda a los
usuarios.

network architecture *arquitectura de red*   Conjunto completo de
estándares de *hardware, software* y cableado para el diseño de una
red de área local (LAN). Vea *network topology*.

Network Basic Input/Output System (NetBIOS) *Sistema Básico de
Entrada/Salida para Red*   *Interfaz de programación de aplicaciones
(API)* que proporciona las aplicaciones de soporte necesarias para
enviar y recibir datos en una *red de área local (LAN)* basada en IBM
o Microsoft.

network drive *unidad de red*   En una *red de área local (LAN)*,
unidad de disco disponible para el usuario a través de la red, a
diferencia de la unidad conectada directamente a la *estación de
trabajo* del usuario.

Network File System (NFS) *Sistema de Archivos de Red*   Utilería de
acceso a archivos de *red*, desarrollada por Sun Microsystems y
posteriormente ofrecida al público como *estándar abierto*, que
permite a los usuarios de estaciones de trabajo *Unix* y *Microsoft
Windows NT* acceder a archivos y directorios de otras
computadoras como si estuvieran presentes físicamente en la
estación de trabajo del usuario.

Network Information Center (NIC) *Centro de Información de
Red*   Sistema que contiene un depósito de información relacionada
con *Internet*, incluyendo archivos del *Protocolo de Transferencia de
Archivos (FTP)* que contienen Solicitudes de Comentarios (RFCs),
Borradores de Internet, artículos Para su Información (FYI) y otros
documentos, como manuales sobre el uso de Internet. Hay numerosos Centros de Información de Red, pero el depósito oficial de

información de red es la NIC de la Red de Datos de la Defensa (DDN NIC). Vea *InterNIC*.

network interface adapter *adaptador de interfaz de red* Vea *network interface card*.

network interface card *tarjeta de interfaz de red* *Adaptador* que permite conectar un cable de red a una microcomputadora. La tarjeta incluye circuitería de codificación y decodificación y un receptáculo para la conexión de un cable de red.

network laser printer *impresora láser de red* *Impresora láser*, a menudo con un amplio *ciclo de servicio mensual* y características de *administración remota*, que está diseñada para conectarse a una *red* y satisfacer las necesidades de impresión de varias docenas de personas. Vea *automatic network switching*.

network layer *capa de red* En el *Modelo de Referencia OSI* de arquitectura de redes de computadoras, la quinta de siete *capas*; en ella se direccionan los paquetes para que puedan rutearse al destino correcto. Una vez direccionados, los paquetes se transfieren a la *capa de enlace de datos*, que se encuentra debajo, donde se preparan para transmitirse en la red física.

Network Neighborhood *Entorno de red* En *Microsoft Windows 95*, *icono* del escritorio que, al hacer clic en él, muestra las PCs y otros recursos dentro del grupo de trabajo del usuario. Con el Entorno de Red es posible revisar y acceder a los archivos de otras máquinas, como si estuvieran presentes en la computadora del usuario.

Network News Transfer Protocol (NNTP) *Protocolo de Transferencia de Noticias en Red* En *Usenet*, el estándar que regula la distribución de grupos de noticias a través de Internet. Vea *news server*.

network operating system (NOS) *sistema operativo de red* Software de sistema de una *red de área local (LAN)* que integra los componentes de *hardware* de la red y que por lo general es adecuado para conectar hasta 50 estaciones de trabajo. Normalmente, incluye características como una interfaz de administración controlada por menús, software para *copias de seguridad en cinta* del *servidor de archivos*, restricciones de *seguridad*, medios para compartir *impresoras*, almacenamiento central de *programas* de *aplicación* y *bases de datos*, conexión remota a través de *módems* y soporte para *estaciones de trabajo sin disco*. Un sistema operativo de red establece y mantiene las conexiones entre las *estaciones de trabajo* y el servidor de archivos; las conexiones físicas por sí solas no son suficientes para establecer la conectividad. El sistema operativo está compuesto por dos partes: el software del servidor de archivos y el de la estación de trabajo. Vea *LAN memory management program* y *NetWare*.

network operations center (NOC) *centro de operaciones de red*   Oficina de coordinación administrativa y técnica que es responsable del funcionamiento cotidiano de un servicio de red vertebral de *Internet* a nivel local, regional o nacional.

network printer *impresora de red*   En una *red de área local (LAN)*, impresora que el usuario puede emplear a través de la red, a diferencia de una *impresora local* (que está conectada directamente a la estación de trabajo).

network protocol *protocolo de red*   Método empleado para controlar el acceso de una estación de trabajo a una red de computadoras, con el fin de evitar colisiones de datos. Entre los ejemplos están el *Acceso Múltiple por Percepción de Portadora con Detección de Colisiones (CSMA/CD)* y el *paso de token*.

network server *servidor de red*   Vea *file server*.

network termination 1 unit (NT-1) *unidad 1 de terminación de red*   En un sistema de *Red Digital de Servicios Integrados (ISDN)*, dispositivo de la casa u oficina del suscriptor que está conectado entre dispositivos ISDN (como *módems digitales* y teléfonos digitales) y la red de la compañía telefónica. Por lo general, los usuarios deben comprar sus propias NT-1.

network topology *topología de red*   Disposición geométrica de los nodos y los enlaces de cables en una *red de área local (LAN)*. Las topologías de red se dividen en dos categorías: centralizada y descentralizada. En la primera, como una *red de estrella*, una computadora central controla el acceso a la red. Esta disposición garantiza la seguridad de la información y un control administrativo centralizado sobre el contenido y las actividades de la red. En una topología descentralizada (una *red de bus* o una de *anillo*, por ejemplo), cada estación de trabajo puede tener acceso a la red de forma independiente y establecer sus propias conexiones con otras estaciones de trabajo. Vea *star network*.

network transport protocol *protocolo de transporte de red* Cualquiera de los cientos de estándares de comunicación para transmitir información a través de un tipo específico de red física, como el cable de *fibra óptica*.

network virtual terminal (NVT) *terminal virtual de red*   Estándar genérico de *terminal* que permite a los programadores crear aplicaciones sin tener que preocuparse por las diferentes marcas de terminales que en realidad se utilizan. Al estándar NVT de *Internet* se le llama *Telnet*. Vea *line mode terminal*.

neural network (NN) *red neuronal*   Técnica de *inteligencia artificial* que imita la manera en que las células nerviosas están conectadas en el cerebro humano. La información que se proporciona a la red neuronal tiene la intención de entrenarla para que reconozca patrones. Esto da como resultado un programa que puede hacer predicciones, útil para el software de pronóstico del tiempo y del mercado de valores.

newbie *novato*   En *Usenet*, usuario nuevo que por lo general da a conocer su presencia al solicitar información que está disponible fácil y rápidamente en *FAQs*.

news feed *alimentación de noticias*   En *Usenet*, servicio que le permite descargar los artículos del día directamente a su computadora y publicar todos los artículos aportados por las personas que utilizan su computadora. Los servicios de alimentación de noticias no están destinados a usuarios de computadoras personales, ya que descargan hasta 100 MB de artículos de Usenet por día en su sistema (mucho más de lo que una persona podría leer). La alimentación de noticias es para empresas que desean establecer un sitio Usenet, con suficiente espacio de almacenamiento para manejar la enorme afluencia de artículos. Una computadora como ésta también tiene opciones de multiusuario que permiten a docenas y hasta cientos de personas beneficiarse de Usenet.

newsgroup *grupo de noticias*   En un *sistema de boletines electrónicos (BBS)*, como The WELL, o en un sistema distribuido de boletines electrónicos, como *Usenet*, grupo de discusión dedicado a un solo tema, como Star Trek (Viaje a las Estrellas), aeromodelismo, los libros de Ayn Rand o la música de Grateful Dead. Los usuarios *publican* mensajes en el grupo, y quienes siguen la discusión pueden enviar mensajes individuales de réplica al autor o respuestas que puede leer todo el grupo. El término grupo de noticias es inapropiado, porque las discusiones rara vez tienen que ver con las "noticias"; aunque grupo de discusión sería un nombre más preciso, grupo de noticias ya ha echado raíces. El término es sinónimo de foro. Vea *Frequently Asked Questions (FAQ)*, *follow-up post*, *local Usenet hierarchy, moderated newsgroup, net.god(dess), netiquette* y *thread unmoderated newsgroup*.

newsgroup reader *lector de grupos de noticias*   Vea *newsreader*.

newsgroup selector *selector de grupos de noticias*   En un *lector de noticias* de *Usenet*, modo de programa que presenta una lista de los grupos de noticias a los que el usuario está suscrito actualmente y de la que puede seleccionar el que desee leer.

news hierarchy *jerarquía de noticias*   En *Usenet*, una de las siete jerarquías de grupo de noticias estándar. La jerarquía de noticias es el núcleo de Usenet; los diferentes grupos de noticias tratan sobre temas administrativos, nuevos grupos de noticias, anuncios y software de Usenet. Vea *local Usenet hierarchy* y *standard newsgroup hierarchy*.

newspaper columns *columnas tipo periódico*   Formato de página en que dos o más columnas de texto se imprimen verticalmente en la página, de modo que el texto fluye hacia abajo de una columna y prosigue en la parte superior de la siguiente. Los programas de procesamiento de texto de alta calidad, como *Microsoft Word* y *WordPerfect*, permiten la creación de columnas tipo periódico e incluso balancean el margen inferior de las columnas para obtener un efecto profesional.

newsreader *lector de noticias*   En *Usenet*, programa cliente que le permite al usuario tener acceso a un servidor de noticias de Usenet, suscribirse a *grupos de noticias* de Usenet, leer los artículos que aparecen en esos grupos y publicar sus propios artículos o contestar por *correo electrónico*. Muchos *navegadores Web* (como *Netscape Navigator*) incluyen funciones para leer grupos de noticias.

news server *servidor de noticias*   En *Usenet*, computadora que proporciona acceso a *grupos de noticias*. Para leer grupos de noticias de Usenet, debe indicarle a su programa *lector de noticias* o *navegador Web* el nombre de dominio de un servidor *NNTP*. Su proveedor de servicios de Internet puede darle el nombre de este servidor, si tiene alguno disponible.

Newton   *Asistente digital personal* controlado por un procesador de *computadora con conjunto reducido de instrucciones* (RISC) de 32 bits a 20 MHz, con 640 KB de memoria de acceso aleatorio (RAM), fabricado por *Apple Computer*. Newton incluye una agenda, una libreta de direcciones y un cuaderno donde se puede escribir información con *un lápiz electrónico* o un *teclado* que se despliega en una pantalla pequeña. El dispositivo de reconocimiento de escritura a mano puede aprender la forma de escribir del usuario y mejorar con el tiempo; no obstante, el reconocimiento es lento. Los modelos más recientes incluyen un teclado.

NexGen   Diseñador *sin fábrica* y comercializador de *unidades centrales de procesamiento (CPU)* x86. La empresa es mejor conocida por el *NexGen Nx585*; el cual, asegura la empresa, tiene compatibilidad binaria con el *Pentium*. Establecida en San Mateo, California, tuvo una cierta ventaja por los problemas de la *unidad de punto flotante (FPU)* de los primeros Pentium y está tratando de arrebatarle una participación del mercado a *Intel* al ofrecer sus *chips* a precios relativamente bajos.

NexGen Nx585   *Microprocesador de 64 bits* que se afirma tiene *compatibilidad binaria* con el *Pentium* y que su fabricante, *NexGen*, ofrece a precios sustancialmente más bajos. El Nx585, disponible en versiones de 70, 75, 84 y 93 *megahertz (MHz)*, utiliza el *renombrado de registros* para evitar el límite de *8 registros* que disminuye la velocidad del Pentium y utiliza tecnologías de *0.5 micras* y *CMOS* para reducir el consumo de energía. Vea *AMD K5*.

NeXT Antiguo fabricante de hardware de computadoras, creador de la estación de trabajo NeXT, ya descontinuada, que posteriormente decidió poner énfasis en el innovador sistema operativo desarrollado para las máquinas NeXT, llamado *NEXTSTEP*. NeXT ha sido adquirida por *Apple Computer*.

NEXSTEP *Interfaz gráfica de usuario (GUI)* destinada el sistema operativo *Unix*, desarrollada por NeXT, Inc., para su desafortunada computadora NeXT. El programa, al igual que un conjunto de herramientas de desarrollo orientadas a objetos llamado OpenStep, ha sido adquirido por Apple Computer y aparecerá en la siguiente generación del sistema operativo de Macintosh, llamado *Rhapsody*.

NFS Vea *Network File System*.

nibble *nibble* Cuatro *bits*, la mitad de un *byte*. A veces se escribe "nybble".

NIC Vea *Network Information Center*.

NiCad Abreviatura de níquel-cadmio, compuesto utilizado para fabricar baterías recargables. Comúnmente utilizado en *computadoras portátiles*, el compuesto NiCad proporciona el nivel más bajo de calidad de batería, en lo que se refiere a energía suministrada, tiempo de recargado, longevidad total y tiempo de rendimiento. El cadmio, uno de los materiales utilizados en baterías de NiCad, es muy tóxico y la destrucción de las baterías plantea un serio riesgo para el ambiente. Este tipo de baterías puede manifestar un "efecto de memoria" indeseable, que consiste en que las baterías no puedan cargarse por completo si antes no se descargan totalmente.

NII Vea *National Information Infrastructure*.

NiMH Abreviatura de hidruro metálico de níquel, compuesto utilizado para crear baterías recargables que no incluye sustancias tóxicas, a diferencia de las baterías de *NiCad*. Las baterías de NiMH también ofrecen un desempeño superior, de hasta 50 por ciento más tiempo de rendimiento que las baterías de NiCad. Vea *lithium-ion battery*.

NLQ Vea *near-letter quality*.

nn En *Usenet*, *lector de noticias* para *Unix* creado por Kim F. Storm. *Lector de noticias* con encadenamiento que organiza artículos y artículos de seguimiento para mostrar la cadena de discusión, nn incluye muchas características avanzadas pero no es particularmente fácil de utilizar. Vea *tin* y *trn*.

NNTP Vea *Network News Transfer Protocol*.

NNTP server *servidor NNTP*   Vea *news server*.

NOC   Vea *network operations center*.

node *nodo*   En una *red de área local (LAN)*, punto de conexión capaz de crear, recibir o repetir mensajes. Entre los nodos se incluyen *repetidores*, servidores de archivos y periféricos compartidos. Sin embargo, en el uso cotidiano el término nodo es sinónimo de *estación de trabajo*. Vea *network topology*.

noise *ruido*   En *comunicaciones de datos*, señal eléctrica extraña o aleatoria en un canal de comunicaciones, distinta de la señal que porta la información deseada. Todos los canales de comunicaciones tienen ruido, pero cuando éste es excesivo, se puede perder información. Por ejemplo, las líneas telefónicas tienen mucho ruido, por lo que se requieren programas de comunicación capaces de realizar operaciones de verificación de errores para garantizar la integridad de los datos recibidos.

nonadjacent selection *selección no adyacente*   En *hojas de cálculo*, *rango* seleccionado de celdas que está separado de otro rango. La selección no adyacente es útil en operaciones de *formato*.

nonbreaking hyphen *guión de no separación*   En procesamiento de texto, guión especial que evita que una línea se divida indebidamente, para pasar a la siguiente línea, en el lugar donde se encuentra un guión. El guión de no separación evita que el programa coloque una separación de línea dentro de nombres propios separados por un guión (como A.R. Radcliffe-Brown).

noncontiguous *no contiguo*   No adyacente; que no se encuentra junto a otro. Vea *nonadjacent selection*.

nondisclosure agreement *convenio de no divulgación*   Contrato diseñado para mantener confidencial la información delicada. Los editores de software a menudo establecen acuerdos de no divulgación con sus sitios de *pruebas beta* para evitar que se divulgue la información sobre nuevos productos a la prensa especializada en computación.

non-impact printer *impresora de no impacto*   *Impresora* que forma un texto o una imagen rociando o fundiendo tinta sobre la página. Entre las impresoras de no impacto están las de *inyección de tinta*, las *láser* y las *térmicas*. Todas las impresoras de no impacto son mucho más silenciosas que las de *impacto*, pero no pueden imprimir copias con papel carbón.

non-interlaced monitor *monitor no entrelazado*   *Monitor* de computadora que no emplea la técnica de actualización de pantalla llamada *entrelazado*, por lo que es capaz de mostrar imágenes de alta resolución sin parpadear o presentar rayas.

non-procedural language *lenguaje sin procedimientos* Vea *declarative language*.

non-repudiation *no rechazo* En una red de computadoras, calidad deseable de seguridad de red, la cual garantiza que nunca se le negará a usuarios válidos el acceso a recursos que tienen permiso de utilizar.

non-transactional application *aplicación libre de transacciones* En una *red de área local (LAN)*, programa que genera información que no es necesario conservar en una base de datos compartida para que todos los usuarios de la red tengan acceso a ella. Por ejemplo, la mayor parte del trabajo realizado con *programas de procesamiento de texto* es libre de transacciones.

non-volatile *no volátil* No susceptible a que lo pierda la computadora cuando se interrumpe el suministro de energía eléctrica.

non-volatile memory *memoria no volátil* Memoria diseñada específicamente para retener información, aun en caso de que se interrumpa el suministro de energía eléctrica. La *memoria de sólo lectura (ROM)* es no volátil, igual que todas las unidades de almacenamiento secundario, como las unidades de disco. Vea *random-access memory (RAM)* y *volatility*.

non-Windows application *aplicación no Windows* *Programa de aplicación* de DOS que no requiere de *Microsoft Windows* para ejecutarse. Las aplicaciones de DOS también pueden ejecutarse dentro de Windows; usando *Windows 95* o los *modos Estándar o 386 Extendido* de *Windows 3.1*, el usuario puede pasar de una aplicación no Windows a otra sin cerrar ninguno de los dos programas. Vea *application programming interface (API)*.

no parity *sin paridad* En *comunicaciones asíncronas*, *protocolo de comunicaciones* que inhabilita la *verificación de paridad* y elimina el espacio para el *bit de paridad*.

Norton AntiVirus Programa de detección y eliminación de virus líder en el mercado, editado por Symantec y disponible en versiones para *Microsoft Windows* y *Macintosh*. En línea hay actualizaciones disponibles por medio de conexiones *FTP* o *World Wide Web*.

Norton Utilities El paquete de utilerías de sistema líder en el mercado, editado por *Symantec* y disponible en versiones para *Microsoft Windows* y Macintosh. El paquete incluye rastreo y protección contra virus, personalización de la interfaz de usuario, recuperación de archivos y mantenimiento del disco duro.

NOS Vea *network operating system*.

NOT   *Operador booleano* que puede utilizarse para excluir ciertos documentos de una lista de recuperación. Por ejemplo, la expresión de búsqueda "deportes NOT esquí" recuperará información relacionada con los deportes, excepto el esquí.

notebook computer *computadora notebook*   *Computadora portátil* que pesa por lo general unos 3 kilogramos y mide cerca de 20 × 27 × 4 centímetros; además, cabe fácilmente en un portafolios. Las computadoras notebook, a diferencia de las subnotebook, por lo general incluyen una *unidad de disco flexible*. Vea *auxiliary battery* y *battery pack*.

Notes   Vea *Lotus Notes*.

Novell NetWare   *Sistema operativo de red* para PCs IBM y compatibles. Las versiones actuales de NetWare pueden utilizar los protocolos de transporte *IPX/SPX*, *NetBEUI* o *TCP/IP*.

NREN   Vea *National Research and Educational Network*.

ns   Vea *nanosecond*.

NSAPI   Iniciales de Interfaz de Programación de Aplicaciones de Netscape. *Interfaz de programación de aplicaciones (API)* para *servidores Web* de Netscape que permite a los programadores dirigir solicitudes de información hacia programas externos, como bases de datos.

NSF   Vea *National Science Foundation*.

NSFNet   *Red de área amplia (WAN)* desarrollada por la Oficina de Computación Científica Avanzada de la *Fundación Estadounidense para la Ciencia (NSF)*. La NSFNet fue concebida para hacerse cargo de las funciones civiles de la *ARPANET,* del Departamento de Defensa de Estados Unidos, cuyo acceso fue cerrado al público por razones de seguridad. Hasta su abandono en 1995, la NSFNet proporcionó el hardware de comunicación para *Internet*, que está convirtiéndose rápidamente en el sistema mundial de *correo electrónico*.

NT   Vea *Microsoft Windows NT*.

NT-1   Vea *network termination 1 unit*.

NTSC   Vea *National Television Standards Committee*.

NuBus   *Bus de expansión* de alta velocidad de las computadoras Macintosh II. El NuBus requiere adaptadores especialmente diseñados para sus receptáculos de 96 pines.

nuke   Borrado total de un *directorio* o disco.

null modem cable *cable de módem nulo*   Cable serial especialmente configurado con el que se pueden conectar dos computadoras directamente, sin la mediación de un módem.

null value *valor nulo* En un programa de contabilidad o de *administración de bases de datos*, *campo* en blanco en que el usuario jamás escribe un valor, a diferencia de un valor de 0 (cero), que sí debe introducirse intencionalmente. En algunas aplicaciones es necesario hacer una distinción entre un valor nulo y un cero introducido de forma deliberada. Un valor nulo no afecta los cálculos; el cero sí.

number crunching *masticar números* Término coloquial que se refiere a un cálculo, en especial de grandes cantidades de datos.

numeric coprocessor *coprocesador numérico* Chip de soporte para *microprocesador* que realiza cálculos matemáticos a velocidades incluso 100 veces mayores que las del microprocesador solo.

numeric coprocessor socket *socket de coprocesador numérico* Receptáculo en la *tarjeta madre* de numerosas computadoras personales en que el usuario o el distribuidor puede insertar un *coprocesador numérico*, como el Intel 80387. Vea *numeric coprocessor*.

numeric format *formato numérico* En un programa de *hoja de cálculo*, forma en que se presentan las cifras en una *celda*. En la mayor parte de estos programas el usuario puede seleccionar entre las siguientes opciones de formato numérico:

- Fijo. Muestra los valores con un número fijo de lugares decimales, de 0 a 15.

- Científico. Muestra cantidades muy grandes o pequeñas mediante notación científica; por ejemplo, 12,460,000,000 aparece como 1.25E+11.

- Monetario. Muestra los valores con comas y signos de pesos, así como el número de cifras decimales que se especifique (de 0 a 15).

- Coma. Separa con comas los números mayores a 999.

- General. Presenta cifras sin comas ni ceros excedentes a la derecha del punto decimal. Si el número de dígitos a la izquierda del punto decimal excede el ancho de la columna, se usa la notación científica. Si el número de dígitos a la derecha del punto decimal excede el ancho de la columna, se redondea la cifra.

- +/–. Convierte la cifra en un gráfico de barras sencillo que aparece en la celda, donde la cantidad de signos de más o de menos es igual al valor total del número positivo o negativo de la entrada; por ejemplo, 5 aparecerá como +++++.

- Porcentaje. Multiplica el valor por 100 y agrega un signo de porcentaje; por ejemplo, 0.485 aparece como 48.5%. El usuario especifica el número de lugares decimales (de 0 a 15).

- Fecha. Transforma un número en una fecha. Por ejemplo, la cifra 32734 se convierte en el 14 de agosto de 1989.

- Texto. Presenta la fórmula y no el valor calculado por ésta.

- Oculto. Hace que la entrada de la celda no aparezca en pantalla. Para ver el contenido, se usa la definición de la celda.

numeric keypad *teclado numérico*   Grupo de teclas dispuestas como las teclas de una sumadora y que por lo general se encuentran a la derecha del área principal de escritura de un *teclado*. El teclado numérico está diseñado para introducir rápidamente datos numéricos.

Num Lock key *tecla Bloq Num*   Tecla de conmutación que bloquea el *teclado numérico* para introducir cifras. Al activar la tecla Bloq Num, se inhabilitan las teclas de dirección. En *teclados* compatibles con la PC de IBM, las teclas del teclado numérico están etiquetadas con flechas y números. Estas teclas se pueden utilizar para mover el cursor o introducir números. La tecla Bloq Num conmuta el teclado entre estos dos modos.

NVT   Vea *network virtual terminal*.

n-way set associative cache *caché de conjunto asociativo de n vías*   Vea *set-associative cache*.

nybble *nybble*   Vea *nibble*.

object *objeto* 1. En un *lenguaje de programación orientada a objetos (OOP)*, módulo de programa completo que contiene datos y procedimientos necesarios para que los datos sean útiles. Si otro programa sigue las reglas establecidas para comunicarse con el objeto, puede utilizarlo. 2. En *Vinculación e Incrustación de Objetos (OLE)*, documento o parte del mismo que se pega en otro documento con los comandos Pegar vínculo, Pegado especial o Incrustar objeto. Vea *dynamic object* y *static object*.

object code *código objeto* En *programación* de computadoras, instrucciones legibles para la máquina creadas por un *compilador* o *intérprete* a partir del *código fuente*.

Object Linking and Embedding *Vinculación e Incrustación de Objetos* Vea OLE.

Object Management Group Consorcio de la industria que desarrolla estándares para redes de computadoras basados en una *arquitectura de objetos distribuidos*, en que los *objetos* pueden intercambiar información en una red de computadoras de *plataforma cruzada*, aunque estén escritos en diferentes lenguajes de programación. Vea *Common Object Request Broker Architecture (CORBA)*.

object-oriented *orientado a objetos* Que se apega a la filosofía de la *programación orientada a objetos (OOP)*, en la cual los programas están integrados por *objetos* que interactúan; estos objetos son módulos de programa completos y reutilizables que soportan una función específica (como mostrar una ventana en la pantalla). Todos los objetos pertenecen a una *clase* de objetos generalizados que comparten las mismas funciones; por medio de la *herencia*, los objetos de una clase pueden adquirir automáticamente las funciones de la clase. Un programador puede crear rápidamente un nuevo objeto tomando un objeto abstracto de cierta clase y completándolo con la información y los procedimientos necesarios.

object-oriented graphic *gráfico orientado a objetos* *Gráfico* que el usuario puede editar de forma individual, compuesto por diversos objetos como líneas, círculos, elipses y cuadros. Sinónimo de *gráfico vectorial*.

object-oriented programming (OOP) language *lenguaje de programación orientada a objetos* *Lenguaje de programación* sin procedimientos, en el cual los componentes de un programa se consideran *objetos* capaces de transmitir mensajes entre sí, siguiendo reglas establecidas. La programación orientada a objetos es el máximo exponente del concepto de *programación modular* y resulta particularmente adecuada para *interfaces gráficas de usuario (GUIs)*. En la programación orientada a objetos, los módulos u objetos tienen la suficiente independencia para valerse por sí mismos, por lo que los programadores pueden copiarlos a otros programas. En vez de crear un objeto una y otra vez, como el código necesario para mostrar una ventana, los programadores pueden copiar y agregar nuevas características a un objeto antiguo y pasarlo después a un nuevo programa. Los programadores también pueden desplazar los objetos en grupos para componer nuevos programas. La posibilidad de reutilizar código orientado a objetos es una mejora en eficiencia y productividad muy importante, que explica por qué los lenguajes de programación orientada a objetos (sobre todo C++) se usan tanto para el desarrollo profesional de programas. Otros lenguajes orientados a objetos son *Java* y *SmallTalk*.

Object Packager *Empaquetador de objetos*   En *Microsoft Windows*, accesorio que transforma un objeto en un paquete, que el usuario puede insertar a continuación en un *documento destino* como *objeto vinculado* o *incrustado*. De este modo, cuando el lector del documento ve un *icono*, puede hacer doble clic en él para iniciar la aplicación que creó el objeto. Por ejemplo, con el Empaquetador de Objetos es posible insertar una *hoja de cálculo* como un icono en un documento de un *procesador de texto*, con una nota como: "Juan, haz doble clic en el icono para que veas nuestra hoja de trabajo de Excel, que presenta las cifras del trimestre de otoño de las que te hablé".

object request broker (ORB) *agente de solicitud de objetos*   Estándar para solicitud de servicios de *objetos* en una *arquitectura de objetos distribuidos*, es decir, una red de computadoras de *plataforma cruzada* en donde los módulos de programa pueden escribirse en cualquier lenguaje de programación y seguir proporcionando las funciones necesarias para otras aplicaciones. El estándar es fruto del *Object Management Group (OMG)*, consorcio de la industria que desarrolla estándares para *middleware* basados en arquitectura de objetos distribuidos. Vea *Common Object Request Broker Architecture (CORBA)*.

oblique *oblicua*   Forma cursiva de un tipo *sans serif*.

OCR   Iniciales de reconocimiento óptico de caracteres, mediante el cual la computadora reconoce el texto impreso o escrito a máquina. Utilizando software de OCR con un *escáner*, es posible digitalizar una página impresa y convertir los caracteres en texto de un documento de *procesador de texto*.

octal   Sistema de numeración que utiliza una base (raíz) de ocho. Hay ocho dígitos octales: 0, 1, 2, 3, 4, 5, 6 y 7. Como la notación octal es más compacta que la binaria, a veces se utiliza para representar números binarios. Sin embargo, la notación hexadecimal se utiliza con más frecuencia para ese propósito.

octet *octeto*   Unidad de *datos* de ocho *bits* de longitud exactamente (en otras palabras, un *byte*). A la gente de Internet no le gusta utilizar el término byte porque algunas de las computadoras conectadas a Internet utilizan datos de longitud de *palabra* diferente a ocho bits.

OCX   *Control* (*objeto* ejecutable) creado de acuerdo con los estándares de la *Vinculación e Incrustación de Objetos (OLE)* de Microsoft. A los controles OCX se les llama ahora controles *ActiveX*.

ODBC   Abreviatura de Conectividad Abierta de Bases de Datos. Estándar que permite que las aplicaciones (incluyendo *navegadores Web*) se comuniquen con *bases de datos* por medio de un conjunto estandarizado de consultas *SQL*.

odd parity *paridad impar*   En *comunicaciones asíncronas*, protocolo de verificación de errores en que al *bit de paridad* se le asigna el valor uno (1) si la suma de unos en un componente de datos de un byte de longitud da como resultado un número impar. Por ejemplo, el siguiente byte tiene cinco unos: 01011011. Por lo tanto, se asignará el bit de paridad 1 en un esquema de *verificación de paridad* impar. Si el bit de paridad indica que el número de unos es impar, pero la información transmitida realmente contiene un número par de unos, el sistema informará que ha ocurrido un error de transmisión. Vea *communications parameters*, *communications protocol*, *even parity* y *parity checking*.

OEM   Vea *original equipment manufacturer*.

office suite *grupo de programas de oficina*   *Paquete* de programas diseñado para realizar tareas de computación relacionadas con el hogar y la oficina; por lo general, los grupos de programas de oficina incluyen un procesador de texto, un programa de hoja de cálculo y una colección de herramientas y utilerías (como imágenes prediseñadas). Vea *Corel WordPerfect Suite* y *Microsoft Office*.

office automation *automatización de la oficina*   Uso de computadoras y *redes de área local (LANs)* para integrar las actividades tradicionales de una oficina, como las juntas, la redacción, el archivo, la contabilidad, el manejo de cuentas y el envío y recepción de mensajes.

offline *fuera de línea*   1. No estar conectado directamente a una computadora; por ejemplo, un dispositivo que no esté conectado a la computadora, está fuera de línea o se cambia al estado de fuera de línea. 2. En *comunicación de datos*, significa no estar conectado a otra computadora; por ejemplo, una estación de trabajo que se haya desconectado temporal o permanentemente de una red de área local está fuera de línea.

M
N
O

off-screen formatting *formato fuera de pantalla* Vea *embedded formatting command.*

offset *compensación, encuadernación* Vea *binding offset.*

OK button *botón Aceptar* Botón que activa el usuario en un *cuadro de diálogo* para confirmar los parámetros actuales y ejecutar el comando. Si el botón Aceptar ya está resaltado o rodeado por una línea negra gruesa, se activa al presionar la tecla Entrar.

OLE Iniciales de Vinculación e Incrustación de Objetos. Se trata de un conjunto de estándares desarrollados por Microsoft Corporation e incorporado en *Microsoft Windows* y en *MacOS* de Apple, que permite a los usuarios crear vínculos dinámicos entre documentos, que se actualizan automáticamente. También sirve para insertar un documento creado con una aplicación en un documento creado con otra. A estos estándares, actualizados para uso en Internet, se les llama ahora *ActiveX.* OLE se parece a los estándares de *middleware* basados en objetos, como *CORBA*, pero con una diferencia importante: los mensajes de OLE utilizan al *sistema operativo* como intermediario. El resultado es que las aplicaciones desarrolladas con componentes OLE, llamados *controles*, no pueden ejecutarse en un ambiente de *plataforma cruzada*, a menos que todos los sistemas operativos de las computadoras enlazadas soporten OLE. Reconociendo esto, Microsoft ha liberado la última versión de OLE, llamada ActiveX, a un cuerpo de estándares independiente, no lucrativo, que busca extender el soporte OLE a otros sistemas operativos (especialmente *Unix*).

OLE client *cliente OLE* Vea *client application.*

OLE server *servidor OLE* Vea *server application.*

OLTP Vea *online transaction processing.*

OMR Vea *Object Management Group.*

on-board *integrado en la tarjeta* Contenido directamente en una tarjeta de circuitos; incluido en el interior.

on-board audio *audio integrado* Circuito de la *tarjeta madre* que simula una *tarjeta de sonido* y que por lo general sólo es adecuado para aplicaciones de *audio en empresas*. Los circuitos de audio integrados por lo general utilizan tan sólo las técnicas de *síntesis FM* para producir sonidos y pueden reemplazarse, en una *computadora de escritorio*, con una tarjeta de sonido de mayor calidad.

on-board cache *caché integrado* Vea *internal caché.*

on-board speaker *bocina integrada* Pequeña bocina que se localiza en el interior del *gabinete* de la computadora. Aunque la bocina integrada puede generar bips, zumbidos y señales auditivas, es muy poco adecuada para *aplicaciones de multimedia*. Una *tarjeta de sonido* y *bocinas auxiliares* proporcionan salida de sonido de mejor calidad que la bocina integrada.

one-shot program *programa de un solo disparo*   Programa diseñado para resolver un problema una vez, y nunca más volver a utilizarse, como en el caso de un programa diseñado para calcular la trayectoria de un misil de prueba. Este tipo de programas a menudo no sigue las reglas de estilo y *programación modular* que rige a los programas elaborados para utilizarse una y otra vez, lo que representa un problema en caso de que un programa de un solo disparo se vuelva muy popular. Vea *canonical form*.

one-time password *contraseña para usarse sólo una vez*   Contraseña generada por un dispositivo manual, una *tarjeta inteligente* o un programa de computadora que permite a un usuario el acceso a una red de computadoras. La computadora de la red que lleva a cabo la autenticación reconoce la contraseña porque está ejecutando el mismo algoritmo de contraseña que el dispositivo o el programa del usuario. A diferencia de las *contraseñas* de uso repetido, las contraseñas para usarse sólo una vez proporcionan una mayor seguridad a la red. Aunque existe la posibilidad de que se le intercepte al transmitirse a la computadora que se autentica, no podrá utilizarse después para tener *acceso no autorizado* a la red de computadoras; además, no es posible deducir el algoritmo de generación de la contraseña al examinar la propia contraseña. Sinónimo de *token*. Vea *authentication* y *security*.

one-way hash function *función de hash de una sola vía*   Función matemática que transforma un mensaje de cualquier longitud en un código de longitud fija, para que el código sea una "huella digital" del mensaje original. Sin embargo, es imposible determinar el contenido del mensaje original al examinar el código. Este tipo de función puede utilizarse para determinar si se ha alterado el mensaje durante la transmisión en la red; el código se transmite junto con un mensaje encriptado y la computadora que lo recibe aplica la misma función de hash en el mensaje después de que se ha desencriptado. Si los dos códigos son diferentes, entonces el mensaje se corrompió o alteró durante la transmisión. Vea *hash function*.

online *en línea*   1. Estar directamente conectado y accesible para una computadora, y listo para el uso ("Por fin, la impresora está en línea"). 2. Conectado a una red ("Tienes que revisar tu correo cuando yo estoy en línea"). 3. Disponible en una red ("Esa información está disponible en línea").

online help *ayuda en línea*   Utilería de ayuda disponible en pantalla mientras el usuario utiliza una *red* o un *programa de aplicación*.

online information service *servicio de información en línea*   Compañía que ofrece a sus suscriptores, por una cuota, noticias actuales, cotizaciones de bolsa de valores y otra información disponible a través de las líneas telefónicas estándar. Vea *America Online (AOL)*.

online transaction processing (OLTP) *procesamiento de transacciones en línea*   En *Internet*, captura y grabación de información de transacciones electrónicas (incluyendo nombres, direcciones y números de tarjeta de crédito) en una base de datos, de modo que sea posible revisar todas las transacciones que se realizan en línea y sumar los datos resultantes para fines de administración.

on-screen formatting *formateo en pantalla*   En un programa de *procesamiento de texto*, técnica de formateo en que los comandos de formato influyen directamente en el texto que aparece en pantalla. Vea *embedded formatting command* y *what-you-see-is-what-you-get (WYSIWYG)*.

on-the-fly data compression *compresión de datos sobre la marcha*   Método en que los datos que habrán de enviarse por *módem* son comprimidos en un paquete más compacto durante la transmisión, en lugar de hacerlo antes. Con esto, aumenta la velocidad aparente de transmisión. Protocolos como *V.42bis* y *MNP 5* manejan la *compresión de datos* sobre la marcha.

OOPS   Iniciales de sistema de programación orientada a objetos. Vea *object-oriented programming (OOP) language*.

op   abreviatura común de operador, como en "channel op" (operador de canal en *IRC*).

op code *código de operación*   En *lenguaje de máquina*, código que le indica al procesador que desarrolle una operación específica, como mover datos a un *registro*.

open *abierto, abrir*   1. Disponible para su modificación. 2. Que cumple con estándares o protocolos bien definidos y no propietarios. 3. Leer un archivo en la memoria de la computadora.

open architecture *arquitectura abierta*   Sistema en el cual todas las especificaciones se hacen públicas para que otras compañías desarrollen productos complementarios, como *adaptadores* para ese sistema. Vea *open bus system*.

open bus system *sistema de bus abierto*   Diseño de computadora en que el *bus de expansión* de la máquina tiene receptáculos que aceptan *adaptadores* con facilidad. En general, un sistema de *arquitectura abierta* tiene un bus abierto; sin embargo, no todos los sistemas con bus abierto son de arquitectura abierta; la Macintosh es un ejemplo de esto último.

Open Database Connectivity *Conectividad Abierta de Bases de Datos*   Vea *ODBC*.

OpenDoc   Arquitectura de *documento compuesto* similar al estándar de Vinculación e Incrustación de Objetos *(OLE)* de Microsoft, que funciona en un ambiente de *plataforma cruzada*. Desarrollado por IBM, Apple y otros, OpenDoc permite que los usuarios incrusten características de una o más aplicaciones en un solo documento.

open-loop actuator *actuador de ciclo abierto*   Mecanismo obsoleto para mover la *cabeza de lectura/escritura* sobre el *medio de almacenamiento* de un *disco duro*. A diferencia de los *actuadores de ciclo cerrado*, los de ciclo abierto no informan al *controlador de disco duro* cuál es la posición de la cabeza, reduciendo por lo tanto la exactitud con que el controlador puede empaquetar los datos para reducir el espacio que ocupan. De hecho, los actuadores de ciclo abierto reducen la *densidad de área*.

Open Shortest-Path First Interior Gateway Protocol *Protocolo interior de puerta de enlace para abrir primero la vía más corta*   Vea *OSPF*.

Open Software Foundation (OSF) *Fundación para el Software Abierto*   Consorcio de compañías de computadoras que promueven estándares y publican especificaciones para programas que operan en computadoras que ejecutan *Unix*. Quizás la OSF sea mejor conocida por el diseño de OSF Motif, *interfaz gráfica de usuario (GUI)* para Unix que proporcionó gran parte de la inspiración para el diseño de *Microsoft Windows 95*. La OSF también desarrolló el Ambiente de Computación Distribuida (DCE) (un conjunto de programas que complementan el *sistema operativo* de un fabricante y que permite la interoperabilidad de redes de plataforma cruzada) y el sistema operativo OSF/1, variante de Unix disponible en forma pública. Vea *proprietary*.

open standard *estándar abierto*   Conjunto de reglas y especificaciones que describe colectivamente el diseño o las características de operación de un programa o dispositivo, el cual se publica y pone a disposición gratuita de la comunidad técnica y, por último, se convierte en estándar a través de una organización internacional independiente. Los estándares abiertos pueden contribuir al rápido crecimiento del mercado si estimulan la *interoperabilidad* (la posibilidad de que un dispositivo de un fabricante funcione con un dispositivo de otro fabricante) y la computación de *plataforma cruzada* (uso en una red con computadoras de diferentes fabricantes y que ejecutan diferentes sistemas operativos). Lo opuesto de un estándar abierto es un *estándar propietario*, impulsado por una compañía con la esperanza de que éste, y no otros, llegue a dominar el mercado. Vea *de facto standard*.

OpenStep   *Interfaz de programación de aplicaciones (API)* desarrollada por NeXT Inc., que utiliza principios *orientados a objetos* para conectarse con el sistema operativo de una computadora. OpenStep permite que los desarrolladores de aplicaciones realicen con facilidad las tareas tediosas y poco efectivas con las que antes se escribía el código que comunicaba directamente con el sistema operativo; existen *objetos* de OpenStep que realizan estas tareas y que es posible integrar rápidamente en las aplicaciones.

Open System Interconnection (OSI) Reference Model *Modelo de Referencia de Interconexión de Sistemas Abiertos*   Vea *OSI Reference Model*.

Open System Interconnection (OSI) Protocol Suite *Grupo de Protocolos de Interconexión de Sistemas Abiertos*   Vea *OSI Protocol Suite*.

OpenWindows   *Interfaz gráfica de usuario (GUI)* desarrollada por Sun Microsystems, que se basa en el estándar *X Windows* para computadoras *Unix*. Vea *Motif*.

operand *operando*   *Argumento* que se anexa a un *operador*, como una *función integrada* de un programa de hoja de cálculo. Por ejemplo, en la expresión de Excel PROMEDIO(D10..D24), el rango de celdas D10 a D24 es el operando de la función PROMEDIO.

operating environment *ambiente operativo, entorno operativo*   Contexto total en el cual funcionan las aplicaciones, incluyendo el *sistema operativo (OS)* y el *shell*.

operating system (OS) *sistema operativo*   Programa de control maestro que administra las funciones internas de la computadora (como aceptar entrada del teclado) y que proporciona los medios para controlar las operaciones y el sistema de archivos de la misma. Entre los más populares sistemas operativos para computadoras personales están *MacOS, Microsoft Windows 95* y *Microsoft Windows NT*. En *Unix* y muchos otros sistemas operativos para computadoras no personales, a la interfaz del sistema operativo se le llama *shell* y puede haber más de un shell disponible en un sistema determinado. Por ejemplo, *Motif* es uno de los diversos *shells* disponibles para Unix. Los sistemas operativos sencillos están diseñados para ejecutar un solo programa a la vez; con *carga múltiple de programas*, es posible ejecutar más de un programa, pero sólo uno de éstos estará activo. Los sistemas operativos *multitareas* auténticos permiten que dos o más programas se ejecuten simultáneamente, mientras que los sistemas operativos que soportan *múltiples subprocesos* permiten ejecutar simultáneamente dos o más funciones (llamadas *subprocesos*) dentro de una aplicación. En *multitarea cooperativa*, que se encuentra en MacOS y Windows 3.1, los programas toman el control de la CPU hasta que están listos para dejarla (factor decisivo que explica las malas tasas de recuperación después de que una aplicación se congela o detiene totalmente). En *multitarea por preferencias*, el sistema operativo aparta tiempo de CPU para cada aplicación y toma el control si un programa deja de responder. *Microsoft Windows 95*, *Microsoft Windows NT* y el System 8 de *MacOS* ofrecen multitareas por preferencias. En sistemas de computadoras multiusuarios, como *Solaris*, el sistema operativo también es el responsable de asignar tiempo de CPU a cada usuario y proporciona seguridad por medio de *autenticación* basada en contraseñas.

operating voltage *voltaje de operación*   Voltaje eléctrico con que opera un *microprocesador*. La mayor parte trabajan con voltajes de operación de 5 voltios (especificación más bien arbitraria que se decidió desde que se inventó el *transistor*) pero algunos chips trabajan a 3.3 voltios para ahorrar electricidad (un aspecto importante en *computadoras portátiles*) y reducir la generación de calor.

operator *operador*   En programación, nombre o símbolo de código que se utiliza para describir un comando o una función, como multiplicar o dividir.

optical character recognition *reconocimiento óptico de caracteres*   Vea *OCR*.

optical disk *disco óptico*   Medio de almacenamiento de datos de gran capacidad para computadoras que guarda la información a una densidad extremadamente alta en forma de diminutas hendiduras. La presencia o ausencia de éstas se lee con un rayo láser que se enfoca con gran precisión. Los discos y las unidades de CD-ROM ofrecen un medio de distribución cada vez más económico para datos y programas de sólo lectura. Las unidades *escriba una vez, lea muchas veces (WORM)* hacen posible que las organizaciones creen sus propias bases de datos masivas e internas. Las unidades de disco óptico borrables ofrecen más capacidad de almacenamiento que los *discos duros*; además, los CDs son removibles. Sin embargo, las unidades de disco óptico aún son más costosas y mucho más lentas que los discos duros. Vea *interactive videodisk*.

optical fiber *fibra óptica*   Vea *fiber optics*.

optical mouse *ratón óptico*   *Ratón* que no necesita limpieza, como el *mecánico*, pero que debe utilizarse sobre un tapete especial. Un ratón óptico lanza un haz de luz hacia una rejilla del tapete, que comunica los movimientos del ratón a la computadora.

optical resolution *resolución óptica*   Medida de la exactitud con que un *escáner* puede digitalizar una imagen sin ayuda del software. Mientras mayor número de dispositivos de carga acoplada (CCDs) tenga un escáner (300 es un promedio, 600 es muy bueno), mejor será la resolución óptica. La *interpolación de software* permite mejorar la salida, pero se trata de una mala sustitución de una alta resolución óptica.

optical scanner *escáner óptico*   Vea *scanner*.

optimal recalculation *recálculo óptimo*   En *Lotus 1-2-3* y otros programas avanzados de *hoja de cálculo*, método que acelera el *recálculo automático* al volver a calcular únicamente las celdas modificadas desde el último recálculo.

optimizing compiler *compilador con optimización*   *Compilador* que traduce *código fuente* a *lenguaje de máquina* optimizado para ejecutarse de la manera más eficiente posible en un *microprocesador* específico. Los compiladores con optimización son esenciales cuando se preparan programas para que se ejecuten en cualquier microprocesador equipado con *arquitectura superescalar*.

option button *botón de opción*   Vea *radio button*.

OR   1. En programación, *función booleana* que devuelve una expresión como verdadera, si cualquiera de los argumentos es verdadero. 2. En búsqueda de bases de datos de computadoras, *operador booleano* que recupera un documento si contiene cualquiera de los términos de búsqueda especificados.

Oracle Corporation   Proveedor líder de *sistemas de administración de bases de datos relacionales (RDMS)* basados en *Unix* para computadoras multiusuario empresariales. Fue la primera firma importante de bases de datos que adoptó a *SQL* como su estándar de lenguaje de consultas.

ORB   Vea *object request broker*.

ordered list *lista ordenada*   En *Lenguaje de Marcación de Hipertexto (HTML)*, lista numerada creada con las etiquetas <OL>..</OL>.

ordinal number *número ordinal*   Número que expresa el rango numérico o la posición de un elemento en una serie jerárquica (primero, segundo, tercero, etcétera).

organization chart *organigrama*   En *gráficos para presentaciones*, esquema empleado para presentar un diagrama de la estructura jerárquica de una organización, como una compañía o un club.

Organizer   Vea *Lotus Organizer*.

orientation *orientación*   Vea *landscape orientation* y *portrait orientation*.

original equipment manufacturer (OEM) *fabricante de equipo original*   Empresa que fabrica una pieza determinada de *hardware*, a diferencia del *revendedor de valor agregado (VAR)*, que es la compañía que modifica, configura, vuelve a empacar y vende el hardware. Por ejemplo, sólo unas cuantas compañías como Canon, Toshiba y Ricoh fabrican los *motores de impresión* que se emplean en las *impresoras láser.* Estos motores, que se instalan dentro de los gabinetes con otros componentes, los distribuyen revendedores de valor agregado, como Hewlett-Packard.

originate *originar*   Hacer una llamada, en lugar de recibirla. En computadoras, término que se aplica generalmente para conectarse con otra computadora por medio de un *módem.*

originate mode *modo de origen*   En *módems*, modo en que el módem originará las llamadas pero no las recibirá. Vea *auto-dial/auto-answer modem.*

orphan *huérfana*   1. En procesamiento de texto, error de formato en que la primera línea de un párrafo aparece sola en la parte inferior de una página. La mayor parte de los programas de *procesamiento de texto* y de *diseño de páginas* suprimen las *viudas* y las huérfanas; los mejores programas permiten activar y desactivar el control de viudas y huérfanas y seleccionar el número de líneas que pueden aparecer juntas en la parte inferior de la página. 2. En *Unix*, *proceso* que se sigue ejecutando aunque su *padre* haya muerto, consumiendo innecesariamente el tiempo de la CPU.

OS   Vea *operating system.*

OS/2   Sistema operativo *multitareas* de 32 bits para computadoras compatibles con la PC de IBM que fue desarrollado inicialmente entre Microsoft Corporation e IBM. OS/2 fue visto inicialmente como el sucesor de *Microsoft Windows 3.1*, pero Microsoft decidió desarrollar *Microsoft Windows 95* y *Microsoft Windows NT*, dejando a IBM como la única empresa que propone OS/2. Debido al éxito de Windows, a pocos desarrolladores de aplicaciones les resulta atractivo desarrollar programas para OS/2. Vea *OS/2 Warp.*

OS/2 Warp   *Sistema operativo* concebido y comercializado por *IBM*, que ofrece la mayor parte de las características del *Operating System/2 (OS/2)* y que está optimizado para ejecutar aplicaciones de Windows además de programas de OS/2. OS/2 Warp ofrecía muchas características innovadoras (sobre todo conectividad integrada con *Internet*) varios meses antes del lanzamiento de *Microsoft Windows 95*, pero a pesar de sus méritos ha sido totalmente eclipsado en el mercado por Windows 95 y Windows NT.

OSF   Vea *Open Software Foundation.*

OSI Protocol Suite *Grupo de protocolos OSI*   Abreviatura de Grupo de Protocolos de Interconexión de Sistemas Abiertos. Arquitectura de *red de área amplia (WAN)* desarrollada por la *Organización Internacional de Estándares (ISO)*, con gran apoyo de las organizaciones de correos y telégrafos estatales de Europa. El Grupo de Protocolos OSI ha resultado frágil y difícil de manejar y no representa una amenaza para el dominio global del grupo de protocolos *TCP/IP*, de no ser por el fuerte respaldo de las burocracias de servicios postal y de telégrafos europeas. Vea *OSI Reference Model*.

OSI Reference Model *Modelo de Referencia OSI*   Abreviatura de Modelo de Referencia de Interconexión de Sistemas Abiertos (OSI). Estándar internacional para conceptualizar la *arquitectura* de redes de computadoras, establecido por la *Organización Internacional de Estándares (ISO)* y el *Instituto de Ingenieros Eléctricos y Electrónicos (IEEE)* que mejora la flexibilidad de la red. El Modelo de Referencia OSI emplea un método de "divide y vencerás", en que las funciones de la red se dividen en siete categorías, llamadas *capas*, y se establecen estándares de comunicación para manejar la transferencia de información de una capa a otra. Dentro de cada capa se desarrollan *protocolos* que se concentran únicamente en la función de la capa. Dentro de una computadora conectada a una red, los mensajes que serán enviados "bajan" por una una *pila* de protocolos, en la que sufren transformaciones sucesivamente hasta que los datos están listos para enviarse a través de la red física. En la terminal receptora, los datos "suben" por la pila, recorriendo el proceso inverso de transformación, hasta que la información está lista para que la aplicación la presente. El Modelo de Referencia OSI establece un total de siete capas, que son, de la parte superior a la inferior de la pila: *capa de aplicación, de presentación, de sesión, de transporte, de red, de enlace de datos y física*.

OSPF   Siglas de Abrir Primero la Vía más Corta. Versión mejorada del protocolo de *Internet* (estándar) que rige el intercambio de información utilizando *TCP/IP* dentro de una red interna (un *sistema autónomo*). Un *ruteador* que ejecute OSPF compilará una base de datos a partir de sus propias conexiones actuales, además de las de aquellos ruteadores compatibles con OSPF a los que está conectado, y luego utilizará un algoritmo de ruteo para determinar el trayecto más corto posible para la información.

outline font *fuente de contorno, fuente de esquema, fuente perfilada*   *Fuente de impresora* o *pantalla* en que una fórmula matemática genera cada carácter, produciendo un contorno elegante y sin distorsión, mismo que la *impresora* se encarga de rellenar. Las fórmulas matemáticas, más que los *mapas de bits*, producen las elegantes curvas y líneas de los caracteres perfilados. La impresora puede cambiar con facilidad el tamaño del carácter de una fuente perfilada sin introducir las distorsiones comunes en las *fuentes de mapa de bits*. (Quizá necesite reducir el peso de los tamaños pequeños de fuente, con un proceso llamado *adelgazamiento*, que evita la pérdida de los detalles finos.)

outline utility *utilería de esquema* En algunos *programas de procesamiento de texto* con características completas, técnica útil para la planificación y organización de un *documento* mediante el uso de encabezados de esquema a manera de títulos de documento. El programa permite la observación del documento como un esquema o como un texto normal.

output *salida* Proceso en que se muestran en pantalla o se imprimen los resultados de diversas operaciones de procesamiento. Vea *input*.

OverDrive Actualización de *microprocesadores* creada por *Intel* que se insertan en receptáculos especiales (llamados *sockets para OverDrive*) en las *tarjetas madre* de los modelos *Intel 486DX* y *486SX*, para mejorar su desempeño al nivel de las *unidades centrales de procesamiento (CPU)* del *Intel 486DX/2*. El mejoramiento que se obtiene al instalar un chip OverDrive sólo es de alrededor del 20%, de modo que la instalación de un OverDrive no necesariamente es la mejor opción. También están disponibles para algunos sistemas Pentium. Vea *Pentium OverDrive*.

OverDrive socket *socket para OverDrive* Receptáculo especial proporcionado en tarjetas madre compatibles con OverDrive, diseñado para el microprocesador *Intel 80486*; el chip está concebido para actualizar procesadores con *OverDrive*.

overflow *desbordamiento* Condición en que el programa intenta colocar más datos en un área de la memoria de los que ésta puede contener, lo que provoca la emisión de un mensaje de error.

overhead *sobrecarga* En una *red*, la información adicional que debe agregarse a un mensaje para asegurar su transmisión libre de errores. Por ejemplo, en *comunicaciones asíncronas* deben agregarse un *bit de inicio* y un *bit de parada* a cada byte de información transmitida, produciendo una elevada y poco efectiva sobrecarga de aproximadamente el 20%.

overlaid windows *ventanas sobrepuestas* En una *interfaz gráfica de usuario (GUI)*, modo de pantalla en que las ventanas pueden encimarse unas a otras. Si *maximiza* la ventana que está al frente, ésta ocultará por completo a las demás. Vea *cascading windows* y *tiled windows*.

overlay *traslape* Vea *program overlay*.

overlay chart *gráfico sobrepuesto* En un programa de gráficos de negocios, segundo tipo de gráfico que se coloca sobre el gráfico principal, como en el caso de un gráfico de líneas encima de uno de barras. El término es sinónimo de gráficos combinados. Vea *mixed column/line graph*.

overrun error *error de exceso de flujo*   Error en un *puerto serial* en que un *microprocesador* envía datos con mayor rapidez de la que puede manejar el *Receptor/Transmisor Asíncrono Universal (UART)*. Un error de exceso de flujo conduce a la pérdida de información.

overscan *rebase de imagen*   Condición que se da cuando la imagen creada en una *pantalla de tubo de rayos catódicos (CRT)* es más grande que la porción visible de la pantalla. En la mayor parte de los monitores, los usuarios pueden ajustar esto para mostrar la parte oculta, pero no todos tienen esta opción; por eso, los profesionales de audio/video evitan colocar detalles importantes en el 10% del área exterior de la imagen.

overstrike *sobreimpresión*   Creación de un carácter no incluido en el conjunto de caracteres de la impresora, para lo cual se coloca un carácter sobre otro, como cuando se usan los caracteres O y / juntos para crear ceros que puedan distinguirse con facilidad de una letra O mayúscula. Los sistemas de computación actuales basados en imágenes ya no tienen la necesidad de esta técnica de impresión; no obstante, los programas de DOS basados en caracteres a veces la necesitan.

overtype mode *modo de sobreescritura*   Modo de edición en *programas de procesamiento de texto* y de otro tipo de software que permite introducir y editar texto; en modo de sobreescritura, los caracteres que escriba el usuario borrarán los existentes, en caso de que los haya. Vea *insert mode*.

overvoltage *sobrecarga de voltaje*   Alto voltaje anormal en un contacto de pared, generalmente en forma de picos mayores de 130 voltios. Un supresor de picos proporciona protección contra este fenómeno.

overwrite *sobreescritura*   Escritura de datos en un disco magnético, en la misma área donde están almacenados otros datos; este proceso destruye los datos originales.

P100   Abreviatura de la versión de 100 MHz del *microprocesador Pentium* de *Intel*.

P120   Abreviatura de la versión de 120 MHz del *microprocesador Pentium* de *Intel*.

P133   Abreviatura de la versión de 133 MHz del *microprocesador Pentium* de *Intel*.

P166   Abreviatura de la versión de 166 MHz del *microprocesador Pentium* de *Intel*.

P200   Abreviatura de la versión de 200 MHz del *microprocesador Pentium* de *Intel*.

P24T socket *socket para P24T*   Receptáculo para el *microprocesador P24T de Intel* en una *tarjeta madre Intel 80486*. El P24T eleva el desempeño de una 486 a niveles cercanos a la *Pentium*.

P6   Nombre de trabajo del microprocesador *Pentium Pro* durante su desarrollo.

P60   Abreviatura de la versión de 60 MHz del *microprocesador Pentium* de *Intel*. Debido a su *voltaje de operación* de 5 voltios, el P60 se sobrecalienta, por lo cual se recomienda utilizar preferentemente los *P75*, *P100* y *P120*.

P66   Abreviatura de la versión de 66 MHz del *microprocesador Pentium* de *Intel*. Debido a su *voltaje de operación* de 5 voltios, el P66 se sobrecalienta, por lo cual se recomienda utilizar preferentemente los *P75*, *P100* y *P120*.

P75   Abreviatura de la versión de 75 MHz del *microprocesador Pentium* de *Intel*.

P90   Abreviatura de la versión de 90 MHz del *microprocesador Pentium* de *Intel*.

package *paquete*   En Microsoft Windows 95 y Microsoft Windows 3.1, *icono* creado con el Empaquetador de objetos que contiene un *objeto incrustado* o vinculado, un *archivo* o parte de un archivo. Vea *OLE*.

packaged software *software empaquetado*   *Programas de aplicación* distribuidos comercialmente que son distintos a los programas hechos a la medida y desarrollados particularmente para un cliente específico. El término es sinónimo de software comercial.

packet *paquete*   En una unidad de conmutación de paquetes, unidad de datos de tamaño fijo (sin exceder el tamaño de *unidad máxima de transmisión [MTU]* de la red), preparada para transmitirse en la red. Cada paquete contiene un *encabezado* que indica su origen y su destino. Vea *packet-switching network*. El término es sinónimo de *datagrama*.

packet driver *controlador de paquetes*   En una *red de área local (LAN)*, programa que divide datos en *paquetes* (unidades de transmisión de tamaño fijo) antes de enviarlos a la red.

Packet Internet Groper (PING)   *Programa de diagnóstico* que se utiliza normalmente para determinar si una computadora está conectada adecuadamente con *Internet*.

packet radio *radiotransmisión de paquetes*   Método de intercambio de datos *TCP/IP* por medio de radiotransmisiones en VHF que enlazan a dos o más computadoras. Concebida inicialmente para aplicaciones militares durante el desarrollo de *ARPANET*, la radiotransmisión de paquetes se utiliza principalmente entre radioaficionados y está limitada por la línea de vista (aproximadamente de 16 a 160 kilómetros, excepto si hay obstáculos).

packet sniffer *husmeador de paquetes*   Programa diseñado para buscar un patrón predeterminado (por ejemplo, una contraseña, un número de seguro social o de tarjeta de crédito) en los *paquetes* de datos que recorren una línea de *Internet*. A menudo, estos datos se transmiten por Internet en *texto sin cifrar*. La habilidad de los criminales de las computadoras para interceptar estos datos es uno de los inconvenientes fundamentales de seguridad de Internet, y explica por qué el uso de la red es inherentemente inseguro, a menos que se utilice la *encriptación*.

packet switching *conmutación de paquetes*   Vea *packet-switching network*.

packet-switching network *red de conmutación de paquetes*   Una de las dos arquitecturas fundamentales para el diseño de una *red de área amplia (WAN)*; la otra es la *red de conmutación de circuitos*. En una red de conmutación de paquetes, como *Internet*, no es necesario esforzarse para establecer un solo circuito eléctrico entre dos dispositivos de cómputo; por esta razón, a las redes de conmutación de paquetes se les llama a menudo *no orientadas a la conexión*. En vez de ello, la computadora remitente divide eficientemente un mensaje en varias unidades de tamaño adecuado llamadas *paquetes*;

cada unidad contiene la dirección de la computadora de destino.
Estos paquetes simplemente se lanzan a la red. Son interceptados
por dispositivos llamados *ruteadores*, que leen la dirección de cada
paquete y, de acuerdo con esa información, los envían en la
dirección apropiada. Todos los paquetes llegan a su destino, aunque
algunos hayan recorrido rutas físicas diferentes. La computadora
receptora ensambla los paquetes, los ordena y envía el mensaje a la
aplicación apropiada. Las redes de conmutación de paquetes son
muy confiables y eficientes, pero no son adecuadas para el envío de
voz y video en tiempo real.

page *página, paginar* 1. Bloque de tamaño fijo de *memoria de
acceso aleatorio (RAM)*. Vea *paged memory*. 2. En procesamiento
de texto y *autoedición*, representación en pantalla de una página de
texto o imágenes impresa. 3. *Página Web*. 4. Recorrer un documento. 5. Intercambiar un bloque de datos de tamaño fijo dentro y
fuera de la memoria.

page break *salto de página* En *procesamiento de texto*, marca que
indica el sitio donde la impresora iniciará una nueva página. Los
programas insertan de forma automática el salto de página, una
vez que el usuario llena una página de texto. Se le conoce como
salto de página automático porque el programa ajusta su ubicación
cuando el usuario inserta o elimina texto antes del salto. El
usuario además puede insertar un *salto de página manual*, también
llamado salto de página forzado, que obliga al programa a iniciar
una nueva página.

page description language (PDL) *lenguaje de descripción de
páginas* Lenguaje de programación que describe la salida de la
impresora en comandos independientes del dispositivo. En general,
la salida que un programa envía a la impresora incluye códigos de
control de impresión, que varían de una impresora a otra. Sin
embargo, un programa que genera una salida en PDL puede
controlar cualquier impresora que tenga un intérprete de PDL. Los
PDLs dejan a la impresora la tarea de procesar la salida de impresión. Vea *PostScript*.

paged memory *memoria paginada* Vea *paging memory*.

paged memory management unit (PMMU) *unidad de administración de
memoria paginada* En *hardware*, *chip* o circuito que hace posible
la *memoria virtual*, la cual permite que la computadora use espacio
del *disco duro* para aumentar la cantidad aparente de *memoria de
acceso aleatorio (RAM)* del sistema. Con memoria virtual, una
computadora con sólo 4 MB de RAM puede funcionar como si
tuviera 16 MB de RAM o más, gracias a lo cual puede ejecutar
varios programas al mismo tiempo. Vea *Microsoft Windows 95* y
System 7.5.

page fault *fallo de página*   En *memoria virtual*, intento fallido de recuperar una *página* de datos de la *memoria de acceso aleatorio (RAM)*. Cuando se presenta un fallo de página, el *sistema operativo* recupera los datos del disco duro, que es más lento.

page layout program *programa de diseño de páginas*   En *autoedición*, programa de aplicación que ensambla texto e *imágenes* provenientes de diversos archivos. El usuario puede determinar el lugar, el tamaño, la escala y los *cortes* precisos del material de acuerdo con el diseño de página representado en pantalla. Los programas de diseño de páginas, como *PageMaker* y *FrameMaker* de *Adobe*, despliegan una representación gráfica de la página, incluyendo las guías no imprimibles que definen las áreas en las cuales se insertan el texto y los gráficos.

page-mode RAM *RAM en modo de página*   Chips de *memoria dinámica de acceso aleatorio (DRAM)* de alto desempeño que incluyen un búfer, llamado búfer de columnas, que guarda los datos que posiblemente sean requeridos por la *unidad central de procesamiento (CPU)* en la siguiente operación. Los chips de RAM en modo de página guardan los datos en una matriz de filas y columnas. Cuando se solicitan los datos de la RAM en modo de página, toda la columna o página de datos se lee hacia el búfer, porque probablemente la siguiente porción de datos solicitados estará en la misma columna. Si es así, los datos se leerán desde el búfer, proceso más rápido que si se accediera nuevamente a la matriz. La RAM en modo de página es distinta a los sistemas de *memoria de paginación*. Vea *FPM*. Hoy en día se encuentran disponibles tecnologías más rápidas de memoria (vea *EDO RAM, SDRAM*).

page orientation *orientación de página*   Vea *landscape orientation* y *portrait orientation*.

page printer *impresora de páginas*   *Impresora* que elabora en su memoria una imagen de una página impresa y luego transfiere esa imagen al papel. Las *impresoras láser*, las de *obturador de cristal líquido (LCS)* y las de *diodos emisores de luz (LED)* son impresoras de páginas, mientras que las *impresoras de inyección de tinta* y las de *matriz de puntos*, que imprimen de línea en línea, no son de este tipo.

pages per minute (ppm) *páginas por minuto*   Medida del número de páginas que una *impresora* puede imprimir por minuto. Los fabricantes a menudo inflan los valores ppm de sus impresoras, y las velocidades son casi siempre inexactas cuando los trabajos de impresión incluyen imágenes o fuentes distintas a las *residentes* de la impresora. Igual que el consumo de gasolina por kilómetro que fijan los fabricantes de automóviles, las ppm, aunque estén infladas, sirven como punto de comparación entre modelos.

Page Up/Page Down keys *teclas RePág/AvPág*   En los teclados de las *computadoras compatibles con la PC de IBM*, teclas mediante las cuales se mueve el cursor a la pantalla anterior (RePág) o la siguiente (AvPág). Como al programador le corresponde la asignación precisa de estas teclas, algunos programas de procesamiento de texto usan las teclas RePág y AvPág para pasar a la parte superior de la página anterior y no a la pantalla anterior de texto.

pagination *paginación*   En *procesamiento de texto*, proceso para dividir un documento en páginas para su impresión. Los programas actuales de procesamiento de texto emplean paginación en segundo plano, que ocurre cuando el usuario deja de escribir o editar y el microprocesador no tiene otra cosa que hacer. Vea *page break*.

paging memory *memoria de paginación*   Sistema de memoria en el cual se especifica la ubicación de los datos mediante la intersección de una columna y una fila en la *página* de memoria y no por medio de la ubicación física real de los datos. Esto permite guardar las páginas de memoria en cualquier espacio de memoria que quede disponible, incluyendo las unidades de disco. La memoria de paginación se usa para implementar *memoria virtual*, en la cual la unidad de disco duro de la computadora funciona como una extensión de la *memoria de acceso aleatorio (RAM)*. Un chip o circuito llamado unidad de administración de memoria paginada controla la entrada y salida de las páginas de datos en los dispositivos de memoria. Vea *paged memory management unit (PMMU)*.

paint file format *formato de archivo de pintura*   *Formato de archivo* de gráficos de mapa de bits propio de programas como MacPaint y PC Paintbrush. Vea *paint program*.

paint program *programa de pintura*   Programa que permite al usuario dibujar en pantalla especificando el color de los puntos o *pixeles* individuales que conforman un gráfico en mapa de bits. Aunque los programas de pintura pueden producir efectos interesantes, no facilitan la edición porque no es posible seleccionar individualmente los objetos. Vea *draw program*.

paired bar graph *gráfico de barras pareadas*   *Gráfico de barras* con dos ejes X (ejes de categorías) diferentes. Un gráfico de barras pareadas es una excelente forma de demostrar la relación entre dos *series de datos* que comparten los mismos valores en el eje Y, pero que requieren dos categorías distintas en el *eje X*. Debido a que las barras se reflejan entre sí, las variaciones resultan obvias. Vea *dual y-axis graph*.

paired pie graph *gráfico circular pareado*   Gráfico que en realidad contiene dos *gráficos circulares* separados. Por ejemplo, un gráfico circular pareado es apropiado para mostrar la distribución de las

ventas de un producto en dos periodos diferentes. Para mostrar
la diferencia en el tamaño de los totales representado por cada
uno de los gráficos circulares, resulta útil un *gráfico circular
proporcional.*

pair kerning *interletraje entre pares de letras*　Vea *kerning.*

palette *paleta*　1. En pantallas de computadora, colores que puede
mostrar el sistema. Las pantallas de *Matriz de Gráficos de Video
(VGA)* ofrecen una paleta de 262,144 colores, aunque cada pantalla
puede exhibir un máximo de 256 colores al mismo tiempo. En
programas de pintura y dibujo, exhibición en pantalla de opciones
como los colores y las herramientas para dibujo. Vea *draw program*
y *paint program.*

pan *paneo, panorámica*　1. En *multimedia*, el paneo es la capacidad de un sintetizador o una *tarjeta de sonido* de alterar los
volúmenes de los canales derecho e izquierdo para crear la ilusión
de que se mueve la fuente del sonido. 2. En una tarjeta de video, el
paneo es una característica que permite al usuario hacer
acercamientos al escritorio y luego desplazarse para ver diferentes
partes de él.

Pantone Matching System (PMS) *Sistema Pantone de Igualación de
Colores*　Método *independiente del dispositivo* para describir y
ajustar colores. Cuando utiliza PMS, el usuario elige en un catálogo
el color que desea, introduce el código de ese color en el programa
y envía la salida a una impresora especialmente calibrada. El
resultado debe coincidir casi al ciento por ciento con el color del
catálogo. Vea *device-dependent color.*

PAP　Vea *Password Authentication Protocol.*

paperless office *oficina sin papeles*　Oficina en la cual se ha
reducido o eliminado el uso del papel con propósitos tradicionales:
enviar mensajes, llenar formas y conservar registros.

paper-white monitor *monitor con fondo blanco*　Monitor *monocromático* que muestra texto e imágenes en color negro sobre un fondo
blanco. Se prefieren estos *monitores* para el *procesamiento de texto*
y la *autoedición* porque semejan en gran medida la apariencia de
una página impresa. Sin embargo, a algunos usuarios les molesta el
brillo que provoca un gran espacio de fondo blanco.

paradigm *paradigma*　Modo establecido de pensar, que consta de
un conjunto de suposiciones que, con el tiempo, llegan a ser
aceptadas sin reflexión o examen. Por ejemplo, en el paradigma de
Unix se supone que los mejores programas son los pequeños que los
usuarios puedan combinar para conformar aplicaciones útiles. Esta
suposición tal vez sea cierta para programadores experimentados,
pero no para el usuario final.

Paradox *Sistema de administración de bases de datos relacionales (RDBMS)* creado por Borland International y actualmente licenciado a Corel, que proporciona un sistema muy completo para el desarrollo de bases de datos en sistemas de escritorio.

parallel interface *interfaz paralela* Vea *parallel port.*

parallel port *puerto paralelo* Conexión para el flujo de datos sincrónico y de alta velocidad en líneas paralelas hacia un dispositivo periférico, por lo general una *impresora paralela.* Los puertos paralelos negocian con los *periféricos* para determinar si están listos para recibir la información, y reportan mensajes de error cuando un dispositivo no está preparado. Las versiones más recientes de puertos paralelos permiten la comunicación bidireccional entre la computadora y la impresora. Vea *enhanced parallel port (EPP)* y *extended capabilities port (ECP).*

parallel printer *impresora paralela* Impresora diseñada para conectarse al *puerto paralelo* de la computadora.

parallel processing *procesamiento paralelo* Uso de más de un procesador en una computadora con *multiprocesadores* para ejecutar simultáneamente dos o más partes de un problema. El sistema operativo o la aplicación deben encargarse de asignar las partes del problema a cada procesador. Aunque el procesamiento paralelo puede producir mejoras significativas en el desempeño en situaciones ideales, no todos los problemas pueden resolverse con procesadores que trabajen en paralelo, y la *sobrecarga* aumenta a medida que se agregan más procesadores (vea *massively parallel processing*). El *multiprocesamiento simétrico (SMP)* es más fácil de implementar; en éste, dos o más procesadores comparten los sistemas de memoria y de entrada/salida de una sola estación de trabajo, y se comunican a través de un bus de alta velocidad. El sistema operativo reparte las tareas a cada procesador. Gracias a que *Microsoft Windows NT* soporta SMP, el procesamiento paralelo está alcanzando ahora mercados comerciales y se espera que acelerará la transición hacia el uso de computadoras de escritorio basadas en *Intel,* que ejecutan Windows, más económicas pero igual de poderosas que las estaciones de trabajo *Unix.*

parameter *parámetro* Valor u opción que el usuario agrega o modifica para que un comando realice su cometido del modo que el usuario quiere. Si no establece un parámetro, el programa usará una *configuración predeterminada.* El término es sinónimo de *argumento.*

parameter RAM *RAM de parámetros* En el ambiente de Macintosh, pequeño banco de memoria alimentado por una batería, que guarda las opciones de *configuración* del usuario una vez que éste apaga la computadora.

parent *padre*   En una organización jerárquica de información, nivel superior que puede contener una o más unidades subordinadas (a cada unidad se le llama *hijo*). A los niveles de la jerarquía se les llama padre o hijo, dependiendo de las relaciones que guarden entre sí; por ejemplo, un hijo puede ser el padre de varios hijos.

parent directory *directorio padre*   En directorios del DOS, el *directorio* que está arriba del *subdirectorio* actual en la *estructura de árbol*. Para pasar con rapidez al directorio padre, basta con escribir CD.. y presionar Entrar.

parent process *proceso padre*   En *Unix*, programa en ejecución que controla a uno o más programas subordinados (llamados *procesos hijos*).

parity *paridad*   Calidad de par o impar. En la comparación de dos números, la paridad existe si ambos son pares o impares; no existe paridad si uno es par y el otro impar.

parity bit *bit de paridad*   En *comunicaciones asíncronas* y almacenamiento primario, *bit* que se agrega a una palabra de datos con fines de *verificación de paridad*.

parity checking *verificación de paridad*   Técnica empleada para detectar errores de memoria o de *comunicación de datos*. La computadora suma el número de bits en un componente de datos de un byte y, si el parámetro de *bit de paridad* no concuerda con la suma de los demás *bits*, la computadora informa que se ha producido un error. Los esquemas de verificación de paridad funcionan guardando un dígito de un bit (0 o 1) que indica si la suma de los bits en un componente de datos es par o impar. La verificación de paridad se lleva a cabo cuando la memoria lee el componente de datos o cuando lo recibe otra computadora. Si la verificación revela que el bit de paridad es incorrecto, la computadora muestra un mensaje de error. Vea *even parity* y *odd parity*.

parity error *error de paridad*   Error que reporta una computadora cuando la *verificación de paridad* revela que uno o más *bits de paridad* son incorrectos, lo que indica un error probable en el procesamiento o la transmisión de los datos.

park *estacionar*   Acto de colocar la cabeza de lectura/escritura de la *unidad de disco duro* en la *zona de aterrizaje* para que no se dañe el disco por un movimiento brusco mientras se transporta la computadora. La mayor parte de los discos duros actuales realizan automáticamente esta acción cuando se apaga la computadora.

parse *analizar sintácticamente*   Dividir en sus componentes. Por ejemplo, los programas de *hoja de cálculo* a menudo tienen características de análisis sintáctico que dividirán los datos *ASCII* en partes que se acomodarán en *celdas*.

parser *analizador sintáctico*   1. Programa que divide largas unidades de información en partes más pequeñas y fáciles de interpretar. 2. En *SGML*, programa que lee un archivo de datos y despliega los diferentes *elementos* marcados de acuerdo con la *definición de tipo de documento (DTD)*. Un *navegador Web* es un analizador sintáctico de *HTML*.

partial-response maximum-likelihood (PRML) read-channel technology *tecnología de lectura de canal de respuesta parcial de máxima probabilidad*   Vea *PRML read-channel technology*.

partition *partición*   Sección del área de almacenamiento de un *disco duro*, creada para organizar el disco o para separar diferentes *sistemas operativos*. Las particiones se crean durante la preparación inicial del disco duro, antes de formatearlo. Vea *logical drives*.

Pascal   *Lenguaje de procedimientos,* de alto nivel, que estimula a los programadores para que escriban programas modulares bien estructurados que aprovechen los beneficios de las modernas *estructuras de control,* sin *código en espagueti.* Pascal ha logrado gran aceptación como lenguaje de enseñanza y desarrollo de aplicaciones, aunque la mayoría de los programadores profesionales prefieren C o C++. Pascal está disponible en versiones de intérprete y compilador.

passive matrix display *pantalla de matriz pasiva*   En las *computadoras notebook*, *pantalla de cristal líquido (LCD)* en la cual un solo transistor controla toda una columna o hilera de los diminutos electrodos de la pantalla. Las pantallas de matriz pasiva son más económicas que las de *matriz activa* (también llamadas *pantallas de doble barrido*), pero ofrecen menor *resolución* y contraste.

passive termination *terminación pasiva*   Como la *terminación activa* y la *terminación perfecta forzada*, manera de terminar una cadena de dispositivos *SCSI*. La terminación pasiva es el método de terminación más simple y funciona mejor en *cadenas margarita* de cuatro o más dispositivos.

passphrase *frase de contraseña*   *Contraseña* larga de hasta 100 caracteres que se utiliza para encriptar o desencriptar mensajes secretos. Con este método se generan contraseñas cuyo descifra-miento es *computacionalmente impracticable*.

password *contraseña*   Herramienta de autenticación empleada para identificar a los usuarios autorizados de un *programa* o una *red* y para determinar sus privilegios, como el de sólo lectura, el de lectura y escritura, o el de copiado de archivos. Es fácil adivinar o robar contraseñas, adquirirlas a través de la *ingeniería social* o interceptarlas con *husmeadores de paquetes* porque se envían como *texto sin cifrar* a la computadora de la red encargada de la autenticación y por lo tanto representan uno de los mayores retos a la seguridad de la red de computadoras. Las *contraseñas para usarse sólo una vez* y las firmas digitales proporcionan medios más seguros de autenticación.

P
Q
R

password aging *edad de la contraseña*   En una red de computadoras, característica del *sistema operativo de red (NOS)* que registra la última ocasión en que el usuario cambió su *contraseña*.

Password Authentication Protocol (PAP) *Protocolo de Autenticación de Contraseña*   Estándar de *Internet* que proporciona un método simple (y fundamentalmente inseguro) de *auntentificación*. La computadora encargada de la autenticación exige el *nombre de inicio de sesión* y la *contraseña* del usuario y lo sigue haciendo hasta que la información que se proporciona es correcta. Los *crackers* que poseen un nombre de inicio de sesión conocido pueden obtener *acceso no autorizado* ejecutando programas para descifrar contraseñas que proporcionan varias contraseñas conocidas inseguras, como términos que halagan el ego ("genio") o palabras que se recuerdan con facilidad ("teclado" o "secreto"). Una red segura requiere algún método de *autenticación fuerte*, como el *Protocolo de Autenticación de Saludo Inicial (CHAP)*, *firmas digitales* o *Kerberos*.

password protection *protección con contraseña*   Método en el cual, para limitar el acceso a un *programa*, *archivo*, *computadora* o *red*, se solicita la introducción de una *contraseña*. Algunos programas permiten proteger con contraseña los archivos para que otras personas no los puedan leer ni modificar.

paste *pegar*   En edición de texto, inserción (en el sitio donde está el *cursor*) de texto o *gráficos* cortados o copiados desde otro lugar. En los sistemas Windows y Macintosh, mientras el usuario se desplaza a la nueva posición en que colocará el material, el material cortado o copiado se guarda un área de almacenamiento temporal llamada *Portapapeles*. Al pegar, el usuario copia el material del Portapapeles en su nueva posición. Vea *block move*.

patch *parche*   1. Reparación rápida en forma de una o más instrucciones agregadas a un *programa* para corregir *bugs* o para mejorar las capacidades del mismo. 2. Programa ejecutable que repara un programa defectuoso. 3. Reparación de un programa reemplazando una o más líneas de código.

path *ruta*   En un *sistema de archivos jerárquico*, como *Unix* o *MS-DOS*, ruta que debe seguir el sistema operativo para encontrar un programa ejecutable guardado en un *subdirectorio*.

path name *nombre de ruta*   En DOS, instrucción que indica el nombre de un archivo y su ubicación precisa en el *disco duro*. En la mayor parte de las aplicaciones, al abrir o guardar un archivo en un *directorio* distinto al actual, el usuario debe especificar el nombre de ruta completo. Por ejemplo, suponga que está usando WordPerfect y que quiere guardar el archivo INFORME9.DOC en el directorio C:\DOCS. Si C:\DOCS no es el directorio actual, entonces debe escribir C:\DOCS\INFORME9.DOC para nombrar y guardar el archivo en el sitio correcto.

path-name separator *separador de nombre de ruta*   Carácter utilizado para distinguir los nombres de *directorio* en un *nombre de ruta*. En *Unix* y *World Wide Web (WWW)*, es una diagonal (/); en MS-DOS es la diagonal invertida (\).

path statement *instrucción de ruta*   En DOS, entrada en el archivo *AUTOEXEC.BAT* que incluye una lista de los directorios en que se encuentran los programas ejecutables. Vea *path*.

pattern recognition *reconocimiento de patrones*   En *inteligencia artificial*, capacidad de las computadoras para identificar objetos o formas dentro del flujo de información visual entrante.

PC   1. Abreviatura de *computadora personal*. La abreviatura se refiere por lo general a las computadoras de IBM o compatibles con éstas, en oposición a las Macintosh. 2. Abreviatura de tarjeta de circuitos impresos.

PC DOS   Versión del sistema operativo *MS-DOS* liberada al mercado por IBM. Es funcionalmente idéntica al MS-DOS.

PCI bus *bus PCI*   Abreviatura de bus de Interfaz de Componentes Periféricos (PCI). Especificación de *bus de expansión* de 32 bits que se usa ampliamente hoy en día en computadoras Macintosh y PCs. *Intel Corporation* lanzó el bus PCI en 1992 para que trabajara con su microprocesador *Pentium*, pero el diseño es flexible y también funciona con los microprocesadores de 64 bits actuales. PCI ha desplazado del mercado al estándar de *bus local VESA* y probablemente pronto hará lo mismo con el bus de expansión *ISA*, aunque la mayor parte de las *tarjetas madre* todavía incluyen unas cuantas ranuras ISA con el fin de lograr una *compatibilidad hacia atrás*. PCI *soporta Plug and Play*, lo cual probablemente ayudará a fortalecer su participación en el mercado de buses de expansión durante los próximos años.

PCI slot *ranura PCI*   Socket para *adaptadores* en una *tarjeta madre* equipada con un *bus PCI*. Las ranuras PCI de 32 bits se prefieren en lugar de las *ranuras de bus local VESA* y las *ranuras ISA* debido a su mayor velocidad. Las ranuras PCI se encuentran con mayor frecuencia en las tarjetas madre de los *microprocesadores Pentium*, *Pentium Pro* o *Pentium II*.

PCL   Vea *Printer Control Language*.

PCL3   Versión original, ahora obsoleta, del *Lenguaje de Control de Impresora (PCL)* de Hewlett Packard. PCL3 sólo soporta *fuentes de cartucho* y limita a los usuarios a utilizar una sola *fuente* por página.

PCL4   Versión mejorada y de uso extendido del *Lenguaje de Control de Impresora (PCL)* de Hewlett Packard que soporta múltiples *fuentes transferibles* en una sola página.

PCL5   Versión del *Lenguaje de Control de Impresora (PCL)* de Hewlett Packard que soporta *gráficos vectoriales* y *fuentes escalables*. PCL5 se usó por primera vez en impresoras LaserJet III de HP.

PCL5e   Última versión del *Lenguaje de Control de Impresora (PCL)* de Hewlett Packard, utilizada en las impresoras LaserJet de HP. PCL5e es la primera versión de PCL que soporta *comunicación bidireccional* entre la impresora y la computadora.

PCM   Vea *pulse code modulation*.

PCMCIA   Vea *Personal Computer Memory Card Interface Adapter*.

PCMCIA bus *bus PCMCIA*   Especificación de *bus de expansión* que conecta diversos *periféricos* del tamaño de tarjetas de crédito, generalmente en *computadoras portátiles*. Las ranuras de bus PCMCIA (iniciales de Adaptador de Interfaz de Tarjeta de Memoria para Computadoras Personales) se encuentran cada vez con mayor frecuencia en *computadoras de escritorio*.

PCMCIA card reader *lector de tarjeta PCMCIA*   Dispositivo periférico que permite a una *computadora de escritorio* utilizar dispositivos diseñados para conectarse a un *bus PCMCIA*. Estos dispositivos pueden ser útiles para usuarios de computadora que sólo quieren comprar un periférico en particular, como un *módem* o un *adaptador de interfaz de red*.

PCMCIA modem *módem PCMCIA*   Módem diseñado para conectarse a una *ranura PCMCIA*, por lo general en una *computadora portátil*.

PCMCIA slot *ranura PCMCIA*   Receptáculo diseñado para conectar dispositivos a un *bus PCMCIA*. Estas ranuras se pueden usar para conectar hardware compatible con PCMCIA, como *módems* y *adaptadores de red*.

p-code *código p*   Sinónimo de *código de bytes*.

p-code compiler *compilador de código p*   Tipo de *intérprete* que genera *lenguaje de máquina* a partir del flujo entrante de *código de bytes*, que es un intermediario entre el *código fuente* y el *código objeto* compilado. Los compiladores de código p se ejecutan más rápido que los intérpretes de código fuente, pero no se ejecutan tan rápido como los programas ejecutables que se compilan con un *compilador nativo*. Vea *Java*.

PD Vea *public domain program*.

PDA Vea *personal digital assistant*.

PDF Vea *Portable Document Format*.

PDL Vea *page description language*.

PDN Vea *private data network* y *public data network*.

PDS Vea *portable document software (PDS)*.

Peachtree Accounting *Paquete de contabilidad* para pequeñas empresas que los críticos han alabado por su facilidad de uso y su capacidad. Diseñado para empresas con 100 empleados o menos, Peachtree Accounting permite la administración de la nómina, el control de las cuentas por pagar y por cobrar, y el manejo del inventario de diferentes maneras (primeras entradas, primeras salidas; últimas entradas, primeras salidas, etc.). Peachtree Accounting, disponible en versiones para Macintosh y *Microsoft Windows*, también incluye varias herramientas tipo *hoja de cálculo* que permiten a los administradores desarrollar diversos escenarios *"qué pasaría si"*.

peer-to-peer file transfer *transferencia de archivos de igual a igual* Técnica para compartir archivos en una *red de área local (LAN)*, en la cual cada usuario tiene acceso a los archivos públicos localizados en la *estación de trabajo* de cualquier otro usuario de la red. A cada usuario le corresponde determinar cuáles archivos serán de acceso público en la red. Vea *TOPS*.

peer-to-peer network *red de igual a igual, red de punto a punto* *Red de área local (LAN)* sin *servidor de archivos* central, en la cual todas las computadoras de la red tienen acceso a los archivos públicos de las demás *estaciones de trabajo*. Vea *client/server* y *peer-to-peer file transfer*.

pel Abreviatura de *pixel*.

PEM Vea *Privacy Enhanced Mail*.

pen computer *computadora de pluma* Computadora personal equipada con circuitería de *reconocimiento de patrones* que acepta la escritura a mano como forma de entrada de datos. Algunos *asistentes personales digitales (PDA)* utilizan tecnología de pluma, pero la gran cantidad de errores que se presentan en el reconocimiento de la letra manuscrita le ha dado una mala reputación entre los usuarios.

Pentium   *Microprocesador de 32 bits,* diseñado y fabricado por *Intel* e introducido en 1993, que ha logrado una impresionante participación en el mercado de la computación personal. El Pentium, disponible con *velocidades de reloj* de hasta 233 *megahertz (MHz)*, utiliza una rápida versión de la tecnología de *computadora con conjunto complejo de instrucciones (CISC)* que tomó prestados muchos conceptos de los diseños del procesador de *computadora con conjunto reducido de instrucciones (RISC)*, como la *arquitectura superescalar* (tiene dos *canales* que emplean *predicción de bifurcación*). Un Pentium que se ejecuta a 200 MHz y que está equipado con caché L2 de 512 KB, logra una prueba de referencia *SPECint95** de 5.10. Con más de 3 millones de transistores, el Pentium emplea un *bus de datos interno* de 64 bits. Aunque los primeros Pentium tenían una falla en la *unidad de punto flotante (FPU)*, Intel ha corregido el problema y reemplazará gratuitamente las partes malas. Los Pentium más recientes incluyen la extensión *MMX* para procesamiento rápido de multimedia. A diferencia del *Pentium Pro*, que está optimizado específicamente para ejecutar *aplicaciones de 32 bits*, el Pentium ejecuta *aplicaciones de 16 y 32 bits*. Los sistemas Pentium generalmente están equipados con *Microsoft Windows 95*, un *sistema operativo* híbrido de 16 y 32 bits.

Pentium II   Versión del microprocesador *Pentium Pro* que ejecuta *aplicaciones de 16 y 32 bits* y que incorpora las extensiones *MMX* para la ejecución rápida de multimedia. Sucesor del *Pentium*, el Pentium II está disponible en versiones que se ejecutan a *velocidades de reloj* de hasta 300 MHz. Destinado a estaciones de trabajo de un solo usuario y a *servidores*, Pentium II no sacrifica notoriamente el desempeño del Pentium Pro: un Pentium II que se ejecuta a 200 MHz y que está equipado con un caché L2 de 512 KB, tiene una prueba de referencia *SPECint95** de 8.20 (en contraste con la de 8.58 del Pentium Pro de 200 MHz).

Pentium OverDrive   *Microprocesador* que, como parte de una actualización, se inserta en el *socket OverDrive* de la *tarjeta madre* de una *unidad central de procesamiento (CPU) 486DX/2 de Intel*, o en el socket de los primeros modelos Pentium (60 y 66 MHz).

Pentium Pro   *Microprocesador de 32 bits* diseñado y fabricado por *Intel*, introducido en 1996, que está diseñado y optimizado específicamente para ejecutar *software de 32 bits*. Por esta razón, los sistemas Pentium Pro por lo general están equipados con *Microsoft Windows NT*, que no ejecuta *software de 16 bits*. Con nombre de código P6 durante el desarrollo, Pentium Pro incorpora muchas características de la filosofía del diseño de *computadora con conjunto reducido de instrucciones (RISC)*, incluyendo *arquitectura superescalar* y *canales*. Entre las características importantes del diseño se incluye una arquitectura de bus dual independiente (DIB) (el *caché L2*, y el bus de datos de sistema con supercanales están separados y son independientes, lo cual permite hasta tres veces el desempeño de diseños de bus sencillo) y ejecución dinámica (una combinación de *predicción de bifurcación* y *ejecución especulativa* que permite al procesador anticipar y calendarizar la futura dirección del flujo de programa). Un Pentium Pro que se ejecuta a 200 MHz y que está equipado con caché L2 de 512 KB, logra una prueba de referencia *SPECint95** de 8.58 (en contraste con los 5.10 del Pentium a 200 MHz). La mayor parte de los sistemas Pentium Pro están diseñados para funcionar como *servidores* de alta velocidad en *redes de área local (LANs)*.

Pentium-ready *listo para Pentium*   Indica la posibilidad de actualizarse a niveles de desempeño cercanos al *Pentium*. Las tarjetas madre 80486 listas para Pentium tienen un *socket P24T*, en el cual puede insertarse un *microprocesador Pentium OverDrive*.

peripheral *periférico*   Dispositivo, como una *impresora* o una unidad de disco, que se conecta a una computadora; ésta controla al dispositivo, el cual es externo a la *unidad central de procesamiento (CPU)*.

Peripheral Component Interface (PCI) expansion bus *bus de expansión de Interfaz de Componentes Periféricos*   Vea *PCI bus*.

perl   Siglas de Lenguaje Práctico de Extracción e Informes. En *Unix*, se trata de un *lenguaje de creación de scripts,* cuya principal tarea es explorar archivos de texto, extraer información de esos archivos y preparar informes que resuman la información. Perl, escrito por Larry Wall, tiene un amplio uso en la creación de scripts de *Interfaz Común de Puerta de Enlace (CGI)* que manejan la salida de *formularios* HTML. Vea *HTML* e *interpreter*.

permanent font *fuente permanente*   Término de Hewlett Packard para una *fuente* que, cuando se descarga a la *impresora láser*, permanece en la memoria principal de la impresora hasta que ésta se apaga. Vea *downloadable font* y *temporary font*.

permanent swap file *archivo de intercambio permanente*   En *Microsoft Windows 3.1*, archivo compuesto por sectores contiguos del disco que se destina para el rápido almacenamiento y recuperación de instrucciones o datos de programa en el modo 386 Mejorado del programa. Este espacio de almacenamiento se usa en operaciones de *memoria virtual*, en la cual el espacio del disco se emplea como extensión de la *memoria de acceso* aleatorio (RAM). No obstante, el archivo de intercambio permanente es más lento que la RAM y consume una gran cantidad de espacio del disco. Vea *paged memory management unit (PMMU)* y *swap file*.

P
Q
R

persistence *persistencia*   Calidad del *fósforo* que cubre el interior de una *pantalla de tubo de rayos catódicos (CRT)*. La persistencia asegura que después de ser golpeado por el haz de un *cañón de electrones*, el fósforo seguirá brillando hasta que otro haz lo golpee de nuevo. La persistencia asegura que las *pantallas* parezcan brillar de manera uniforme a los ojos humanos.

persistent connection *conexión persistente*   En *Microsoft Windows 95*, conexión de red que dura más que una sola sesión de trabajo. Una llamada a través de un *módem* a CompuServe por lo general no es una conexión persistente, mientras que una conexión *Ethernet* con una *impresora láser de red* sí lo es. Windows 95 trata de establecer conexiones persistentes cada vez que inicia.

personal certificate *certificado personal*   *Certificado* digital que confirma que un determinado individuo que está tratando de conectarse a un *servidor* de autenticación realmente es el individuo que dice ser. Los certificados personales son expedidos por las *autoridades certificadoras (CA)*.

personal computer (PC) *computadora personal*   Pequeña computadora equipada con todos los programas de sistema, utilerías y aplicaciones, así como los dispositivos de entrada/salida y otros *periféricos* que un usuario necesita para realizar una o varias tareas. El término computadora personal, o PC, se usa hoy día para referirse tanto colectiva como individualmente a la *PC de IBM* y a las *compatibles* con ésta, a las Macintosh, Apple, Amiga y otras que ya no se fabrican (como Commodore).

Personal Computer Memory Card Interface Adapter (PCMCIA) *Adaptador de Interfaz de Tarjeta de Memoria para Computadoras Personales*   Asociación comercial internacional que ha desarrollado estándares para dispositivos, como *módems* y unidades externas de *disco duro*, que se pueden conectar con facilidad a las *computadoras notebook*. Vea *Plug and Play (PnP)*.

personal digital assistant (PDA) *asistente personal digital*   Pequeña computadora de mano que acepta entradas que el usuario escribe en pantalla con una pluma electrónica; está diseñada para proporcionar a un usuario todas las herramientas necesarias para su organización cotidiana, entre las cuales se encuentran una agenda, una libreta de direcciones, un bloc de notas y un fax módem. Vea *Newton*, *pen computer* y *transceiver*.

personal information manager (PIM) *administrador de información personal*   Programa, como *Lotus Organizer*, que guarda y recupera diferente información personal, incluyendo notas, memorandos, citas, nombres y direcciones. A diferencia de un programa de administración de bases de datos, un PIM está optimizado para el almacenamiento y recuperación de información personal diversa. El usuario puede intercambiar entre diferentes vistas de sus notas, como personas, tareas pendientes y gastos. Sin embargo, la aceptación de los PIMs ha sido lenta, porque su aprendizaje es difícil y porque los usuarios no están cerca de la computadora cuando necesitan la información.

personal laser printer *impresora láser personal*   Impresora láser diseñada para satisfacer las necesidades de impresión de una sola persona, a diferencia de una *impresora láser departamental* que está diseñada para servir a muchas personas. Las impresoras láser personales tienen *ciclos de servicio mensual* de varios cientos de páginas.

PGA   Vea *Professional Graphics Array* o *pin grid array*.

PGP   Vea *Pretty Good Privacy*.

PgUp/PgDn keys   Vea *Page Up/Page Down keys*.

phase *fase*   En un monitor, ajuste que permite al usuario agrandar o reducir el tamaño vertical u horizontal de la pantalla para minimizar o eliminar espacio negro no usado alrededor de la imagen.

phono plug *conector de audio*   Conector de vástago corto que enlaza los dispositivos de audio caseros. En las computadoras, éstos se emplean para los puertos de salida de audio y monitor compuesto. El término es sinónimo de conector RCA.

phosphor *fósforo*   Material electrofluorescente empleado para recubrir la superficie interna de un *tubo de rayos catódicos (CRT)*. Una vez que lo excita un haz de electrones dirigido a la superficie interna del tubo, el fósforo resplandece durante una fracción de segundo (tiempo suficiente para que el monitor parezca uniformemente brillante al ojo humano). El haz debe activar el fósforo muchas veces por segundo para producir una iluminación consistente. Vea *raster*.

PhotoCD   Estándar para codificación de fotografías, tomadas con cámaras y rollo normales de 35 mm, en un *CD-ROM*. Aunque la tecnología de PhotoCD no se ha convertido en un gran éxito entre los consumidores, es popular entre editores y algunos fotógrafos.

PhotoGrade   Esquema de *mejoramiento de la resolución* de Apple que mejora el aspecto de *imágenes en escala de grises*, como fotografías, cuando se reproducen en una *impresora láser*.

photorealistic *fotorrealista*   De calidad fotográfica. Se dice que la salida de una *impresora* es fotorrealista cuando sus colores están bien saturados y se mezclan suavemente.

photorealistic output printer *impresora de salida fotorrealista*   Salida que iguala la calidad de una fotografía de proceso tradicional. Las *impresoras de sublimación de tinta térmica* pueden generar salida fotorrealista con tonos continuos, pero son muy caras y el *costo por página* rebasa los tres dólares, porque se requiere *papel cuché* especial.

PhotoShop   Vea *Adobe Photoshop*.

phototypesetter *fotocomponedora*   Vea *imagesetter*.

phrase search *búsqueda de frase*   En un programa de base de datos o una *máquina de búsqueda* de Web, búsqueda de palabra clave en la cual los términos de búsqueda están rodeados por marcadores especiales (por lo general, comillas) para indicar que forman una frase. El software sólo devuelve elementos en los cuales esas palabras aparezcan juntas y exactamente en el mismo orden que la frase proporcionada. Por ejemplo, una búsqueda en AltaVista de "caché de ráfagas de canal" devolverá sólo las páginas Web que contengan esta frase exacta.

phreaking *piratería telefónica*   Forma ilegal de entretenimiento que implica el conocimiento de la tecnología del sistema telefónico para hacer llamadas de larga distancia sin pagarlas.

physical drive *unidad física*   Unidad de disco que realmente se encarga de ejecutar las operaciones de lectura/escritura, al contrario de una unidad lógica, cuya existencia sólo es evidente para el usuario del sistema. Un *disco duro* puede estar formateado con *particiones*, secciones y directorios que tengan todas las características de una unidad separada, pero que son *unidades lógicas*. Sin embargo, los datos en realidad están codificados en la superficie de un disco duro o flexible, los cuales se conocen como unidad física. Vea *floppy disk* y *secondary storage*.

physical format *formateo físico*   Vea *low-level format*.

physical layer *capa física*   En el *Modelo de Referencia OSI* de la arquitectura de una red de computadoras, última de las siete *capas*. En esta capa, los datos se transforman en las señales eléctricas apropiadas para el tipo específico de *medio físico* al que esté conectada la computadora.

physical medium *medio físico*   En una red de computadoras, el cableado por el que viajan los datos. Vea *copper pair*, *coaxial cable*, *fiber optics*, *T1* y *T3*.

physical memory *memoria física*   Los circuitos de la *memoria de acceso aleatorio (RAM)* donde se guarda la información, en oposición a la *memoria virtual*, que es la RAM aparente creada al emplear el *disco duro* de la computadora como extensión de la memoria física.

physical network *red física*   *Red* física real, como una *red de área local (LAN)*, por lo general construida con el equipo y el software de un solo fabricante, diferente de una *red lógica*, la cual perciben los usuarios cuando utilizan sus estaciones de trabajo. Por ejemplo, en la Universidad de Virginia hay varias redes físicas construidas por varios fabricantes distintos de hardware de LAN. Sin embargo, las diferencias entre esas redes no son evidentes, e incluso resultan difíciles de descubrir para los estudiantes, los docentes y el personal que se conecta a ellas; hasta donde saben, hay una sola red lógica que pone los recursos computacionales de la universidad a disposición de todos los usuarios, y una red global más amplia (*Internet*) que pone más recursos a su alcance.

pica *pica*   1. En tipografía, unidad de medida que equivale a casi un $^1/_6$ de pulgada, o 12 *puntos*. Las picas se usan para describir medidas horizontales y verticales de página, con excepción de los tamaños de tipo, que se expresan en puntos. 2. En tipografía formal, una pica equivale a 0.166 de pulgada; no obstante, numerosos programas de procesamiento de texto y de diseño de páginas, con la intención de simplificar, establecen el valor de la pica en $^1/_6$ de pulgada. 3. En la mecanografía y la impresión con letra de calidad de máquina de escribir, una pica es una fuente monoespaciada de 12 puntos que se imprime con un paso de 10 *caracteres por pulgada (cpp)*.

pico- *pico-*   Prefijo que significa una millón millonésima parte (10^{-12}). Su símbolo es p.

picosecond *picosegundo*   Millón millonésima parte (10^{-12}) de un segundo.

PICT   *Formato de archivo* gráfico de Macintosh concebido para el programa MacDraw. Los archivos PICT, formato de *gráficos orientados a objetos*, incluyen objetos gráficos independientes, como líneas, arcos, óvalos o rectángulos, que el usuario puede editar, cambiar de tamaño, mover o colorear por separado. (Los archivos PICT también pueden contener *gráficos de mapa de bits*.) Algunas aplicaciones gráficas de Windows leen archivos PICT.

picture element *elemento de imagen*   Vea *pixel*.

picture tube *tubo de imagen*   Vea *cathode ray tube (CRT)*.

pie graph *gráfico circular*   En *gráficos para presentaciones*, gráfico que presenta una *serie de datos* en forma de círculo para destacar la contribución relativa de cada componente de información al todo. Cada sección del círculo aparece en tonos de gris o con un patrón distintivo, que puede producir distorsiones *moiré* si se sobreponen demasiados patrones. Algunos programas son capaces de generar gráficos circulares pareados que presentan dos series de datos. En las presentaciones, una técnica útil para agregar énfasis consiste en separar un sector del círculo. Vea *exploded pie graphic, linked pie/column graphic, moiré effect* y *proportional pie graph*.

PIF   Vea *program information file*.

PIM   Vea *personal information manager*.

pin compatible *compatible en pines*   Que tiene la posibilidad de ajustarse y operar en el mismo socket que otro *chip*, sobre todo uno hecho por otro fabricante. Vea *zero-insertion force (ZIF) package*.

pincushion *distorsión de cojín*   La curvatura hacia dentro de los lados de una imagen desplegada en un *monitor* de computadora (al efecto opuesto, en que los lados se curvan hacia afuera, se le llama distorsión de barril). La mayor parte de los monitores tienen un control que permite al usuario corregir esta distorsión.

Pine   Programa de *correo electrónico* para sistemas *Unix*. A diferencia de los programas predecesores, como Elm, el programa contiene su propio editor de pantalla fácil de usar, lo cual libera a los usuarios de la dependencia de los editores predeterminados no tan fáciles de usar en los sistemas *Unix* (como *emacs* y *vi*). (El nombre "Pine" es en realidad un acrónimo en inglés de referencia propia: Pine no es Elm.)

pin feed *alimentación continua*   Vea *tractor feed*.

PING   Vea *Packet Internet Groper*.

pingable *que responde a ping*   Que tiene la posibilidad de responder a *PING*; sitio de *Internet* que está "vivo" y que debe tener la capacidad de responder a herramientas de Internet como *FTP* y *Gopher*.

pin grid array (PGA) *arreglo de malla de pines*   En la parte inferior de un *chip*, el conjunto de pines que permiten conectar al chip en el socket o la *tarjeta de circuitos*.

pipe *canalización*   En el *MS-DOS* y *Unix*, símbolo que le indica al sistema operativo que envíe la salida de un comando a otro comando, en vez de mostrar esta salida en pantalla. En el ejemplo siguiente, la canalización (representada por el símbolo |) le indica al DOS que envíe la salida del comando TREE al comando MORE, que a su vez muestra en pantalla el resultado de TREE, página por página:

```
<C:\>TREE C:\ ¦ MORE
```

Vea *filter* e *input/output (I/O) redirection*.

pipeline *canal, tubería*   En diseño de computadoras, línea de ensamble en el microprocesador que acelera en forma importante la velocidad de procesamiento de las instrucciones mediante la recuperación, ejecución y reescritura. Utilizado durante mucho tiempo en *Unix*, el canal que se incluyó con el *Intel 80486* permite procesar una instrucción en cada *ciclo del reloj*. El microprocesador *Intel Pentium* tiene dos canales, uno para datos y otro para instrucciones, por lo que puede procesar dos instrucciones (una por cada canal) en cada ciclo de reloj. Se dice que un microprocesador con dos o más canales emplea una *arquitectura superescalar*.

pipeline burst cache *caché de ráfagas de canal*   *Caché secundario* (también conocido como caché L2) que permite velocidades rápidas de transferencia de datos repartiendo los datos recuperados de la memoria en tres ciclos del reloj. Esto da como resultado una ligera demora inicial, pero permite que el caché coloque solicitudes en una cola para que las recuperaciones subsecuentes lleguen en un solo ciclo del reloj. Los cachés de ráfagas de canal requieren *SRAM* síncrona (chips que pueden sincronizarse con el reloj del microprocesador). Además, soportan transferencias en modo de *ráfaga,* en el cual los chips SRAM pueden entregar una línea completa del contenido del caché cuando el procesador requiera sólo la primera palabra de una línea.

pipeline stall *desaceleración de canal*   Error en un *microprocesador* equipado con *arquitectura superescalar* que retarda el procesamiento de una instrucción. En un microprocesador con un diseño de *ejecución en orden*, como el *Pentium*, las instrucciones deben procesarse en un orden preciso, y una desaceleración en un *canal* también retardará el procesamiento en el otro. En un esquema de ejecución sin orden, una desaceleración en un canal no retardará al otro.

pipelining *canalización, entubamiento*   Método de diseño que permite a un microprocesador manejar más de una instrucción a la vez. Por lo general hay cinco pasos secuenciales para el manejo de una instrucción por parte del microprocesador, y un esquema de canalización permite que cada una de las cinco instrucciones reciba uno de los pasos durante un *ciclo de reloj*. Los microprocesadores con *arquitectura superescalar* tienen dos o más *canales*, lo que aumenta aún más la eficiencia.

piracy *piratería*   Vea *software piracy*.

pitch *paso*   Medida horizontal del número de caracteres por pulgada lineal en una fuente *monoespaciada*, como las que usan las máquinas de escribir, las *impresoras de matriz de puntos* y las *impresoras de rueda de margarita*. Por convención, el paso en *picas* (que no debe confundirse con la medida de cerca de $^1/_6$ de pulgada de la impresora) es igual a 10 caracteres por pulgada, y el paso en élite es igual a 12 caracteres por pulgada. Vea *point*.

pixel *pixel*   Contracción de elemento de imagen. Elemento (gráfico) mínimo que exhibe un dispositivo y a partir del cual se construye la imagen desplegada. Vea *bit-mapped graphic*.

Plain Old Telephone Service (POTS) *Servicio Telefónico Convencional*   Sistema de comunicación analógico, adecuado para comunicación de voz y transmisión lenta de datos con *módems*, pero sin el suficiente *ancho de banda* para manejar comunicaciones *digitales* de alta velocidad. Tecnologías como la *Red Digital de Servicios Integrados (ISDN)* tal vez reemplacen algún día al POTS y proporcionen mayor ancho de banda.

plain text document *documento de texto común*   Documento que contiene únicamente texto, caracteres numéricos y signos de puntuación en *ASCII* estándar.

planar board *tarjeta plana*   Vea *motherboard*.

planar clock speed *velocidad plana de reloj*   La *velocidad de reloj* a la que funciona la *tarjeta principal*. Esta velocidad podría diferir de la velocidad de reloj del microprocesador, que puede ser dos o más veces más rápida.

plan file *archivo de plan*   Archivo en el directorio base de un usuario de *Unix* cuyo propósito inicial era mostrar el calendario y planes de trabajo de algún compañero cuando se accediera con la utilería *finger*. Se utiliza más a menudo para compilar citas humorísticas u otros asuntos informales.

plasma display *pantalla de plasma*   Tecnología de *pantalla* empleada en las computadoras *laptop más avanzadas*. El despliegue se genera mediante la excitación de un gas ionizado que se mantiene entre dos paneles transparentes. El término es sinónimo de pantalla de gas plasma.

platen *platina*   En *impresoras de matriz de puntos* y de *impacto de calidad de máquina de escribir*, cilindro que guía el papel a través de la impresora y que proporciona una superficie de respaldo para el papel cuando las imágenes se imprimen sobre él.

platform *plataforma*   Vea *hardware platform*.

platform-dependent *dependiente de la plataforma*   Que no funciona en un ambiente de plataforma cruzada; que requiere una marca específica de computadora o *sistema operativo* para funcionar. Los *controles ActiveX* son dependientes de la plataforma porque no pueden ejecutarse en cualquier computadora, a menos que su *sistema operativo* soporte la vinculación e incrustación de objetos *(OLE)*, originado por Microsoft.

platform-independent *independiente de la plataforma*   Que tiene la capacidad de funcionar en un ambiente de red de cómputo que conecta computadoras de diversos fabricantes y que se ejecuta en diferentes *sistemas operativos. Java* es independiente de la plataforma, porque se ejecutará en cualquier sistema que ejecute un intérprete de Java.

plating *recubrimiento del disco*   Medio de recubrir el plato del *disco duro* con una película magnética delgada. Al sumergir un plato eléctricamente cargado en un líquido que contiene moléculas con una carga opuesta a la del medio de grabación, el plato queda cubierto uniformemente con el medio. Vea *sputtering*.

platter *plato*   Término sinónimo de disco.

plot *graficar, trazar*   Crear una imagen mediante líneas de dibujo.

plotter *graficador, trazador*   Impresora que produce una salida de alta calidad mediante el movimiento de plumas de tinta sobre la superficie del papel. Como la impresora mueve las plumas bajo la dirección de la computadora, la impresión es automática. Los trazadores se usan por lo general en *diseño asistido por computadora (CAD)* y en gráficos para presentaciones.

plotter font *fuente de trazador*   En *Microsoft Windows*, fuente vectorial concebida para funcionar con un trazador. Para componer los caracteres, la fuente genera puntos conectados mediante líneas.

Plug and Play (PnP) *Plug and play*   Estándar de la industria para hardware complementario que requiere que éste sea capaz de identificarse a sí mismo, al solicitársele, de una manera estándar. *Microsoft Windows 95* soporta Plug and Play y debe ayudar a crear un mercado para periféricos que cumplen con este estándar, que se espera opaquen a los antiguos periféricos en un corto plazo. Con Plug and Play, el usuario no necesita instalar dispositivos ni vérselas con *configuraciones de jumpers*, interruptores de *paquete dual en línea (DIP)*, ni controladores para las impresoras más recientes. En lugar de eso, Plug and Play usa hardware (un *BIOS* Plug and Play) y software (un *sistema operativo* compatible con Plug and Play) para hacer ese trabajo por sí mismo.

Plug and Play BIOS (PnP BIOS) *BIOS Plug and Play*   Sistema básico de entrada/salida (BIOS) compatible con el estándar *Plug and Play (PnP)*, que permite instalar adaptadores en el *bus de expansión* sin crear *conflictos de solicitud de interrupción (IRQ)* o de *puerto*, cuando se usa en conjunción con un *sistema operativo* compatible con Plug and Play (como *Microsoft Windows 95*) y *adaptadores* compatibles con este estándar. Tenga en cuenta que un BIOS "plug and play" no necesariamente es lo mismo que uno "Plug and Play" (con mayúsculas iniciales), que cumple de manera precisa con el estándar.

Plug and Print   Estándar diseñado para mejorar la comunicación entre *impresoras* y computadoras. Desarrollado por la *Fuerza de Trabajo de Administración de Escritorio (DMTF)*, Plug and Print crea una base de administración de información (MIB) o un archivo de administración de información (MIF) que contiene detalles sobre la operación de una impresora. Plug and Print, un estándar abierto, compite con *Microsoft at Work*, estándar diseñado para utilizarse sólo con sistemas que ejecutan *Microsoft* Windows. El término es sinónimo de MIB/MI.

plug-compatible *compatible con el conector*   Vea *pin compatible*.

plug-in *componente adicional, conector plug-in*   Módulo de programa diseñado para interactuar directamente con una aplicación propietaria como Adobe Photoshop o Netscape Navigator, para darle más funciones. Después de instalar el *plug-in*, el programa adquiere más funciones, que pueden reflejarse en forma de nuevos comandos en el sistema de menús de la aplicación original. Aunque los plug-ins juegan un papel enriquecedor en aplicaciones independientes, no han tenido tanto éxito como medio para agregar más funciones a *navegadores Web* en World Wide Web; muy pocos usuarios de Web desean dedicar el tiempo necesario para descargar un plug-in muy grande (que tal vez requiere 1 o 2 MB de espacio en disco), instalarlo mediante un programa de configuración y reiniciar el sistema para utilizar estas funciones. Los *applets de Java* y los *controles ActiveX* se descargan de manera más transparente y no necesitan que el usuario interrumpa la sesión de búsqueda para reiniciar la computadora.

PMJI   En comunicaciones en línea, siglas de Perdóneme por Entrar.

PMMU   Vea *paged memory management unit*.

PMS   Vea *Pantone Matching System*.

PNG   Siglas de Gráficos Portables de Red. Formato gráfico de mapa de bits, parecido a *GIF*, que no utiliza algoritmo de compresión propietario. La tendencia de Unisys a cobrar cuotas por licencia a editores de software por el uso del algoritmo de compresión *LZW* de GIF, es una motivación importante para el desarrollo de PNG. Se espera que aumente rápidamente el uso de imágenes PNG, una vez que las soporten los principales navegadores.

PnP Vea *Plug and Play.*

PnP BIOS *BIOS PnP* Vea *Plug and Play BIOS.*

pocket modem *módem de bolsillo* *Módem externo* del tamaño de una cajetilla de cigarrillos, diseñado para utilizarse en *computadoras portátiles.* Los módems de bolsillo han sido reemplazados en gran parte por los módems *PCMCIA.*

point *apuntar, punto* 1. Mover el puntero del ratón sobre la pantalla sin hacer clic. 2. En *tipografía*, unidad básica de medida (72 puntos equivalen aproximadamente a una pulgada). Los programas de computación ignoran por lo general esta pequeña diferencia, por lo que establecen la equivalencia del punto en $1/72$ de pulgada. Vea *pica* y *pitch.*

pointer *apuntador, puntero* 1. En una *interfaz gráfica de usuario (GUI)*, el puntero es el símbolo en pantalla, por lo general una flecha, que muestra la posición actual del *ratón.* 2. En programas de *administración de bases de datos*, el puntero es un número de registro en un índice que almacena la posición física real del registro de datos. 3. En *programación*, el apuntador es una variable que contiene direcciones de (que apunta a) otra variable. Los apuntadores permiten a los programadores asignar el valor de una variable a muchas otras sin necesidad de muchas *instrucciones de asignación.*

pointing device *dispositivo apuntador* Dispositivo de entrada, como un *ratón*, un *trackball* o una *tableta gráfica*, empleado para manipular un puntero en pantalla.

pointing stick *pivote apuntador* Dispositivo del tamaño de la goma de un lápiz, que se encuentra en el centro del *teclado* y se mueve con la punta de los dedos para reubicar el cursor en la pantalla. Aunque los pivotes apuntadores se originaron en las *computadoras portátiles* y se utilizan con frecuencia en ellas, también aparecen en algunas *computadoras de escritorio.*

point of presence (POP) *punto de presencia* En una *red de área amplia (WAN)*, lugar en que se puede obtener acceso telefónico a la red por medio de una llamada telefónica local. Los *proveedores de servicios de Internet (ISP)* proporcionan POPs en ciudades, pero muchas áreas rurales carecen de él.

point-of-sale software *programa de punto de ventas* *Programa*, como un *lector de código de barras,* que realiza ajustes de forma automática a bases de datos de contabilidad o inventario cada vez que una empresa vende mercancía.

P
Q
R

Point-to-Point Protocol *Protocolo Punto a Punto*   Vea *PPP*.

Point-to-Point Tunneling Protocol *Protocolo de Túnel de Punto a Punto*   Vea *PPTP*.

polarity *polaridad*   1. En electrónica, propiedad positiva o negativa de una carga. 2. En *gráficos,* la relación de tono entre los elementos del primer plano y del fondo. La polaridad positiva es la impresión de caracteres negros u oscuros sobre un fondo blanco o claro; la polaridad negativa es la impresión de caracteres blancos o claros sobre un fondo negro u oscuro.

polarization *polarización*   Fenómeno físico, en el cual las ondas de luz vibran en un solo plano, que es parte del fundamento de la tecnología de las *unidades de disco magneto-ópticas (MO).* Junto con el *efecto Kerr,* la polarización es esencial para la manera en que las unidades MO leen y escriben los datos.

Polish notation *notación polaca*   Vea *Reverse Polish Notation (RPN)*.

poll *sondear*   Solicitar información de estado relacionada con un periférico o un servicio remoto de datos para determinar si es posible una conexión.

polling *sondeo*   En *redes de área local (LAN)*, método para controlar el acceso al canal, en el cual la computadora central pregunta o sondea continuamente a las estaciones de trabajo para determinar si tienen información que enviar. Con el acceso al canal por sondeo, usted puede especificar la periodicidad y la duración con que la computadora central sondeará a las estaciones de trabajo. A diferencia de los métodos de acceso a canal CSMA/CD y token ring, el administrador de la red puede asignarle a unos nodos mayor acceso a la red que a otros. Vea *Carrier Sense Multiple Access with Collision Detection (CSMA/CD)* y *token-ring network*.

polyline *polilínea*   En *gráficos* por computadora, herramienta de dibujo empleada para crear una figura cerrada y de varios lados. Para usar esta herramienta, se traza una línea recta de un punto a otro y después se continúa la línea en una dirección diferente, hacia otro punto. Si se prosigue esta operación hasta regresar al punto de partida, se puede crear un objeto complejo de diseño propio. El resultado es una *primitiva de gráfico* que el programa trata como un solo objeto. Al igual que las formas primitivas más familiares (cuadrados o círculos), el objeto de polilíneas se puede editar, modificar de tamaño, mover o colorear de forma independiente. Algunos programas denominan esta herramienta como polígono. Vea *vector graphics*.

polyphony *polifonía*   En *tarjetas de sonido,* la reproducción de múltiples sonidos al mismo tiempo. Las tarjetas de sonido *avanzadas* pueden producir 20 o más sonidos a la vez.

POP   Vea *point of presence* o *Post Office Protocol*.

POP3   También se escribe POP-3. Es la versión actual del *Protocolo de Oficina Postal (POP)*, estándar de *Internet* para almacenamiento de *correo electrónico* en un servidor de correo hasta que el usuario acceda a él y lo descargue a su computadora.

pop-up menu *menú contextual*   *Menú* que aparece al seleccionar cierto elemento en pantalla, como texto, una *barra de desplazamiento* o alguna opción de un *cuadro de diálogo*. Si un menú contextual aparece demasiado cerca de la parte superior de la pantalla, se desplegará hacia abajo. *Microsoft Windows 95* utiliza mucho estos menús, para edición y tutoriales. Vea *pull-down menú*.

port *portar, puerto*   1. Un puerto es una *interfaz* que controla y sincroniza el flujo de datos entre la *unidad central de procesamiento (CPU)* y los dispositivos externos, como las impresoras y los módems. Vea *parallel port* y *serial port*. 2. En *Internet*, un puerto es un canal *lógico* a través del cual se rutea cierto tipo de datos de aplicación para decodificar datos entrantes y rutearlos al destino correcto. Cada tipo de servicio de Internet, como *FTP* o *IRC*, tiene cierto número de puerto asociado. La *Autoridad de Números Asignados de Internet (IANA)* controla la asignación de números. 3. Portar significa modificar o traducir un programa para que se ejecute en una computadora diferente.

portability *portabilidad, portatibilidad*   Medida de la facilidad con que un programa determinado podrá funcionar en un ambiente de computación diferente, como una marca de computadora o un *sistema operativo* distinto. Se dice que los programas escritos en C tienen gran portabilidad porque sólo debe escribirse una pequeña porción de código con los detalles de una computadora particular en mente.

portable *portable, portátil*   Capaz de trabajar en varias plataformas de *hardware* o con diferentes aplicaciones. Por ejemplo, *Unix* y *Microsoft Windows NT* son ejemplos de *sistemas operativos* portables. La mayor parte de los sistemas operativos están concebidos en torno a las capacidades electrónicas específicas de una *unidad central de procesamiento (CPU)* determinada. En contraste, Unix y Windows NT están diseñados con una estructura general predeterminada. Las instrucciones de una máquina específica están incrustadas en un módulo de programa a fin de habilitarlo para que funcione en una CPU determinada.

portable computer *computadora portátil*   Computadora con pantalla y monitor integrados cuyo diseño permite transportarla con facilidad de un sitio a otro. Una mejor descripción de las primeras computadoras personales portátiles, como la Osborne I y

P
Q
R

la Compaq II, es tipo "maleta". Estas computadoras pesaban unos 11 kilogramos y sólo se podían transportar con comodidad en distancias muy cortas. Las actuales computadoras laptop y notebook alimentadas por baterías son más pequeñas y ligeras. Vea *laptop computer, notebook computer y personal digital assistant (PDA)*.

portable document *documento portable, documento portátil*   Documento con formato, *imágenes* y texto, que puede transferirse a otro tipo de sistema de computadora sin perder el formato. Para crear documentos portables se necesita *software de documento portable (PDS)*, como *Adobe Acrobat*, que está diseñado para guardar la información de formato en un archivo que puede transferirse fácilmente a diferentes tipos de sistemas de computación. Para leer el documento se necesita un programa visor de archivos específicamente diseñado para trabajar en el tipo de computadora que se esté utilizando. Por ejemplo, se puede crear un documento de Adobe Acrobat en una Macintosh y darle el archivo a alguien que utilice una estación de trabajo *Sun*. Para leer el archivo, el usuario de Sun necesita una copia del programa lector Adobe Acrobat.

Portable Document Format (PDF) *Formato de Documento Portable*   Formato de archivo de *documento portable* creado por Adobe Systems, el cual utiliza en gran medida el lenguaje de descripción de impresora *PostScript*.

portable document software (PDS) *software de documento portable*   *Programas de aplicación* que crean *documentos portables* que pueden transferirse a diferentes sistemas de computación sin perder su formato ni sus imágenes. Se requieren dos tipos de software: el programa de publicación de documentos y el visor de archivos. El programa de publicación de documentos crea un archivo *ASCII* codificado que retiene *fuentes*, imágenes e información de diseño. Este archivo puede distribuirse electrónicamente por medio de *Internet* o de servicios en línea como *CompuServe*. Los visores de archivos, que están diseñados para ejecutarse en un tipo específico de computadora, permiten a los usuarios leer estos archivos y ver una réplica de las fuentes, las imágenes y el diseño del documento original. El PDS más popular es *Adobe Acrobat*, gracias a la amplia disponibilidad, a través de Internet, de visores de archivo gratuitos para una amplia variedad de sistemas de computación.

Portable Network Graphics *Gráficos Portables de Red*   Vea *PNG*.

port address *dirección de puerto*   Número que identifica la ubicación de una aplicación particular de *Internet*, como *FTP*, un servidor de *World Wide Web (WWW)* o *Gopher* o una computadora que está directamente conectada a Internet. Regulados por la *Autoridad de Números Asignados en Internet (IANA)*, los números de puerto se incluyen en los encabezados de todos los paquetes de Internet;

los números indican al software de recepción a dónde enviar los datos entrantes. Vea *well-known port*.

port conflict *conflicto de puerto*   Error que ocurre cuando dos dispositivos, como un *ratón* o un *módem*, tratan de acceder al mismo *puerto serial* a la vez. Si es posible, el usuario debe establecer el ratón en el puerto serial COM1, el módem al puerto serial COM2 y desactivar todos los demás puertos seriales, porque su uso puede provocar problemas.

portrait font *fuente vertical*   *Fuente* orientada hacia las orillas más cortas de la página. Este libro está impreso con una fuente vertical.

portrait monitor *monitor vertical*   Vea *fullpage display*.

portrait orientation *orientación vertical*   Orientación de impresión predeterminada para una página de texto, donde la altura de la página es mayor que el ancho. Compare con *landscape orientation*.

port replicator *replicador de puerto*   Dispositivo de hardware que contiene *puertos paralelos* y *seriales* estándar, diseñado para insertarse en un receptáculo especial en una *computadora notebook*. El propósito de este dispositivo es permitir a los usuarios de la notebook conectar rápida y fácilmente una impresora y un monitor.

post *colocar, publicar*   1. En administración de bases de datos, colocar datos es el acto de agregarlos a un *registro de datos*. 2. En un *grupo de noticias*, publicar un mensaje es el acto de enviarlo para que pueda ser leído por cualquier usuario con acceso al grupo.

POST   Vea *Power-On-Self-Test*.

postcardware *postcardware*   Tipo de *freeware*, con la excepción de que el autor solicita que quienes deseen seguir utilizando el programa le envíen una tarjeta postal.

postfix notation *notación de posfijo notación postfija*   Vea *Reverse Polish Notation (RPN)*.

postmaster *administrador de correo*   En una *red*, el administrador humano que configura el manejador de *correo electrónico* y soluciona los problemas que se presentan.

Post Office Protocol (POP) *Protocolo de Oficina Postal*   Estándar de *correo electrónico de Internet* que especifica la manera en que puede funcionar una computadora conectada a Internet como agente de manejo de correo; la versión actual es la POP3. Los mensajes llegan al buzón electrónico de algún usuario, que se encuentra en la computadora del proveedor de servicios. Desde este punto de almacenamiento central, el usuario puede tener acceso a su correo desde diferentes computadoras (la estación de trabajo de una red en la oficina y una PC en casa). En cualquier caso, un programa de *correo electrónico* compatible con POP, que se ejecute en la estación de trabajo o PC del usuario, establece una conexión con el servidor POP y detecta que ha llegado nuevo correo. Entonces el usuario puede descargar el correo a la estación de trabajo o la computadora y responderlo, imprimirlo o almacenarlo, según prefiera. POP no envía correo; de ese trabajo se encarga *SMTP*.

postprocessor *postprocesador* *Programa* que ejecuta una operación final y automática de procesamiento una vez que el usuario termina de trabajar con un archivo. Entre los programas de post-procesamiento se incluyen componentes que preparan el formato de texto de un documento para impresión, y *lenguajes de descripción de página (PDL)* que convierten un documento que esté en pantalla en un conjunto de comandos que el intérprete de la impresora puede reconocer y usar para imprimir el documento.

PostScript *Lenguaje de descripción de páginas (PDL)* que se emplea para reproducir trabajos de alta calidad en impresoras láser y otros dispositivos de impresión de *alta resolución*. PostScript describe el aspecto completo de una página con muchos elementos de formato, incluyendo diseño, fuentes, elementos gráficos e imágenes digitalizadas. Aunque PostScript es un *lenguaje de programación* y el usuario puede aprender a escribir descripciones de página en él, el programa genera el código PostScript sobre la marcha; el código va a un dispositivo de despliegue (como una impresora, una grabadora de diapositivas, una *fotocomponedora*, la pantalla de un monitor o una *impresora PostScript*), donde un intérprete PostScript sigue las instrucciones codificadas para generar una imagen de la página que se apega a estas instrucciones. Una de las ventajas más importantes de PostScript es su *independencia del dispositivo*; el usuario puede imprimir el código PostScript generado por una aplicación en cualquier impresora que cuente con un intérprete PostScript. También puede llevar archivos generados en PostScript a un *taller de servicios* para imprimir el documento con costosas máquinas de composición tipográfica, llamadas *fotocomponedoras*, las que ofrecen resoluciones de hasta 2,400 puntos por pulgada (ppp). Vea *PostScript font* y *PostScript printer*.

PostScript font *fuente PostScript* *Fuente perfilada,* escalable, que se ajusta a las especificaciones de Adobe Software para las *fuentes Tipo 1,* que requieren una *impresora PostScript*. A diferencia de una fuente de mapa de bits, que a menudo se imprime con curvas y orillas burdas, la tecnología de fuente perfilada de PostScript produce caracteres bien delineados que su impresora genera en su máxima resolución posible. Una fuente *PostScript* viene acompañada con una *fuente de pantalla,* que emula la apariencia del tipo en pantalla, así como con una *fuente de impresora,* que debe estar integrada en su impresora o descargarse a ésta antes de la impresión. Tenga en cuenta que el tipo puede aparecer con bordes dentados en pantalla a menos que adquiera el Adobe Type Manager, que integra en los monitores la tecnología de *fuentes escalables* PostScript.

PostScript Level 2 *PostScript Nivel 2*   Versión mejorada de *PostScript* que es más rápida y soporta la impresión a color y la *compresión* de archivos.

PostScript Level 3 *PostScript Nivel 3*   La última versión de *PostScript*, que incluye mayor optimización de color, además de soporte para redes y publicación en Web.

PostScript printer *impresora PostScript*   *Impresora*, por lo general *láser*, que incluye la circuitería de procesamiento necesaria para descifrar e interpretar instrucciones de impresión escritas en *PostScript, lenguaje de descripción de páginas (PDL)* muy usado en *autoedición*. Como las impresoras PostScript requieren su propia circuitería de microprocesador y por lo menos 1 *MB* de *memoria de acceso aleatorio (RAM)* para crear la imagen de cada página, son más costosas que los demás tipos de impresoras. Sin embargo, imprimen texto o gráficos en sutiles degradados de gris. También pueden usar gráficos y fuentes perfiladas en formato *PostScript Encapsulado (EPS)*, cuyo tamaño y escala puede modificar el usuario sin producir distorsiones.

posture *inclinación*   Sesgo de los caracteres de una *fuente*. Los caracteres en cursivas se inclinan a la derecha; sin embargo, el término cursivas lo reservan los tipógrafos conservadores para los tipos *serif* de diseño personalizado (en oposición a los generados electrónicamente).

POTS   Vea *Plain Old Telephone Service*.

pound sign *signo de libras, signo de número*   El carácter # de los teclados comunes.

power down *apagar*   Apagar un dispositivo.

power line filter *filtro de suministro eléctrico*   Dispositivo eléctrico que regula los picos y valles del voltaje enviado desde el contacto eléctrico de la pared. Todo circuito eléctrico está sujeto a fluctuaciones de voltaje, y si estas fluctuaciones son considerables, pueden ocasionar errores y fallas en la computadora. Si usa una computadora en un circuito al que están conectados otros aparatos eléctricos de alto consumo, quizá necesite un filtro de suministro eléctrico para asegurar un funcionamiento libre de errores. Vea *surge protector*.

Power Macintosh   Línea actual de computadoras Macintosh de Apple que utiliza *microprocesadores* PowerPC. Las Power Macs, introducidas en 1994, funcionan mejor cuando utilizan aplicaciones

P
Q
R

nativas para PowerPC; ejecutan software escrito para Macintosh anteriores (basadas en la arquitectura Motorola 680x0) sólo por medio de la *emulación.*

power management *administración de energía* Función del *microprocesador* que reduce el consumo eléctrico de una computadora apagando los *periféricos* cuando no están en uso. Aunque las características de administración de la energía no se encuentran en todos los microprocesadores, por lo general se utilizan en chips utilizados en *computadoras portátiles,* porque los ahorros en electricidad significan una mayor vida de las baterías en esas máquinas. Vea *green PC* y *sleep mode.*

Power-On Self-Test (POST) *autoprueba de encendido* Prueba interna que se realiza al arrancar o reiniciar la computadora. Codificado en la *memoria de sólo lectura (ROM),* el programa POST verifica primero el *microprocesador,* haciendo que éste realice algunas operaciones sencillas. Después lee la ROM del *CMOS,* que almacena la cantidad de memoria y el tipo de unidades de disco del sistema. A continuación, el POST escribe y después lee varios patrones de datos en cada byte de memoria (el usuario puede observar el conteo de los bytes en la pantalla y la prueba presionando una tecla). Por último, el POST se comunica con cada dispositivo; por ejemplo, el usuario verá cómo se encienden las luces del teclado y de las unidades y cómo se reinicia la impresora. El BIOS prosigue con algunas pruebas de hardware y después busca el *sistema operativo* en la unidad A; si no lo encuentra en la unidad A, busca en la unidad C. Vea *BIOS* y *boot sector.*

PowerPC *Microprocesador de computadora con conjunto reducido de instrucciones (RISC),* desarrollado por *Motorola,* que compite con el *Pentium. IBM* emplea ese chip en su línea RS/6000 y Apple Corporation lo usa como procesador de la siguiente generación de Macintosh. PowerPC soportará Windows NT, OS/2 y *Unix,* con base en un compromiso industrial con PowerOpen, estándar de los sistemas operativos PowerPC.

PowerPC 601 Primero de los *microprocesadores PowerPC* desarrollado en conjunto por *IBM, Apple* y *Motorola.* Se trata de un *microprocesador* de *32 bits* que emplea *arquitectura superescalar* y una parte de tecnología de *computadora con conjunto reducido de instrucciones (RISC).* El PowerPC 601 se usó en las primeras *Power Macintosh.* El chip 601 se ejecuta a 80 MHz.

PowerPC 601v Versión del *PowerPC 601* que utiliza *tecnología de 0.5 micras* y una *velocidad de reloj* aumentada de 100 *megahertz (MHz)* para mejorar el desempeño y reducir el consumo eléctrico.

PowerPC 602 *Microprocesador* de *32 bits* diseñado para usuarios de computadora preocupados por el presupuesto. El PowerPC 602 se ejecuta a una *velocidad de reloj* de 66 *megahertz (MHz)*, usa tecnología de *computadora con conjunto reducido de instrucciones (RISC)*. Vea *PowerPC 601*.

PowerPC 603   *Microprocesador* de 32 *bits*, con un desempeño parecido al del *PowerPC 601*, diseñado para situaciones (como en las *computadoras portátiles*) en que la conservación de la energía eléctrica es importante. Se encuentra disponible a *velocidades de reloj* de 66 y 80 *megahertz (MHz)* y tiene un *caché interno* más pequeño que la PowerPC 601, pero utiliza *tecnología de 0.5 micras* para reducir la exigencia de alimentación eléctrica a sólo dos watts. Vea *PowerPC 601* y *PowerPC 603e*.

PowerPC 603e   Versión del *PowerPC 603* que incluye aún más funciones de *administración de energía*. Se encuentra disponible en versiones con *velocidades de reloj* de hasta 300 *MHz*.

PowerPC 604   *Microprocesador de 64 bits* que incorpora tecnología de *computadora con conjunto reducido de instrucciones (RISC)* y técnicas de *predicción de bifurcación* para lograr una marca CINT92 de 160. El PowerPC 604, que se ejecuta a una *velocidad de reloj* de 100 *megahertz (MHz)*, es más rápido que el *PowerPC 601*, pero considerablemente más lento que el *PowerPC 620*. Vea *PowerPC 601*.

PowerPC 620   Diseñado para *servidores* de *redes de área local (LAN)*, el PowerPC 620 es dos veces más rápido que el PowerPC 604 gracias a un paso *previo a la decodificación* en el *canal*, un *caché interno* grande y excelentes funciones de *predicción de bifurcación*. *Microprocesador de 64 bits* que emplea tecnología de *computadora con conjunto reducido de instrucciones (RISC)*, el PowerPC 620 se ejecuta a 133 *megahertz (MHz)* y, debido en parte a que utiliza *tecnología de 0.5 micras*, consume sólo 3.3 volts. Vea *PowerPC 601*.

PowerPoint   Vea *Microsoft PowerPoint*.

power save mode *modo de ahorro de energía*   En una *computadora portátil*, modo operativo en que el sistema cambia automáticamente a un estado de conservación de energía después de un periodo específico de inactividad. Por lo general, la computadora apaga la pantalla y la unidad de disco, las cuales se reactivan automáticamente cuando el usuario oprime una tecla o mueve el dispositivo apuntador.

power supply *fuente de poder*   Dispositivo que proporciona la energía a un equipo electrónico. En un sistema de computación, la fuente de poder transforma la corriente alterna (CA) en corriente directa (CD), de voltaje más bajo, que es la empleada por la computadora.

power surge *sobrevoltaje*   Vea *surge*.

P
Q
R

power up *encender*   Activar el interruptor de encendido de un dispositivo.

power user *usuario avanzado*   Usuario que ha trascendido los niveles iniciales e intermedios en el uso de una computadora. Este tipo de persona se vale de los componentes avanzados de los programas, como los lenguajes y macros de comandos de las aplicaciones, y es capaz de aprender con rapidez nuevos *programas de aplicación*.

PPC   Vea *PowerPC*.

ppm   Vea *pages per minute*.

PPP   Siglas de Protocolo de Punto a Punto. Uno de los dos estándares para conectar directamente computadoras a Internet a través de conexiones de acceso telefónico (el otro es SLIP). A diferencia del protocolo SLIP más antiguo, PPP incorpora mejores características de negociación de datos, compresión y corrección de errores. Sin embargo, estas características agregan sobrecarga a la transmisión de datos y son innecesarias cuando los módems receptor y emisor ofrecen corrección de errores de hardware y compresión de datos sobre la marcha. Vea *SLIP*.

PPTP   Siglas de Protocolo de Túnel de Punto a Punto. Extensión de *PPP* que permite a los usuarios remotos de una *red de área local (LAN)* corporativa acceder a la red interna por medio del *establecimiento de un túnel entre protocolos*, método en el cual los datos de la LAN se encapsulan dentro de *TCP/IP* y se encriptan para transmisión segura y confidencial a través de Internet. En efecto, PPTP permite a las empresas crear *redes privadas virtuales (VPN)*, que emplean conexiones económicas a Internet como medio de comunicación en lugar de las *redes privadas de datos (PDN)* más caras. Desarrollado en conjunto por Microsoft Corporation y fabricantes de módems, el protocolo permite a las empresas extender sus LANs de manera segura a los usuarios remotos sin enfrentar riesgos graves de seguridad. El protocolo ha sido remitido a la *Fuerza de Trabajo de la Ingeniería de Internet (IETF)* para ratificación como estándar de Internet, pero actualmente únicamente es soportado por *Microsoft Windows NT Server*.

Practical Extraction and Report Language *Lenguaje Práctico de Extracción e Informes*   Vea *perl*.

PRAM   Vea *parameter RAM*.

precedence *precedencia*   Orden en el cual un *programa* ejecuta las operaciones de una fórmula. En general, el programa ejecuta cálculos exponenciales (como elevar al cuadrado un número) antes de las multiplicaciones y divisiones, y luego realiza las sumas y las restas.

precision *precisión*   Número de dígitos después del punto decimal que se emplean para expresar una cantidad. Vea *accuracy*.

pre-decode stage *etapa previa a la decodificación*   En *microprocesadores* que emplean *arquitectura superescalar*, paso en el procesamiento de instrucciones en que el microprocesador determina cuáles recursos, como *registros*, se necesitarán para procesar una instrucción particular. Una etapa previa a la decodificación permite que las instrucciones atraviesen más rápido un *canal*.

preemptive multitasking *multitarea por preferencias*   En un *sistema operativo*, método de ejecución de más de un programa a la vez, en que el sistema operativo decide cuál aplicación debe recibir la atención del procesador. En contraste con la *multitarea cooperativa*, en la cual la aplicación en turno podría monopolizar la computadora durante varios minutos, una computadora con un sistema de multitarea por preferencias parece tener mayor capacidad para responder a los comandos del usuario. *Microsoft Windows 95* utiliza el método de preferencias para *aplicaciones de 32 bits*, pero no para *aplicaciones de 16 bits*.

prefix notation *notación de prefijo, notación prefija*   En un lenguaje de programación, método para ordenar *operadores* y *operandos* de modo que el operador anteceda a todos los operandos. En notación prefija, el operador de asterisco (*), que simboliza la multiplicación, antecede a los números que habrán de multiplicarse, como en el siguiente ejemplo: * 2 4. Esta operación da como resultado 8. Vea *infix notation* y *Reverse Polish Notation (RPN)*.

presentation graphics *gráficos para presentaciones*   Disciplina de las artes gráficas que se ocupa de la preparación de diapositivas, transparencias y documentos que se emplean en presentaciones de negocios. Los gráficos para presentaciones deben combinar aspectos artísticos con psicología práctica y buen gusto; el color, la forma y el énfasis se usan de manera inteligente para transmitir al público los puntos más relevantes de la presentación. Vea *analytical graphics*.

presentation graphics program *programa de gráficos para presentaciones*   *Aplicación* concebida para crear y resaltar gráficos con el propósito de que resulten visualmente atractivos y que el público los entienda con facilidad. Un paquete completo de gráficos para presentaciones, como Lotus Freelance Graphics o *Microsoft PowerPoint*, incluye componentes para elaborar una amplia variedad de gráficos y para añadir títulos, leyendas y texto explicativo en cualquier parte de un gráfico. Un programa de gráficos para presentaciones también incluye una biblioteca de *imágenes prediseñadas*, las cuales ayudan a resaltar los gráficos (por ejemplo, un avión para un gráfico sobre las ganancias de la industria aérea y espacial). Si lo desea, puede imprimir la información, dirigirla a una

P
Q
R

grabadora de película o mostrarla en pantalla, en una presentación con diapositivas por computadora.

presentation layer *capa de presentación*   En el *Modelo de Referencia OSI* de una arquitectura de red de computadoras, la segunda de las siete *capas*, en la cual se reorganizan los datos que "descienden" por la *pila de protocolos* desde la capa superior (la *capa de aplicación*), para que cumplan con los estándares internacionales de codificación de datos. (El término "presentación" es engañoso en cierta medida, porque implica que los datos se están preparando para presentarlos al usuario, que es la función de la capa de aplicación.)

Pretty Good Privacy (PGP) *Privacidad Excelente*   Sistema de *encriptación* muy completo para *correo electrónico* privado creado por Phil Zimmerman. PGP utiliza un *algoritmo de encriptación de clave pública* para el intercambio inicial de clave y emplea el *Algoritmo Internacional de Encriptación de Datos (IDEA)* para encriptar los datos después de que se han intercambiado las claves. Una característica única del modelo de correo PGP es el uso de círculos de confianza para autenticación del remitente del mensaje; en lugar de validar firmas digitales con una *autoridad de certificación (CA)*, PGP permite que los usuarios firmen digitalmente los certificados de otras personas, atestiguando que los conocen personalmente y que pueden confirmar que la firma realmente viene de esa persona y no de otra.

PRI   Vea *Primary Rate Interface*.

primary cache *caché primario*   *Memoria caché* integrada en el *microprocesador* en lugar de en la *tarjeta madre,* como la memoria *caché secundaria,* a la cual también se le llama caché L2. El término es sinónimo de *caché interno* y de caché integrado.

primary key *clave principal*   En una *base de datos*, *campo de datos* seleccionado para ordenar o alfabetizar todos los datos. Por ejemplo, si el usuario de una base de datos desea ordenar una lista larga de nombres y direcciones por código postal, este último será la clave principal. Las claves adicionales (secundaria, terciaria, etc.) se utilizan para ordenar los datos en niveles subsecuentes; por ejemplo, después de que se han agrupado todos los nombres y direcciones del código postal 22901, pueden ordenarse secundariamente por dirección o por nombre.

Primary Rate Interface (PRI) *Interfaz de Servicios Primarios*   Servicio *ISDN* de alta capacidad que proporciona 23 canales de 64 Kbps y un canal para la información de control. PRI está diseñado para uso en los negocios.

primary storage *almacenamiento principal*   Memoria principal de la computadora, que consta de la *memoria de acceso aleatorio (RAM)* y la *memoria de sólo lectura (ROM)*. La *unidad central de procesamiento (CPU)* tiene acceso directo a la memoria principal.

primitive *primitivo*   Comando u *operador* que se considera tan esencial que se encuentra integrado en las funciones básicas de un *sistema operativo* o un lenguaje de programación. Un ejemplo es el conjunto estándar de funciones aritméticas (suma, resta, multiplicación y división).

printed circuit board *tarjeta de circuitos impresos*   Hoja delgada de plástico, cubierta con una hoja de cobre, en que se ha creado la conexión entre dispositivos electrónicos utilizando una máscara fotorresistente y aguafuerte. Las tarjetas de circuitos impresos pueden producirse masivamente a bajo precio.

print engine *motor de impresión*   En una *impresora láser*, mecanismo que emplea un láser para crear la imagen electrostática de una página y fusionarla sobre una hoja de papel. Los motores de impresión se distinguen por su *resolución*, calidad de impresión, duración, características para el manejo de papel y velocidad.

printer *impresora*   Periférico para computadora concebido para imprimir (en papel u otros medios físicos) texto o gráficos generados por computadora. Las impresoras varían de manera significativa por su calidad, velocidad, ruido, capacidades gráficas, *fuentes integradas* y uso de papel. La lista siguiente ofrece un breve panorama de los tipos de impresoras disponibles en la actualidad.

- Las **impresoras con calidad de máquina de escribir** (conocidas también como *impresoras de rueda de margarita*) forman una imagen del mismo modo que las máquinas de escribir para oficina (golpeando el molde bien definido de un carácter contra una cinta, que deposita tinta con la imagen del carácter sobre el papel). Estas impresoras no pueden imprimir gráficos y son muy lentas.

- Las **impresoras de matriz de puntos** presionan un patrón (o matriz) de alambres contra una cinta para formar la imagen con tinta sobre el papel. Estas impresoras imprimen con rapidez (100 o más caracteres por segundo), pero las velocidades de impresión se degradan considerablemente cuando el usuario selecciona modos de alta resolución. Algunas impresoras de matriz de puntos vienen acompañadas con diversas fuentes y tamaños de éstas, y todas pueden imprimir gráficos.

- Las **impresoras de inyección de tinta** rocían tinta directamente sobre la superficie del papel para producir una imagen. Estas impresoras, que a menudo tienen velocidades de 4 a 6 *ppm (páginas por minuto)*, son más lentas que las *láser*, pero producen una salida de texto y gráficos de calidad comparable a la de las láser, son menos costosas que éstas y producen poco ruido. Al igual que las impresoras láser, casi todas las impresoras de inyección de tinta vienen acompañadas con una selección de fuentes integradas y pueden usar *cartuchos de fuentes y fuentes transferibles.*

- Las **impresoras láser** emplean la tecnología de las máquinas copiadoras para fusionar tinta en polvo sobre el papel, lo que genera una salida de alta calidad a velocidades relativamente altas (la mayor parte tiene una velocidad de ocho o más páginas por minuto), usan hojas individuales o membretadas y son relativamente silenciosas. Casi todas vienen acompañadas con una selección de fuentes integradas y aceptan con facilidad cartuchos de fuentes y fuentes transferibles. Su mayor desventaja era su precio tan elevado; no obstante, ahora pueden conseguirse impresoras láser por menos de 700 dólares.

- Las **impresoras LED y LCD** son muy parecidas a las láser, pero no emplean tecnología láser para formar la imagen. Para este propósito, las *impresoras LED* usan una serie de diodos emisores de luz (LEDs); las *LCD* emplean luz halógena, cuya iluminación se distribuye por medio de obturadores de cristal líquido.

- Las **impresoras térmicas** funcionan de manera silenciosa; sin embargo, ésta es su única ventaja. Su modo de operación consiste en empujar una matriz de puntas calientes contra papel especial sensible al calor. El producto final de estas impresoras es parecido al de una impresora de matriz de puntos barata, sólo que la superficie del papel es brillante y despide un aroma desagradable, pero lo peor es que imprimen con lentitud. Las impresoras térmicas están relegadas a aplicaciones menores en calculadoras, máquinas de fax y sistemas de computadoras portátiles.

printer control language *lenguaje de control de impresora*   Conjunto de comandos empleado para indicarle a una *impresora* o un *controlador de impresora* cómo imprimir un documento. Los lenguajes de control de impresora por lo general son propietarios (el *Lenguaje de Control de Impresora [PCL]* de Hewlett-Packard, para *impresoras láser,* es un ejemplo muy común) y son diferentes de los *lenguajes de descripción de páginas (PDL)* como PostScript, que de alguna manera son lenguajes de programación limitados reconocidos por muchos fabricantes. Vea *PCL3, PCL4, PCL5* y *PCL5e.*

Printer Control Language (PCL) *Lenguaje de Control de Impresora*   Lenguaje utilizado por las *impresoras láser* de Hewlett Packard. Vea *PCL3, PCL4* y *PCL5e.*

printer driver *controlador de impresora*   Archivo que contiene la información que necesita un *programa* para imprimir el trabajo del usuario en un modelo y marca de *impresora* determinada. Hay una diferencia importante en la forma en que el ambiente DOS y los ambientes Macintosh/Windows manejan los controladores de impresora. En el ambiente MS-DOS, los controladores de impresora son responsabilidad de los programas de aplicación. Cada programa debe contar con sus propios controladores de impresora para las docenas de impresoras disponibles. Si un programa no incluye el controlador para su impresora, es porque usted corrió con mala suerte. Por otra parte, los ambientes operativos *Microsoft Windows* y Macintosh suministran los controladores de impresora para todas las aplicaciones de Windows, liberando de esa responsabilidad a los programas de aplicación.

printer emulation *emulación de impresora*   Capacidad de una *impresora* para reconocer el *lenguaje de control de impresora* de una marca distinta. Epson y Hewlett-Packard son las impresoras más emuladas.

printer font *fuente de impresora*   Tipo de letra que no se exhibe en pantalla y que está disponible para uso exclusivo de una *impresora*. Al usar una fuente para impresora, el usuario ve en pantalla una fuente genérica y debe esperar hasta imprimir el documento para observar las fuentes reales. Lo ideal es que las fuentes para pantalla y para impresora sean iguales; sólo entonces un sistema de computación ofrece lo que se conoce como *lo que ve es lo que obtiene* (*WYSIWYG*). Los programas basados en caracteres que se ejecutan bajo DOS, como WordPerfect 5.1, no pueden mostrar tipos de letra diferentes a los que se encuentran integrados en la ROM de la computadora. Con *Microsoft Windows* y los sistemas Macintosh, el usuario puede usar fuentes (escalables) perfiladas *TrueType* o Adobe Type Manager (ATM), que aparecen en pantalla de la forma en que quedarán impresas. Vea *outline font*.

printer maintenance *mantenimiento de impresora*   Procedimientos regulares, como la limpieza, que hacen que una *impresora* funcione sin problemas. Las *impresoras láser* requieren limpieza periódica de sus rodillos, *alambres de corona* y lentes.

printer port *puerto para impresora*   Vea *parallel port* y *serial port*.

print head *cabeza de impresión*   Mecanismo encargado del proceso de impresión real en una *impresora*. Hay varios tipos de tecnología de cabeza de impresión, incluyendo de impacto (que se encuentra en las *impresoras de impacto*), térmica (en las *impresoras térmicas*), de inyección de tinta (en las *impresoras de inyección de tinta*) y electrostática (en las *impresoras láser*).

print queue *cola de impresión*   Lista de archivos que un *integrador de impresión* imprime en *segundo plano* mientras la computadora realiza otras tareas en primer plano.

Print Screen (PrtScr) *Impr Pant*   En los *teclados* de las computadoras compatibles con la PC de IBM, tecla que se usa para imprimir una imagen de la pantalla.

print server *servidor de impresión*   En *redes de área local (LAN)*, computadora personal dedicada a recibir y almacenar temporalmente archivos listos para impresión, que se envían después de uno en uno a una *impresora*. El servidor de impresión, accesible a todas las estaciones de trabajo de la red, ejecuta un programa *integrador de impresión* que maneja una *cola de impresión*.

print spooler *spoler de impresión*   *Programa de utilería* que almacena temporalmente archivos listos para impresión en una *cola de impresión* y que luego los envía, de uno en uno, a la impresora. Vea *background printing* y *print server*.

privacy *privacidad*   En una *red*, derecho a que personas a las que el usuario no les ha otorgado permiso, no tengan la posibilidad de revisar su área de almacenamiento en disco duro, su *correo electrónico* y sus archivos. Sin embargo, no existe la privacidad en una red de computadoras. Aunque el *Acta de Privacidad en Comunicaciones Electrónicas* de Estados Unidos (1986) prohíbe a las agencias gubernamentales acceder al correo electrónico privado mientras se encuentra en tránsito o en almacenamiento temporal, ninguna ley federal de ese país evita que lo hagan los empleados u otras personas. Muchos dueños de empresas creen que pueden leer el correo de los empleados con impunidad, escudándose en el hecho de que los empleados utilizan el equipo de la empresa. El usuario puede proteger su privacidad encriptando sus mensajes. Vea *encryption* y *Privacy Enhanced Mail (PEM)*.

Privacy Enhanced Mail (PEM) *Correo con Privacidad Mejorada*   Estándar de *Internet* que asegura la privacidad del *correo electrónico*. PEM utiliza técnicas de *encriptación de clave pública* para asegurar que sólo el destinatario del mensaje podrá leerlo. PEM es poco utilizado porque el *algoritmo de* encriptación PEM que emplea es propietario; el protocolo *MIME/S*, implementado en las utilerías de correo electrónico de *Microsoft Internet Explorer* y *Netscape Navigator* a partir de las versiones 4.0 de ambos productos, es el protocolo preferido para el correo electrónico privado de Internet.

private data network (PDN) *red de datos privada*   *Red de área amplia (WAN)* muy segura (pero cara), integrada por *líneas rentadas* que se dedican exclusivamente a transmitir los datos de una empresa. Las PDNs se utilizan con mucha frecuencia para transmitir información delicada, como transacciones financieras y de *Intercambio Electrónico de Datos (EDI)*. Tecnologías como encriptación y *establecimiento de túnel entre protocolos* están convenciendo a algunas empresas a llevar esos datos a *Internet* y a crear *redes privadas virtuales (VPN)*.

PRML read-channel technology *tecnología de canal de lectura PRML* Abreviatura de tecnología de canal de lectura de respuesta parcial de máxima probabilidad. Nueva filosofía de diseño para *discos duros* que mejoran la *velocidad real de transporte* y la densidad real. Utilizada generalmente con *cabezas magneto-resistivas*, esta tecnología es muy cara y sólo se encuentra en pocos discos duros de *alta calidad* para *servidores de red*.

problem user *usuario problema* En una red de computadoras, usuario que viola las *políticas de uso aceptable (AUP)* de la red enviando, por ejemplo, anuncios no solicitados, hostigando a otros usuarios o tratando de obtener acceso no autorizado a otros sistemas de computación.

procedural language *lenguaje de procedimientos* Lenguaje de *programación*, como *BASIC* o *Pascal*, que requiere que el programador especifique el procedimiento que ha de seguir la computadora para llevar a cabo una tarea. Vea *declarative language*.

process *proceso* En *Unix*, programa en ejecución. Un *proceso padre* puede tener uno o más *procesos hijo* que llevan a cabo tareas adicionales.

process color *color de cuatricromía* Uno de los cuatro colores (cyan, magenta, amarillo y negro) que se combinan para crear otros colores. Vea *CMYK, color model* y *spot color*.

processing *procesamiento* Ejecución de instrucciones de un programa realizada por la *unidad central de procesamiento (CPU)* que transforma de cierta manera los datos, como por ejemplo ordenarlos, seleccionar algunos de éstos según un criterio especificado o realizar cálculos matemáticos sobre ellos.

processor upgrade *actualización de procesador* Chip diseñado para reemplazar o complementar un *microprocesador* y proporcionar un desempeño mejorado. El chip *OverDrive* de Intel es una actualización para el *Intel 80486*. También es el acto de instalar ese chip.

Professional Graphics Array (PGA) *Arreglo Profesional de Gráficos Adaptador de video* antiguo para computadoras personales de IBM que fue diseñado para aplicaciones de *diseño asistido por computadora (CAD)*. El adaptador despliega 256 colores con una resolución de 640 × 480.

professional workstation *estación de trabajo profesional* Computadora personal de alto desempeño optimizada para aplicaciones profesionales en campos como diseño de circuitos digitales, arquitectura y dibujo técnico. Las estaciones de trabajo profesionales por lo general ofrecen excelente *resolución* de pantalla, microprocesadores rápidos y con gran capacidad y mucha memoria. Entre los ejemplos se encuentran estaciones de trabajo fabricadas por Sun Microsystems y NeXT, Inc. Las estaciones de trabajo

P
Q
R

profesionales son más caras que las computadoras personales y por lo general usan el *sistema operativo Unix*. Sin embargo, la frontera entre las *computadoras personales de alta calidad* y las estaciones de trabajo profesionales se está erosionando a medida que las computadoras personales se vuelven más poderosas.

program *programa*   Lista de instrucciones, escritas en un *lenguaje de programación*, que ejecuta una computadora para que la máquina actúe de una forma determinada. El término es sinónimo de software. El mundo de los programas de computación se divide en: programas de sistema, programas de utilería y programas de aplicación:

- Entre los **programas de sistema** se incluyen todos los programas que la computadora necesita para funcionar con efectividad, incluyendo el sistema operativo, el programa de administración de memoria y los intérpretes de línea de comandos. El sistema operativo MS-DOS es un ejemplo de programa de sistema.

- Entre los **programas de utilería** se incluyen todos los programas para mantener el sistema de computación. MS-DOS incluye varios programas de utilería, como CHKDSK. La mayoría de los usuarios equipa sus sistemas con paquetes de utilerías (como Norton Utilities o PC Tools) que superan los componentes básicos que suministra MS-DOS.

- Los **programas de aplicación** transforman la computadora en una herramienta para realizar un tipo de trabajo específico, como el procesamiento de texto, el análisis financiero (con una hoja de cálculo electrónica) o la autoedición.

Entre otras categorías de software están los lenguajes de programación, los juegos, los programas educativos y una variedad de *programas de mercado vertical*. Vea *executable program*, *high-level programming language* y *machine code*.

program generator *generador de programas*   *Programa* que crea automáticamente el código de programa a partir de una descripción de la aplicación. Por ejemplo, en *programas de administración de bases de datos*, el usuario puede utilizar técnicas sencillas de generación de programas para describir gráficamente el formato deseado. El generador de programas emplea entonces la información introducida por el usuario como un conjunto de *parámetros* con los que construye el código del programa resultante.

program information file (PIF) *archivo de información de programa*   *Archivo* disponible para programas de *aplicación* no *Windows* que sirve para indicarle a Windows cómo ejecutarlos. Aunque carezcan de un archivo PIF, *Windows 95* puede ejecutar aplicaciones del DOS.

Program Manager *Administrador de programas*   En *Microsoft Windows 3.1*, utilería que permite a los usuarios arrancar aplicaciones haciendo doble clic en un icono.

programmable *programable*   Sujeto a control mediante instrucciones que pueden modificarse para ajustarse a las necesidades del usuario.

programmable read-only memory (PROM) *memoria programable de sólo lectura*   Chip de *memoria de sólo lectura (ROM)* programado de fábrica para emplearlo con una computadora determinada. A diferencia de los chips de ROM estándar, que tienen la programación integrada en el diseño interno de sus circuitos, los chips de ROM programables son fáciles de modificar. A pesar de que los chips de ROM programables pueden programarse, o quemarse, sólo una vez, y de que después de ello la programación se vuelve permanente, es más fácil cambiar la manera en que los chips están programados que cambiar su diseño interno. Vea *EPROM*.

programmer *programador*   Persona que desarrolla, codifica, prueba, depura y documenta un programa de computación. Los programadores profesionales a menudo ostentan licenciaturas o maestrías en ciencias de la computación; no obstante, una gran cantidad de programación (profesional y de otros tipos) la realizan personas poco capacitadas o con capacitación informal. Por ejemplo, más de la mitad de los lectores de una conocida revista de computadoras personales afirmaron en una encuesta que a menudo programaban sus computadoras personales con lenguajes como *BASIC, Pascal* y *lenguaje ensamblador*.

programmer/analyst *analista/programador*   Persona que realiza actividades de análisis y diseño de sistemas, así como de *programación*. Vea *programmer*.

programmer's switch *interruptor del programador*   Accesorio de plástico incluido con las computadoras Macintosh anteriores a 1991 que, una vez instalado en un costado de la computadora, permitía que el usuario reiniciara el hardware y accediera al depurador integrado de la computadora.

programming *programación*   Proceso mediante el cual se suministran instrucciones a la computadora para indicarle al *microprocesador* qué hacer. Entre las etapas de la programación está el diseño, o toma de decisiones acerca de lo que debe realizar el programa; la codificación, o uso de un lenguaje de programación para expresar la lógica del programa en una forma legible para la computadora e introducir la documentación interna de los comandos; la prueba y la depuración, durante las cuales se localizan y corrigen los errores del programa, y la documentación, durante la cual se crea un manual de instrucciones para el programa, ya sea impreso o para mostrarse en pantalla.

P
Q
R

programming environment *ambiente de programación, entorno de programación* Conjunto de herramientas de programación que por lo general se suministra con el *sistema operativo* de una computadora. Como mínimo, las herramientas incluyen un *editor de líneas*, un *depurador* y un *ensamblador* para compilar programas en *lenguaje ensamblador*. Sin embargo, estas herramientas no bastan para la creación de programas profesionales y a menudo son sustituidas por un *sistema de desarrollo de aplicaciones*.

programming language *lenguaje de programación* Lenguaje artificial, compuesto por un vocabulario fijo y un conjunto de reglas (llamadas *sintaxis*), que se usan para crear instrucciones que la computadora debe seguir. Casi todos los programas se escriben con un editor de texto o un programa de procesamiento de texto para crear un *código fuente*, que se interpreta o compila después a un lenguaje de máquina que la computadora puede ejecutar. Los lenguajes de programación se dividen en dos: de alto nivel y de bajo nivel.

- Los **lenguajes de programación de alto nivel**, como *BASIC, C* o *Pascal*, permiten que los programadores expresen el programa mediante palabras clave y sintaxis con ligero parecido al lenguaje natural humano. A estos lenguajes se les denomina de "alto nivel" porque le quitan al programador la carga de preocuparse por los detalles relativos a la forma como la computadora seguirá físicamente cada instrucción. En un lenguaje de alto nivel, cada instrucción de programación corresponde a varias instrucciones de lenguaje de máquina; por ello, el usuario puede escribir programas con más rapidez que con los lenguajes de bajo nivel, como un lenguaje ensamblador. Sin embargo, como la traducción es ineficiente, los programas escritos con lenguajes de alto nivel corren con más lentitud que los escritos con lenguajes de bajo nivel.

- Los **lenguajes de programación de bajo nivel**, como el *lenguaje ensamblador*, permiten que el programador codifique las instrucciones con la máxima eficiencia posible. Sin embargo, el uso de lenguajes de programación de bajo nivel exige el conocimiento detallado de las capacidades exactas de un sistema de computación determinado y de su microprocesador. Además, la programación con lenguaje ensamblador requiere mucho más tiempo.

Otra forma de diferenciar los lenguajes de programación consiste en hacer una distinción entre los lenguajes de procedimientos y los declarativos. En un *lenguaje de procedimientos*, como C, el programador debe escribir el procedimiento que la computadora seguirá para lograr un objetivo determinado. En un *lenguaje declarativo* (conocido también como lenguaje sin procedimientos), como *PROLOG*, el lenguaje define un conjunto de hechos y relaciones y permite consultar resultados específicos. Vea C++, *compiler, expert system, FORTRAN, interpreter, Modula2, modular programming, object code, object-oriented programming (OOP) language* y *PROLOG.*

program overlay *superposición de programa*   Parte de un programa que se conserva en disco y se llama a la memoria sólo cuando se necesita.

project management program *programa de administración de proyectos*   Aplicación que busca las tareas individuales que conforman un trabajo completo y que permite a los administradores de proyecto determinar la ruta crítica (la secuencia de actividades que deben completarse oportunamente para que el proyecto total se termine a tiempo).

PROLOG   *Lenguaje de programación de alto nivel* empleado en investigación y aplicaciones de *inteligencia artificial*, en especial de sistemas expertos. PROLOG *(siglas de PROgramación en LOGica)* es un *lenguaje declarativo*; en lugar de indicarle a la computadora el procedimiento a seguir para resolver un problema, el programador describe el problema que debe resolverse. PROLOG se parece a un lenguaje de consulta de un *sistema de administración de bases de datos (DBMS)*, como el *Lenguaje de Consultas Estructurado (SQL)*, en que el usuario puede usarlo para hacer preguntas como: "¿Guadalajara se encuentra en Jalisco?". Sin embargo, hay una diferencia importante entre PROLOG y un sistema de administración de bases de datos: una base de datos contiene información que se puede recuperar; en contraste, un programa PROLOG contiene conocimientos, que le permiten al programa hacer inferencias acerca de lo que es cierto y lo que es falso.

PROM   Vea *programmable read-only memory.*

prompt *indicador de comandos*   Símbolo o frase que aparece en pantalla para informarle que la computadora está lista para recibir datos.

property *propiedad*   1. Valores actuales elegidos para un documento, programa u *objeto.* 2. En *Microsoft Windows 95*, característica o atributo de un *objeto incrustado.* Las cualidades de un objeto se encuentran contenidas en su *hoja de propiedades.*

property sheet *hoja de propiedades*   En *Microsoft Windows 95*, ubicación central donde se guardan todas las *propiedades* de un *objeto incrustado.*

proportional pie graph *gráfico circular proporcional*   En *gráficos para presentaciones*, *gráfico circular* pareado en el cual el tamaño de cada sector del círculo mantiene una proporción con la cantidad de datos que representa. Los gráficos circulares proporcionales sirven para comparar dos círculos cuando uno es mucho más grande que el otro.

proportional spacing *espaciado proporcional*   En *tipos de letra*, distribución del ancho de un carácter en proporción con su forma, de manera que el carácter más angosto, como la i, ocupa menos espacio que un.carácter ancho como la m. El texto que está leyendo ahora utiliza espaciado proporcional. Vea *kerning* y *monospace*.

proprietary *patentado, propietario*   Posesión privada; tecnología basada en secretos mercantiles, desarrollada de manera privada, o especificaciones que el propietario rehúsa divulgar, y por lo tanto evita que otros dupliquen un producto o programa a menos que adquieran una licencia explícita. La arquitectura del sistema Macintosh es propietaria, aunque ahora existen algunos fabricantes cuidadosamente seleccionados de *clones* de Macintosh. Lo contrario a propietario es abierto (desarrollado en privado, pero sacado a la luz pública y puesto a la disposición de otros para emulación). La arquitectura de sistema de la PC de IBM es abierta, con excepción del *sistema básico de entrada/salida (BIOS)*. Desde el punto de vista del usuario, los diseños o formatos propietarios representan riesgo. Si la compañía prospera y el diseño o formato es ampliamente imitado o aceptado, el usuario se beneficia; pero si no prospera o fracasa, el usuario se quedará con un sistema de computación o con información que no podrá actualizar o intercambiar con otros. Vea *proprietary file format.*

proprietary file format *formato de archivo propietario*   *Formato de archivo* desarrollado por una compañía para guardar información creada con sus productos. En *procesamiento de textos* se necesitan los formatos de archivo propietarios para manejar opciones de formato, que no se representan utilizando caracteres ASCII. En general, las aplicaciones de otros programas no son capaces de leer un formato propietario sin la ayuda de una utilería de conversión de archivos. Generalmente todos los programas populares incluyen las utilerías para convertir los archivos de varios formatos.

proprietary local bus *bus local propietario*   *Bus local* estándar desarrollado por una empresa para que se utilice exclusivamente en sus máquinas. Un bus propietario requiere tarjetas adaptadoras específicamente diseñadas para usarse con este bus y puede haber menos de éstas que de las tarjetas desarrolladas para arquitecturas abiertas. Vea *Micro Channel Architecture (MCA)*.

proprietary protocol *protocolo propietario*   *Protocolo* de comunicaciones no publicado ni público, desarrollado por una empresa para que sus productos se puedan comunicar entre sí. El uso de un protocolo de comunicaciones propietario encubre una estrategia no tan sutil para obligar a los usuarios de un producto a que adopten otro producto hecho por la misma empresa. Por otra parte, el uso de un protocolo abierto estimula la conexión del dispositivo con productos hechos por otras compañías. Vea *connector conspiracy*.

proprietary standard *estándar propietario*   Diseño o especificación no publicado, y a veces secreto, de un dispositivo o un programa. La empresa que posee el estándar se niega a permitir que otras empresas lo emulen, con la esperanza de que el estándar eclipsará a todos los demás o que se volverá la norma de la industria. Llevado al extremo, el uso de estándares propietarios puede obligar a los usuarios a comprar no sólo uno sino una serie completa de productos de la empresa (porque ningún otro funcionará con ellos). Esta estrategia a menudo es contraproducente porque retarda el desarrollo de un mercado. A los usuarios no les gusta que los obliguen a comprar productos de un solo fabricante. Los *estándares abiertos* promueven un mercado creciente, que beneficia por lo tanto a todos los participantes corporativos y a los usuarios estimulando la competencia y la *interoperabilidad*.

protected memory *memoria protegida*   En un *sistema operativo* con opciones de *multitarea por preferencias*, *memoria de acceso aleatorio (RAM)* de la computadora, en que se asigna a los programas un espacio en la memoria de manera que no sea posible que otros programas invadan este espacio y provoquen una caída de la computadora.

protected mode *modo protegido*   En *microprocesadores Intel 80286* y posteriores, uno de los dos modos de operación (al otro se le llama *modo real*). En el modo real, la dirección de memoria se asigna directamente utilizando el esquema original de direccionamiento de memoria de la *PC de IBM*. Esto limita la cantidad total de memoria del sistema, en realidad, a 640 KB. En el modo protegido, los registros de la memoria limitada del modo real contienen apuntadores a registros adicionales, con lo que se supera la limitación de memoria de 640 KB. Además, los apuntadores contienen información de protección de memoria, lo cual permite al procesador proteger la memoria a la que se hace referencia de la invasión de otros programas (de donde proviene el término "modo protegido"). Con soporte del *sistema operativo*, éste permite *multitarea por preferencias*, en la cual los programas pueden coexistir con seguridad en el mismo espacio de memoria. En procesadores Intel 80386 y posteriores, una *unidad de administración de memoria paginada (PMMU)* proporciona más funciones de asignación de memoria, permitiendo *memoria virtual* y procesamiento más rápido. Como opción predeterminada, todos los procesadores de Intel inician en modo real y requieren que el software los cambie al modo protegido. Por eso *MS-DOS*, o algunas de sus versiones (como el software de inicio en modo real de *Microsoft Windows 95*), simplemente no desaparecen.

protocol *protocolo*   En comunicaciones de datos y conectividad, estándar que especifica el formato de los datos, además de las reglas que habrán de seguirse. No es posible diseñar ni mantener redes con rapidez y efectividad sin protocolos; un protocolo especifica la manera en que un programa debe preparar los datos para que puedan enviarse a la siguiente etapa del proceso de comunicación. Por ejemplo, los programas de *correo electrónico* preparan mensajes para que cumplan los estándares de correo de *Internet* predominantes, que son reconocidos por todos los programas que participan en la transmisión de correo en red. Vea *protocol stack* y *protocol suite*.

protocol stack *pila de protocolos*   En una computadora conectada a una red, la "pila vertical" de protocolos, que van de los protocolos de menor nivel (los que manejan la conexión eléctrica a los medios físicos de la red) a los protocolos de mayor nivel (los que preparan los datos para presentarlos al usuario). El *Modelo de Referencia OSI* establece siete *capas* diferentes, cada una de las cuales está regida por su propio *protocolo*. En cada capa, un protocolo proporciona servicios a las capas superiores e inferiores.

protocol suite *grupo de protocolos*   En una *red*, conjunto de estándares relacionados que, tomados en conjunto, definen la arquitectura de la red. Por ejemplo, *Internet* se basa en el grupo de protocolos *TCP/IP*, un conjunto de más de 100 estándares diseñados para trabajar juntos de manera uniforme.

protocol switching *cambio de protocolos*   Vea *automatic networking switching*.

protocol tunneling *establecimiento de túnel entre protocolos*   Encapsulamiento de *paquetes* de datos que se apegan a los *protocolos* de una red dentro de paquetes que cumplen con los protocolos de otra red. Por ejemplo, mediante el establecimiento de un túnel entre protocolos, una estación de trabajo externa que utilice protocolos de *red de área local (LAN)* (como *IPX/SPX* o *NetBEUI*) puede emplear Internet (cuyos paquetes de datos cumplen con los protocolos *TCP/IP*) para intercambiar datos con servidores LAN internos. Vea *PPTP* y *virtual private network (VPN)*.

prototype *prototipo*   Versión de demostración de un *programa* o un *dispositivo de hardware* propuesto. En software, un prototipo por lo general es una maqueta de la interfaz de usuario de un programa, sin mucha funcionalidad. En hardware, un prototipo es por lo general un dispositivo voluminoso con muchos alambres y componentes que, si el prototipo es producido en masa, será reemplazado por *circuitos integrados* y *tarjetas de circuitos*.

proximity operator *operador de proximidad*   En búsqueda en bases de datos y Web, operador (como NEAR o WITH) que le indica al software de búsqueda que recupere un elemento sólo si las palabras vinculadas por el operador ocurren dentro de un número predeterminado de palabras una de la otra (por ejemplo, cinco o diez palabras). El uso de un operador de proximidad es una manera de estrechar la búsqueda; si aparecen las palabras especificadas con cierta cercanía, es más probable que el documento sea de interés para quien realiza la búsqueda.

proxy *proxy*   También llamado *servidor proxy*. Programa que se ubica entre una red interna e Internet, el cual intercepta solicitudes de información. Un proxy por lo general es parte de una solución más amplia para la seguridad de la red interna, llamada *firewall*. El propósito de un proxy es evitar que usuarios externos tengan acceso directo a recursos de la red interna o, por supuesto, que sepan exactamente dónde se encuentran esos recursos. El proxy intercepta una solicitud externa de información, determina si puede satisfacerse y pasa la solicitud a un *servidor* interno, cuya dirección no se revela al cliente externo. Al disfrazar la ubicación real del servidor que aloja realmente la información solicitada, el proxy dificulta mucho más que los criminales de las computadoras exploten potenciales huecos de seguridad en servidores y aplicaciones relacionadas, que podrían permitirles obtener acceso no autorizado a una red interna. Esta protección del ataque exterior se obtiene a costa de algunos inconvenientes (entre ellos, problemas de configuración y una ejecución más lenta) para los usuarios internos que desean acceder a la Internet externa.

proxy gateway *puerta de enlace proxy*   Vea *proxy*.

proxy server *servidor proxy*   En un *servicio en línea*, como Compuserve, servidor que ha sido configurado para almacenar páginas Web a las que los miembros del servicio tienen acceso frecuente. Cuando los miembros solicitan estas páginas, el servidor proporciona la copia almacenada en lugar de solicitar la página a Internet. Los miembros ven las páginas Web con más rapidez y la red tiene menos carga, pero existe un inconveniente: tal vez la página desplegada no esté actualizada. Este término a menudo se usa como sinónimo (aunque incorrectamente) de *proxy*, programa de seguridad que establece una barrera para proteger a la red interna de ataques externos.

PrtScr *ImprPant*   Vea *Print Screen*.

PS/2 mouse *ratón de PS/2*   *Ratón* con un conector especial. Los ratones PS/2, o equipados con conectores PS/2, no requieren un *puerto serial* para operar y su instalación es mucho más sencilla.

PS/2 mouse port *puerto de ratón PS/2*   *Puerto de ratón* en la parte posterior del gabinete de la computadora que permite al usuario conectar cualquier ratón con un conector de *ratón PS/2*. Este puerto permite a los usuarios conectar un ratón sin usar un *puerto serial* o enfrentar los *conflictos de puerto* comunes a este último tipo de conexión.

pseudoanonymous remailer *emisor de correo pseudoanónimo*   En *Internet*, servicio de reexpedición de *correo electrónico* que permite a los usuarios de Internet enviar correo electrónico anónimo o publicar de manera anónima en *Usenet*. Estos servicios mantienen registros que preservan la verdadera identidad del remitente, de modo que no son totalmente anónimos. Compare con *emisor de correo anónimo*.

pseudocode *pseudocódigo*   *Algoritmo* expresado en lenguaje humano para conceptualizar un programa antes de codificarlo en un *lenguaje de programación*. No es posible *compilar* el pseudocódigo; sólo es para uso humano.

PSTN   Vea *public switched telephone network*.

public data network (PDN) *red pública de datos*   *Red de área amplia (WAN)* que pone a disposición de organizaciones e individuos servicios de comunicación de datos a larga distancia. Las PDNs se utilizan con mucha frecuencia en corporaciones para establecer comunicaciones seguras con sucursales, agentes viajeros y proveedores, así como para implementar procesamiento de transacciones de *Intercambio Electrónico de Datos (EDI)*. Las PDNs establecen conexiones personalizadas y dedicadas, llamadas *líneas rentadas*, que son mucho más seguras que *Internet* porque únicamente los usuarios corporativos autorizados pueden utilizarlas. Hay dos tipos de PDNs: PDNs de conmutación de circuitos, que utiliza el equipo de conmutación de teléfono para establecer conexiones dedicadas, y PDNs de conmutación de paquetes, basadas en el protocolo *X.25*. En el futuro, las PDNs tal vez enfrenten competencia de las *redes privadas virtuales (VPNs)*, que emplean *Internet* e implementan la seguridad por medio de *encriptación* y *creación de túneles entre protocolos*.

public domain *dominio público*   Propiedad intelectual que ha sido liberada expresamente para uso incondicional, incluyendo distribución o modificación para obtener ganancias, bajo cualquier circunstancia. De acuerdo con la ley de derechos de autor internacional, ningún trabajo debe considerarse del dominio público, aún en ausencia de una nota explícita de derechos de autor, a menos que el autor haya establecido claramente que el trabajo está orientado al dominio público y que renuncia a toda posibilidad de hacer reclamos sobre el mismo. De acuerdo con lo anterior, casi todo el software que se distribuye en los *sistemas de boletines electrónicos (BBS)* y sitios *FTP*, que presumiblemente es "del dominio público", no debe considerarse como tal, sino más bien como *freeware* y no debe modificarse, venderse ni usarse sin el permiso explícito del autor.

public domain program *programa del dominio público*   Programa que se ha distribuido con una nota específica del autor del programa, en la cual indica que el trabajo es del dominio público. Muy pocos de los programas distribuidos públicamente cumplen con este criterio. Vea *freeware*, *postcardware* y *shareware*.

public key cryptography *criptografía de clave pública*   En criptografía, nuevo y revolucionario método de encriptación que no requiere que el destinatario reciba la *clave* de decodificación en una transmisión separada. La necesidad de enviar la clave, requerida para decodificar el mensaje, es la principal vulnerabilidad de anteriores técnicas de encriptación. En la criptografía de clave pública hay dos claves: una pública y una privada. La clave pública se utiliza para encriptación y la privada para *desencriptación*. Si Juan quiere recibir un mensaje privado de Alicia, le envía a ésta su clave pública; Alicia utiliza entonces la clave para encriptar el mensaje y lo envía a Juan. Cualquier persona que intercepte el mensaje sólo encontrará información ininteligible. Cuando Juan recibe el mensaje, utiliza su clave privada para decodificarlo. Como Juan nunca envía su clave privada a ningún lado ni se la da a nadie, puede tener la certeza de que el mensaje es seguro. La criptografía de clave pública pone al alcance de cualquiera un nivel de seguridad que antes sólo estaba disponible para las agencias de seguridad gubernamentales. También se le llama criptografía de clave asimétrica. Vea *symmetric key encryption algorithm*.

public key encryption *encriptación de clave pública*   Uso de *criptografía de clave pública* para encriptar mensajes que requieren transmisión secreta. Como las técnicas de encriptación de clave pública agregan mucha *sobrecarga* de procesamiento a la computadora, por lo general sólo se utilizan para la fase inicial de una conexión entre el remitente y el destinatario de un mensaje secreto. En esta fase, los usuarios establecen sus identidades por medio de *firmas digitales* e intercambian las *claves* que se utilizarán para la *encriptación de clave simétrica* mediante un algoritmo de encriptación como *DES*.

public switched telephone network (PSTN) *red pública de conmutación telefónica*   La red mundial de interconexiones telefónicas conmutadas, que permite que cientos de millones de teléfonos en todo el mundo establezcan conexiones directas. Originada en 1876 con la patente de Alexander Graham Bell, la PSTN empezó con varias redes *analógicas* de conmutación manual, que se fueron interconectando a medida que surgieron estándares. Para los años 50 y 60, la mayor parte de las redes de conmutación habían hecho la transición de la conmutación manual, que requiere un operador humano, a la conmutación electrónica, que permite el marcado directo. En las naciones industrializadas actuales, gran parte de la red de conmutación emplea tecnología *digital*, con la excepción de los *ciclos locales,* que en su mayor parte aún son analógicos debido a los anticuados cableados que se encuentran en las casas más viejas. *ISDN* proporciona un estándar internacional para la extensión de la telefonía digital para hogares y oficinas. Los estándares de telefonía de todo el mundo están regidos por la *Unión Internacional de Telecomunicaciones (ITU)*, una división de las Naciones Unidas.

pull-down menu *menú descendente* En Macintosh, *menú* de opciones de comandos que aparece después de que el usuario hace clic en el nombre del menú y arrastra hacia abajo para desplegar las opciones. En *Microsoft Windows*, el usuario sólo necesita hacer clic en el nombre del menú para desplegarlo.

pull media *medios de recepción automática* En Internet, los servicios tradicionales (como FTP y World Wide Web) en los cuales los usuarios no obtienen información a menos que expresa y deliberadamente originen una solicitud para obtenerla. Vea *push media* y *Netscape NetCaster*.

pull quote *cita extraída* En *autoedición*, cita tomada de la *copia* de un artículo de periódico o revista e impresa en un tipo de letra más grande en la columna; a menudo se rodea con líneas guía o se sombrea.

pulse code modulation (PCM) *modulación de código de pulsos* Técnica empleada para transformar una señal analógica de entrada en un equivalente digital libre de ruido. En *multimedia*, PCM se emplea para tomar muestras digitales de sonidos.

punched card *tarjeta perforada* Método obsoleto de *entrada* de datos en el cual los datos se representaban por medio de agujeros perforados físicamente en piezas rígidas de cartón. Las tarjetas perforadas se originaron a principios del siglo xx como medio de representar datos para procesamiento por medio de máquinas de tabulación mecánica.

purge *purgar* Eliminar información no deseada o descontinuada, generalmente del *disco duro*, de manera sistemática y automática. En sistemas que usan algún tipo de protección contra eliminación, el término se refiere a eliminar archivos protegidos con el propósito de que no se puedan recuperar. Vea *undelete utility*.

pushbutton *botón de comando*   En *interfaces gráficas de usuario (GUIs)*, botón de un cuadro de diálogo que inicia la ejecución de acciones después de que se elige alguna opción. Casi todos los cuadros de diálogo contienen un *botón Aceptar*, que confirma las selecciones del usuario y ejecuta el comando, y uno Cancelar, que anula las selecciones y cierra el cuadro de diálogo. El botón que representa la opción más probable de elección, el cual se conoce como botón predeterminado, aparece resaltado.

push media *medios de actualización automática*   En *Internet*, serie de mecanismos de entrega de contenido nuevo, en que los usuarios se suscriben a un servicio de transmisión que envía contenido a la computadora del usuario sin que éste tenga que solicitarlo. Al contrario de los *medios de recepción automática*, que deben atraer al usuario al sitio, los medios de actualización automática pueden garantizar a los anunciantes que los suscriptores seguirán recibiendo actualizaciones y viendo letreros de anuncios. Entre los diferentes modelos de medios de actualización automática que se han desarrollado se encuentran aplicaciones como PointCast que envían noticias, pronósticos del tiempo y marcadores deportivos al escritorio del usuario, y servicios como Castanet, que emplea una metáfora del radio. El usuario "sintoniza" un "canal" y el contenido se envía al usuario cada vez que hay disponible una actualización. Tal vez el contenido enviado aparezca en una ventana especial del *escritorio* del usuario. Castanet también puede enviar automáticamente software y actualizaciones de software, y por lo tanto crea un nuevo modelo potencialmente significativo para distribución y mantenimiento de software. El *spam* de correo electrónico es otro medio de actualización automática, pues a través de él los anunciantes de correo electrónico envían anuncios no solicitados a millones de direcciones.

QBasic   Vea *MS-DOS QBasic*.

QBE   Vea *query by example*.

QEMM 386   *Programa de administración de memoria* de Quarterdeck Office Systems que traslada controladores de *red*, programas de caché de disco, controladores de dispositivo y *programas residentes en memoria (TSR)* al *área de memoria superior*, liberando así la *memoria convencional* para programas del DOS.

QIC   Vea *quarter-inch cartridge*.

QIC-wide   Variante de la tecnología de *cartucho de cuarto de pulgada (QIC)* que usa cinta de 0.32 pulgadas de ancho, en lugar de 0.25, para aumentar la capacidad de almacenamiento.

quad density *densidad cuádruple*   Vea *high density*.

quad-issue processor *procesador cuádruple*   *Microprocesador* con una *arquitectura superescalar* de doble canal que puede manejar cuatro instrucciones al mismo tiempo.

quadrature modulation *modulación de cuadratura*   Técnica de *codificación de grupo* utilizada en *módems* para modular *la portadora*. Los módems que utilizan modulación de cuadratura pueden intercambiar datos a 2,400 *bits por segundo (bps)*. La *modulación de código enrejado* permite *tasas de transferencia de datos* más altas.

quad-speed drive *unidad de cuádruple velocidad*   Unidad de CD-ROM con capacidad de transferir datos a 600 *KB* por segundo. Las unidades de cuádruple velocidad, en general, no son cuatro veces más rápidas que las unidades de velocidad sencilla, porque el *tiempo de acceso* actúa como un cuello de botella que no puede reducirse tan fácilmente conforme aumentan las velocidades de transferencia. Estas unidades son 40% más rápidas que las *unidades de doble velocidad*.

quarter-inch cartridge (QIC) *cartucho de cuarto de pulgada*   Cartucho que emplea *cinta magnética* de un cuarto de pulgada; se usa ampliamente en los *procedimientos para hacer copias de seguridad*. La Quarter-Inch Drives Standard Association, Inc. es la responsable de los estándares para dispositivos QIC. En la siguiente tabla se presenta una lista de los diferentes formatos de almacenamiento de datos QIC:

Estándar QIC	Capacidad de almacenamiento de datos
QIC-24	60 MB (cartucho de tamaño normal)
QIC-40	40 MB (minicartucho)
QIC-80	80 MB (minicartucho)
QIC-100	40 MB (minicartucho)
QIC-120	125 MB (cartucho de tamaño normal)
QIC-128	128 MB (minicartucho)
QIC-150	250 MB (cartucho de tamaño normal)
QIC-380	380 MB (minicartucho)
QIC-535	525 MB (cartucho de tamaño normal)
QIC-1000	1 GB (cartucho de tamaño normal)
QIC-1350	1.35 GB (cartucho de tamaño normal)
QIC-3010	340 GB (minicartucho)
QIC-3020	680 MB (minicartucho)
QIC-4GB	4 GB (cartucho de tamaño normal)
QIC-5GB	5 GB (cartucho de tamaño normal)

Quatro Pro *Programa de hoja de cálculo* con múltiples funciones (desarrollado por Borland International y actualmente comercializado por Corel como parte de sus grupos de programas para oficina) que asegura incluye más *funciones integradas* que *Microsoft Excel* o *Lotus 1-2-3*, aparte de muchas funciones para usos especializados de ingeniería y finanzas.

query *consulta* En *administración de bases de datos*, solicitud de búsqueda que le indica al programa el tipo de *datos* que debe recuperar de la *base de datos*. Un sistema eficaz de administración de bases de datos permite que el usuario recupere únicamente la información que necesita para un propósito determinado. Una consulta especifica las características (criterios) empleadas para guiar a la computadora en la recuperación de la información requerida. Vea *data independence, declarative language, query language* y *SQL*.

query by example (QBE) *consulta por ejemplos* En *programas de administración de bases de datos*, técnica de consulta desarrollada por IBM y empleada en el programa QBE, que le solicita al usuario que escriba el criterio de búsqueda en una plantilla que parece un *registro de datos*.

P
Q
R

query language *lenguaje de consultas*   En *programas de administración de bases de datos*, lenguaje de recuperación y edición de datos que el usuario puede utilizar para especificar qué información recuperar y cómo organizar en pantalla la información recuperada o cuándo se imprime. Vea *query* y *SQL*.

question mark (?) *signo de interrogación*   *Símbolo comodín* que representa un solo carácter en una posición determinada, a diferencia del *asterisco* (*), que representa uno o varios caracteres. Por ejemplo, en AB?DE sólo se seleccionan los nombres de archivo o las cadenas de caracteres formados con cinco caracteres y que comiencen con AB y terminen con DE.

queue *cola de espera*   Vea *job queue* y *print queue*.

QuickBasic   Vea *MS-DOS Qbasic*.

QuickDraw   Tecnología de *gráficos orientados a objetos* y de presentación de texto guardada en la *memoria de sólo lectura (ROM)* de todas las computadoras Macintosh. Al crear los programas para Macintosh, los programadores logran un aspecto común al dibujar con los recursos de QuickDraw para crear las ventanas en pantalla, los *cuadros de diálogo*, los *menús* y las formas.

QuickTime   Extensión para el software del sistema *Macintosh* que permite que los programas que soportan QuickTime presenten secuencias animadas o de video muy bien sincronizadas con sonido digital de alta calidad. Por ejemplo, en documentos de capacitación, basta con que haga clic en un icono para ver una secuencia de video (una película) de QuickTime que presenta gráficamente una técnica o procedimiento específico.

quit *salir*   Abandonar un *programa* de manera apropiada para que todas las opciones de configuración y los datos queden guardados en forma adecuada.

QWERTY   Disposición estándar del teclado de una máquina de escribir, empleada también en los teclados de computadora. El origen del nombre del teclado proviene de las seis teclas ubicadas en el extremo izquierdo de la fila superior de teclas de letras. Se dice que las disposiciones de teclado alternativas, como la del *teclado Dvorak*, aumentan la velocidad de escritura debido a que colocan las letras empleadas más frecuentemente en la fila más accesible.

radio button *botón de opción*   En una *interfaz gráfica de usuario (GUI)*, botones redondos que aparecen en los *cuadros de diálogo*. A diferencia de las *casillas de verificación*, los botones de opción son mutuamente excluyentes; el usuario puede seleccionar una sola opción de botón dentro de un grupo.

radio frequency interference (RFI) *interferencia de radiofrecuencia*   Ruido radiofónico que generan las computadoras y otros dispositivos eléctricos y electromecánicos. Una RFI excesiva degrada mucho la recepción de señales de radio y televisión. Vea *FCC certification*.

RAID   Siglas de Arreglo Redundante de Discos Independientes. Grupo de *discos duros* bajo el control de *software* de administración de arreglos que funcionan en conjunto para mejorar el desempeño y disminuir las probabilidades de perder datos debido a fallas mecánicas o electrónicas. Para ello, utiliza técnicas como la *distribución de datos en bloques*. Debido a su complejidad y costo excesivo, las implementaciones RAID se utilizan con mayor frecuencia en *servidores de red*. Existen varios niveles de RAID, cada uno con sus ventajas y desventajas. Los arreglos RAID por lo general se usan para *servidores* de alto volumen. Vea de *RAID level 0* a *RAID level 53*.

RAID level 0 *RAID nivel 0*   Esquema *RAID* que incluye *distribución de datos en bloques* para mejorar el desempeño de los discos, pero que no ofrece protección contra pérdida de datos debido a fallas de la unidad.

RAID level 0 & 1 *RAID nivel 0 y 1*   Vea *RAID level 10*.

RAID level 1 *RAID nivel 1*   Esquema *RAID* relacionado con un arreglo de dos *discos duros* con idéntico contenido. RAID nivel 1 no emplea *distribución de datos en bloques*, de modo que no ofrece ventajas de velocidad y no es económico.

RAID level 2 *RAID nivel 2*   Esquema *RAID* que utiliza *distribución de datos en bloques* en un arreglo de hasta una docena de *discos duros*. Varias de las unidades del arreglo tienen copias de los datos que existen en otra parte, lo cual les permite detectar y corregir errores en el flujo de datos saliente. RAID nivel 2 es una de las implementaciones RAID más populares.

RAID level 3 *RAID nivel 3*   Implementación *RAID* muy parecida a *RAID nivel 2*, en la cual los *discos duros* que contengan las copias de datos que aparezcan en otra parte pueden detectar pero no corregir errores en el flujo de datos saliente. Aunque RAID nivel 3 es ligeramente más lento que RAID nivel 2 cuando ocurren errores, los modernos *discos duros* rara vez incurren en errores.

RAID level 4 *RAID nivel 4*   Implementación de *RAID* que distribuye copias de *sectores* en un arreglo de *discos duros* y que utiliza una unidad para revisar, pero no corregir, errores en el flujo de datos de salida. La técnica de copia de sectores de RAID nivel 4 es un tipo especial de *distribución de datos en bloques*.

RAID level 5 *RAID nivel 5*   Implementación de *RAID* utilizada con mayor frecuencia. RAID nivel 5 utiliza un esquema de distribución de datos basado en sectores, como *RAID nivel 4*, pero no requiere un disco especial para la revisión de los datos porque reparte esa función a través de todo el arreglo.

RAID level 6 *RAID nivel 6*   Implementación de *RAID* que permite la falla de dos *discos duros* sin pérdida de *información* y presume de una buena lectura de datos, pero también tiene una mala escritura de datos. RAID nivel 6 es parecido a *RAID nivel 5*, con la excepción de que distribuye dos copias de los datos de verificación de errores en el arreglo.

RAID level 10 *RAID nivel 10*   Implementación de *RAID* que combina la *distribución de datos en bloques* de *RAID nivel 0* con la redundancia de datos de *RAID nivel 1*. Los arreglos RAID nivel 10 tienen un alto desempeño pero no son económicos.

RAID level 53 *RAID nivel 53*   Esquema *RAID* que utiliza *distribución de datos en bloques* en dos arreglos *RAID nivel 3* separados. La serie RAID nivel 53 es muy rápida y *tolerante a las fallas*, pero su implementación es costosa.

RAM   Vea *random-access memory*.

RAM cache *caché de RAM*   Vea *cache memory*.

RAMDAC   Iniciales de convertidor digital-a-analógico de memoria de accesoaleatorio. *Chip* del *adaptador de video* que convierte tres señales *digitales* (una por cada color primario) en una señal *analógica* que se envía al monitor. Estos convertidores utilizan *memoria de acceso aleatorio (RAM)* integrada para almacenar información antes de procesarla.

RAM disk *disco de RAM*   Área de la *memoria de acceso aleatorio (RAM)* configurada por un *programa de utilerías* para emular a una *unidad de disco duro*. Es posible tener acceso a los datos que se guardan en un disco de RAM con más rapidez que a los datos guardados en una unidad de disco, pero estos datos se borran al apagar o reiniciar la computadora. Vea *configuration file*, *device driver* y *RAMDRIVE.SYS*.

RAMDRIVE.SYS   En *MS-DOS*, *archivo de configuración* incluido en el *sistema operativo*, que utiliza una parte separada de la *memoria de acceso aleatorio (RAM)* de su computadora como *disco de RAM*, mismo que MS-DOS trata como si fuera una *unidad de disco duro*. RAMDRIVE.SYS es un *controlador de dispositivos* que debe cargarse con una instrucción DEVICE o DEVICEHIGH en el *archivo CONFIG.SYS*.

random access *acceso aleatorio*   Técnica de almacenamiento y recuperación de información con que la computadora accede a la información de forma directa, sin necesidad de recorrer una secuencia de ubicaciones. El término acceso directo es más apropiado; sin embargo, acceso aleatorio está más difundido por un término análogo: *memoria de acceso aleatorio (RAM)*. Para entender la diferencia entre acceso aleatorio y *acceso secuencial*, compare un cassette (acceso secuencial) con un disco de vinilo de larga duración (acceso aleatorio).

random-access memory (RAM) *memoria de acceso aleatorio* *Memoria* principal de trabajo de una computadora, en la cual se guardan instrucciones y datos de *programas* para que la *unidad central de procesamiento (CPU)* pueda acceder a ellos directamente a través del *bus de datos externo* de alta velocidad. A la RAM se le conoce como memoria de lectura/escritura, para diferenciarla de la *memoria de sólo lectura (ROM)*, el otro componente de *almacenamiento principal* de una computadora personal. En la RAM, la CPU puede escribir y leer. La mayoría de los programas destinan parte de la RAM como espacio de trabajo temporal para guardar datos, lo que permite hacer (reescribir) las modificaciones necesarias hasta que la información esté lista para imprimirse o guardarse en un medio de *almacenamiento secundario*, como un *disco flexible* o uno *duro*. La RAM no retiene su contenido una vez que el usuario apaga la computadora, por lo cual es conveniente guardar el trabajo con frecuencia.

random-access memory digital-to-analog converter *convertidor digital-a-analógico de memoria de acceso aleatorio*   Vea *RAMDAC*.

range *rango*   En un *programa de hoja de cálculo*, *celda* o grupo rectangular de celdas adyacentes. Los rangos válidos son los formados por una sola celda, parte de una fila, parte de una columna o un bloque que abarque varias *filas* y *columnas*. Los rangos permiten realizar operaciones, como la aplicación de *formato*, en grupos de celdas. Vea *range expression* y *range name*.

range expression *expresión de rango*   En *programas de hoja de cálculo*, descripción de un *rango* que define la *celda* superior izquierda y la inferior derecha. Por ejemplo, para establecer una expresión de rango en *Lotus 1-2-3*, el usuario debe escribir la dirección de la celda inicial, dos puntos y la dirección de la celda final, de la siguiente manera: A9..B12. *Microsoft Excel* usa un punto y coma en vez de los dos puntos. Vea *range name*.

range format *formato de rango*   En un *programa de hoja de cálculo*, *formato numérico* o de *alineación de etiqueta* que se aplica a un solo *rango* de celdas ignora al *formato global*.

range name *nombre de rango*   En un *programa de hoja de cálculo*, *rango* de celdas al cual se le asigna un nombre distintivo. Un nombre de rango como "Centímetros de lluvia" es más fácil de recordar que una *expresión de rango*.

RARP   Vea *Reverse Address Resolution Protocol*.

raster *trama*   En una pantalla de computadora o de televisión, patrón horizontal de líneas que forma la imagen. En cada línea hay puntos, llamados *pixeles,* que se iluminan de manera individual.

raster font *fuente de trama*   Vea *bit-mapped font*.

raster graphics *gráficos de trama*   Vea *bit-mapped graphic*.

raster image processor (RIP) *procesador de imágenes de trama*   Dispositivo que convierte *gráficos orientados a objetos* en *gráficos de trama* antes de imprimir en los dispositivos de salida. Vea *vector-to-raster conversion program*.

rave *desvarío*   En *correo electrónico* y *grupos de noticias*, acto de sostener un argumento que apoya una posición que va más allá de los límites de la razón y la sensibilidad. Aunque esta acción es molesta, no se considera *mensaje incendiario* a menos que el argumento se exprese en términos ofensivos.

raw data *datos puros*   Datos no procesados o sin formato que aún no se ordenan, editan o representan en una forma tal que permita recuperarlos y analizarlos fácilmente.

ray tracing *trazado de rayos*   En imágenes por computadora, técnica que exige grandes recursos de cálculo para *modelizar* objetos tridimensionales mediante la aplicación de variaciones en color y sombreado que se producen al arrojar rayos de luz específicos sobre el objeto. Para crear un gráfico con trazado de rayos, el diseñador empieza por especificar el origen y la intensidad de la luz.

RBOC   Vea *Regional Bell Operating Companies*.

RC4   *Algoritmo de encriptación de clave simétrica* de amplio uso, desarrollado por RSA Data Security, Inc. La vulnerabilidad del algoritmo al análisis criptográfico (desciframiento de código) depende mucho de la longitud de la clave; incluso un analista criptográfico aficionado puede descifrar fácilmente una clave de 40 caracteres o menos. Es el método de cifrado que se utiliza en el estándar *Capa de Zócalos Seguros (SSL)*. Las restricciones de exportación del gobierno de Estados Unidos evitan el uso de claves RC4 mayores de 40 caracteres para productos exportados, lo que significa (esencialmente) que programas supuestamente "seguros", basados en encriptación RC4 de 40 caracteres son, en realidad, muy inseguros y vulnerables, y es muy posible su intercepción y decodificación mientras se transmiten en una red.

RCA plug *conector RCA*   Vea *phono plug*.

RDBMS   Vea *relational database management system*.

read *lectura*   Recuperar *datos* o instrucciones de *programa* desde un dispositivo, como un *disco flexible* o uno *duro*, para colocarlos en la *memoria de acceso aleatorio (RAM)* de la computadora.

read buffering *búfer de lectura*   Método para aumentar la velocidad aparente de acceso a disco al almacenar en chips de memoria, que operan con mayor rapidez que los discos, instrucciones de programa o datos a los que se tiene acceso con frecuencia. Vea *buffer*.

README file *archivo LÉAME*   *Archivo de texto*, incluido por lo general en el disco de instalación de los *programas de aplicación*, que contiene información de último minuto que no se alcanzó a integrar en la *documentación* del programa. Los nombres comunes de los archivos LÉAME son LÉAME.1ST, LÉAME.TXT y LEA.ME.

read-only *sólo lectura*   Capaz de ser mostrado o usado, pero no eliminado. Si el usuario edita, forma o modifica de alguna forma una pantalla de datos de sólo lectura, no podrá guardarla con el mismo *nombre de archivo*. Vea *file attribute*, *locked file* y *read/write*.

read-only attribute *atributo de sólo lectura*   En *sistemas operativos* como *MS-DOS* y *Microsoft Windows*, *atributo* de archivo guardado con un registro de *directorio* del archivo que indica si este último se puede modificar o eliminar. Si el atributo de *sólo lectura* está activado, el usuario podrá abrir el archivo, pero no cambiarlo o borrarlo; si está desactivado, podrá modificarlo o eliminarlo.

read-only memory (ROM) *memoria de sólo lectura*   Parte del *almacenamiento principal* de una computadora que no pierde su contenido cuando se interrumpe el flujo de energía eléctrica. Contiene programas esenciales de sistema que ni el usuario ni la computadora pueden borrar. Como la memoria interna está en blanco al encenderla, la computadora no puede ejecutar

ninguna función a menos que se le proporcionen las instrucciones de arranque. Estas instrucciones se guardan en la ROM.
Cada vez es mayor la tendencia a incluir partes sustanciales del
sistema operativo en los chips de la ROM, en vez de ponerlas
en un disco. Vea *EPROM* y *programmable read-only memory
(PROM)*.

read/write *lectura/escritura* Capacidad con que cuenta un dispositivo de *almacenamiento principal* o *secundario* para grabar (escribir)
y reproducir (leer) *datos* previamente grabados o guardados.

read/write file *archivo de lectura/escritura* En *MS-DOS*, *Microsoft
Windows 95* y el *OS/2*, archivo cuyo *atributo de sólo lectura* se
desactiva para poderlo modificar o eliminar. Vea *locked file*.

read/write head *cabeza de lectura/escritura* Dispositivo
magnético de grabación y reproducción que avanza y regresa
sobre la superficie de un *disco duro* o uno *flexible* para guardar
y recuperar *datos*.

read/write memory *memoria de lectura/escritura* Vea *random-access
memory (RAM)*.

Real Audio Tecnología de *audio de flujo continuo* desarrollada por
Real Audio, Inc., que permite que los usuarios de Internet empiecen
a escuchar un archivo de audio momentos después de que se ha
empezado a descargar. Tiene la calidad de una transmisión de radio
AM, que es adecuada para transmisiones de voz.

real mode *modo real* Modo operativo de los microprocesadores
Intel en que las ubicaciones de memoria se asignan directamente
de acuerdo con un conjunto limitado de registros, produciendo
un tamaño total máximo de memoria de 1 Mb (y, en la práctica,
640 Kb, debido a la asignación de parte de la memoria al uso de
los dispositivos periféricos). Los procesadores anteriores al
80286 sólo podían trabajar en modo real; el 80286 y superiores
pueden cambiarse a *modo protegido*, que les permite direccionar
cantidades mucho mayores de memoria y soportar la ejecución
confiable de dos o más programas simultáneamente (vea
multitasking).

real time *tiempo real* Procesamiento inmediato de las *entradas*,
como una transacción de punto de venta o una medición
realizada por un dispositivo *analógico* de laboratorio. Las
computadoras utilizadas en los automóviles son sistemas de
tiempo real.

real-time clock *reloj de tiempo real* Reloj alimentado por baterías
integrado en la circuitería interna de la computadora. El reloj de
tiempo real sigue marcando el tiempo aunque se apague la computadora. Cabe diferenciar este reloj del *reloj del sistema*, el cual
controla los ciclos del *microprocesador*.

reboot *reiniciar*   Arrancar de nuevo la computadora. Cuando hay una *caída* del sistema, casi siempre es necesario reiniciarlo. En la mayoría de los casos, el usuario puede reiniciar el sistema desde el *teclado*, pero en caídas graves quizá tenga que hacerlo mediante el *botón de reinicio*. Si no hay un botón de este tipo, deberá apagar la computadora y volver a encenderla. Vea *programmer´s switch*.

recalculation method *método de recálculo*   En un *programa de hoja de cálculo*, forma en que el programa vuelve a calcular el *valor de las celdas* después de que el usuario cambia el contenido de una de ellas. Vea *automatic recalculation, manual recalculation* y *recalculation order*.

recalculation order *orden de recálculo*   En un *programa de hoja de cálculo*, secuencia en que se realizan los cálculos cuando el usuario introduce nuevos *valores, etiquetas* o *fórmulas*. Entre las opciones para recálculo por lo general se incluyen *recálculo por columnas, recálculo por filas* y *recálculo natural*. Vea *optimal recalculation*.

recall *recuperación*   En una búsqueda de base de datos, medida del éxito en la recuperación de registros relacionados con el tema de búsqueda. En búsquedas con recuperación pobre existen muchos registros relevantes, pero no se recuperan.

rec hierarchy *jerarquía rec*   Una de las siete *jerarquías estándar de los grupos de noticias* en Usenet. En esta categoría se incluyen grupos de noticias relacionados con el entretenimiento, como películas, cómics, ciencia ficción o sistemas de audio.

record *registro*   Vea *data record*.

record locking *bloqueo de registro*   En un *programa de base de datos*, característica que permite a los usuarios proteger un registro de posteriores alteraciones.

record-oriented database management program *programa de administración de bases de datos orientado a registros*   *Programa de administración de bases de datos* que muestra *registros de datos* como resultado de operaciones de *consulta*, a diferencia de un *programa de administración de base de datos relacional* en que el resultado de todas las operaciones de consulta es una tabla. Vea *data retrieval, database management system (DBMS)* y *SQL*.

record pointer *apuntador de registro*   En un *programa de administración de bases de datos*, mensaje en pantalla que indica el número del *registro de datos* visible en ese momento (o en el que se encuentra el cursor).

recover *restablecer*   Regresar el *sistema de computación* al estado operativo estable anterior o restaurar los *datos* borrados o mal direccionados. El restablecimiento es necesario después de que

P
Q
R

ocurre un error de sistema o de usuario, como cuando se instruye al sistema para que *escriba* información en una unidad que no contiene un disco. Vea *undelete utility*.

recoverable error *error recuperable*   Error que no ocasiona la *caída* del *programa* o del sistema, ni el borrado irrecuperable de *datos*.

recto *frente*   En un libro o revista, es la página de la derecha, con número impar. Vea *verso*.

recursion *recursión*   En *programación*, instrucción de *programa* que hace que un *módulo* o una *subrutina* se llamen a sí mismos. Una función recursiva se puede usar para implementar estrategias de búsqueda o realizar cálculos repetitivos.

recycle bin *papelera de reciclaje*   En *Microsoft Windows 95*, icono en pantalla donde se guardan los archivos eliminados. Desde la papelera de reciclaje, el usuario puede restaurar los archivos eliminados o descartarlos permanentemente.

Red Book   Estándar (número 10149) de la *Organización Internacional de Estandares* (ISO) que describe la manera en que la música se graba en *discos compactos de audio digital (CD-DA)*.

redirection *redirección*   Vea *input/output (I/O) redirection*.

redirection operator *operador de redirección*   En *MS-DOS*, símbolo que dirige los resultados de un comando desde (o hacia) un dispositivo diferente al *teclado* y el monitor (*consola*), como un *archivo* o una *impresora*. Vea *input/output (I/O) redirection*.

redlining *marcaje con línea roja*   En *procesamiento de texto*, atributo de la pantalla (como *video inverso* o doble subrayado) que destaca el texto que los coautores han agregado al documento. El texto marcado con línea roja se resalta para que otros autores o editores sepan a ciencia cierta qué se agregó o eliminó en el documento.

reduced instruction set computer *computadora con conjunto reducido de instrucciones*   Vea *RISC*.

Redundant Array of Independent Disks *Arreglo Redundante de Discos Independientes*   Vea *RAID*.

reengineering *reingeniería*   Rediseño de la forma en que se realiza el trabajo y selección posterior de las herramientas de cómputo que mejoren el proceso del trabajo rediseñado. La computarización de un proceso no lo hace más eficiente de manera automática. Para obtener beneficios en productividad, los administradores deben reconsiderar la manera en que se trabaja y modificar el proceso para hacerlo más eficiente. Por ejemplo, en muchas compañías después de que el departamento de crédito otorga los créditos, el almacén recibe los artículos y el departamento de contabilidad expide los cheques. La estrategia de reingeniería para esta situación sería colocar computadoras en el almacén para que el equipo de esta área pueda confirmar lo recibido y después elaborar los cheques en el mismo lugar.

reflective liquid-crystal display *pantalla de cristal líquido reflejante*   Pantalla de cristal líquido (LCD) que no tiene *iluminación perimétrica* ni de *contraluz* para mejorar la legibilidad en condiciones de luz brillante. Las LCDs reflejantes por lo general son inadecuadas para exteriores.

reformat *reformatear*   En *sistemas operativos*, repetir una operación de *formateo* en un *disco flexible* o uno *duro*. En *programas de procesamiento de texto* o *de diseño de páginas*, modificar la disposición de los elementos de texto en una página.

refresh *actualizar, refrescar*   Repetir la presentación o almacenamiento de *datos* para evitar que se atenúen o se pierdan. Tanto el *monitor* como la *memoria de acceso aleatorio (RAM)* deben actualizarse de forma constante.

refresh rate *frecuencia de actualización, velocidad de actualización*   Vea *vertical refresh rate*.

REGEDIT   Programa de utilería de *Microsoft Windows 95* que permite a usuarios expertos editar directamente el *Registro*. Es preferible que los novatos no lo intenten.

regexp   Vea *regular expression*.

Regional Bell Operating Companies (RBOC)   Compañías telefónicas regionales (Baby Bells) que se crearon como consecuencia de la bancarrota de AT&T en 1982, que obligó al antiguo monopolio telefónico a dejar el negocio de la telefonía regional.

register *registro*   Localidad de *memoria* dentro de un *microprocesador*, utilizada para almacenar valores y direcciones externas de memoria mientras el microprocesador desarrolla operaciones lógicas y aritméticas en ellos. Un mayor número de registros permite a un microprocesador manejar más información al mismo tiempo.

register renaming *renombrado de registros*   Medio de permitir que el *software* diseñado para ejecutarse en *microprocesadores x86*, que sólo puede reconocer ocho *registros*, utilice los 32 o más registros disponibles en los microprocesadores más avanzados con *arquitectura superescalar*. Un microprocesador con esta capacidad distingue entre los registros que un programa x86 puede direccionar y el número real de registros disponibles, y desviará (a un registro que no está en uso) la información que de otro modo enviaría a un registro ocupado.

P
Q
R

Registry *Registro*   En *Microsoft Windows 95*, base de datos que proporciona a los programas una manera de guardar información de configuración, ubicaciones de archivos de programa y otra información necesaria para que los programas se ejecuten correctamente. El Registro reemplaza a los archivos *.INI basados en texto que se utilizaban con las aplicaciones de Windows 3.1. Vea *REGEDIT*.

regular expression (regexp) *expresión regular*   En *Unix*, sintaxis con que los usuarios pueden escribir expresiones *comodines*.

relational database management *administración de bases de datos relacionales*   Método de *administración de bases de datos* que se emplea en *Microsoft Access* y otros *programas de administración de bases de datos*. Con este método, es posible relacionar los datos guardados en *tablas* de *filas* y *columnas* de datos bidimensionales, si las tablas cuentan con una columna o un campo común. El término "relacional" sugiere la capacidad de este tipo de software de base de datos de relacionar dos tablas a partir de este campo común y construir una tercera tabla, nueva, con base en esta relación. Por ejemplo, suponga que un programa de base de datos de una librería almacena una tabla con nombres y números de cliente, y una segunda tabla con números de cliente y los temas de libros comprados por dichos clientes. Al formular una *consulta*, un usuario puede producir una tercera tabla, nueva, con los nombres de los clientes y los temas de los libros que han comprado. El número de cliente proporciona el campo común que permite la relación de las dos tablas originales.

relational database management system (RDBMS) *sistema de administración de bases de datos relacionales*   Programa de administración de *bases de datos relacionales*, en especial uno que viene acompañado de los programas de apoyo, herramientas de *programación* y *documentación* necesarios para crear, instalar y dar mantenimiento a aplicaciones personalizadas de *bases de datos*.

relational operator *operador relacional*   Símbolo empleado para especificar la relación entre dos *valores* numéricos. El resultado de un cálculo usando un operador relacional puede ser verdadero o falso. En los *lenguajes de consultas*, con frecuencia se usan operadores relacionales para determinar criterios de búsqueda. Por ejemplo, quizá el gerente de una tienda de videocintas le solicite a la computadora: "Muéstrame todos los números telefónicos de los clientes cuya entrega de videocintas sea menor o igual al 7 de mayo de 1999." En *hojas de cálculo*, por ejemplo, los operadores relacionales se emplean en fórmulas @SI para probar información, a fin de presentar valores diferentes dependiendo de si el resultado de la prueba es verdadero o falso.

Para permitir la expresión de operadores lógicos en el mundo de la computación basado en caracteres, numerosos programas usan las siguientes convenciones:

=   Igual a

<   Menor que

>   Mayor que

<=   Menor o igual que

>=   Mayor o igual que

<>   Diferente a

relative addressing *direccionamiento relativo*   En un *programa*, especificación de una localidad de *memoria de acceso aleatorio (RAM)* utilizando una expresión, con el fin de que pueda calcularse la dirección en vez de usar una *dirección absoluta*.

relative cell reference *referencia de celda relativa*   En una *fórmula* de un *programa de hoja de cálculo*, referencia al contenido de una *celda* que el programa ajusta cuando el usuario copia la fórmula a otra celda o *rango* de celdas. Para comprender lo que sucede cuando se copia una referencia de celda relativa es necesario saber cómo registra un programa de hoja de cálculo una referencia de celda. Suponga que escribe la fórmula @SUMA(C6..C8) en la celda C10. El programa registra un código que significa "Sumar todos los valores de las celdas colocadas en la segunda, tercera y cuarta filas que están arriba de la celda actual". Al copiar esta fórmula en las siguientes cuatro celdas a la derecha (D10..G10), el programa sigue leyendo "Sumar todos los valores de las celdas colocadas en la segunda, tercera y cuarta filas que están arriba de la celda actual" y suma cada columna de forma correcta. Vea *absolute cell reference* y *mixed cell reference*.

relative path *ruta relativa*   En MS-DOS y *Unix*, expresión de nombre de ruta que no especifica la ubicación exacta del directorio, sino su posición relativa (arriba o abajo) con respecto al directorio actual.

Relative URL (RELURL) *URL relativo*   Uno de los dos tipos básicos de *identificador uniforme de recursos (URI)*. Se trata de una cadena de caracteres que da el nombre de archivo de un recurso (como merlot.html), pero que no especifica su tipo ni su posición exacta. Los *analizadores sintácticos* (como los *navegadores Web*) supondrán que el recurso está localizado en el mismo directorio que contiene el RELURL. Vea *URL*.

release number *número de versión*   Vea *version*.

relevance feedback *retroalimentación de relevancia*   En *Servidores de Información de Área Amplia (WAIS)*, innovadora característica de búsqueda que permite al usuario seleccionar un *documento* muy relevante, que el *software* de búsqueda utiliza después para tratar de descubrir otros documentos relevantes. Por lo general, el usuario proporciona retroalimentación de relevancia seleccionando una *casilla de verificación* que se encuentra junto al documento que contiene el tipo de información que está buscando.

reliability *confiabilidad* Capacidad del *hardware* o *software* de computación para realizar lo que el usuario espera y hacerlo de manera consistente, sin fallas ni comportamiento errático. Vea *mean time between failures (MTBF)*.

reliable connection *conexión confiable* Vea *reliable link*.

reliable link *enlace confiable* Conexión libre de errores que se establece por medio del sistema telefónico (a pesar de su alto nivel de *ruido en la línea* y un *ancho de banda* bajo) entre dos *módems* que usan *protocolos de corrección de errores*.

RELURL Vea *Relative URL*.

remark *comentario* En un *archivo de procesamiento por lotes*, una *macro* o en *código fuente*, texto explicativo que se ignora cuando la computadora ejecuta los comandos.

remote access *acceso remoto* En *redes de área local (LAN)*, medio que permite a los usuarios itinerantes obtener acceso autenticado a los recursos de la red interna, de preferencia sin representar un riesgo de seguridad para los valiosos activos dentro de la red. El medio más simple pero económico de acceso remoto es la llamada de larga distancia directa a un *módem* dentro de la red, pero este método de acceso es riesgoso si no se cuenta con algunos medios de *autenticación fuerte*. Las empresas medianas y grandes proporcionan acceso remoto a sucursales y negocios afiliados por medio de *redes privadas de datos (PDNs)*; entre los nuevos desarrollos en esta área se incluyen las *extranets* y las *redes privadas virtuales (VPNs)*, que utilizan las conexiones de *Internet*.

remote control program *programa de control remoto* *Programa de utilería* que permite enlazar dos computadoras personales a fin de usar una para controlar el funcionamiento de la otra.

remote login *inicio de sesión remoto* Vea *remote access*.

remote management *administración remota* Característica de las más recientes *impresoras láser departamentales* que transmiten información sobre el nivel de *tóner*, suministro de papel y problemas mecánicos en la red a la persona responsable del mantenimiento de la impresora.

remote procedure call (RPC) *llamada a procedimiento remoto* En *middleware*, *protocolo* que permite que un programa solicite a otro programa, localizado en algún lugar de la red, que ejecute y proporcione la información necesaria.

remote system *sistema remoto*   La computadora o *red* a la que se conecta una computadora por medio de un *módem* y una línea telefónica. La computadora conectada al sistema remoto es una *terminal remota*.

remote terminal *terminal remota*   Vea *terminal*.

removable hard disk *disco duro removible*   *Disco duro* que emplea un cartucho de datos que puede retirarse para almacenamiento y reemplazarse con otro.

removable mass storage *almacenamiento masivo removible* Dispositivo de almacenamiento de datos con gran capacidad (como una *caja de Bernoulli* o una *unidad de cinta*), en el cual el disco o la cinta se encuentran dentro de un cartucho o un cassette de plástico y se pueden retirar de la unidad por razones de seguridad.

removable storage media *medio de almacenamiento removible*   Vea *removable mass storage*.

rendering *modelizado, representación*   En *gráficos*, conversión del esquema de un dibujo en una imagen tridimensional totalmente formada, por medio de un modelo matemático. Vea *ray tracing*.

repagination *repaginación*   Vea *pagination*.

repeater *repetidor*   En *redes de área local (LANs)*, dispositivo de *hardware* empleado para ampliar la longitud del cableado de la red y con el que se amplifican y transmiten los mensajes que pasan a través de la red. Vea *bridge* y *router*.

repeating field *campo repetitivo*   En *diseño de bases de datos*, *campo de datos* en que el usuario debe escribir reiteradamente un mismo elemento de *datos* (como nombres y direcciones de proveedores), lo que propicia muchas posibilidades de errores tipográficos u ortográficos. Vea *data integrity* y *data redundancy*.

repeating label *rótulo repetido*   En un *programa de hoja de cálculo*, carácter precedido por un *prefijo de rótulo* que hace que el carácter se repita en toda la *celda*. Por ejemplo, *Lotus 1-2-3* usa \ para repetir uno o más caracteres en una celda. La entrada \= produciría una línea de signos de igual también en toda una celda.

repeat key *tecla repetidora*   *Tecla* que introduce un mismo carácter mientras el usuario la siga oprimiendo.

repetitive strain injury (RSI) *lesión por tensión repetitiva*   También llamado trastorno traumático acumulado (CTD). Enfermedad laboral grave y potencialmente debilitante ocasionada por

P
Q
R

movimientos repetidos y prolongados de manos y brazos que pueden dañar, inflamar o inutilizar los nervios de manos, brazos, hombros o cuello. La RSI se presenta cuando una serie de movimientos repetidos constantemente presiona los tendones y los ligamentos, lo que produce la cicatrización de tejidos que comprime y, con el tiempo, inutiliza los nervios. Con la proliferación de los *teclados* de computadora, la RSI es cada vez más marcada entre los empleados de oficina y representa una verdadera amenaza para los usuarios de computadora que pasan muchas horas ante el teclado. Entre las RSIs específicas está el *síndrome del túnel carpiano (CST)*.

repetitive strees injury (RSI) *lesión por tensión repetitiva*   Vea *repetitive strain injury*.

replace *reemplazar*   En *programas de procesamiento de texto*, característica que busca una *cadena de caracteres* y la sustituye por otra.

replaceable parameter *parámetro reemplazable*   En *MS-DOS*, símbolo empleado en un *archivo de procesamiento por lotes* que MS-DOS sustituye con información escrita por el usuario. El símbolo consiste en un signo de porcentaje y un número del 1 al 9, como %1.

replication *duplicación*   En un *programa de hoja de cálculo*, la copia de una fórmula en una columna o una fila; el programa ajusta automáticamente las referencias de celda para que las fórmulas funcionen correctamente en su nueva posición.

report *informe, reporte*   En *administración de bases de datos*, salida impresa que se formatea por lo general con números de página y títulos. En la mayoría de los programas, los informes pueden incluir *campos calculados* que muestren subtotales, totales, promedios y otras cifras calculadas a partir de los datos. Vea *band*.

report generator *generador de informes*   *Programa* o *función* que permite obtener una salida impresa de una *base de datos*.

Report Program Generator (RPG)   Innovador lenguaje de programación, creado por IBM en 1965, que permitió a los programadores escribir programas capaces de generar *informes* con formato (documentos) de datos de transacciones.

Request for Comments (RFC) *Solicitud de comentarios*   Publicación de *Internet* que constituye el medio principal para la promulgación de estándares (aunque no todas las RFCs contienen nuevos estándares). Más de mil RFCs están accesibles en *centros de información de red (NIC)*. La publicación de RFCs es controlada por el *Consejo de la Arquitectura de Internet (IAB)*.

research network *red de investigación* Red de área amplia (WAN), como *ARPANET* o *NSFnet*, desarrollada y fundada por una agencia del gobierno estadounidense para elevar la productividad en la investigación de áreas de interés nacional.

ResEdit *Programa de utilería de Macintosh*, proporcionado gratuitamente por los distribuidores de *Apple Computer*, que permite editar (y copiar a otros programas) numerosas característi-cas de programa, como textos de *menú*, *iconos* y *cuadros de diálogo*.

reserved memory *memoria reservada* En la arquitectura de memoria original de la PC de IBM, localidades de memoria entre el máximo disponible de 640 Kb para los programas de usuario y la memoria máxima de 1024 Kb definida por el *modo real* de los microprocesadores de *Intel*. Dentro de este rango, ciertas partes de la memoria se reservan para el *sistema básico de entrada/salida (BIOS)* y las tarjetas de video. Para que los programas de usuario puedan aprovechar la memoria no utilizada se necesita una utilería de administración de memoria. Vea *upper memory area* y *upper memory block (UMB)*.

reserved word *palabra reservada* En *lenguajes de programación* o *sistemas operativos*, palabra (conocida también como *palabra clave*) que tiene una función fija y no se puede emplear con otro propósi-to. Por ejemplo, la palabra REM en *BASIC* está reservada para indicar el principio de un *comentario*. Sólo puede emplearse una palabra reservada con su objetivo expreso; no puede usarse para denominar archivos, *variables* u otros *objetos* denominados por el usuario.

reset button *botón de reinicio* Botón, colocado por lo general en el panel frontal de la unidad del sistema, que permite ejecutar un *arranque en caliente* cuando las *teclas de reinicio* (Ctrl+Alt+Supr) no funcionan. En las *Macintosh* antiguas, el botón de reinicio es parte del *interruptor del programador*. El término es sinónimo de *reinicio de hardware*.

reset key *teclas de reinicio* Combinación de *teclas* que, al presio-narlas, reinicia la computadora. Esta combinación de teclas (Ctrl-Alt-Supr en computadoras compatibles con IBM) es una alternativa para apagar y encender la computadora después de una *caída* del sistema. Vea *hardware reset*, *programmer's switch* y *warm boot*.

resident font *fuente residente* En contraposición con las *fuentes transferibles* o las de *cartucho*, *fuente* que se encuentra presente en la memoria de la *impresora* cada vez que ésta se enciende.

resident program *programa residente* Vea *terminate-and-stay resident (TSR) program*.

resolution *resolución* Calidad de una imagen o un sonido representado en la computadora, sobre todo en relación con su capacidad de engañar al ojo (o al oído) para que los perciba como un duplicado convincente del original. En *impresoras*, la calidad de resolución se expresa en *puntos por pulgada (dpi)* lineales. En *tarjetas de sonido*, la resolución se expresa por medio del número de *bits* usados para codificar los sonidos. La resolución determina el número de niveles con que deben representarse los sonidos grabados. Mayores resoluciones aseguran mayor fidelidad con el sonido original. Aunque una resolución de 8 bits es mínimamente aceptable para reproducción de voz, se requiere una resolución de 16 bits para reproducir los sonidos de piezas musicales complejas. En gráficos, la resolución se mide en puntos por pulgada (dpi) y *profundidad de color* (el número de colores que conforman la imagen). En *monitores*, la resolución se expresa como el número de *pixeles* que aparece en pantalla en posición horizontal y el de *líneas* que aparece en posición vertical. Por ejemplo, un monitor *CGA* muestra menos líneas que uno *VGA*; en consecuencia, una imagen CGA se ve más dentada que una VGA. En la tabla siguiente se presenta una lista de las resoluciones de los adaptadores de video comunes para las PCs de IBM y compatibles.

Adaptador	Pixeles × líneas
Adaptador de Pantalla Monocromática (MDA)	720 × 350
Adaptador de Gráficos a Color (CGA)	640 × 200
Adaptador Mejorado de Gráficos (EGA)	640 × 350
Arreglo de Gráficos Multicolores (MCGA)	640 × 480
Arreglo de Gráficos de Video (VGA)	640 × 480
Super VGA (VGA extendido)	800 × 600
Super VGA (VGA Plus)	1,024 × 768

resolution enhancement technology *tecnología de mejoramiento de la resolución* Manera de reducir la distorsión y de suavizar las curvas en una salida de *impresora láser*. La tecnología de mejoramiento de la resolución, que inserta puntos pequeños entre los puntos grandes, aumenta la *resolución efectiva*.

resource fork *bifurcación de recursos, ramificación de recursos* En el sistema de archivos *Macintosh*, una de las dos partes de un archivo (el otro es la *bifurcación de datos*). La bifurcación de recursos se utiliza para almacenar información sobre un archivo, como el número de código de la aplicación que lo creó y el icono que debe desplegarse en el Finder.

response time *tiempo de respuesta* Tiempo que necesita la computadora para responder a una solicitud. El tiempo de respuesta es una mejor medida del funcionamiento del sistema que el *tiempo de acceso*, porque establece con más precisión la *velocidad real de transporte* del sistema.

retrieval *recuperación*   Todos los procedimientos relacionados con la búsqueda, síntesis, organización, exhibición o impresión de la información proveniente de un *sistema de computación* de una manera útil para el usuario.

Return *Retorno*   Vea *Enter/Return*.

return on investment (ROI) *recuperación sobre la inversión*   Cálculo que toma en consideración el beneficio económico proyectado de una inversión en su relación con el porcentaje del costo de inversión; por ejemplo, si una empresa invierte 10,000 dólares en un nuevo sistema de computación y puede documentar 20,000 dólares en ahorros futuros debido a la instalación del sistema, la recuperación sobre la inversión es de 100 por ciento.

reusable object *objeto reutilizable*   En *programación orientada a objetos (OOP)*, *objeto* que se ha diseñado de la manera más general y personalizable posible para que pueda incorporarse rápida y fácilmente en nuevos programas. Por ejemplo, tal vez un programador desarrolle un solo objeto para la creación de una ventana en la pantalla y, cuando esto se hace, el objeto puede utilizarse en cualquier programa. La reutilización de objetos de esta manera ahorra enormes cantidades de tiempo de programación y aumenta, en consecuencia, la efectividad de ésta.

Reverse Address Resolution Protocol (RARP) *Protocolo de Resolución de Dirección de Retorno*   Estándar de *Internet* (*protocolo*) que permite a las *estaciones de trabajo sin disco* obtener una *dirección IP* para funcionar por completo como *hosts* de Internet. Vea *BOOTP*.

reverse engineering *ingeniería inversa*   Proceso de fragmentación sistemática de un *chip* de computadora o un *programa de aplicación* para descubrir cómo funcionan; se usa para imitar o copiar alguna o todas sus funciones.

Reverse Polish Notation (RPN) *Notación Polaca Inversa*   Medio de descripción de operaciones matemáticas que facilita el cálculo a las computadoras. Muchos *compiladores* convierten las expresiones aritméticas en RPN, donde la expresión "a b +" suma las variables a y b y se escribiría "a + b" en la notación convencional. El término es sinónimo de notación polaca y notación sufija. Vea *infix notation* y *prefix notation*.

reverse video *video inverso*   En *monitores monocromáticos*, medio empleado para *resaltar* texto en *pantalla* de modo que los caracteres normalmente oscuros aparezcan claros sobre un fondo oscuro, o para que los caracteres normalmente claros aparezcan oscuros sobre un fondo claro.

rewrite *reescribir*   Sinónimo de *sobreescribir*.

RFC   Vea *Request for Comments*.

RFI   Vea *radio frequency interference*.

RGB   Siglas de rojo, verde y azul. *Modelo de color* (medio que permite la descripción matemática del color) en el cual un color determinado se especifica con cantidades relativas de los tres colores primarios. La cantidad de cada color se especifica con un número que va del 0 al 255; 0,0,0 es negro, mientras que 255, 255, 255 es blanco.

RGB monitor *monitor RGB*   *Monitor digital* a color que acepta entradas separadas para los colores rojo, verde y azul y que produce una imagen mucho más definida que los *monitores a color compuestos*.

Rhapsody   Nombre de código para la siguiente generación del sistema operativo *Macintosh*, que estará basado en tecnología desarrollada por NeXT, Inc. Rhapsody presentará una interfaz de usuario muy parecida a la de *MacOS*, pero hasta allí quedarán las semejanzas: Rhapsody es esencialmente *Unix* con una interfaz amigable y sólo podrá ejecutar por emulación las actuales aplicaciones de Macintosh. Mientras Rhapsody se encuentra bajo desarrollo, Apple sigue actualizando y dando soporte a MacOS (al momento de escribir esto se acababa de liberar la versión 8.5) y promete que lo hará hasta finales del milenio.

Rich Text Format (RTF) *Formato de Texto Enriquecido*   Estándar de *formato* de texto desarrollado por *Microsoft Corporation* que permite a un *programa de procesamiento de texto* crear un archivo codificado con todas las instrucciones de formato del documento, pero sin usar *códigos ocultos* especiales. Un documento codificado en RTF se puede transmitir por medio de enlaces de *telecomunicaciones*; además, lo puede leer otro programa de procesamiento de texto compatible con RTF sin que se pierda el formato.

right justification *justificación a la derecha*   Vea *justification*.

ring network *red de anillo*   En *redes de área local (LANs)*, *topología de red* descentralizada en la cual varios *nodos* (entre ellos estaciones de trabajo, *periféricos* compartidos y *servidores de archivos*) están dispuestos alrededor de un cable de ciclo cerrado. Al igual que una *red de bus*, las estaciones de trabajo de una red de anillo envían mensajes a todas las demás estaciones.

Cada nodo del anillo tiene una dirección única y su circuitería de recepción vigila constantemente el bus para determinar si se ha enviado un mensaje. La avería de un solo nodo puede interrumpir toda la red; sin embargo, se han diseñado esquemas de *tolerancia a fallas* que permiten que las redes sigan funcionando aunque uno o más nodos lleguen a fallar. Vea *token-ring network*.

RIP   Vea *raster image processor* o *Routing Information Protocol (RIP)*.

ripple-through effect *efecto en cascada*   En un *programa de hoja de cálculo*, aparición repentina de valores ERR (de error) en todas las celdas después de que se hace una modificación que rompe un vínculo entre las *fórmulas*. Cuando sucede esto, el usuario llega a pensar que arruinó toda la hoja de cálculo, pero una vez que localiza y corrige el error se restauran las demás fórmulas.

RISC   Siglas de computadora con conjunto reducido de instrucciones. Arquitectura de *unidad central de procesamiento (CPU)* en la cual el número de instrucciones que el *microprocesador* puede ejecutar se reduce a un mínimo para aumentar la velocidad de procesamiento. La idea de la arquitectura RISC es reducir el conjunto de instrucciones al mínimo, poniendo énfasis en las que se utilizan con mayor frecuencia y optimizándolas para una ejecución lo más rápida posible. Un procesador RISC se ejecuta notablemente más rápido que su contraparte *CISC*, pero los fabricantes de CISC (como *Intel*) han reducido de manera sustancial la brecha en el desempeño al incluir muchas de las características de diseño que se encuentran en las arquitecturas RISC.

river *callejón*   En *autoedición (DTP)*, imperfección de formato que produce la alineación accidental de *espacios en blanco* entre palabras de renglones consecutivos, lo que estimula al ojo a seguir el flujo tres o más líneas hacia abajo. Los callejones afectan lo que los tipógrafos llaman el *color* de la página.

RJ-11   Nombre estandarizado para el conector modular de cuatro alambres utilizado en las conexiones telefónicas y de *módem*. Vea *modular jack*.

RJ-45   Nombre estandarizado para el conector de ocho pines utilizado en las conexiones de red *10 Base-T*.

RLE   Vea *Run-Lenght Encoding*.

RLL   Vea *Run-Length Limited*.

rlogin   Utilería de *Unix* que permite a los usuarios de una máquina conectarse con otros sistemas Unix a través de Internet y obtener control completo sobre la operación de otra máquina. Esta utilería se implementa en muy pocas ocasiones debido a sus obvias amenazas a la seguridad.

rn   En *Usenet*, *lector de noticias* sin función de encadenamiento para sistemas *Unix*. Escrito por Larry Wall a mediados de 1980, rn ha sido reemplazado por *lectores de noticias* con encadenamiento como *trn*, *tin* y *nn*.

robust *robusto*   Capaz de sobrevivir a condiciones excepcionales y errores impredecibles; relativamente libre de errores y tolerante a fallas.

ROI   Vea *return on investment*.

ROM   Vea *read-only memory*.

Roman   En *tipografía*, tipo recto con "patines" (o *serif*) y *peso* intermedio. En lectura de pruebas, caracteres sin estilo de negritas o cursivas.

root *raíz*   En *Unix*, cuenta administrativa que permite al poseedor de la cuenta pasar por alto los permisos de archivo y buscar libremente en los directorios de archivos de la computadora. Un objetivo fundamental de los intrusos de sistemas es obtener el estado de usuario raíz, que permite acceder al archivo cifrado de contraseñas; este archivo se puede analizar con programas de desciframiento de contraseñas y, de tener éxito en el desciframiento, se puede romper la seguridad del sistema.

root directory *directorio raíz*   En un *disco duro* o uno *flexible*, *directorio* de nivel superior creado por *MS-DOS* y *Microsoft Windows 95* al formatear un disco. Vea *parent directory* y *subdirectory*.

root name *nombre raíz*   Primera parte, obligatoria, de un *nombre de archivo* de *MS-DOS* que consta de uno a ocho caracteres. Vea *file extension*.

rot-13   En *grupos de noticias de Usenet*, técnica simple de encriptación que recorre cada carácter 13 lugares (por lo que una e se convierte en una r, por ejemplo). Este tipo de encriptación se usa en cualquier mensaje que pudiera arruinar la diversión a algún usuario (como en el caso de darle la solución de un juego) u ofender a otros (como en una poesía erótica). Si el lector decide desencriptar el mensaje con el comando adecuado, él asumirá (y no el autor del mensaje) la responsabilidad de la incomodidad que pueda causarle la lectura del mensaje. Últimamente, rot-13 ha caído en desuso. Vea *netiquette* y *spoiler*

rotated type *texto girado*   En un *programa de gráficos,* de *procesamiento de texto* o de *autoedición (DTP)*, texto girado en forma vertical a partir de la posición horizontal normal que ocupa en la página. Los mejores programas de gráficos, como CorelDRAW!, permiten editar el texto aun después de haberlo girado.

rotation tool *herramienta de rotación*   En un programa *de gráficos* o de *autoedición (DTP)*, opción de comando, representada por un *icono*, con la que el usuario gira texto a partir de su posición horizontal normal. Vea *rotated type*.

roughs *borradores*   En *autoedición (DTP)*, muestras preliminares de página que el diseñador crea con bocetos para representar las ideas del diseño.

router *encaminador, enrutador, ruteador*   En una *red de conmutación de paquetes* como *Internet*, uno de los dos dispositivos básicos (el otro es el *host*). Un ruteador es un dispositivo electrónico que examina cada paquete de datos que recibe y luego decide de qué manera enviarlo a su destino.

Routing Information Protocol (RIP) *Protocolo de Información de Ruteo*   Protocolo de *Internet* que rutea los datos dentro de una red *TCP/IP* interna con base en una tabla de distancias. Una versión más reciente y sofisticada de este protocolo es el Protocolo de Puerta de Enlace Interior *OSPF*.

routine *rutina*   Módulo de programa que realiza una tarea bien definida. El término es sinónimo de *subrutina*.

row *fila*   En un *programa de hoja de cálculo*, bloque de *celdas* que cruzan horizontalmente la hoja de cálculo. En la mayoría de los programas las filas se enumeran de arriba abajo. En una *base de datos*, una fila es lo mismo que un registro o *registro de datos*.

row-wise recalculation *recálculo por filas*   En *programas de hoja de cálculo, orden de recálculo* que calcula todos los valores de la fila 1 antes de pasar a la 2, y así sucesivamente. Vea *column-wise recalculation* y *optimal recalculation*.

RPC   Vea *remote procedure call*.

RPG   Vea *Report Program Generator*.

RPN   Vea *Reverse Polish Notation*.

RS-232C   Estándar recomendado por la Electronic Industries Association (EIA), relacionado con la transmisión de *datos* entre computadoras que usan *puertos seriales*. Casi todas las *computadoras personales* contienen un puerto serial compatible con RS-232, que puede usarse para *módems* externos, *impresoras*, escáneres y otros *periféricos*.

P
Q
R

RS-232C port *puerto RS-232C*   Vea *serial port*.

RS-422   Estándar recomendado por la Electronic Industries Association (EIA) y empleado como estándar de *puerto serial* en computadoras *Macintosh*. El RS-422 controla la transmisión asíncrona de datos a velocidades de hasta 920,000 bits por segundo.

RSA Data Security, Inc.   Editor líder de software de encriptación. La compañía posee patentes de varios de los algoritmos de encriptación más utilizados, entre ellos el *algoritmo de encriptación de clave pública RSA*, estándar mundial *de facto*, y varios *algoritmos de encriptación de clave simétrica*, incluyendo *RC4*, que es parte del estándar *Capa de Zócalos Seguros (SSL)*.

RSA public key encryption algorithm *algoritmo de encriptación de clave pública RSA*   El algoritmo más popular para *encriptación de clave pública* y estándar mundial *de facto*. RSA Data Security, Inc., posee una patente de este algoritmo, que es confidencial; no obstante, el algoritmo se ha incorporado en varios *protocolos* importantes, entre ellos *S/MIME* y *Capa de Zócalos Seguros (SSL)*. Vea *Diffie-Hellman public key encryption algorithm*.

RSI   Vea *repetitive strain injury*.

RTF   Vea *Rich Text Format*.

RTFM   Siglas de "Lee el Manual".

rule *pleca*   En *gráficos* y *autoedición (DTP)*, línea delgada, horizontal o vertical.

ruler *regla*   En muchos programas de *procesamiento de texto* o de *autoedición (DTP)*, barra en pantalla que mide horizontalmente la página en que aparecen los márgenes, *tabulaciones* y *sangrías* de párrafo.

run *correr, ejecutar*   Poner a funcionar un *programa*.

Run-Lenght Encoding (RLE) *Codificación de Ejecución Longitud*   Algoritmo de *compresión de datos* que busca secuencias de datos comunes y las *reemplaza* con un código más corto. RLE es una técnica de compresión *sin pérdida* porque es posible restaurar totalmente los datos originales revirtiendo el proceso de codificación.

Run-Length Limited (RLL) *Almacenamiento de Ejecución-Longitud Limitada*   Método para guardar y recuperar información en un *disco duro*. Comparado con las técnicas de *doble densidad*, este método incrementa por lo menos en 50% la cantidad de *datos* que puede guardar un disco duro. El mejoramiento de la densidad de almacenamiento se consigue traduciendo la información a un nuevo formato digital que se puede escribir de manera más compacta en el disco. Vea *Advanced Run-Lenght Limited (ARLL)* y *Modified Frequency Modulation (MFM)*.

r/w

running head *encabezado*   Vea *header*.

runtime version *versión de ejecución*   Versión limitada de un *programa* de apoyo que acompaña a otro *programa de aplicación*. Por ejemplo, las primeras versiones de *Microsoft Excel* se vendían con versiones de ejecución de Microsoft Windows para los usuarios que aún no tenían Windows.

r/w   Abreviatura común de *lectura/escritura*, lo que significa que el *archivo* o dispositivo está configurado para que usted pueda escribir *datos* o leer información de él. Vea *read/write file*.

P
Q
R

SAA Vea *System Application Architecture*.

safe format *formateo seguro*   Método para formatear discos que no destruye los datos, con el fin de que sea posible recuperarlos si es necesario. Para formatear discos de esta manera en *MS-DOS*, use el comando FORMAT sin el modificador /u.

safe mode *modo seguro*   En *Microsoft Windows 95*, modo de inicio en que el *sistema operativo* inicia sin las extensiones agregadas por el usuario. Este modo permite al usuario determinar cuál de los programas recientemente añadidos está provocando problemas.

sampling rate *tasa de muestreo*   Frecuencia con que un dispositivo de grabación, como una *tarjeta de sonido*, toma lecturas del sonido que está grabando. Las tarjetas de sonido de alta calidad, como las que se utilizan para grabar discos compactos de audio, tienen tasas de muestreo de 44.1 *kilohertz (KHz)* o mayores. Aunque las tarjetas de sonido con tasas de muestreo menores tal vez sean adecuadas para grabar ruidos simples o incluso clips de voz, no lo son para grabar música.

sandbox *caja de arena*   En *Java*, área segura para la ejecución de *applets*, creada por la *máquina virtual de Java* y en la cual los applets no pueden tener acceso al sistema de archivos de la computadora.

sans serif *sans serif*   *Tipo de letra* sin patines, que son los trazos rectos o curvos que adornan los extremos del cuerpo principal de un carácter. *Helvetica* y Arial son dos fuentes sans serif de uso general. Los tipos sans serif son preferibles como *fuentes de pantalla*, pero al usarlos en el *cuerpo del texto* son menos legibles que los serif, como Times Roman.

SASI Vea *Shugart Associates Standard Interface*.

SATAN Herramienta de diagnóstico de seguridad de red que examina exhaustivamente una red y revela agujeros de seguridad. SATAN es una espada de doble filo: en manos de administradores de red es una herramienta valiosa para detectar y cerrar agujeros de seguridad; en manos de intrusos es una herramienta igualmente valiosa para revelar los agujeros restantes y obtener *acceso no autorizado* a una red.

satellite *satélite*   1. En un *sistema multiusuario*, *terminal* o *estación de trabajo* enlazada con una computadora *host* centralizada. 2. En la salida de *impresoras de inyección de tinta* y *láser*, extraña mancha de tinta en el área que rodea a los caracteres y en la que no debería haber tinta.

saturation *saturación*   1. En un *dispositivo de carga acoplada (CCD)*, el grado en que los pixeles pueden sostener una carga y susténtar, por lo tanto, el aspecto de un color plano en la pantalla. 2. En monitores, el grado en que la pantalla puede diferenciar entre colores y mostrar cada color con exactitud en toda el área de la pantalla.

save *guardar*   Transferir *datos* de la *memoria de acceso aleatorio (RAM)* de una computadora, donde son vulnerables a la eliminación, a un medio de almacenamiento, como una *unidad de disco*.

sawtooth distortion *distorsión dentada*   Vea *aliasing*.

scalability *escalabilidad*   Capacidad del hardware o el software de dar servicio a un número creciente de usuarios. Un *servidor* con capacidad para atender a una docena de usuarios, tal vez falle de manera catastrófica cuando el número de usuarios crezca a mil. Un sistema escalable incluye un trayecto de actualización que permite a los administradores agregar capacidad extra a medida que se vaya necesitando, cuidando que no se degrade el desempeño del sistema.

scalable font *fuente escalable*   *Fuente para pantalla* o *impresora* cuyo tamaño se puede ampliar o reducir a cualquier valor, dentro de un rango especificado, sin producir distorsiones desagradables. Aunque la tecnología de *fuentes perfiladas* se usa con más frecuencia para suministrar tipos escalables, también se emplean otras tecnologías (entre ellas la de las fuentes de trazos, en la cual un carácter se forma a partir de una matriz de líneas). Las fuentes escalables más populares para sistemas *Macintosh* y *Windows 95* son *PostScript* y *TrueType*. Vea *bit-mapped font*.

scalar architecture *arquitectura escalar*   Diseño de un *microprocesador* con un solo *canal*. Los de múltiples canales tienen *arquitectura superescalar*.

scale-up problem *problema de escalamiento*   En una *red*, problema técnico causado por la expansión del sistema más allá de su tamaño máximo proyectado. Por ejemplo, toda computadora conectada a *Internet* debe tener su propia dirección única, llamada *dirección IP*. Sin embargo, los diseñadores de Internet nunca imaginaron lo popular que se convertiría esta red y no apartaron un número suficiente de direcciones IP. La red tendrá que volverse a rediseñar desde abajo (esto es, con un nuevo *protocolo IP*, llamado *IPv6*, para resolver el problema).

scale well *escalamiento exitoso*   Manejar aumentos muy grandes de tamaño o alcance de uso sin *problemas de escalamiento*.

scaling *escalamiento*   1. En gráficos, cambio de tamaño de una imagen. 2. En *gráficos para presentaciones*, ajuste del *eje Y* (eje de valores) seleccionado por el programa, para destacar las diferencias de los datos. La mayoría de los programas de *gráficos para presentaciones* gradúa el eje Y, pero quizá el escalamiento elegido por el programa sea insatisfactorio. El escalamiento manual produce mejores resultados.

scanner *digitalizador, escáner*   *Periférico* que digitaliza ilustraciones o fotografías y guarda la imagen como un *archivo* que el usuario puede combinar con texto en numerosos *programas de procesamiento de texto* o de *diseño de páginas*.

scanning pass *pasada de digitalización*   Viaje realizado por los *dispositivos de carga acoplada* (CCD) del escáner sobre el material que habrá de digitalizarse. Aunque los *escáneres de una pasada* son más populares que los de *triple pasada*, no siempre son más rápidos que estos últimos.

scan rate *frecuencia de barrido*   Vea *vertical refresh rate*.

scatter diagram *diagrama de dispersión*   *Gráfico* analítico en el que los elementos de *datos* se dibujan como *puntos* en dos ejes numéricos. Los diagramas de dispersión presentan relaciones de agrupamiento mediante datos numéricos. Las revistas de computación a menudo presentan diagramas de este tipo para comparar sistemas de computación configurados en forma similar, con los precios en un eje y el resultado de la prueba de rendimiento en el otro para diferenciar computadoras lentas y caras de computadoras rápidas y económicas.

scatter plot *gráfico de dispersión*   Vea *scatter diagram*.

scientific notation *notación científica*   Método para expresar cifras muy grandes o muy pequeñas como potencias de 10 (por ejemplo, 7.24×10^{23}). En programas de *hoja de cálculo*, la notación científica se expresa por lo general mediante el símbolo E, que representa la palabra exponente, de la manera siguiente: 7.24E23.

sci hierarchy *jerarquía sci*   En la *jerarquía estándar de grupos de noticias de Usenet*, categoría de *grupos de noticias* dedicada a temas científicos. En la categoría se incluyen grupos que tratan sobre astronomía, biología, ingeniería, geología, matemáticas, psicología y estadística.

scissoring *recorte*   En *gráficos*, técnica de edición empleada para cortar una imagen a un tamaño determinado por un recuadro que se coloca sobre la imagen.

Scrapbook *Apuntador* En *Macintosh, accesorio de escritorio (DA)* que puede guardar las imágenes usadas con más frecuencia (por ejemplo, el logotipo de una compañía), las cuales se pueden insertar después en otros *documentos*.

screen blanking *blanqueado de la pantalla* Esquema obsoleto de conservación de energía, muy inferior a la *señalización para la administración de energía de la pantalla (DPMS)*. Los *monitores* con capacidad de blanqueado se ponían en blanco cuando reconocían que un *protector de pantalla* entraba en funcionamiento, ahorrando electricidad pero no tanta como la que se ahorra con el monitor DPMS y el *adaptador de video*.

screen capture *captura de pantalla* Copia de una pantalla que se guarda como archivo de texto o de imagen en un disco. Las capturas de pantalla pueden imprimirse posteriormente en libros o informes para mostrar el aspecto de la pantalla de la computadora en cierto punto del programa.

screen dump *vaciado de pantalla* Impresión del contenido actual de la pantalla, sin tratar de formatear estéticamente los datos impresos. Vea *Print Screen (PrtScr)*. También se usa en ocasiones (inadecuadamente) para referirse a una *captura de pantalla*, en la cual un programa de captura de imágenes procesa la imagen guardada para imprimirla en forma atractiva.

screen element *elemento de pantalla* En *Microsoft Windows 95*, componente de una pantalla, como *cuadros de diálogo*, bordes, *botones, casillas de verificación* y *barras de desplazamiento*.

screen flicker *parpadeo de pantalla* Vea *flicker*.

screen font *fuente de pantalla* *Fuente de mapa de bits* diseñada para imitar la apariencia de *las fuentes de impresora* cuando se muestra en monitores de mediana resolución. Las impresoras láser actuales pueden imprimir texto con una *resolución* de 300 o más *puntos por pulgada (dpi)*, pero los monitores, con excepción de las unidades profesionales más costosas, carecen de una resolución tan alta y son incapaces de presentar la apariencia de los *tipos de letra* con tal precisión. Por ello, lo que ve en pantalla no es necesariamente tan bueno como lo que obtiene al imprimir. Adobe Type Manager (ATM), de Adobe International, y el estándar *TrueType* desarrollado por *Apple Computer* y *Microsoft Corporation,* proporcionan fuentes excelentes para pantalla que tienen una apariencia muy similar a la de las fuentes para impresora. Vea *outline font*.

screen memory *memoria de pantalla* Vea *video memory*.

screen pitch *paso de pantalla* Vea *dot pitch*.

screen saver *protector de pantalla* *Programa de utilería* que cambia el despliegue en la pantalla (por la escena de un acuario o un patrón variable de líneas) mientras la computadora está inactiva. En el pasado, los protectores de pantalla eran necesarios para evitar que la pantalla "se quemara", lo que podría dañarla al grabar una imagen "fantasma" permanente de una imagen presentada con mucha frecuencia en los receptores de fósforo de la pantalla. Pero los fósforos avanzados de hoy en día no son susceptibles de quemarse, de modo que no se requiere el uso de protectores de pantalla para mantenimiento del sistema. Algunos protectores cuentan con utilerías de contraseña, de modo que se vuelven muy útiles para ocultar el contenido de la pantalla cuando los usuarios están alejados de sus escritorios.

script *script, secuencia de comandos*   Serie de instrucciones, parecidas a una *macro* y escritas en texto simple, que le indican a un programa cómo ejecutar un procedimiento específico; por ejemplo, cómo conectarse a un sistema de *correo electrónico*. Algunos programas integran capacidades para elaborar scripts. El usuario debe aprender a escribir scripts mediante un *lenguaje de programación* relativamente sencillo. Algunos programas escriben el script de forma automática grabando las teclas que el usuario oprime y los comandos que selecciona conforme lleva a cabo el procedimiento. Vea *HyperTalk* y *scripting language*.

scripting language *lenguaje de creación de scripts*   Lenguaje de *programación* simple diseñado para permitir a los usuarios de computadora escribir con rapidez programas útiles. Ejemplos de lenguajes de creación de scripts son *HyperTalk* (el lenguaje para crear scripts para la aplicación *HyperCard de Macintosh*) y *perl*, que se utiliza ampliamente para escribir scripts de *Interfaz Común de Puerta de Enlace (CGI)* para procesamiento de formularios en *World Wide Web (WWW)*.

scroll *desplazar*   Mover la *ventana* horizontal o verticalmente para cambiar su posición respecto a un *documento* u *hoja de trabajo*. En algunos programas el desplazamiento puede distinguirse con toda claridad del movimiento del *cursor*; al hacer un desplazamiento, el cursor se queda fijo. Sin embargo, en otros programas, al desplazar la pantalla también se mueve el cursor.

scroll arrow *flecha de desplazamiento*   En una *interfaz gráfica de usuario (GUI)*, flecha que apunta hacia arriba, hacia abajo, a la izquierda o la derecha y que el usuario activa con el ratón para desplazar la pantalla en la dirección deseada. Las flechas de desplazamiento se localizan en los extremos de las *barras de desplazamiento*.

scroll bar/scroll box *barra de desplazamiento/cuadro de desplazamiento*   Componente de una *interfaz gráfica de usuario (GUI)* que proporciona capacidades de desplazamiento horizontal y vertical mediante áreas de desplazamiento rectangulares a la derecha y en la parte inferior de la ventana. Para desplazar el *documento* horizontal o verticalmente, basta con que haga clic sobre las *barras o flechas de desplazamiento* o que arrastre los cuadros de desplazamiento.

Scroll Lock key *tecla Bloq Despl* En *teclados compatibles con la PC de IBM*, *tecla de conmutación* que, en algunos programas, conmuta las *teclas de dirección del cursor* entre dos modos distintos. La función exacta de esta tecla varía de un programa a otro.

SCSI Vea *Small Computer System Interface*.

SCSI-1 Nombre dado con frecuencia a la *Interfaz Pequeña para Sistemas de Computación (SCSI)* original, que permite *tasas de transferencia de datos* de hasta 5 MB por segundo en un bus de 8 bits.

SCSI-2 Versión actual del estándar *Interfaz Pequeña para Sistemas de Computación (SCSI)*. Reduce los conflictos entre dispositivos en una *cadena de margarita* e incluye un conjunto de comandos comunes que permite el funcionamiento simultáneo y sin problemas de diferentes tipos de dispositivos (como escáneres, unidades de CD-ROM y de copias de seguridad en cinta). SCSI-2 define un modo *Fast SCSI* (con una *tasa de transferencia de datos* de hasta 10 MB por segundo), además de un modo *Ultra SCSI* con tasas de transferencia de datos de hasta 20 MB por segundo. Ambos estándares necesitan un bus de 8 bits. Versiones más modernas de estos estándares utilizan un bus de 16 bits: *Fast Wide SCSI* transfiere datos a 20 MB por segundo, mientras que *Ultra Wide SCSI* los transfiere a 40 MB por segundo. Para distinguir los primeros estándares de 8 bits de los nuevos de 16 bits ("anchos"), a Fast SCSI (de 8 bits) a veces se le llama Fast/Narrow SCSI, mientras que a Ultra SCSI (de 8 bits) a veces se le llama Ultra/Narrow SCSI.

SDH Siglas de *Synchronous Digital Hierarchy*, nombre internacional de *SONET*.

SDRAM Siglas de memoria síncrona y dinámica de acceso aleatorio. Tecnología de *memoria de acceso aleatorio (RAM)* de alta velocidad que puede sincronizarse con la *velocidad de reloj* del bus de datos del *microprocesador*. Más rápida que *EDO RAM*, SDRAM es la tecnología de memoria preferida para *sistemas de alta calidad*.

search and replace *buscar y reemplazar* Vea *replace*.

search engine *buscador, máquina de búsqueda, motor de búsqueda* Cualquier *programa* que localiza la información necesaria en una *base de datos*, pero sobre todo es un servicio de búsqueda que permite buscar información en Internet. Para utilizar una máquina de búsqueda, el usuario escribe una o más palabras clave; el resultado es una lista de *documentos* o *archivos* que contienen una o más de esas palabras en sus títulos, descripciones o texto. Las bases de datos de casi todas las máquinas de búsqueda de Internet contienen documentos de *World Wide Web (WWW)*; algunas también contienen elementos encontrados en menús *Gopher* y en *archivos FTP*. La compilación de la base de datos requiere una rutina de búsqueda automatizada llamada *araña* (formularios que llenan los autores de contenido para Web) o una búsqueda de otras bases de datos de documentos de Internet. Vea *AltaVista*, *HotBot*, *InfoSeek*, *Lycos* y *WebCrawler*.

secondary cache *caché secundario*   *Memoria caché* que se encuentra en la *tarjeta madre*, no dentro del *microprocesador*. También llamada memoria caché L2, mejora de manera importante el desempeño del sistema y es esencial para todo *sistema de computación*. Hay varios tipos de memoria caché secundaria, que van desde el *caché de mapeo directo* que es lento pero barato, hasta el rápido y caro *caché* de *conjunto asociativo de cuatro vías*. La memoria caché secundaria de *retroescritura* es mejor que la de *escritura directa*. Vea *full-associative cache*.

secondary key *clave secundaria*   En una operación de ordenamiento realizada en una *base de datos*, es la segunda clave utilizada para ordenar los datos, en un segundo agrupamiento, después de que se ha realizado un primer agrupamiento a partir de la *clave principal*. Por ejemplo, tal vez un usuario requiera ordenar una lista de correo por código postal (la clave principal); dentro de un código postal determinado, se realiza un segundo ordenamiento que organiza los registros por apellido.

secondary storage *almacenamiento secundario*   Medio de almacenamiento no volátil, como una *unidad de disco*, que guarda instrucciones de programa y datos, incluso después de apagar la computadora. El término es sinónimo de *almacenamiento auxiliar*. Vea *primary storage*.

second-generation computer *computadora de segunda generación*   Tipo antiguo de computadora construido en la década de los años 50 y a principios de los 60, con transistores alambrados a mano en lugar de bulbos.

second-generation programming language *lenguaje de programación de segunda generación*   Primer lenguaje de programación, llamado *lenguaje ensamblador*, que permitió a los programadores trabajar a un nivel de abstracción más alto que el *lenguaje de máquina*.

second-person virtual reality *realidad virtual de segunda persona*   Sistema de *realidad virtual (VR)* que presenta una pantalla de video de alta definición y una cabina con controles de desplazamiento, como en los programas de simulación de vuelo. Este tipo de realidad virtual es menos atractivo que los mundos generados por computadora que pueden explorarse a través del uso de visores y *guantes sensores* (de allí el término "segunda persona").

sector *sector*   En un *disco flexible* o uno *duro*, segmento de una de las pistas concéntricas codificadas en el disco durante un *formateo de bajo nivel*. En computación *compatible con la PC de IBM*, un sector contiene por lo general 512 *bytes* de información. Vea *cluster*.

sector interleave *intercalación de sectores*   Vea *interleaving*.

sector interleave factor *factor de intercalación de sectores*   Vea *interleave factor*.

Secure Sockets Layer *Capa de Zócalos Seguros*   Vea *SSL*.

security *seguridad*   Protección de información valiosa almacenada en sistemas de computación o transmitida a través de redes de computadoras. La seguridad en computadoras incluye las siguientes áreas:

- **Autenticación, autentificación** (asegura que los usuarios sean quienes afirman ser).

- **Control de acceso** (asegura que los usuarios sólo accedan a los recursos y servicios para los que tengan permiso).

- **Confidencialidad** (asegura que nadie sin autorización examine información transmitida o guardada).

- **Integridad** (asegura que nadie sin autorización modifique información transmitida o guardada).

- **No rechazo, no repudio** (asegura que a usuarios calificados no se les niegue el acceso a servicios que legítimamente tengan derecho a recibir, y que quien envíe un mensaje no pueda negar que él lo ha enviado).

seek *buscar*   En una *unidad de disco*, localizar una zona específica del disco y colocar la *cabeza de lectura/escritura* para que puedan recuperarse los *datos* o las *instrucciones* de un programa.

seek time *tiempo de búsqueda*   En un dispositivo de *almacenamiento secundario*, tiempo que tarda en llegar la *cabeza de lectura/escritura* a la ubicación correcta en el disco. Vea *access time*.

segmented memory architecture *arquitectura de memoria segmentada*   Diseño de memoria de computadora en el cual las *direcciones* de localidades específicas en la *memoria de acceso aleatorio (RAM)* se especifican por medio de segmentos (direcciones base) y desplazamientos (el número de elementos de datos de distancia a la dirección base). El uso de segmentos y desplazamientos permite a los diseñadores de sistemas de cómputo utilizar más memoria del sistema de la que permitiría el ancho del *bus de direcciones*.

select *seleccionar*   *Resaltar* parte de un *documento* para que el *programa* pueda identificar el material donde usted quiere ejecutar la siguiente operación. Además de seleccionar texto, puede resaltar o seleccionar un elemento de un *cuadro de lista* o seleccionar un elemento de una *casilla de verificación* para activarlo o desactivarlo.

selection *selección*   1. Parte de un texto o imágenes de un documento que han sido resaltados en *video inverso* para formatearlos o editarlos. 2. En programación, estructura de control condicional o de bifurcación. 3. En *programas de administración de bases de datos*, recuperación de registros mediante una *consulta*. Vea *branch control structure*.

self-extracting archive *archivo autoextraíble*   Archivo comprimido que contiene el software necesario para descomprimirse por sí solo. Al hacer doble clic en un archivo autoextraíble se pone en ejecución la parte de descompresión del programa y se descomprimen los archivos.

semantic net *red semántica*   En teoría de *hipertexto*, conjunto de conexiones entre las ideas de un *documento*. Para crear un documento de hipertexto, primero debe "fragmentarse" el documento (dividirlo en fragmentos o unidades de significado). Por ejemplo, un documento de hipertexto sobre los vinos de California podría dividir el documento en las siguientes categorías: viñedos, variedades de vinos, historia del vino en California, clima de las áreas donde crecen las vides e investigación científica sobre la producción del vino. Un documento aparte cubriría cada uno de estos temas. Los *hipervínculos* dentro del documento explotan toda conexión posible con cada documento diferente en la serie de documentos vinculados, a lo que se le llama red semántica (este término es sinónimo de web).

semiconductor *semiconductor*   Material como el silicio o el germanio, que conduce menos la electricidad que los mejores conductores eléctricos como el cobre y los materiales aislantes. Se pueden ensamblar obleas o *chips* semiconductores de resistencia variable para crear una diversidad de dispositivos electrónicos. En las *computadoras personales* se emplean materiales semiconductores en los *microprocesadores*, *memoria* y otros circuitos. Vea *integrated circuit (IC)*.

sendmail   Utilería de *Unix* que envía *correo electrónico* en *Internet* cumpliendo con el protocolo *SMTP*. Los mensajes se originan mediante un *cliente de correo electrónico* como *Eudora* o *Netscape Messenger*, y el programa que los recibe y almacena cumple con el *Protocolo de Oficina Postal (POP)*.

send statement *instrucción de envío*   En el *lenguaje de scripts* de un programa de marcado directo *SLIP* o *PPP*, instrucción que le indica al programa que envíe ciertos caracteres. Las instrucciones de envío

siguen a las *instrucciones de espera*, que le indican al programa que
espere hasta que la computadora del proveedor de servicios envíe
ciertos caracteres a su computadora.

sensor glove *guante sensor*   En sistemas de *realidad virtual (VR)*,
dispositivo que se coloca en una mano y permite al usuario manejar
y mover objetos *virtuales* en un ambiente de realidad virtual. Vea
head-mounted display (HMD).

sequence control structure *estructura de control de secuencia*   Es-
tructura de control que indica a la computadora que ejecute las
instrucciones de un programa de acuerdo con el orden en que
fueron escritas. La estructura de control de secuencia, una de las
tres *estructuras de control* fundamentales que gobiernan el orden en
que se ejecutan las instrucciones de un *programa*, es la opción
predeterminada de todos los *lenguajes de programación*. Para
cambiar la secuencia, puede usar ciclos o *estructuras de control de
bifurcación*.

sequential access *acceso secuencial*   Técnica de almacenamiento y
recuperación de *información* en que la computadora se debe mover
a través de una secuencia de elementos de datos almacenados para
llegar al dato deseado. Los medios de acceso secuencial, como las
grabadoras de cinta, son más lentos que los medios de *acceso
aleatorio*, como las *unidades de disco duro*.

serial *serie, serial*   Vea *asynchronous communication, multitasking,
parallel port, serial communication* y *serial port*.

serial communication *comunicación serial*   Tipo de comunicación
electrónica que, a diferencia de la *comunicación en paralelo*,
requiere que los *bits de datos* se envíen uno después de otro, en
lugar de enviarse todos al mismo tiempo. Los *módems* dependen de
la comunicación serial para enviar datos a través de las líneas
telefónicas. Vea *serial port*.

Serial Line Internet Protocol *Protocolo Internet de Línea Serial*   Vea
SLIP.

serial mouse *ratón serial*   *Ratón* diseñado para que se conecte
directamente a uno de los *puertos seriales* de la computadora. Vea
bus mouse.

serial port *puerto serial*   *Puerto* que sincroniza y controla la
comunicación asíncrona entre la computadora y otros dispositivos,
como *impresoras seriales, módems* y otras computadoras. El puerto
serial no sólo envía y recibe información asíncrona en su flujo de
un-bit-después-de-otro, sino que también negocia con el dispositivo
receptor para garantizar que el envío y la recepción se lleven a cabo
sin pérdida de datos. La negociación se lleva a cabo mediante *un
acuerdo de conexión de hardware* o *software*. Vea *FireWire, RS-232C*
y *Universal Asynchronous Receiver/Transmitter (UART)*.

serial printer *impresora serial   Impresora* diseñada para conectarse al *puerto serial* de la computadora. Debido a la dificultad inherente para configurar impresoras seriales, la mayoría de las impresoras actuales están diseñadas para utilizar el *puerto paralelo* de la computadora.

serif *serif   Trazos* cruzados, finos y ornamentales que rematan los extremos de los rasgos principales de un carácter. Las fuentes serif son más legibles para el cuerpo del texto; sin embargo, los diseñadores gráficos prefieren los tipos *sans serif* como fuentes para *pantalla*.

server *servidor   1.* En una *red cliente/servidor*, computadora o programa dedicado a proporcionar información como respuesta a solicitudes externas. Vea *file server, print server. 2.* En *Internet*, programa que proporciona información cuando recibe solicitudes externas a través de conexiones de Internet. Vea *Web server*.

server application *aplicación servidor   En* vinculación e incrustación de objetos (*OLE*), *programa* que crea el *documento de origen*. Los datos provenientes de este documento son vinculados o incrustados en uno o más *documentos destino* creados por las *aplicaciones cliente*.

server-based application *aplicación basada en el servidor   Versión* para *red* de un *programa* guardado en el *servidor de archivos* de la red y distribuida a varios usuarios al mismo tiempo. Vea *client application*.

service bureau *agencia de servicios editoriales   Empresa* que suministra diversos servicios para publicaciones, como conversión de *formato de archivos gráficos*, digitalización óptica de imágenes y composición tipográfica en *fotocomponedoras* de alta resolución, entre las que están las Linotronic y las Varitype.

service provider *proveedor de servicios   Vea Internet service provider* (*ISP*) e *Internet access provider* (*IAP*).

servo-controlled DC motor *motor DC servocontrolado   Motor* eléctrico utilizado para girar el *eje* de un *disco duro*. A diferencia de los *motores síncronos*, los motores DC servocontrolados son baratos y pueden operar a la velocidad que desee el diseñador del disco, porque la velocidad de rotación del motor es independiente de la frecuencia de la corriente eléctrica del contacto de pared.

servo-voice coil actuator *actuador de bobina de servo-voz   El* tipo más popular de *actuador de cabeza* utilizado en los *discos duros* modernos. Este tipo de actuador es *de ciclo cerrado* y opera mediante un electromagneto que presiona la *cabeza de lectura/escritura* debido a la tensión creada por un resorte.

session layer *capa de sesión   En* el *Modelo de Referencia OSI* de arquitectura de red de computadoras, la tercera de siete *capas*, en la cual se establece una conexión virtual con un servicio correspondiente en la misma capa de otra computadora. (La conexión es virtual porque el vínculo con la computadora destino en este nivel sólo es aparente; la conexión real requiere pasar los datos "hacia abajo" por la *pila de protocolos* hasta la *capa física*, donde se envían los datos a la red.) Los protocolos en la capa de sesión determinan esta conexión virtual.

set-associative cache *caché de conjunto asociativo*   Diseño de *caché* empleado en los cachés de *memoria de acceso aleatorio (RAM)* más rápidos y en los *cachés internos* incluidos con los chips 486 y *Pentium*. Este diseño divide al caché en dos y hasta en ocho conjuntos o áreas. Los datos que se guardan en el caché se distribuyen en una sucesión de bits a cada conjunto. En la mayoría de los casos, la lectura de los datos se hace en forma secuencial en cada conjunto. Este orden permite que el conjunto leído o escrito se prepare a sí mismo para una nueva lectura o escritura mientras los datos se leen o escriben en el siguiente conjunto. Este diseño permite al *microprocesador* completar una instrucción en un *ciclo de reloj*. Un *caché de conjunto asociativo de cuatro vías* proporciona la mejor relación entre costo y desempeño.

setup parameters *parámetros de configuración*   Información relativa a un *sistema de computación* codificada como parte del *sistema básico de entrada/salida (BIOS)*. En estos parámetros se incluyen la cantidad de *memoria de acceso aleatorio (RAM)* de la computadora, el tipo de *teclado* utilizado y la *geometría* del disco duro. Para cambiar estos parámetros es necesario utilizar el *programa de configuración*.

setup program *programa de configuración*   Programa, guardado como parte del *sistema básico de entrada/salida (BIOS)*, que cambia las opciones de configuración. Para ejecutar este programa, el usuario presiona una combinación especial de *teclas* (que por lo general se muestran en pantalla) a medida que la computadora *arranca*.

setup string *cadena de configuración*   Serie de caracteres que transmite un *programa* a la *impresora* para que ésta opere en un modo determinado.

setup switches *interruptores de configuración*   *Interruptores de paquete dual en línea (DIP)* de los primeros módems que permitían configurar ciertas opciones (por ejemplo, la contestación a llamadas). Los módems modernos carecen de interruptores de configuración, ya que los *programas de comunicaciones* se encargan de la configuración.

SGML   Siglas de Lenguaje Estándar de Marcación Generalizada. Medio de describir lenguajes de marcación, como el *Lenguaje de Marcación de Hipertexto (HTML)*, que se utiliza ampliamente en *World Wide Web (WWW)*. SGML puede emplearse para hacer una *definición del tipo de documento (DTD)*, que define los *elementos* de un tipo específico de documento y las *etiquetas* que se utilizan para desplegar esos elementos con formatos distintivos. Se necesita un programa llamado *analizador sintáctico* para leer las etiquetas y desplegar el texto de manera apropiada. SGML es un estándar abierto e internacional definido por la Organización Internacional de Estándares (ISO).

SGRAM   Siglas de memoria síncrona de acceso aleatorio para gráficos. Un tipo de chip de *memoria dinámica de acceso aleatorio (DRAM)* que el usuario puede sincronizar con la *velocidad de reloj* de la computadora, lo cual permite tasas de transferencia de datos significativamente más altas que las primeras tecnologías DRAM. Los chips SGRAM se utilizan en *adaptadores de video* de alto desempeño.

shadowing *sombreado*   Copiar el contenido de la *memoria de sólo lectura (ROM)* a la *memoria de acceso aleatorio (RAM)* para permitir que el microprocesador acceda con más rapidez a dicho contenido. Vea *shadow RAM*.

shadow mask *máscara de sombra*   Filtro metálico localizado en el interior de una pantalla de *tubo de rayos catódicos (CRT)* que evita que los rayos de electrones golpeen los *fósforos* que brillan en el color incorrecto. La máscara de sombra, que está alineada con mucho cuidado con el *cañón de electrones* y los fósforos del interior de la pantalla, permite, por ejemplo, que el cañón de electrones rojos golpee sólo los fósforos rojos y que el cañón de electrones azules golpee sólo los fósforos azules.

shadow RAM *RAM de sombra*   En computadoras basadas en *Intel*, porción del *área de memoria superior* entre 640 KB y 1 MB que se destina para la recuperación normal de los programas provenientes de la *memoria de sólo lectura (ROM)*. Ya que la *memoria de acceso aleatorio (RAM)* es más veloz que la ROM, la RAM de sombra aumenta el rendimiento.

shareware *shareware*   *Programas* de computación con derechos de autor que el usuario puede adquirir gratuitamente con propósitos de prueba; si después del periodo de prueba decide utilizar definitivamente el programa, se espera que el usuario pague una cantidad al autor del programa. Vea *public domain program*.

sheet-fed scanner *escáner con alimentación de hojas*   *Escáner de cama plana* que puede cargar automáticamente una serie de documentos para digitalización. Este tipo de dispositivo es útil para el trabajo de *reconocimiento óptico de caracteres (OCR)*.

sheet feeder *alimentador de papel*   Vea *cut-sheet feeder*.

shell *shell*   *Programa* concebido para ofrecer una *interfaz de usuario* fácil de usar entre el usuario y el *sistema operativo*. Aunque *COMMAND.COM* es técnicamente un shell (funciona entre el usuario y los trabajos internos de MS-DOS), el término se aplica normalmente a un programa que reemplaza una *línea de comandos* con un conjunto de *menús*.

shell account *cuenta de shell* Tipo de *acceso* telefónico a *Internet* que es barato pero limitado. Una cuenta de shell no conecta directamente la computadora a Internet. En lugar de eso, se utiliza un *programa de comunicaciones* para tener acceso a una computadora, por lo general *Unix*, en la cual el usuario ha establecido una cuenta. Después de iniciar sesión en la computadora, tendrá acceso de sólo texto al sistema operativo (su shell) de la computadora Unix. El usuario puede ejecutar desde el shell las herramientas de Internet que se localizan en la computadora del *proveedor de servicios*, como lectores de noticias *Usenet* de sólo texto o el *navegador Web* de texto llamado Lynx.

shell script *script de shell* *Script*, escrito en un *lenguaje de creación de scripts* como *perl,* con el que los programadores vuelven automáticas ciertas funciones de un *sistema operativo*. El primer *servidor* para *Usenet* era un script de shell de *Unix*.

shielded speaker *altavoz blindado, bocina blindada* *Bocina auxiliar* diseñada para proteger el *monitor* y otros componentes de la computadora del campo magnético que genera los sonidos. Si no se utiliza este blindaje, los campos magnéticos pueden distorsionar la imagen de un monitor o incluso borrar los datos de un disco.

Shift+click *Mayús+clic* Maniobra con el *ratón* que se consigue oprimiendo la tecla Mayús mientras se oprime al mismo tiempo el botón del ratón. Aunque los programas establecen esta técnica de manera diferente, en la mayor parte de ellos sirve para extender una selección.

Shift key *tecla Mayús* Tecla cuya función es introducir letras mayúsculas o signos de puntuación. En los primeros *teclados* de IBM, esta tecla sólo llevaba una flecha hacia arriba. En los teclados más recientes, la tecla tiene inscrita la palabra Mayús (Shift). Vea *Caps Lock key*.

shopping basket *canasta de compras* En compras a través de *Internet*, método de establecimiento de una tienda en línea a través del cual los usuarios pueden seleccionar artículos y añadirlos a una "canasta de compras" virtual; cuando se ha terminado de comprar, se verá todo lo que se ha seleccionado en una página de pedido. Para que funcionen, estas canastas recurren al uso de *cookies*.

shortcut *método abreviado* En *Microsoft Windows 95*, icono que proporciona acceso rápido a un programa. Después de crearlo, verá el icono en el escritorio, donde se puede iniciar rápidamente con sólo hacer doble clic en él.

shortcut key *teclas de método abreviado* Combinación de *teclas* que permite, al presionarlas en conjunto, acceso rápido a un comando de menú o a una opción de *cuadro de diálogo*, ignorando los *menús* intermedios. Vea *hot key*.

S-HTTP Siglas de Protocolo Seguro de Transporte de Hipertexto. Extensión del *Protocolo de Transporte de Hipertexto (HTTP)* de *World Wide Web (WWW)* que soporta transacciones comerciales seguras en Web. HTTP proporciona este soporte de dos maneras: asegurando a los vendedores que los clientes que tratan de comprar sus productos son quienes dicen ser (autenticación) y encriptando información confidencial (como números de tarjetas de crédito) para que no puedan interceptarse mientras viajan por Internet. S-HTTP fue desarrollado por Enterprise Integration Technology (EIT) y el *Centro Estadounidense para Aplicaciones de Supercomputación (NCSA)*, con desarrollo posterior de Terisa Systems. *Netscape Communications* desarrolló una tecnología de seguridad que le hace competencia, la *Capa de Zócalos Seguros (SSL)*. Aunque algunos *servidores Web* aún utilizan S-HTTP, SSL se ha convertido en el estándar de facto, por muy buenas razones. S-HTTP es un protocolo que funciona en la capa de aplicación, lo que significa que no soporta intercambio seguro y encriptación de otros tipos de datos, incluyendo recursos de *FTP* o *NNTP*.

Shugart Associates Standard Interface (SASI) *Interfaz Estándar de Shugart Associates* Estándar que surgió a principios de la década de los años 80 para conectar *discos duros* a computadoras personales. SASI se convirtió después en el estándar *Interfaz Pequeña para Sistemas de Computación (SCSI)*.

SIG Vea *special interest group*.

signal *señal* Porción de una transmisión que representa información de manera coherente, a diferencia del *ruido en la línea*, que es azaroso y sin sentido y se produce en el canal de transmisión.

signal-to-noise radio *relación señal-ruido* En *Usenet*, la relación entre el contenido con significado y el ruido (contenido sin sentido, molesto y ofensivo). Un buen *grupo de noticias* tiene una relación señal-ruido elevada; uno malo tiene una relación muy baja. Una ventaja importante de los *grupos de noticias moderados* es que aseguran una relación elevada. El término se utilizaba originalmente en la ingeniería eléctrica para describir la relación entre la información y el ruido de fondo en un circuito eléctrico.

signature *firma* 1. En *correo electrónico* y *grupos de noticias Usenet*, pequeño archivo (de tres o cuatro líneas) que contiene nombre, organización, dirección, dirección electrónica y (opcionalmente) números telefónicos de la persona que envía el mensaje. La mayoría de los sistemas puede configurarse para añadir este archivo en forma automática al final de cada mensaje enviado. *La etiqueta de red* aconseja que no se utilicen firmas largas y complicadas, sobre todo cuando se publica en Usenet. Vea *ASCII art*. 2. En las utilerías de protección contra virus, código de un programa que se puede identificar como perteneciente a un *virus* conocido.

silicon chip *chip de silicio*   Vea *chip*.

Silicon Valley *Valle del Silicio*   Zona del valle de Santa Clara, en California, donde se concentra la mayor cantidad de empresas de alta tecnología del mundo. La palabra silicio sugiere la importancia de esta zona en el diseño y la fabricación de chips de silicio.

SIM   Vea *Society for Information Management*.

SIMM   Vea *single in-line memory module*.

simple list text chart *gráfico simple con listado de texto*   En *gráficos para presentaciones*, diagrama con texto empleado para desplegar componentes sin un orden particular y en el que cada componente se destaca por igual.

Simple Mail Transport Protocol (SMTP) *Protocolo Simple de Transporte de Correo*   Protocolo de *Internet* que dirige la transmisión de *correo electrónico* en redes de computadoras. En realidad, SMTP es simple ya que no soporta la transmisión de datos que no sean de texto. Por esta razón, las *Extensiones Multipropósito de Correo de Internet* (MIME) soportan *archivos binarios* de muchos tipos, y *S/MIME* soporta correo electrónico *encriptado*.

Simple Network Management Protocol (SNMP) *Protocolo Simple de Administración de Red*   Método para mantener un registro de varios dispositivos de *hardware*, como *impresoras*, conectados a una *red*. SNMP puede avisar a los administradores de red cuando las impresoras tienen poco papel o *tóner*, o cuando el papel se ha atorado en la impresora. SNMP parece destinado a ser reemplazado por el estándar *Microsoft at Work* o la *Interfaz de Administración de Escritorio (DMI)*.

simulation *simulación*   Técnica de análisis para investigación de las propiedades de un elemento, a través de la creación de un *modelo* de éste y el estudio del comportamiento del modelo. Por ejemplo, los ingenieros aeronáuticos utilizan estas técnicas para diseñar y probar con rapidez miles de modelos alternativos, por lo cual los túneles de viento están cayendo en desuso en las modernas compañías aeroespaciales. En la educación, las técnicas de simulación permiten realizar versiones simuladas de los experimentos de laboratorio clásicos. En los negocios, permiten desarrollar análisis financieros del tipo *qué pasaría si*. No obstante, al igual que con cualquier modelo, una simulación tendrá el mismo valor que las suposiciones que la sustenten. Si las suposiciones son incorrectas, el modelo no repetirá con precisión el comportamiento del sistema real que se esté simulando.

single density *densidad sencilla*   Esquema de grabación magnética para datos digitales que emplea una técnica llamada *grabación de modulación de frecuencia (FM)*. Los discos de densidad sencilla, comunes en las primeras computadoras personales, usaban partículas magnéticas de grano relativamente grande y por ello tenían una capacidad de almacenamiento baja, como 90 KB por disco, y en la actualidad casi ya no se usan. Fueron reemplazados por *discos de doble densidad* con particiones de grano más fino y discos de alta densidad con particiones aún más finas. Vea *Modified Frequency Modulation (MFM)*.

single in-line memory module (SIMM) *módulo sencillo de memoria en línea*   Unidad de memoria conectable que contiene todos los microcircuitos necesarios para añadir 256 KB, 1 MB, 2 MB o más de *memoria de acceso aleatorio (RAM)* a una computadora.

single in-line package (SIP) *paquete sencillo en línea*   Conjunto de chips de *memoria de acceso aleatorio (RAM)* con cubierta de plástico y conectado a una *tarjeta madre* mediante pines. Las computadoras modernas han reemplazado los SIPs con *módulos sencillos de memoria en línea (SIMMs)*.

single in-line pinned packages (SIPP) *paquetes sencillos en línea con pines*   Sinónimo de *paquete sencillo en línea (SIP)*.

single-pass scanner *escáner de una sola pasada*   Cualquier escáner que digitaliza un documento en una sola pasada, pero especialmente un *escáner de color*. Este tipo de escáner reúne los datos de los tres colores primarios en un solo viaje, a diferencia de los *escáneres de triple pasada*, que requieren tres viajes. No obstante, los escáneres de una sola pasada no son necesariamente más rápidos que los de triple pasada.

single-sided disk *disco de un solo lado*   *Disco flexible* diseñado para que sólo uno de sus lados se ocupe en las operaciones de lectura/escritura. Vea *single density*.

SIP   Vea *single in-line package*.

SIPP   Vea *single in-line package*.

site license *licencia de sitio*   Acuerdo entre un editor de software y un comprador que autoriza a este último a hacer copias de un programa del editor para uso interno. Es frecuente que las empresas con *red de área local (LAN)* adquieran una licencia de sitio de un programa para que todos los usuarios de la red tengan acceso al mismo. La mayoría de las licencias de sitio estipula un límite en cuanto al número de copias que puede hacer la empresa. El costo por copia es mucho menor que el de una copia que pudiera adquirirse de forma individual.

sixteen-bit *de dieciséis bits*   Vea *16-bits computer*.

skip factor *factor de salto*   En un *programa de gráficos para presentaciones*, incremento que especifica la cantidad de elementos de *datos* que el programa debe saltar al colocar rótulos en un gráfico. Use un factor de salto cuando los ejes de categorías lleven demasiados encabezados. Si tomamos los meses como ejemplo, un factor de salto de 3 despliega el nombre de cada tercer mes.

Skipjack   *Algoritmo de encriptación de clave pública*, relacionado con el *algoritmo de encriptación de clave pública Diffie-Hellman*, que la Agencia de Seguridad de Estados Unidos desea que los ciudadanos estadounidenses y de otras nacionalidades utilicen cuando encripten sus transacciones en Internet. El algoritmo contiene un esquema de *recuperación de clave* que permitiría a los investigadores del gobierno obtener de una autoridad (supuestamente) independiente la clave para decodificación, aunque sólo cuando la "seguridad pública" o la "seguridad nacional" estén en juego. El algoritmo ha sido ignorado por la industria de la criptografía porque el gobierno se ha negado a que los criptógrafos examinen el algoritmo, lo que ha llevado a sospechar que contiene debilidades integradas deliberadamente para ayudar al gobierno al espionaje de comunicaciones encriptadas.

slave *esclavo*   El segundo *disco duro* de una serie de dos, conectados a un *adaptador host* de Electrónica Integrada en la Unidad (IDE). El primer disco de la serie, el *maestro*, no controla el disco, pero decodifica instrucciones del adaptador host antes de enviarlas al esclavo.

sleep mode *modo latente*   En computadoras equipadas con características de *administración de energía*, estado en que el *microprocesador* desactiva componentes no esenciales cuando no están en uso. A menudo, las computadoras en modo latente escriben el contenido de la *memoria de acceso aleatorio (RAM)* en el *disco duro* para ahorrar la energía requerida para refrescar los chips de memoria. Vea *Display Power Management Signaling (DPMS)* y *green PC*.

slider *deslizador*   Vea *write-protect tab*.

slide show *presentación con diapositivas*   En *gráficos para presentaciones*, lista predeterminada de gráficos que se presentan en pantalla uno después de otro.

SLIP   Siglas de *Protocolo Internet de Línea Serial*. El primero de dos estándares de *Internet* que especifican la manera en que una *estación de trabajo* o *computadora personal* pueden vincularse con Internet por medio de una *conexión de acceso telefónico* (el otro estándar es *PPP*). SLIP define el transporte de *paquetes* de datos a través de líneas telefónicas *asíncronas*. Por lo tanto, SLIP permite que computadoras que carezcan de conexión a una *red de área local (LAN)* se conecten completamente a Internet. Este modo de conectividad es muy superior a la *cuenta de shell* (cuenta de acceso telefónico, sólo de texto, de una computadora Unix) porque permite que el usuario utilice las herramientas de Internet que desee (como un *navegador Web* gráfico), para ejecutar más de una aplicación de Internet al mismo tiempo y descargar datos directamente a su computadora, sin que se necesite un almacenamiento intermedio.

SLIP/PPP   Abreviatura de uso común para los dos tipos de acceso telefónico que conectan directamente la computadora del usuario con Internet: *SLIP* y *PPP*. Vea *shell account*.

slot *ranura*   Vea *expansion slot*.

slot pitch *paso de ranura*   Distancia entre los alambres de la *rejilla de apertura* de un *monitor* tipo *Trinitron*. Aunque se trata de una especificación importante para este tipo de monitores, el *paso de pantalla* es aún más importante.

slow mail *correo lento*   Término cortés para referirse al servicio postal. Vea *snail mail*.

slug *línea de linotipia*   En *procesamiento de texto* y *autoedición (DTP)*, código insertado en encabezados y pies de página que genera los números de página al imprimir el documento.

Small Computer System Interface (SCSI) *Interfaz Pequeña para Sistemas de Computación*   Interfaz equivalente a un *bus de expansión* completo, en la cual se conectan dispositivos como *unidades de disco duro, unidades de CD-ROM, escáneres e impresoras láser*. El dispositivo SCSI más común es el disco duro SCSI, el cual contiene la mayor parte de la circuitería de control, lo que deja libre a la interfaz SCSI para que se comunique con otros periféricos. En un solo puerto SCSI es posible conectar hasta siete dispositivos SCSI en *cadena de margarita*. Vea *Enhanced System Device Interface (ESDI)* y *ST-506/ST-412*.

Small Scale Integration (SSI) *Integración a Pequeña Escala*   Primera generación de tecnología de *semiconductores*, desarrollada durante la década de los años 50, mediante la cual es posible fabricar de 2 a 100 dispositivos con cada pastilla de silicio.

SmallTalk   *Lenguaje de programación declarativo de alto nivel* y *ambiente de programación* que trata los cálculos como *objetos* que se envían mensajes entre sí. SmallTalk estimula a los *programadores* a que definan objetos en términos relevantes para la aplicación que se construya. El lenguaje tiene la posibilidad de extenderse porque permite crear objetos que pueden reutilizarse con facilidad. Aun así, SmallTalk inspiró *HyperTalk*, el lenguaje de comandos de *HyperCard* que se suministra en cada *Macintosh* desde 1987. Bajo esta nueva forma, SmallTalk ha logrado su cometido de hacer más accesible la programación; decenas de miles de usuarios de Macintosh han aprendido a programar en HyperTalk. Vea *object-oriented programming (OOP) language*.

smart card *tarjeta inteligente*   Ficha del tamaño de una tarjeta de crédito que contiene un microprocesador y circuitos de memoria para autenticar a un usuario que desea utilizar servicio de computación, bancarios o de transporte. Cuando se emplea para autenticación, la tarjeta inteligente se utiliza junto con un *número de identificación personal (PIN)*; se considera que la combinación entre la ficha y el PIN produce una *autenticación fuerte*.

SMARTDRV   En *MS-DOS* y *Microsoft Windows*, programa de *caché de disco* que acelera considerablemente el tiempo aparente de acceso a disco mediante el almacenamiento en caché del código de programa que se accesa con frecuencia.

smart machine *máquina inteligente*   Cualquier dispositivo que contenga electrónica a base de *microprocesadores* que le permitan derivar a secuencias de operación alternativas, según las condiciones externas, para repetir operaciones hasta que se cumpla una condición o para ejecutar reiteradamente una serie de instrucciones. Los microprocesadores son tan económicos que pueden integrarse hasta en los dispositivos cotidianos más comunes, como tostadores, cafeteras y hornos.

smart terminal *terminal inteligente*   En un *sistema multiusuario*, *terminal* que contiene su propia circuitería de procesamiento, lo cual no sólo le permite recuperar información de la computadora *host* sino también realizar otras operaciones de procesamiento y ejecutar programas de la computadora host.

smiley *carita*   Vea *emoticon*.

S/MIME   Siglas de Extensiones Seguras y Multipropósito de Correo de Internet. Adición al protocolo *MIME* que soporta el intercambio de *correo electrónico* encriptado a través de *Internet*. S/MIME utiliza el *algoritmo de encriptación de clave pública* de RSA para la autenticación inicial (que utiliza *certificados*); después de establecer una conexión segura, se da un intercambio de claves de *algoritmo de encriptación simétrico*.

SMIS Vea *Society for Information Management.*

SMP Vea *symmetric multiprocessing.*

SMTP Vea *Simple Mail Transport Protocol.*

SNA Vea *Systems Network Architecture.*

snaf *desprendimientos* Desechos de papel que quedan en una oficina después de separar las tiras perforadas del *papel de forma continua* de una *impresora de alimentación por tracción.*

snail mail *correo caracol* Término peyorativo alusivo al servicio postal. En un mensaje de correo electrónico se dice: "Te envío el artículo por correo caracol."

snaking columns *columnas serpenteantes* Vea *newspaper columns.*

snap-on pointing device *dispositivo apuntador montable* En *computadoras portátiles*, *dispositivo apuntador* que se monta a un lado del gabinete de la computadora mediante un puerto especial. No se requiere un *cable serial* o un puerto para este tipo de *ratón.* Estos dispositivos son convenientes porque evitan la necesidad de conectar los cables cada vez que se usa la computadora; basta con meter el *trackball* en su receptáculo. Vea *built-in pointing device* y *clip-on pointing device.*

snapshot *instantánea* Vea *Print Screen (PrtScr)* y *screen capture.*

sneakernet *red de mensajería humana* *Arquitectura de red* en que una persona lleva físicamente un *disco flexible* o una *cinta* de datos de una computadora a otra. Aunque estas redes por lo general son pequeñas, a veces requieren viajes aéreos transcontinentales.

sniffer *husmeador* Término sinónimo de husmeador de paquetes. Se trata de un programa que intercepta información que se encuentra en camino a través de *Internet* y examina cada paquete en busca de información específica, como contraseñas transmitidas en *texto sin cifrar.*

SNOBOL *Lenguaje de programación de alto nivel* diseñado para aplicaciones de procesamiento de texto. SNOBOL (Lenguaje Simbólico Orientado a Cadenas de Caracteres), que posee capacidades especialmente potentes para comparar patrones de texto, se ha empleado en trabajos de investigación de diversos campos como traducción de idiomas, generación de índices o concordancia de trabajos literarios y reformateo de textos. No obstante, SNOBOL tiende a generar *código fuente* poco efectivo y difícil de leer. Por lo tanto, su uso es limitado. Vea *BASIC* y *FORTRAN.*

snow *nieve* Vea *video noise.*

soc hierarchy *jerarquía soc*　En *Usenet*, una de las *jerarquías estándar de grupos de noticias*. Estos grupos se relacionan con temas y grupos sociales y culturas del mundo.

social engineering *ingeniería social*　Método utilizado por intrusos de computadoras para obtener contraseñas con fines de *acceso no autorizado*. Por lo general, se llama a un usuario autorizado de un sistema de computación haciéndose pasar por un administrador de red. El que llama dice: "Tenemos un problema serio y no podemos acceder a su buzón de correo. Si me da su contraseña, quizá podamos rescatar su correo."

Society for Information Management (SIM) *Sociedad para la Administración de Información*　Sociedad profesional para ejecutivos de sistemas de información que tiene subsidiarias en muchas ciudades. SIM se llamaba antes *Sociedad de Sistemas de Información para la Administración (SMIS)*.

Society for Management Information Systems (SMIS) *Sociedad de Sistemas de Información para la Administración*　Vea *Society for Information Management*.

socket *socket, zócalo*　En *Internet* y *Unix*, *puerto* virtual que permite a las aplicaciones *cliente* conectarse con el *servidor* apropiado. Para lograr una conexión, un cliente necesita especificar la *dirección IP* y el *número de puerto* de la aplicación servidor.

soft *automático, suave*　Temporal o cambiable, opuesto a *duro* (cableado permanente, fijo físicamente o inflexible). Compare *software*, *retorno automático* y *salto de página automático* (el cual es insertado por un *programa de procesamiento de texto* y es susceptible de cambiar si le añade o elimina texto), con *hardware*, *retorno manual* y *salto de página manual* (el cual es insertado de forma manual por el usuario y se mantiene en su lugar a pesar de ediciones posteriores).

soft boot *arranque suave*　Reinicio de un sistema mediante el cual no es necesario apagar y encender la computadora (*arranque duro*).

soft cell boundaries *límites de celda suaves*　En un *programa de hoja de cálculo*, característica de las celdas que permite introducir rótulos que rebasen el ancho de la celda (a menos que las celdas adyacentes estén ocupadas).

soft font *fuente suave*　Vea *downloadable font*.

soft hyphen *guión suave*　Guión que se vuelve visible únicamente si la palabra que lo contiene continúa en la siguiente línea. En tal caso, la palabra se separa con un guión para mejorar el *kerning* de la línea. El término es sinónimo de guión opcional. Vea *hard hyphen*.

soft page break *salto de página automático*   En un *programa de procesamiento de texto*, salto de página insertado por el programa de acuerdo con el formato vigente que guarde el texto; el salto de página puede desplazarse hacia adelante o hacia atrás si el usuario inserta o elimina texto o si modifica el margen, las fuentes o el tamaño de la página. Vea *forced page break*.

soft return *retorno automático, retorno suave*   En un *programa de procesamiento de texto*, salto de línea que inserta el programa para conservar los márgenes. La posición de los retornos cambia de forma automática al modificar los márgenes o insertar o eliminar texto. Vea *hard page break* y *word wrap*.

soft-sectored disk *disco de sectorizado suave*   Disco que, mientras está nuevo, no contiene patrones magnéticos fijos de las pistas o los sectores. Las *pistas* y los *sectores* se configuran en un proceso llamado *formateo*.

soft start *reinicio*   Vea *warm boot*.

software *software*   Programa o programas de computadora, en contraste con el equipo físico en que se ejecutan éstos (*hardware*). En plural y singular, la palabra lleva a muchas personas a agregar el redundante "programa de software" o "programas de software" como un intento de aclarar el número. Por convención, el software se divide en dos categorías, software de sistema (programa necesario para operar la computadora) y programas de aplicación (que permiten a los usuarios desarrollar tareas utilizando la computadora). Vea *firmware* y *hardware*.

software cache *caché de software*   Gran área de *memoria de acceso aleatorio (RAM)* que un programa como SMARTDRV.EXE aparta para guardar los datos e instrucciones de programas de acceso frecuente. Un caché de software de 1 a 2 MB puede mejorar la velocidad de las aplicaciones que utilizan intensivamente el disco, como los programas de *administración de bases de datos*.

software compatibility *compatibilidad de software*   Capacidad de un sistema de computación para ejecutar determinado tipo de programas. Por ejemplo, la Commodore 64 no tiene compatibilidad de software con las aplicaciones escritas para la Apple II, aunque ambas computadoras usan el microprocesador 6502 con tecnología MOS.

software engineering *ingeniería de software*   Ciencia aplicada dedicada a mejorar y perfeccionar la producción de *software*.

software error control *control de errores por software*   Protocolo de *corrección de errores* que reside, en parte o por completo, en un *programa de comunicaciones*, más que en el hardware de un *módem*. Este método abarata el costo de los módems, pero deposita la carga en el resto del *sistema de computación* y muy pocos programas de comunicaciones lo soportan. Por ello, no es recomendable el control de errores por software.

software handshaking *acuerdo de conexión software*   Método de *control de flujo* que asegura que los datos que envía un *módem* no saturarán al módem con el que se está comunicando. En este tipo de esquema, como en el *acuerdo de conexión XON/XOFF*, los módems intercambian códigos especiales cuando están listos para enviar y recibir datos.

software interpolation *interpolación de software*   Método para mejorar la verdadera resolución óptica de un *escáner* utilizando algoritmos de computadora para suponer cómo aparecería la imagen a una resolución mayor.

software license *licencia de software*   Acuerdo legal incluido en los programas comerciales. La licencia de software especifica los derechos y las obligaciones que adquiere el comprador del programa y fija la responsabilidad limitada del editor. Vea *site license*.

software package *paquete de software*   *Programa* que llega al usuario en una versión completa y listo para ejecutarse; incluye todos los *programas de utilerías* y la *documentación*. Vea *application software*.

software patent *patente de software*   Patente, a veces otorgada por la oficina de patentes de Estados Unidos pero que a menudo no se reconoce en otras naciones, sobre un algoritmo de computadora o una técnica de programación. Una patente de software es una contradicción; en ninguna civilización que espere seguir observando el progreso tecnológico continuo, deberían otorgarse patentes a las descripciones formales de verdades matemáticas.

software piracy *piratería de software*   Copia ilegal de un programa con derechos de autor, sin el permiso expreso del editor del software.

software protection *protección de software*   Vea *copy protection*.

software suite *grupo de programas, suite de software*   Colección de programas, los cuales por lo general también se venden de manera individual, que proporcionan en conjunto lo que se pretende sea una solución completa para el cliente. Por ejemplo, el grupo de programas de servidor SuiteSpot de Netscape contiene servidores para varias aplicaciones, como las de publicación para Web, correo electrónico, grupos de noticias y más.

SoHo   Abreviatura de Oficina Pequeña/Oficina en el Hogar. Mercado creciente e importante de computadoras y software.

Solaris   Variante del sistema operativo *Unix* desarrollada por Sun Microsystems. Solaris incluye *OpenWindows, interfaz gráfica de usuario (GUI)* basada en *X-Windows.*

SONET   Acrónimo de Red Óptica Síncrona. Estándar reciente para redes de alta velocidad basadas en *cable de fibra óptica.* La velocidad básica de transferencia de información es de 51.8 megabits por segundo, capacidad de datos (*ancho de banda*) 50 veces mayor que la de las líneas *T1* que transportan la mayor parte del tráfico de información en las naciones industrializadas. El ancho de banda puede aumentarse en múltiplos de 51.8 megabits por segundo, hasta un máximo de 48 gigabits por segundo. El término es sinónimo de Jerarquía Digital Síncrona (SDH), nombre que se utiliza fuera de Estados Unidos para este estándar.

sort *ordenamiento*   Acción que reacomoda datos para que queden en orden ascendente o descendente, generalmente alfabético o numérico.

sort key *clave de ordenamiento*   En operaciones de *ordenamiento,* datos que determinan el orden en que quedarán dispuestos los registros de datos. Vea *primary key* y *secondary key.* En una *base de datos,* una clave de ordenamiento es el *campo de datos* mediante el cual se desea ordenar; en una *hoja de cálculo,* la clave de ordenamiento es la columna o fila empleada para ordenar los datos en forma alfabética o numérica. En un programa de procesamiento de texto, la clave de ordenamiento es una palabra que puede estar en cualquier posición.

sort order *orden de clasificación*   Orden que sigue un programa para acomodar datos al ejecutar un *ordenamiento,* en forma ascendente o descendente. La mayoría de los programas también ordena datos en el orden estándar de los caracteres ASCII. El término es sinónimo de secuencia de intercalación. Vea *ASCII sort order* y *dictionary sort.*

sound board *tarjeta de sonido*   *Adaptador* que agrega capacidades de reproducción de sonido digital a una *computadora personal compatible con la PC de IBM,* haciéndola más competitiva con las computadoras *Macintosh* y más adecuada para las *aplicaciones multimedia.*

sound card *tarjeta de sonido*   Vea *sound board.*

soundex   Algoritmo para recuperación de registros de una *base de datos* que puede recuperar homónimos de los términos de búsqueda. Una búsqueda con soundex recuperará "Woulthers" además de "Walters".

Sound Recorder *Grabadora de sonidos*   Accesorio de *Microsoft Windows 95* que permite grabar y reproducir sonidos. Para manejar la Grabadora de sonidos, el sistema del usuario debe estar equipado con una *tarjeta de sonido* compatible con el estándar Computadora

Personal Multimedia (MCP), con capacidad de grabación, incluyendo un micrófono. La Grabadora de sonidos funciona como un dispositivo de control que convierte la computadora en una grabadora digital de cintas que guarda el sonido grabado en un archivo con extensión .WAV, al que pueden acceder otros programas compatibles con MPC.

source *fuente, origen*   Registro, *archivo, documento* o disco del que se toma o mueve información, en oposición a *destino*.

source code *código fuente*   En *lenguajes de programación de alto nivel*, instrucciones de programa escritas por los *programadores*, mismas que posteriormente se *compilan* o *interpretan* (convierten) a instrucciones de *lenguaje de máquina* para ser ejecutadas por la computadora.

source document *documento origen*   En *intercambio dinámico de datos (DDE)* y *Vinculación e Incrustación de Objetos (OLE)*, *documento* que contiene la información vinculada a copias de esa información en otros documentos, conocidos como *documentos destino*.

source file *archivo fuente*   En numerosos comandos de *MS-DOS*, archivo del que se copia información o instrucciones de programa. Vea *destination file*.

source worksheet *hoja de cálculo fuente*   En *Microsoft Excel*, *hoja de cálculo* que contiene una *celda* o *rango* vinculado a una o más hojas de *cálculo dependientes*. Las modificaciones que se hagan a la hoja de cálculo fuente se reflejarán en las hojas de cálculo dependientes.

SPA   Vea *Association for Systems Management (ASM)*.

spaghetti code *código en espagueti*   *Programa* mal organizado, producto del uso excesivo de enunciados GOTO, con lo cual se convierte en un programa ininteligible y difícil de depurar. El remedio consiste en usar un lenguaje de programación bien estructurado, como *QuickBASIC*, *C* o *Pascal*, que ofrecen un conjunto completo de estructuras de control. Vea *structured programming*.

spam *publicidad no deseada, spam*   Anuncio no solicitado en un grupo de noticias *Usenet* o en *correo electrónico*. El término deriva aparentemente de una sátira del grupo Monty Python, en la cual los dueños de un restaurante no pueden entablar una plática porque en el fondo de la escena un grupo de vikingos repiten constantemente "Spam, spam, huevos y spam, spam, spam, spam [etc.]" (spam es la marca de un producto de carne de puerco enlatada).

SPARC   Acrónimo de Arquitectura Escalable de Procesador. Estándar abierto para un microprocesador *RISC*. Sun Microsystems fabrica una serie de estaciones de trabajo basadas en arquitectura SPARC llamadas SPARCstations.

SPARCstation Vea *SPARC.*

spawn *generar* En *Unix*, iniciar un *proceso hijo* para completar posteriores tareas de procesamiento. Las primeras versiones de *Netscape Navigator* para Windows y Macintosh desplegaban el mensaje "generando proceso externo" cuando iniciaban un *programa auxiliar*, lo que delataba las raíces de Unix del programa.

SPEC Vea *Standard Performance Evaluation Corporation.*

SPEC 95 Pareja de *pruebas comparativas*, establecidas por la *Standard Performance Evaluation Corporation (SPEC)*, que establece un nuevo sistema numérico para evaluar el desempeño de los microprocesadores. Se necesitó un nuevo estándar debido a los aumentos significativos en la *velocidad real de transporte* de los microprocesadores, la creciente complejidad de las aplicaciones y la existencia de herramientas de medición más exactas. Las dos pruebas comparativas son *SPECint95* y *SPECfp95.*

SPECint95 *Prueba comparativa* que evalúa el desempeño de los *microprocesadores* a partir de la velocidad con que ejecutan operaciones de *punto flotante.*

SPECfp95 *Prueba comparativa* que evalúa el desempeño de los *microprocesadores* a partir de la velocidad con que ejecutan operaciones de números enteros.

special interest group (SIG) *grupo de interés especial* Subgrupo de una organización o sistema de *redes* de computadoras compuesto por miembros que comparten un interés común. Entre los temas comunes de estos grupos están el software, los pasatiempos, los deportes y géneros literarios como misterio y ciencia ficción. Vea *user group.*

speculative execution *ejecución especulativa* Método para analizar instrucciones que se introducen en un *microprocesador* con *arquitectura superescalar* y para determinar la manera como se direccionan las instrucciones a través de los *canales* con la mayor eficacia posible. La ejecución especulativa, que supuestamente se empleó en el microprocesador *P6* de Intel, aumenta en gran medida la *velocidad real de transporte* del microprocesador.

speech recognition *reconocimiento de voz* Conversión de la voz humana en texto por medio de un programa de computadora. Para reconocer la palabra hablada, el programa debe transcribir la señal de sonido de entrada en una representación digitalizada, que después se compara con una enorme base de datos de representaciones digitalizadas de palabras habladas. Para transcribir la voz con un grado tolerable de exactitud, los usuarios deben pronunciar cada palabra independientemente, con pausas entre cada palabra (vea *discrete speech recognition*). Esto disminuye sustancialmente la velocidad de los sistemas de reconocimiento de voz y pone en entredicho su utilidad, salvo en el caso de discapacidades físicas que impidieron la entrada de información a la computadora por otros medios. Dragon Software, líder en el campo de reconocimiento de voz, ha anunciado una nueva tecnología que, de acuerdo con la compañía, asegura que es capaz de reconocer el habla continua. Éstas y otras mejoras en los algoritmos de reconocimiento de voz, junto con aumentos impresionantes en el poder de cómputo, con el tiempo relegarán al teclado y el ratón (y a las *lesiones por tensión repetitiva [RSI]* que causan) al basurero tecnológico.

speech synthesis *síntesis de voz*   Generación de sonidos por computadora que semeja al habla humana. Resulta especialmente útil para usuarios de computadora con problemas visuales. A diferencia del *reconocimiento de voz*, la tecnología de síntesis de voz está bien desarrollada. Los sintetizadores de voz existentes son económicos y pueden realizar una labor impresionante de lectura de prácticamente cualquier archivo que contenga enunciados en ASCII.

spell checker *revisor de ortografía*   Programa, a menudo incorporado en un programa de *procesamiento de texto*, que revisa la ortografía de las palabras de un *documento*. Cada palabra se compara contra un archivo de palabras escritas correctamente. Un buen revisor de ortografía presenta sugerencias para la ortografía correcta de una palabra y permite sustituir la palabra mal escrita con la correcta. Además, por lo general es posible añadir palabras al diccionario del revisor de ortografía.

spider *araña*   Programa que rastrea *Internet*, tratando de localizar nuevos recursos públicamente accesibles como documentos de *World Wide Web (WWW)*, archivos disponibles en *protocolos de transferencia de archivos (FTP)* y documentos de *Gopher*. También llamados vagabundos o robots, las arañas remiten sus descubrimientos a una *base de datos*, donde los usuarios de Internet pueden realizar búsquedas utilizando una *máquina de búsqueda* accesible a través de Internet (como *Lycos* o *WebCrawler*). Las arañas son necesarias debido a la rapidez con que la gente crea nuevos documentos de Internet, que excede por mucho la capacidad de indización manual.

spike *ruido eléctrico*   Vea *surge*.

spindle *eje*   "Eje" alrededor del cual gira un *disco duro* o uno *flexible*. El eje, que es impulsado por un motor, no está unido permanentemente a los discos flexibles pero sí al centro de los platos del *disco duro*.

spindle motor *motor del eje*   El motor eléctrico (ya sea un *motor síncrono* o un *motor DC servocontrolado*) que hace girar un *disco duro* o uno *flexible*. Los motores del eje de un disco flexible sólo funcionan cuando el usuario está escribiendo en un disco en su unidad, pero los motores del eje de un disco duro giran siempre que su computadora está encendida.

split bar *barra de división*   En una *interfaz gráfica de usuario (GUI)* como *Microsoft Windows 95* o *Macintosh Finder*, barra que sirve para dividir horizontal o verticalmente la *ventana*.

split screen *pantalla dividida*   Técnica mediante la cual la pantalla se divide en dos (o más) *ventanas*. En *programas de procesamiento de texto* con capacidades para dividir la pantalla, es posible mostrar dos partes del mismo documento de forma independiente o desplegar más de un documento. Seccionar una pantalla es útil cuando es necesario consultar un documento, o parte de él, mientras se escribe en otro. Esta técnica también permite la edición de cortar y pegar.

spoiler *aguafiestas*   En un *grupo de noticias* de *Usenet*, mensaje que contiene el final de una novela, una película o un programa de televisión, o la solución a un juego de video o computadora. De acuerdo con la etiqueta de red, esos mensajes deben encriptarse para que los lectores no puedan leerlos a menos que decidan hacerlo voluntariamente. En los grupos de noticias de *Usenet*, a la técnica de encriptación se le llama *rot-13*.

spoofing *engaño, falsificación, suplantación*   1. Método para aumentar la velocidad aparente de una red al configurar los ruteadores para que envíen señales falsas de asentimiento como respuesta a las señales de *sondeo* de una estación de trabajo, que trata de confirmar si un servidor distante aún está conectado. Las señales de sondeo consumen gran parte del ancho de banda de la red, pero son innecesarias en los ambientes de red más confiables de hoy en día. El engaño permite que los administradores de red reduzcan la *sobrecarga* de la red, al tiempo que mantienen un nivel aceptable de servicio. 2. Método para falsificar la *dirección IP* de un *servidor* de Internet, que consiste en alterar la dirección IP grabada en los *paquetes* transmitidos. La suplantación refleja un hueco de seguridad de enormes proporciones en el actual *grupo de protocolos* de Internet: los *encabezados* de los paquetes de datos se transmiten en *texto sin cifrar*, sin soporte a nivel de red para *autenticar* su verdadero origen.

spooler *spooler*   *Programa de utilería* incluido a menudo en un *sistema operativo*, que envía las instrucciones de impresión a un archivo del disco o a la *memoria de acceso aleatorio (RAM)* en vez de hacerlo hacia la impresora, y luego distribuye las instrucciones de impresión cuando la *unidad central de procesamiento (CPU)* se desocupa. Un spooler realiza la *impresión en segundo plano*; el programa supondrá que está imprimiendo a una impresora sumamente veloz, pero la salida de impresión se dirige en realidad a la RAM o a un archivo de disco. Así, el usuario sigue trabajando con su programa y el spooler envía los datos de impresión a la impresora en los momentos en que la CPU no esté atareada.

spot color *color directo*   Color definido por el *Sistema Pantone de Igualación de Colores (PMS)*. El color directo es una forma de *color independiente del dispositivo*.

spreadsheet *hoja de cálculo*   En un *programa de hoja de cálculo*, representación gráfica de la hoja de trabajo de un contador, llena de filas y columnas para guardar *rótulos* (encabezados y subencabezados) y valores. Una hoja de cálculo es una matriz de filas (generalmente numeradas) y columnas (a las que suele asignárseles letras) que forma *celdas* individuales. Cada celda tiene una *dirección de celda* distintiva, como B4 o D19. En cada celda se puede colocar un valor, que es un número o una fórmula oculta que desarrolla un cálculo, o un *rótulo*, que es un encabezado o un texto explicativo. Una fórmula puede contener constantes, como 2+2, pero las fórmulas más útiles contienen referencias a celdas, como D9+D10. Al colocar fórmulas en una celda de hoja de cálculo, es posible crear una red compleja de vínculos entre las partes de la hoja de cálculo. Después de insertar fórmulas, es posible ajustar constantes (como la tasa de impuestos) para ver cómo cambian los totales.

spreadsheet program *programa de hoja de cálculo*   *Programa* que simula en pantalla una *hoja de trabajo de contabilidad* y que permite insertar *fórmulas* ocultas para realizar cálculos sobre los datos visibles. Muchos programas de hoja de cálculo también incluyen funciones de *gráficos* para crear productos atractivos.

sputtering *deposición electrónica*   Como en *recubrimiento del disco*, medio de cubrir el *sustrato del disco duro* con *medios magnéticos de película delgada*. La deposición electrónica usa calor y la atracción de partículas con carga opuesta para cubrir de manera uniforme los platos.

SQL   Siglas de *Lenguaje de Consultas Estructurado*. En *sistemas de administración de bases de datos*, *lenguaje de consultas* desarrollado por IBM que se ha vuelto el estándar de facto para consultas de bases de datos en una *red cliente/servidor*. Los cuatro comandos básicos (SELECT, UPDATE, DELETE e INSERT) corresponden a las cuatro funciones básicas de la *manipulación de datos* (*recuperación, modificación, eliminación e inserción*). Las consultas SQL se aproximan a la estructura de una consulta de *lenguaje natural* en inglés. Los resultados de una consulta se muestran en una tabla de datos que consta de columnas (correspondientes a los campos de datos) y filas (correspondientes a los registros de datos). Vea *ODBC*.

squelch *suspensión*   En una *red*, suspender o cancelar los privilegios de acceso de un *usuario problema*. En una red podrían suprimirse tales privilegios si el usuario viola repetidamente los términos bajo los que se creó la *cuenta*.

SRAM   Siglas de memoria estática de acceso aleatorio. Tipo de *chip* de *memoria de acceso aleatorio (RAM)* que mantiene su contenido sin que la *unidad central de procesamiento (CPU)* lo *actualice* constantemente. A pesar de que es tan *volátil* como los chips de la *memoria dinámica de acceso aleatorio (DRAM)*, SRAM no requiere que la CPU actualice su contenido varios cientos de veces por segundo. Estos chips son sustancialmente más rápidos, pero también son más caros que los chips DRAM y, por lo tanto, se utilizan más a menudo para *cachés* de RAM. Hay dos tipos de SRAM: síncrona y asíncrona. A diferencia de la SRAM asíncrona, la síncrona es significativamente más rápida porque también es capaz de sincronizarse con la *velocidad de reloj* del microprocesador, lo cual le permite realizar operaciones que son reguladas por el *reloj del sistema*; la SRAM síncrona es necesaria para los microprocesadores rápidos de hoy en día. Vea *cache memory* y *pipeline burst cache*.

S register *registro S*   Unidad especial de memoria en el interior de un *módem* que contiene alteraciones al *conjunto de comandos AT*, como el número de timbrazos que debe esperar antes de responder una llamada o el tiempo de espera para que se establezca la *portadora*.

SSL   Siglas de Capa de Zócalos Seguros. Estándar de seguridad de *Internet* propuesto por *Netscape Navigator* e incorporado en su navegador *Netscape Navigator* y el software *Netscape Commerce Server*. A diferencia de su principal competidor, *S-HTTP*, SSL es independiente de la aplicación, ya que funciona con todas las herramientas de Internet, no sólo con *World Wide Web (WWW)*. Esto se debe a que SSL funciona en la *capa de red* y no en la *capa de aplicación* y, por lo tanto, está disponible para cualquier aplicación de Internet con soporte para SSL, incluyendo a los *lectores de noticias*. (Netscape ha desarrollado *Collabra*, un lector de noticias SSL seguro para grupos de noticias organizacionales privados.) Las aplicaciones que usan SSL también recurren a *encriptación de clave pública RSA, certificados RSA* y *firmas digitales* para establecer la identidad de las partes de la transacción; después de que se ha establecido el enlace, tiene lugar un intercambio de claves y se utiliza la tecnología de encriptación *RC4* de RSA (un *algoritmo de encriptación de clave simétrica*) para asegurar la transacción. Con las *claves* de 128 bits utilizadas para comunicaciones de SSL dentro de Estados Unidos, la decodificación de la transacción encriptada sería *computacionalmente impracticable*, de modo que está a salvo de husmeadores y criminales. (No obstante, la versión de 40 bits usada en las versiones de exportación de *Netscape Navigator* no es segura y debe evitarse en transacciones comerciales.)

ST-506/ST-412   *Estándar de interfaz* para disco duro que se empleaba profusamente en las computadoras IBM y compatibles. Estas unidades, virtualmente inexistentes en la actualidad, son más lentas y económicas que las unidades que usan los estándares de interfaces más recientes, como *ESDI*, *IDE* y *SCSI*. Con la interfaz ST506/ST412 se emplean los estándares *MFM* y *RLL*.

stack *pila*   En *programación*, *estructura de datos* en la cual los primeros componentes insertados son los últimos que se retiran. La estructura de datos Último en Entrar Primero en Salir (LIFO) se emplea en programas que usan *estructuras de control*; una pila permite que la computadora encuentre lo que estaba haciendo cuando se bifurcó o saltó a otro procedimiento. En *HyperCard*, el término *pila* se refiere a un archivo que contiene una o más tarjetas que comparten un elemento de fondo común.

stacked column graph *gráfico de columnas apiladas*   Gráfico de columnas en el cual se exhiben dos o más series de datos colocadas una sobre la otra. Vea *histogram*.

STACKS   En *MS-DOS*, área que se separa para guardar información de una tarea vigente al ejecutar una instrucción de interrupción. Luego de procesar la interrupción, el DOS usa la información de la pila para reasumir la tarea original. Si el *programa de aplicación* que desea ejecutar necesita las pilas, el usuario debe incluir un comando STACKS en el archivo *CONFIG.SYS* para especificar el tamaño y número de pilas que desea apartar.

staggered windows *ventanas escalonadas*   Vea *cascading windows*.

stale *descontinuado*   No actualizado; que ya no es exacto.

stale link *vínculo descontinuado*   En *World Wide Web* (WWW), *hipervínculo* con un documento que se ha eliminado o movido. El término es sinónimo de agujero negro.

stand-alone *autónomo, independiente*   Autosuficiente, que no requiere ningún componente o servicio adicional.

stand-alone computer *computadora independiente*   *Sistema de computación* dedicado a cubrir todas las necesidades de cómputo de un individuo. El usuario selecciona únicamente los *programas* necesarios para sus tareas cotidianas. Los enlaces con otras computadoras, si los hay, son incidentales para el propósito principal del sistema. Vea *distributed processing system, multi-user system* y *professional workstation*.

stand-alone server *servidor independiente*   En una red *cliente/servidor, servidor* que mantiene sus propios servicios de autenticación y manejo de cuentas de usuarios. Aunque esto es conveniente para una red pequeña, es una desventaja para una red más grande en la cual los usuarios quizá tengan que acceder a varios servidores para obtener los datos que necesitan. Si cada uno de esos servidores es independiente, los usuarios tendrán que proporcionar varios nombres de inicio de sesión y contraseñas. Una desventaja adicional es que cada servidor representa un diferente punto de vulnerabilidad a la intrusión por parte de usuarios no autorizados. En redes con varios servidores, la mejor solución es trasladar la autenticación y el manejo de cuentas de usuarios al nivel de red (vea *DCE* y *Kerberos*).

standard *estándar*   En computación, conjunto de reglas o especificaciones que definen la arquitectura de un dispositivo de hardware, un programa o un sistema operativo. Los estándares a menudo son mantenidos por un cuerpo independiente como el *Instituto Estadounidense de Estándares Nacionales (ANSI)*. Vea *de facto standard, open standard* y *proprietary standard*.

Standard Generalized Markup Language *Lenguaje Estándar de Marcación Generalizada*   Vea *SGML*.

standard newsgroup hierarchy *jerarquía estándar de grupos de noticias*   En *Usenet*, colección de categorías que se espera contengan todos los sitios Usenet, si existe suficiente espacio de almacenamiento. Entre las jerarquías estándar de grupos de noticias se incluyen las siguientes categorías: *comp.*, misc.*, news.*, rec.*, sci.*, soc.** y *talk.**. Los grupos de noticias se crean a través de un proceso de votación. Vea *alt hierarchy* y *Call for Votes (CFV)*.

standard parallel port *puerto paralelo estándar*   *Puerto paralelo* que transfiere *información*, en una sola dirección, a unos 200 *Kb* por segundo. Usado desde los días de las primeras computadoras personales IBM, los puertos paralelos estándar conectan computadoras a *periféricos* como *impresoras*. Sin embargo, los *puertos paralelos bidireccionales* como el *puerto paralelo mejorado (EPP)* y el *puerto de capacidades extendidas (ECP)* han vuelto obsoleto al puerto paralelo estándar.

Standard Performance Evaluation Corporation (SPEC)   Consorcio de empresas de la industria de la computación, fundado en 1988, cuya función es establecer las *pruebas comparativas* para computadoras. SPEC ha desarrollado varias pruebas hasta ahora: la prueba CINT92, que mide cálculos de enteros, y la prueba CFP92 que prueba los cálculos de *punto flotante*.

standby UPS *UPS de reserva* *Sistema de alimentación ininterrumpida (UPS)* que protege contra falla total del suministro de energía pero no contra la reducción en la línea de voltaje. Las unidades de reserva son menos caras que los dispositivos *UPS de línea interactiva*, pero su incapacidad para proteger contra bajo voltaje los hace poco prácticos. Vea *surge protector*.

star network *red de estrella* En *redes de área local (LAN)*, *topología de red* centralizada cuya disposición física semeja una estrella. En el centro se encuentra un procesador central de red o concentrador de cableado; los nodos se acomodan y conectan directamente alrededor del punto central. Los costos de cableado de una red de estrella son mucho más elevados que los de otras topologías debido a que cada *estación de trabajo* requiere un cable que la enlace directamente con el procesador central.

start bit *bit de inicio* En *comunicaciones seriales*, *bit* insertado en el flujo de datos para informar a la computadora receptora que en seguida aparecerá un byte de datos. Vea *asynchronous communication* y *stop bit*.

starting point *punto de inicio* En *World Wide Web (WWW)*, documento que contiene sugerencias útiles para navegar en Web, como introducciones a *Internet* y a Web, *árboles de temas*, *máquinas de búsqueda* y sitios Web interesantes.

start page *página de inicio* En un *navegador Web*, página que aparece cuando el usuario pone en ejecución el programa (o hace clic en el botón Inicio de la barra de herramientas). Como opción predeterminada, es la página principal del editor del navegador; tanto *Netscape Navigator* como *Microsoft Internet Explorer* permiten que los usuarios personalicen la página de inicio.

startup disk *disco de inicio* Disco que el usuario utiliza normalmente para arrancar su computadora. El disco (a menudo el *disco duro*) contiene partes del *sistema operativo*. El término es sinónimo de disco de arranque y disco de sistema.

startup screen *pantalla de inicio* Texto o *gráficos* que se muestran al principio de un programa. En general, la pantalla incluye el nombre y versión del programa y contiene con frecuencia un logotipo distintivo de éste.

statement *instrucción* En un *lenguaje de programación de alto nivel*, expresión que puede generar *código de máquina* cuando el programa es interpretado o compilado.

state-of-the-art *avanzado*   Componente muy elaborado que representa el nivel más elevado de desarrollo técnico.

static object *objeto estático*   *Documento*, o parte de éste, pegado en un *documento destino* mediante las técnicas normales de copiado y pegado. El objeto no cambia al modificar la información del *documento origen*. Para actualizar la información en el objeto, hay que hacer las modificaciones en el documento origen y volver a copiar el documento. Vea *embedded object, linked object* y *OLE*.

static random-access memory *memoria estática de acceso aleatorio* Vea *SRAM*.

station *estación*   Vea *workstation*.

statistical software *programa estadístico*   *Programa de aplicación* que facilita la realización de pruebas y mediciones estadísticas.

status bar *barra de estado*   En una *interfaz gráfica de usuario (GUI)*, barra en la parte inferior de la ventana que muestra información relacionada con el programa.

status line *línea de estado*   Línea de la pantalla de un *programa de aplicación* que casi siempre aparece en la parte inferior de la pantalla para describir el estado de un programa. Las líneas de estado incluyen por lo general el nombre del *archivo* que se está modificando, la posición del cursor y los nombres de las teclas de conmutación oprimidas (como *Bloq Num* o *Bloq Mayús*).

stem *cuerpo*   En *tipografía*, trazo vertical principal de un carácter.

stepper motor *motor de pasos*   Motor que hace un giro de una fracción precisa cada vez que recibe un impulso eléctrico. Este tipo de motores se usa como parte de mecanismos para *actuadores de cabeza* en *unidades de disco duro* y *flexible*.

stereoscopy *estereoscopia*   Tecnología que presenta dos imágenes tomadas desde perspectivas ligeramente diferentes que, al verlas con un estereoscopio, crean la ilusión de profundidad del espacio tridimensional. Los visores estereoscópicos fueron populares en el siglo pasado y la tecnología pervive hasta nuestros días como uno de los fundamentos de la *realidad virtual (VR)*. Vea *head-mounted display (HMD)*.

stickup initial *capitular inicial*   Vea *inicial*.

stop bit *bit de parada, bit de paro*   En *comunicaciones seriales*, bit insertado en el flujo de datos para informar a la computadora receptora que se ha completado la transmisión de un *byte* de datos. Vea *asynchronous communication* y *start bit*.

storage *almacenamiento*   Retención de instrucciones de programa y de datos dentro de la computadora con el fin de que esta información esté disponible para efectos de procesamiento. Vea *primary storage* y *secondary storage*.

storage device *dispositivo de almacenamiento*   Cualquier dispositivo óptico o magnético capaz de realizar funciones de almacenamiento de información en un sistema de computación. Vea *secondary storage*.

storage medium *medio de almacenamiento*   En un *dispositivo de almacenamiento*, material que retiene la información almacenada (como el material magnético en la superficie de un disco flexible).

store-and-forward network *red de almacenamiento y reenvío*   Red de área amplia (WAN) creada por medio del sistema telefónico. Cada computadora de la red almacena mensajes recibidos durante el día. De noche, cuando las tarifas telefónicas son más bajas, el software de la computadora marca automáticamente a un sitio de distribución central. La computadora sube aquellos mensajes dirigidos a otras computadoras en el sistema y descarga los mensajes de otras computadoras. La tecnología de almacenamiento y reenvío es la base del *Programa de Copia Unix a Unix (UUCP)*, una red de Unix, y *FidoNet*, una de las varias redes de área amplia que enlaza *Sistemas de Boletines Electrónicos (BBS)*.

stored program concept *concepto de programa almacenado*   Idea, base de la *arquitectura* de todas las computadoras modernas, que sostiene que un programa debe estar guardado en *memoria* junto con los *datos*. El concepto sugiere que un programa puede saltar de una instrucción a otra, en vez de ejecutar instrucciones en secuencia. Con esta reflexión se inicia de hecho todo el panorama de la computación moderna, pero también introduce una limitación conocida: vea *von Neumann bottleneck* y *parallel processing*.

storefront *escaparate*   En *World Wide Web (WWW)*, documento Web que establece la presencia de una empresa comercial en Web. Por lo general, un escaparate no trata de proporcionar un catálogo completo; en cambio, ilustra unos cuantos artículos o servicios típicos de la empresa. La experiencia de mercadotecnia en Web demuestra que los escaparates más exitosos son aquellos que ofrecen algunos "regalitos", como información o *software* descargable. A medida que se generalice el uso de los protocolos de seguridad, los clientes podrán utilizar sus tarjetas de crédito con seguridad para hacer pedidos. Vea *S-HTTP* y *SSL*.

stream *flujo*   Paso continuo de datos a través de un canal, en contraste con el envío de datos por medio de *paquetes* (unidades de información fijas, numeradas y direccionadas que llegan en desorden).

streaming audio *audio de flujo continuo*   Tecnología de transmisión de sonido a través de *Internet* que envía datos de audio en forma de un flujo continuo, comprimido, que se reproduce sobre la marcha. A diferencia de los sonidos descargados, que tal vez empiecen a reproducirse después de varios minutos de espera, el audio de flujo continuo empieza casi de inmediato. Para obtener calidad de audio aceptable, el usuario necesita una conexión rápida de módem (de 28 Kbps o mejor). No obstante, en el mejor de los casos el sonido es similar al de un radio de AM (aceptable para voz, pero con baja calidad para música). No hay un estándar de audio de flujo continuo con soporte universal; el estándar de facto es *Real Audio*.

streaming tape drive *unidad de cinta con flujo continuo*   *Dispositivo de almacenamiento secundario* de datos que usa una cinta continua dentro de un cartucho con fines de elaboración de *copias de seguridad*.

streaming video *video de flujo continuo*   Tecnología de transmisión de video a través de *Internet* que envía datos de video en forma de un flujo continuo, comprimido, que se reproduce sobre la marcha. Al igual que el *audio de flujo continuo*, el video de flujo continuo empieza casi de inmediato. Se requiere un módem de alta velocidad. La calidad es baja; el video aparece en una pequeña ventana en la pantalla, y el movimiento es espasmódico.

stress test *prueba de tensión*   Procedimiento de *prueba alfa* mediante el cual el fabricante trata de determinar el comportamiento de un programa bajo demanda intensa. Al incluir grandes cantidades de datos en un programa, un fabricante puede determinar si el programa fallará bajo condiciones reales y, de ser así, cuándo y cómo ocurrirá.

strikeout *tachado*   Vea *strikethrough*.

strikethrough *tachado*   Atributo mediante el cual el texto se tacha con rayas, como en el siguiente ejemplo:

~~Este texto tiene formato tachado.~~

El tachado a menudo se utiliza para marcar texto que habrá de eliminarse de un documento escrito por varios autores, para que éstos puedan ver fácilmente los cambios. Vea *redlining*.

string *cadena*   1. En programación, serie de caracteres alfanuméricos o unidad de datos distinta a los valores numéricos. 2. *Palabra clave* en una búsqueda de *base de datos*.

string formula *fórmula de cadena*   En un *programa de hoja de cálculo*, *fórmula* que ejecuta una *operación de cadena*; por ejemplo, cambiar un rótulo de mayúsculas a minúsculas.

string operation *operación de cadena*   Cálculo realizado sobre caracteres alfanuméricos. Las computadoras no comprenden el significado de las palabras y por ello no las procesan como las personas; no obstante, ejecutan operaciones de procesamiento simples sobre datos textuales, como comparar dos *cadenas* de caracteres para ver si son iguales, calcular el número de caracteres que ocupa una cadena y ordenar las cadenas de caracteres siguiendo un *orden ASCII*.

String-Oriented Symbolic Language *Lenguaje Simbólico Orientado a Cadenas de Caracteres*   Vea *SNOBOL*.

stroke weight *peso del trazo*   Ancho de las líneas que integran un carácter. "Light", "medium" y "bold" son los tipos de peso del trazo en *fuentes*.

strong authentication *autenticación fuerte*   En seguridad de computadoras, uso de medidas de autenticación que van más allá de proporcionar una contraseña. Entre las técnicas de autenticación fuerte se incluye el uso de *firmas digitales* y *certificados*, *fichas* y *tarjetas inteligentes*.

structured programming *programación estructurada*   Conjunto de estándares de calidad que vuelven más prolijos los *programas*, pero también más legibles, confiables y fáciles de mantener. La esencia de la programación estructurada es evitar *códigos en espagueti*, producto del uso excesivo de instrucciones GOTO; este problema está presente a menudo en programas *BASIC* y *FORTRAN*. La programación estructurada (como la promovida por C, *Pascal*, *Modula-2* y el lenguaje de comandos de *dBASE*) insiste en que la estructura total del programa refleje lo que éste debe hacer, para lo cual se debe comenzar con la primera tarea y proseguir de forma lógica. El uso de sangrías ayuda a aclarar la lógica y estimula a los *programadores* para que usen *ciclos*, *estructuras de control de bifurcación* y procedimientos denominados, en lugar de instrucciones GOTO.

Structured Query Language *Lenguaje de Consultas Estructurado*   Vea *SQL*.

style *estilo*   1. En *fuentes*, característica como cursivas, subrayado o negritas. 2. En *procesamiento de texto*, definición guardada y compuesta por comandos de formato que se aplican con regularidad a tipos específicos de texto; por ejemplo, encabezados principales. Los estilos pueden incluir alineación, tipo de letra, interlineado y otras características de formato. Después de crear y guardar un estilo, el usuario puede aplicarlo rápidamente mediante una o dos teclas. Vea *style sheet*.

style sheet *hoja de estilo*   En algunos *programas de procesamiento de texto* y de *diseño de páginas*, colección de estilos de uso frecuente en un tipo específico de *documento*, como en los boletines, que se guardan juntos. El término es sinónimo de biblioteca de estilos.

stylus *lápiz electrónico, pluma electrónica*   Instrumento con forma de pluma que se emplea sobre la pantalla de un monitor para seleccionar opciones de menú o sobre una *tableta gráfica* para elaborar *dibujos lineales*.

subdirectory *subdirectorio*   En *MS-DOS* y *Unix*, estructura de *directorio* creada dentro de otro directorio. Un subdirectorio puede contener archivos y otros subdirectorios. Al formatear un *disco duro* se crea un área de tamaño fijo para el *directorio raíz*, que sólo puede guardar información para 512 archivos. Para añadir más archivos a la unidad de disco duro, es necesario crear subdirectorios donde se puedan guardar otros archivos. Mediante el uso de subdirectorios el usuario puede crear una estructura jerárquica, en forma de árbol, de directorios anidados para agrupar programas y archivos y organizar los datos según sus necesidades. Así, el usuario puede crear subdirectorios dentro de subdirectorios con un máximo de nueve niveles.

subdomain *subdominio*   En el *sistema de nombres de dominio (DNS)* de *Internet*, dominio subordinado a un nombre de dominio; por ejemplo, en la dirección Web http://www.virginia.edu/tcc, www.virginia.edu es el dominio y tcc es el subdominio.

subject drift *desvío de la línea de asunto*   En *grupos de noticias* de *Usenet*, tendencia de las líneas de asunto de *publicaciones de seguimiento* a volverse cada vez más irrelevantes para el contenido del artículo. El desvío de líneas de asunto es una consecuencia no intencional del uso de software *lector de noticias*, que automáticamente copia el asunto del artículo original (una breve descripción de una línea) cuando el usuario escribe una publicación de seguimiento. A medida que la discusión entra en nuevos territorios, los lectores de noticias siguen repitiendo la misma línea de asunto, aunque se vuelva irrelevante para el asunto que en realidad se está discutiendo.

subject selector *selector de líneas de asunto*   En un *lector de noticias* de *Usenet*, modo de programa que muestra una lista de artículos ordenada por líneas de asunto. Tenga en cuenta que no es lo mismo ordenar por líneas de asunto que por *cadenas*; un *lector de noticias con encadenamiento* muestra la relación precisa entre artículos y *publicaciones de seguimiento*, mientras que un lector de noticias que ordena líneas de asunto simplemente alfabetiza éstas (haciendo confusas algunas de las relaciones entre los artículos de una cadena). Vea *thread selector*.

subject tree *árbol de temas*   En *World Wide Web (WWW)*, guía de Web que organiza los sitios Web por tema. El término surge de que muchas de las clasificaciones de temas (como Ambiente o Música) tienen "ramas" o subcategorías. En el nivel más bajo del árbol se encuentran los *hipervínculos*, en los cuales se hace clic para desplegar el documento de Web citado. Vea *Yahoo*.

submenu *submenú*   *Menú* subordinado que aparece al seleccionar un comando en un menú desplegable. El submenú presenta una lista con más opciones. No todos los comandos de un menú presentan submenús. Algunos comandos ejecutan de forma directa una acción; otros abren *cuadros de diálogo* (esas opciones van seguidas por puntos suspensivos [...])

subnet *subred*   Segmento de una *red de área local (LAN)* conectada a Internet; se diferencia de los demás segmentos mediante una operación (llamada *máscara de subred*) que se realiza en las *direcciones IP* de las redes. Las subredes comparten una *dirección IP* común con el resto de la red de la cual forman parte, pero pueden funcionar de manera independiente. Una subred es una unidad virtual identificada conceptualmente a través de la metodología de direccionamiento, y por lo general se crea para reflejar diferenciaciones válidas para una organización (aunque los miembros de una unidad de la organización en realidad utilicen dos o más partes físicamente diferentes de la red). Por ejemplo, en una universidad, un solo departamento académico puede tener asignada una subred, aunque algunos miembros de una facultad se conecten a Internet a través de una red Ethernet de alta velocidad y otros lo hagan mediante una red AppleTalk.

subnet mask *máscara de subred*   Transformación desarrollada en la *dirección IP* de una organización, que permite a los administradores de red crear *subredes*.

subroutine *subrutina*   Sección de un programa de computadora que ejecuta una función específica y se aparta del resto del código para que varias secciones del programa puedan usarla (llamarla) cuando sea necesario.

subscribe *suscribirse*   En *Usenet*, agregar un *grupo de noticias* a la lista de grupos que usted lee con mayor frecuencia. Los grupos de noticias a los que esté suscrito aparecen en el *selector de grupos de noticias*, lo cual facilita su selección. Si ya no desea leer un grupo de noticias, puede *cancelar la suscripción* para eliminar el nombre del grupo de la lista de suscripciones.

subscript *subíndice*   En *procesamiento de texto*, número o letra impresa ligeramente más abajo de la línea base, como en este ejemplo: n_1. Vea *superscript*.

substrate *sustrato*   Material al que está fijo el medio de grabación de un *disco duro* o uno *flexible*. Estos últimos por lo general tienen un sustrato de plástico, cubierto por una mezcla de medio de grabación y *pegamento*. Los discos duros tienen un sustrato de aluminio o vidrio que se recubre con un *medio magnético de película delgada*.

Suitcase   En ambiente *Macintosh*, *programa de utilería* para administración de fuentes.

suite *grupo de programas*   Conjunto de *programas de aplicación,* vendido en un solo paquete, diseñados para funcionar juntos. Los grupos de programas (como *Microsoft Office Standard* y *Corel WordPerfect Suite*) por lo general incluyen un programa de *procesamiento de texto*, una *hoja de cálculo* y un programa de *correo electrónico*. Los grupos de programas más completos (como *Corel Office Suite*, *Microsoft Office Professional* y *Lotus SmartSuite*) incluyen *programas de administración de bases de datos*. Los grupos de programas son más económicos que si se compran las aplicaciones individualmente.

Sun Microsystems   Líder mundial en la fabricación de estaciones de trabajo basadas en *Unix*, cuya participación en el mercado es de aproximadamente una tercera parte. Ubicada en Mountain View, California, entre los productos de la empresa se encuentra el sistema operativo *Solaris*, además de estaciones de trabajo (SPARCstation) y servidores (SPARCserver) que incluyen microprocesadores de alto desempeño SPARC y UltraSPARC, basados en los principios de *computadora con conjunto reducido de instrucciones (RISC)*. Una nueva e importante iniciativa de Sun es el lenguaje de programación *Java*, con el cual se crean programas que pueden ejecutarse en cualquier computadora.

supercomputer *supercomputadora*   Refinada y costosa computadora diseñada para ejecutar cálculos complejos a la máxima velocidad permitida por los avances tecnológicos actuales. Las supercomputadoras se usan en investigación científica, en especial para la creación de modelos de sistemas complejos y dinámicos, como el del estado del tiempo a nivel mundial, el de la economía estadounidense o el de los movimientos de los brazos espirales de una galaxia. Cray-MP es un ejemplo de supercomputadora.

SuperDrive   Innovadora *unidad de disco flexible de 3 1/2 pulgadas* que ahora es estándar en las computadoras *Macintosh*. Los SuperDrives son capaces de leer todos los formatos de Macintosh

(400 KB, 800 KB y 1.4 MB). Con la ayuda del programa Apple File Exchange, incluido con todo el software de sistema de Macintosh, la unidad también puede leer y escribir en discos de 720 KB y 1.44 MB de *MS-DOS*. Además, puede formatear discos con el formato de MS-DOS.

superpipelining *supercanalización, superentubamiento*   Método para extender la *canalización*, en el cual el *microprocesador* empieza a ejecutar una nueva instrucción antes de que se complete la ejecución de la instrucción anterior, de modo que hasta cuatro o cinco instrucciones se ejecutan a la vez. El microprocesador *Pentium Pro* de Intel emplea supercanalización.

superscalar architecture *arquitectura superescalar*   Diseño que permite al *microprocesador* tomar una instrucción secuencial y enviar varias instrucciones a la vez a unidades de ejecución separadas, con el fin de que el procesador pueda ejecutar varias instrucciones por *ciclo de reloj*. Esta arquitectura tiene un planificador integrado que busca en la fila de instrucciones, identifica un grupo de éstas que no tienen conflictos entre sí, o que requieren del uso simultáneo de un servicio particular, y transfiere al grupo para su ejecución. Los dos *canales* disponibles en el microprocesador *Pentium* permiten que el procesador ejecute dos instrucciones por ciclo de reloj. La *PowerPC*, con tres unidades de ejecución, puede controlar tres instrucciones en forma simultánea.

superscript *superíndice*   Número o letra impresa un poco más arriba de la línea base, como en este ejemplo: a^2. Vea *subscript*.

Super VGA   Mejoramiento del estándar para monitor *Arreglo de Gráficos de Video (VGA)*, capaz de presentar por lo menos 800 pixeles en posición horizontal y 600 líneas en posición vertical, y hasta 1,280 pixeles por 768 líneas con 16, 256 o 16.7 millones de colores exhibidos simultáneamente. La cantidad de *memoria de video* necesaria para el despliegue de 16 colores es mínima, pero se requieren hasta 3.9 MB para 16.7 millones de colores.

support *soporte*   1. Tener la capacidad de trabajar con un dispositivo, formato de archivo o programa. Por ejemplo, *Netscape Navigator* soporta varios *plug-ins*. 2. Proporcionar ayuda humana cuando se tienen problemas con la computadora (vea *technical support*).

surf *surfear*   Explorar *World Wide Web (WWW)* con la idea de encontrar elementos valiosos siguiendo *hipervínculos* que parecen interesantes.

surfing *surfear*   Exploración de Web siguiendo vínculos interesantes (para algunos, un monumental desperdicio de tiempo; para otros, una alegría).

surge *sobretensión, sobrevoltaje*   Incremento momentáneo y a veces destructivo en la cantidad de voltaje que pasa a través de una línea de energía eléctrica. El sobrevoltaje es provocado por un breve y en ocasiones muy elevado aumento en el voltaje de la línea debido a que se apagan varios artículos eléctricos, por tormentas eléctricas o por el restablecimiento de la energía después de un apagón. Vea *power line filter* y *surge protector*.

surge protector *supresor de picos*   Dispositivo eléctrico económico que evita que el sobrevoltaje alcance una computadora y dañe su circuitería. Vea *power line filter*.

SVID   Vea *System V Interface Definition*.

S-Video   Estándar que especifica un cable de video con un miniconector de 4 pines. Las tarjetas de video (además de todas las Macintosh A/V) tienen entradas S-Video, que aceptan datos de una VCR y de cámaras digitales.

swap file *archivo de intercambio*   Voluminoso archivo oculto creado por *Microsoft Windows 3.1* y *Windows 95*, empleado para guardar instrucciones de programa y datos que ya no caben en la *memoria de acceso aleatorio (RAM)* de la computadora. Vea *virtual memory*.

swash *carácter ornamental*   Carácter que cubre con atractivas líneas curvas, por detrás o por delante, caracteres adyacentes.

switch *modificador*   Elemento que se agrega a un comando de *MS-DOS* con el propósito de cambiar la forma en que el comando realiza su función. El símbolo del modificador es una diagonal seguida por uno o más caracteres. Por ejemplo, el comando DIR /p muestra una lista de directorios, página por página.

switchable power supply *fuente de poder conmutable*   *Fuente de poder* que permite usar la computadora con la energía eléctrica de Estados Unidos y Europa. A diferencia de los económicos "convertidores de viaje", que pueden arruinar los circuitos de su PC, este tipo de fuente de poder permite que una computadora utilice 115 volts, 60 Hertz en Estados Unidos, o 230 volts, 50 Hertz en Europa.

Sybase, Inc.   Editor importante de *sistemas de administración de bases de datos relacionales (RDMS)* basados en *Unix,* para computación *cliente/servidor* en el contexto de empresas de usuarios múltiples. Ubicado en Emeryville, California, Sybase ofrece extensos servicios de consultoría integración de sistemas a corporaciones que necesitan sistemas sofisticados de administración de bases de datos.

Symantec   Editor líder de *software de utilería* para computadoras con sistemas operativos Macintosh y Microsoft Windows; entre este tipo de software se encuentran los bien conocidos *Norton AntiVirus* y *Norton Utilities.* Ubicada en Cupertino, California, la compañía también edita varios programas de aplicación populares, como *Act!* (programa de administración de contactos), *WinFax* (programa de fax para Microsoft Windows) y pcANYWHERE (programa de control remoto).

symbolic coding *codificación simbólica*   Expresión de un *algoritmo* en forma codificada mediante símbolos y números que cualquier persona puede entender (en vez de los números *binarios* que utiliza la computadora). Todos los *lenguajes de programación* modernos usan codificación simbólica.

symmetric key encryptation algorith *algoritmo de encriptación de clave simétrica*   *Algoritmo de encriptación* que utiliza la misma clave para codificar y decodificar mensajes y tiene muchas ventajas: requiere relativamente poca *sobrecarga* y, cuando se utiliza con *claves* de suficiente longitud, produce *texto cifrado* prácticamente imposible de adivinar para los crackers. Sin embargo, es necesario comunicar la clave al receptor del mensaje por algún medio seguro. En servicios de seguridad de *Internet*, normalmente se hace por medio de *algoritmos de encriptación de clave pública,* que se usan inicialmente para autenticar las dos partes de la transacción y manejar el intercambio inicial de claves simétricas; la comunicación subsecuente entre las dos partes se realiza mediante el algoritmo de clave simétrica. Vea *SSL.*

symmetric multiprocessing (SMP) *multiprocesamiento simétrico*   En una computadora con más de una *unidad central de procesamiento (CPU)*, tipo de arquitectura de multiprocesamiento en el cual cada procesador tiene un acceso igual a la memoria del sistema y a los *dispositivos de entrada/salida.* Los procesadores se conectan por medio de un *bus* de alta velocidad. Por lo general, el *sistema operativo (OS)* divide las tareas de procesamiento de manera muy sencilla; por ejemplo, asigna las tareas de impresión o comunicaciones a un procesador y las tareas de procesamiento de datos a otro. Asimismo, el procesador puede dividir los subprocesos de una sola aplicación entre los procesadores disponibles. *Microsoft Windows NT* soporta multiprocesamiento. Vea *parallel processing.*

synchronous *sincrónico, síncrono*   Que ocurre al mismo tiempo gracias a impulsos regulares que se reciben desde algún dispositivo cronológico. Vea *asynchronous.*

synchronous communication *comunicación síncrona*   Transmisión de *datos* a velocidades muy altas mediante circuitos en los cuales la transferencia de datos es sincronizada por las señales electrónicas de un reloj. La comunicación síncrona se emplea en redes de *mainframes* de alta velocidad. Vea *asynchronous communication*.

Synchronous Digital Hierarchy (SDH) *Jerarquía Digital Síncrona*   Vea *SONET*.

synchronous dynamic random-access memory *memoria síncrona y dinámica de acceso aleatorio*   Vea *SDRAM*.

synchronous graphics random-access memory *memoria síncrona de acceso aleatorio para gráficos*   Vea *SGRAM*.

synchronous motor *motor síncrono*   Tipo obsoleto de motor eléctrico que alguna vez los *discos duros* utilizaron como *motor del eje*. Reemplazado en la actualidad por el *motor DC servocontrolado*, los motores síncronos utilizan corriente alterna de gran voltaje y no pueden diseñarse para que giren a diferentes velocidades.

Synchronous Optical Network *Red Óptica Síncrona*   Vea *SONET*.

syntax *sintaxis*   Reglas que controlan la estructura de comandos o instrucciones.

syntax error *error de sintaxis*   Error resultado de emitir un comando de forma tal que viole las reglas de *sintaxis* de un programa.

SyQuest drive *unidad SyQuest*   Tipo de *disco duro removible* compatible con el estándar *Interfaz Pequeña para Sistemas de Computación (SCSI)* y muy popular entre usuarios de computadoras *Macintosh* y *compatibles con la PC* de IBM. Además de los cartuchos tradicionales de 44 y 88 MB, entre los nuevos formatos de almacenamiento se incluyen cartuchos de 135, 230 y 270 MB, pero no son *compatibles hacia atrás* con anteriores unidades SyQuest.

SyQuest Technology, Inc.   Fabricante líder de discos duros removibles para respaldo de información. La empresa enfrenta una fuerte competencia por parte de *Iomega Corporation*, que comercializa las populares unidades Zip.

sysop *sysop*   Abreviatura de operador de sistema. Persona que dirige un *sistema de boletines electrónicos (BBS)*.

system *sistema*   1. Colección organizada de componentes que se optimizan para que funcionen como un todo. 2. El sistema completo de una computadora, incluyendo los dispositivos periféricos (vea *computer system*).

System 7.5   *Sistema operativo* para computadoras *Power Macintosh* equipadas con microprocesadores *PowerPC*. No tiene la opción de *multitareas por preferencias* y se encuentra detrás de *Microsoft Windows 95* y *Microsoft Windows NT*. Apple llama ahora a su sistema operativo *MacOS*; la última versión, MacOS 7.6,

todavía no ofrece las características que Microsoft utiliza desde hace
más de dos años. MacOS 8.x, que aún se encontraba en desarrollo
al momento de escribir esto, finalmente debe llevar a la tecnología
de sistemas operativos de Apple a convertirse en un estándar
prevaleciente en la industria.

System 8   Vea *MacOS*.

system administrator *administrador de sistema*   Persona responsable
de dirigir y mantener un *sistema de computación*, sobre todo un
mainframe, una *minicomputadora* o una *red de área local (LAN)*.
Los administradores de sistema, a veces llamados administradores
de *red*, otorgan *nombres de acceso*, mantienen la *seguridad*, corrigen
fallas y aconsejan a la administración sobre compras de *hardware* y
software.

system board *tarjeta de sistema*   Término que utiliza IBM en lugar
de *tarjeta madre*.

system call *llamada de sistema*   Solicitud que hace una aplicación
(por ejemplo, de abrir un archivo) de servicios proporcionados por
el *sistema operativo* de la computadora. La *interfaz de programación
de aplicaciones (API)* determina la sintaxis para escribir llamadas al
sistema.

system clock *reloj del sistema*   Circuito temporizador localizado en
la *tarjeta madre* que emite un impulso de sincronización a intervalos
regulares, como 33.000,000 de veces por segundo en una tarjeta
madre de 33 *megahertz* (MHz). Los impulsos del reloj del sistema
ayudan a sincronizar las operaciones de procesamiento. Vea *clock
cycle*.

system date *fecha del sistema*   Fecha de calendario mantenida
por el sistema de la computadora, aunque haya un corte de la
energía eléctrica, gracias a una batería que se encuentra en el
interior del gabinete de la computadora.

system disk *disco de sistema*   Disco que contiene los archivos del
sistema operativo necesarios para arrancar la computadora. Los
usuarios de computadoras con *disco duro* por lo general configuran
éste para que sirva como disco de sistema.

system file *archivo de sistema*   *Programa* o *archivo de datos* cuya
información es necesaria para el *sistema operativo*, y que es distinto
de los archivos de programa o datos usados por los *programas de
aplicación*.

System Folder *Carpeta del Sistema*   En el ambiente del escritorio de
Macintosh, *carpeta* que contiene los archivos *System* y *Finder*, los
dos componentes del *sistema operativo* de la Mac. Además de éstos,
la Carpeta del Sistema también contiene todos los *accesorios del*

escritorio (DA), INITs, *dispositivos del panel de control (CDEV)*, las *fuentes para pantalla*, las fuentes transferibles para impresora y los *controladores de impresora* disponibles durante una sesión operativa. Vea *blessed folder*, *downloadable font*.

system integrator *integrador de sistemas*   Individuo o empresa que proporciona servicios de *revendedor de valor agregado (VAR)*, combinando varios componentes y programas en un sistema personalizado de acuerdo con las necesidades particulares del cliente.

System Management Mode (SMM) *Modo de Administración del Sistema*   En microprocesadores *Intel*, estado de bajo consumo eléctrico que puede activarse para conservar la energía de la batería. Todos los microprocesadores Intel recientes contienen circuitería SMM, por lo que su uso es adecuado para computadoras notebook.

system prompt *indicador del sistema*   En un *sistema operativo de línea de comandos*, texto que muestra la disponibilidad del *sistema operativo* para copiar archivos, formatear discos y cargar programas. En el *MS-DOS*, el indicador del sistema (una letra que designa la unidad de disco, seguida por el símbolo mayor que) muestra la unidad activa. Por ejemplo, si se observa el indicador C>, significa que C es la unidad activa y que DOS está listo para recibir instrucciones. El usuario puede personalizar el indicador del sistema mediante el comando PROMPT.

systems analysis *análisis de sistemas*   Especialidad profesional que ayuda a determinar las necesidades computacionales de una organización y a diseñar *sistemas de computación* para cubrir esas necesidades. El análisis de sistemas está menos estructurado que la *programación* u otras partes de la ciencia de la computación, porque a menudo resulta difícil determinar si el analista ha encontrado el mejor sistema para una organización, o incluso si ha resuelto por completo los problemas de cómputo.

Systems and Procedures Association (SPA) *Asociación de Sistemas y Procedimientos*   Vea *Association for Systems Management (ASM)*.

Systems Application Architecture (SAA) *Arquitectura de Aplicaciones de Sistemas*   Conjunto de estándares para la comunicación entre distintos tipos de computadoras IBM, desde *computadoras personales* hasta *mainframes*. Anunciada en 1987, la SAA fue una respuesta de IBM a la crítica de que sus productos no funcionaban bien entre sí y a la presión de Digital Electronic Corporation (DEC), que anunciaba que sus productos estaban perfeccionados para una interconexión fácil. Se asegura que SAA proporciona una *interfaz para el usuario* consistente y una terminología de sistema también consistente entre todos los ambientes. Este estándar influyó en el diseño del Presentation Manager, ambiente de ventanas desarrollado conjuntamente por Microsoft e IBM para el *Operating System/2 (OS/2)*. Vea *windowing environment*.

Systems Network Architecture (SNA) *Arquitectura de Red de Sistemas*   Conjunto de protocolos propietario desarrollado por IBM para vincular *mainframes* con computadoras más pequeñas en toda una organización.

system software *software de sistema*   Todo el software empleado para operar y mantener un sistema de computación, incluyendo el *sistema operativo* y los *programas de utilería*; el software de sistema es distinto a los *programas de aplicación* generales.

system time *hora del sistema*   Hora del día que mantiene el sistema de computación, aunque se apague la computadora, gracias a una batería que se encuentra en el interior del gabinete de la computadora.

system unit *unidad de sistema*   *Gabinete* que aloja la circuitería de procesamiento interno de la computadora, incluyendo la *fuente de poder*, la *tarjeta madre*, las *unidades de disco*, las tarjetas conectables y una bocina. Al gabinete del sistema se le llama con frecuencia *unidad central de procesamiento (CPU)*, pero esto es inadecuado. La CPU está compuesta por el *microprocesador* y la memoria (integrada por lo general en la tarjeta madre) de la computadora, pero no por los *periféricos*, como las unidades de disco.

System V Interface Definition (SVID) *Definición del Interfaz del System V*   Estándar para los *sistemas operativos Unix*, basado en la versión 5, establecido por los Bell Laboratories de AT&T y solicitado por los compradores corporativos. Vea *Berkeley Unix*.

T1   Línea telefónica con gran ancho de banda que puede transferir 1.544 *megabits por segundo (Mbps)* de información. Vea *physical medium* y *T3*.

T3   Línea telefónica con muy elevado ancho de banda que puede transferir 44.7 *megabits por segundo (Mbps)* de información. Vea *physical medium* y *T1*.

TA   Vea *terminal adapter*.

tab-delimited file *archivo delimitado por tabulaciones*   *Archivo de datos*, por lo general un *archivo ASCII*, en el cual los elementos de datos están separados por tabulaciones. Vea *comma-delimited file*.

Tab key *tecla Tab*   *Tecla* empleada para desplazarse un número fijo de espacios o hasta la siguiente *marca de tabulación* en un documento. La tecla Tab se usa con frecuencia para cambiar el cursor entre los comandos de un menú en pantalla.

table *tabla*   1. En un *programa de administración de bases de datos relacionales*, estructura fundamental de almacenamiento y presentación de datos en la cual los elementos de datos se enlazan mediante las relaciones que se establecen al colocarlos en filas y columnas. Las filas corresponden a los *registros de datos* de los programas de administración de bases de datos orientados a registros, y las columnas corresponden a los *campos de datos*. 2. En un *programa de procesamiento de texto*, matriz de columnas y filas que se crea por lo general mediante una *utilería para tablas*. 3. En *HTML*, matriz de filas y columnas que aparece en la página Web si el usuario utiliza un navegador con capacidad para desplegar tablas (como *Netscape Navigator*).

table of authorities *tabla de referencias legales*   Tabla de menciones legales generada por un programa de *procesamiento de texto* a partir de las referencias marcadas en un *documento*.

table utility *utilería para tablas*   En *programas de procesamiento de texto*, utilería que facilita la elaboración de tablas mediante la creación de una matriz de filas y columnas, tipo hoja de cálculo, en la cual es posible insertar información sin forzar el *ajuste de texto*.

tabloide printer *impresora tamaño tabloide*   Vea *B-size printer*.

tab stop *marca de tabulación*   Lugar donde se detiene el *cursor* después de que el usuario presiona la *tecla Tab*. Como opción predeterminada, la mayoría de los programas de procesamiento de texto establecen marcas de tabulación cada 1.25 centímetros, pero el usuario puede establecer las tabulaciones de manera individual en el lugar que desee o modificar las tabulaciones predeterminadas.

tactile feedback *retroalimentación táctil*   Cualquier información obtenida a través del sentido del tacto. El término por lo general se aplica a la percepción táctil de una tecla, pero también al diseño del *ratón* y el *joystick* y a varias aplicaciones de *realidad virtual*.

tag *etiqueta*   En *HTML*, código que identifica un elemento (cierta parte de un documento, como el encabezado o una lista), para que el navegador Web sepa cómo mostrarlo en pantalla. Las etiquetas se incluyen entre delimitadores de inicio y de final (paréntesis angulares). La mayoría de las etiquetas empiezan con una etiqueta inicial (delimitada con < >), seguida por el contenido y una etiqueta final (delimitada con </>), como en el siguiente ejemplo:

```
<H1>Bienvenido a mi página de inicio</H1>
```

Tagged Image File Format (TIFF) *Formato de Archivo de Imagen Etiquetada*   Formato de *gráficos de mapa de bits* para imágenes digitalizadas con resoluciones de hasta 300 *puntos por pulgada (ppp)*. TIFF simula tonalidades en *escala de grises*.

talk   Utilería de *Unix* que permite sostener conversaciones en línea, en tiempo real, a través del teclado.

talk hierarchy *jerarquía talk*   En *Usenet*, una de las siete *jerarquías estándar de grupos de noticias*. Los grupos de noticias talk están dedicados expresamente a temas controvertidos y a menudo se caracterizan por sus debates mordaces. Entre los temas que cubren se encuentran el aborto, las drogas y el control de armas.

Tandem Computers, Inc.   Fabricante importante de *servidores* basados en *Unix* para computación empresarial. Ubicada en Cupertino, California, la empresa se especializa en *procesamiento de transacciones en línea (OLTP)*.

tape *cinta*   Delgada tira de plástico recubierta con un medio de grabación magnéticamente sensible. En *mainframes* y mini-computadoras está muy difundido el uso de cinta como medio de almacenamiento. Debido a un gran descenso en el precio de las *unidades para copias de seguridad en cinta*, las cintas son cada vez más comunes en la computación personal para propósitos de creación de copias de seguridad de *unidades de disco duro* completas. Vea *backup procedure, backup utility, quarter-inch cartridge (QIC), random access, sequential access* y *tape backup unit*.

tape backup unit *unidad para copias de seguridad en cinta*   Dispositivo que lee y escribe información en una *cinta* magnéticamente sensible. Son útiles para realizar *copias de seguridad* de discos duros (protegiendo los datos de la pérdida por borrado accidental) y para guardar información importante pero que sólo se necesita en contadas ocasiones y que, de otra manera, ocuparía espacio en disco. Las unidades de cinta de *cartucho de un cuarto de pulgada (QIC)* son las unidades para copias de seguridad en cinta más comunes para computadoras personales.

tape drive *unidad de cinta*   Vea *tape backup unit*.

tar   Utilería de empaquetado de archivos de *Unix* que no ofrece servicios de compresión. Después de creados, los archivos tar se comprimen utilizando generalmente las utilerías de Unix *compress* (extensión .Z) o *gzip* (extensión .GZ), dando como resultado extensiones compuestas como TAR.Z o TAR.GZ.

targa   *Formato de archivo* gráfico desarrollado por Truevision para productos gráficos Targa and Vista y ahora ampliamente utilizado como formato para salida gráfica de alta resolución (como *modelizado* y *trazado de rayos*). Los archivos targa con la extensión .TGA pueden tener una *profundidad de color* de hasta 32 bits para ciertos propósitos, aunque la profundidad de color más común es de 24 bits, que proporciona más de 16 millones de colores.

taskbar *barra de tareas*   En *Microsoft Windows 95*, elemento que hace las funciones de iniciador de aplicaciones y de conmutador de tareas que (como opción predeterminada) permanece visible en la parte inferior de la pantalla. Al arrancar un programa desde el menú Inicio, en la barra de tareas aparece un *botón de tarea*; posteriormente, el usuario puede pasar a ese programa con sólo hacer clic en el botón.

task button *botón de tarea*   En *Microsoft Windows 95*, botón que aparece en la barra de tareas después de que se ha iniciado un *programa de aplicación*. El usuario puede pasar a la aplicación haciendo clic en el botón de tarea.

TCM   Vea *trellis-code modulation*.

TCO   Acrónimo de Tjänstemännens Centralorganisation, la Confederación Sueca de Empleados Profesionales (el sindicato más grande de empleados de Suecia). En *monitores*, a TCO se le conoce por sus regulaciones estrictas relacionadas con la radiación electromagnética (aún más estrictas que las normas *MPR II*).

TCP   Vea *Transmission Control Protocol*.

TCP/IP   Siglas de Protocolo de Control de Transmisión/Protocolo Internet. También es una frase utilizada normalmente para referirse a todo el *grupo de protocolos* de Internet.

TCP/IP network *red TCP/IP*   Red que utiliza los protocolos *TCP/IP*, esté o no conectada a la *Internet* externa. Vea *extranet* e *intranet*.

techie *tecnosabio*   Término a menudo peyorativo para un *programador* u otro experto en computadoras. El término a veces tiene connotaciones de carencia de habilidades para relacionarse, pero sin llegar a significar "*hacker*".

technical support *soporte técnico*   Suministro de ayuda técnica y de experiencia en solución de problemas relacionados con un dispositivo de *hardware* o de un *programa,* que se ofrece a usuarios registrados.

technocentrism *tecnocentrismo*   Identificación exagerada con la tecnología de la computación, relacionada a menudo con una preferencia por el pensamiento objetivo, negación de las emociones, ausencia de empatía por otras personas y baja tolerancia hacia la ambigüedad humana. Destacado por primera vez por el psicoterapeuta Craig Brod, el tecnocentrismo tiene su origen en la tensión que padecen los individuos cuando tratan de adaptarse a una sociedad controlada por computadoras.

telecommunications *telecomunicaciones*   Transmisión de información mediante un sistema de telefonía que se expresa de forma oral o por señales de computadora. Vea *asynchronous communication* y *modem.*

telecommuting *teleconmutación*   Trabajo realizado en casa mientras se está conectado a la oficina mediante un *sistema de computación* equipado para telecomunicaciones.

telemedicine *telemedicina*   Información médica actualizada que se proporciona a los médicos. En los centros de salud rurales y comunitarios, los médicos que no están en contacto con lo último en conocimientos pueden hacer diagnósticos erróneos o prescribir una terapia anticuada. Un sistema de telemedicina que proporcione información actualizada a estos médicos podría salvar vidas.

Telenet   *Red pública de datos (PDN)* comercial con miles de números telefónicos de *marcado directo* locales. Telenet suministra servicios de conexión a diversos *servicios de información en línea* comerciales, como Dialog Information Services y *CompuServe.*

telepresence *telepresencia*   Sensación psicológica de estar inmerso en una *realidad virtual* que es lo suficientemente persuasiva y convincente como para considerarla parte del mundo real.

teletype (TTY) display *despliegue de teletipo*   Método de presentación de caracteres en un *monitor* en el cual los caracteres se generan y envían, uno a uno, a la pantalla de un monitor; luego, a medida que se reciben, la pantalla se va llenando, línea a línea. Una vez llena, la pantalla se recorre hacia arriba para acomodar las nuevas líneas de caracteres que aparecen en la parte inferior. Los usuarios de *DOS* deben estar familiarizados con el modo de despliegue de teletipo, porque DOS usa este método para aceptar comandos y desplegar mensajes. Vea *character-mapped display*.

Telnet   Protocolo que permite a los usuarios de Internet iniciar una sesión en otra computadora conectada a Internet, incluyendo a aquellos usuarios que no se pueden conectar directamente con los protocolos *TCP/IP* de Internet. Telnet establece una terminal de computadora simple llamada *terminal virtual de red*. Esta capacidad se utiliza con frecuencia para permitir la comunicación con *sistemas de boletines electrónicos (BBSs)* y *mainframes*. Por ejemplo, al navegar por *World Wide Web (WWW)* el usuario encontrará a menudo *hipervínculos* con sesiones Telnet; si hace clic en algún hipervínculo, el navegador iniciará un *programa auxiliar* de Telnet y aparecerá una ventana de comandos de sólo texto. En esta ventana, el usuario escribe comandos y observa las respuestas del sistema remoto.

template *plantilla*   En un *programa*, se trata de un *documento* u *hoja de cálculo* que incluye el texto o las fórmulas necesarias para crear documentos estandarizados. La plantilla puede usarse para automatizar la creación de este tipo de documentos en el futuro. En *procesamiento de texto*, las plantillas se usan a menudo para crear papel membretado; la plantilla contiene el logotipo de la empresa, la dirección de la misma y todas las características de formato necesarias para escribir una carta, pero no incluye el texto. Para usar la plantilla, el usuario debe abrirla, añadir el texto e imprimir. En programas de *hoja de cálculo*, las plantillas sirven para tareas repetitivas, como el cálculo y la impresión del calendario de amortización de una hipoteca.

temporary font *fuente temporal*   Término de Hewlett Packard para una *fuente* que, cuando se transfiere a una impresora láser, permanece en la memoria de la impresora únicamente durante el tiempo que ésta se encuentre encendida. Vea *downloadable font* y *permanent font*.

tensioning wire *alambre de tensión*   Alambre muy delgado que se estira a través de una *rejilla de apertura*, perpendicular a los demás alambres, para mantenerlos firmes. A veces los alambres de tensión arrojan sombras sobre la *pantalla*, las cuales son más visibles en imágenes sólidas de color blanco.

tera- *tera-*   Prefijo que indica un billón (10^{12}).

terabyte *terabyte*   Unidad de medida de *memoria* equivalente a casi un billón de *bytes* (para ser precisos, 1,099,511,627,776 bytes). Un terabyte es igual a 1,000 *gigabytes* o a un millón de *megabytes*. Vea *gigabyte (G)* y *kilobyte (K)*.

terminal *terminal*   Dispositivo de entrada/salida, compuesto por un *teclado* y un *monitor*, que se emplea por lo general en *sistemas multiusuario*.

terminal adapter (TA) *adaptador de terminal*   Dispositivo, equivalente a un *módem* por sus funciones, que conecta una computadora o una *máquina de fax* a un sistema de *Red Digital de Servicios Integrados (ISDN)*. Los adaptadores de terminal por lo general se insertan en el *bus de expansión* como otros *adaptadores*, aunque existen versiones externas. A una terminal que carece de su propia *unidad central de procesamiento (CPU)* y de unidades de disco se le llama *terminal tonta* y está restringida a interactuar con una computadora multiusuario distante. Por otra parte, una *terminal inteligente* tiene alguna circuitería de procesamiento y, en algunos casos, una unidad de disco para que el usuario pueda descargar información y mostrarla después. Una *computadora personal* es una terminal cuando está conectada a una *red* ya sea mediante un cable o un *módem*. Vea *terminal emulation*.

terminal emulation *emulación de terminal*   Uso de un *programa de comunicaciones* para transformar una computadora en una *terminal*, cuyo propósito es la *comunicación de datos*.

terminal mode *modo de terminal*   Estado de un *programa de comunicaciones* en el cual la computadora en que se está ejecutando se vuelve una *terminal remota* de otra computadora, a la que está conectada a través de un *módem*.

terminate-and-stay-resident (TSR) program *programa residente en memoria*   Accesorio o *programa de utilería* concebido para permanecer todo el tiempo en la *memoria de acceso aleatorio (RAM)* de la computadora para que el usuario pueda activarlo con una sola tecla, aunque haya otro programa cargado en la memoria.

test driver *controlador de prueba*   Programa que prueba a otro programa, a menudo como parte de una *prueba alfa*. Los controladores de prueba por lo general envían toda entrada concebible a un programa y monitorean los resultados.

test message *mensaje de prueba*   En *Usenet*, mensaje que se publica con la única intención de probar si el software *lector de noticias* del usuario y la conexión a Usenet realmente están funcionando.

TeX   *Lenguaje de descripción de páginas (PDL)* para tipografía profesional creado por Donald Knuth, connotado experto en programación y ciencias computacionales. La comunidad de la computación utiliza este lenguaje con frecuencia (en parte como homenaje a Knuth y en parte porque TeX contiene varias características interesantes de programación que por sí mismas son ilustrativas de los puntos didácticos que establece Knuth en su volumen múltiple *Art of Computer Programming*). TeX no se utiliza mucho fuera de los círculos de las ciencias de la computación.

Texas Instruments Graphics Architecture (TIGA) *Arquitectura para Gráficos de Texas Instruments*   Estándar de gráficos de *alta resolución* para computadoras personales *compatibles con la PC de IBM*. Las tarjetas y los monitores TIGA presentan 1,024 *pixeles* en posición horizontal por 786 líneas en posición vertical, con 256 colores simultáneos. Vea *Super VGA*.

text *texto*   Información compuesta solamente de caracteres *ASCII* estándar, sin ningún *código de formato*.

text chart *gráfico de texto*   En *gráficos para presentaciones*, diapositiva, transparencia o impreso que contiene texto, como una lista con viñetas. Vea *bulleted list chart, column text chart, freeform text chart, organization chart* y *simple list text chart*.

text editor *editor de texto*   Programa concebido para escribir y editar texto, pero sin las características de un *programa de procesamiento de texto* completo. Los editores de texto se utilizan para escribir *código fuente* además de crear documentos básicos de texto.

text file *archivo de texto*   Archivo compuesto exclusivamente de caracteres *ASCII* estándar (sin *códigos de control* ni caracteres del *conjunto extendido de caracteres*).

text mode *modo de texto*   Modo operativo de las *tarjetas de video para computadoras compatibles con la PC de IBM*, en el cual la computadora presenta las imágenes que pueden construirse con el *conjunto de caracteres ASCII* de 256 caracteres; el término es sinónimo de modo de caracteres y es lo opuesto a *modo gráfico*. Como este conjunto de caracteres incluye diversos caracteres gráficos, el modo de texto puede exhibir imágenes gráficas como recuadros o líneas. Además, el texto puede aparecer en *negritas* y en *video inverso*. El modo de texto es mucho más rápido que el gráfico.

TFT   Siglas de Transistor de Película Fina. Vea *active matrix display*.

TGA   Vea *targa*.

thermal dye sublimation printer *impresora térmica de sublimación de tinta*   *Impresora de color de alta calidad* capaz de generar *salida fotorrealista* pero a un costo muy alto. Al colocar de manera exacta la fuente de calor controlable sobre una cinta especial que contiene tintas, éstas se transfieren a un papel especial recubierto. Estas impresoras tienen una excelente *saturación* de color, pero pueden costar más de 15,000 dólares, además de tener un *costo por página* superior a tres dólares.

thermal fusion printer *impresora de fusión térmica*   *Impresora* que funde tinta de una cinta especial en papel simple para formar texto bien delineado. Las impresoras de fusión térmica a menudo son portátiles.

thermal printer *impresora térmica*   *Impresora de no impacto* que, para formar una imagen, mueve una matriz de puntas calientes sobre papel tratado especialmente. Aunque silenciosas y rápidas, las impresoras térmicas tienen inconvenientes: casi todas necesitan papel tratado especialmente y despiden un desagradable olor a cera.

thermal wax-transfer printer *impresora de transferencia térmica de cera*   *Impresora* que calienta tintas con base de cera y las deposita en una página con un patrón muy denso. Aunque este tipo de impresora no puede generar *salidas fotorrealistas*, como las *impresoras térmicas de sublimación de tinta*, producen excelente *saturación* y salida que es casi fotorrealista. Las impresoras de transferencia térmica de cera son mucho más económicas que las de sublimación de tinta (pueden costar menos de mil dólares) y el *costo por página* también es más bajo (de unos cincuenta centavos de dólar).

thin client *cliente delgado*   En una red *cliente/servidor*, cliente que ocupa relativamente poca memoria o espacio en disco y deja la mayor parte del procesamiento al servidor. Quienes defienden a este tipo de clientes señalan el costo excepcionalmente alto de capacitar a los empleados para que utilicen clientes pesados, que son programas de aplicación completos que se ejecutan en el sistema de escritorio del usuario; para tener acceso a los datos externos necesarios, los usuarios normalmente deberán aprender a usar varios clientes pesados, cada uno con sus propios comandos y estructuras de menús. El cliente delgado por excelencia es el navegador Web, como *Netscape Navigator*, que puede acceder a páginas Web configuradas para mostrar datos de casi cualquier servicio que una empresa puede ofrecer.

thin-film magnetic medium *medio magnético de película delgada*   Medio de grabación utilizado en *discos duros* que no está compuesto por pequeños fragmentos de óxido metálico sino por capas delgadas de aleaciones metálicas especiales. Aplicados a los *sustratos* del disco mediante *platinado* o *deposición electrónica*, permiten mayores *densidades de área* y una mayor *compresión* que los medios basados en óxidos.

thin-film transistor (TFT) *transistor de película delgada*   Vea *active matrix display*.

third generation computer *computadora de tercera generación*
Computadora de mediados de la década de los años 60, basada en
circuitos integrados a pequeña escala y, generalmente, con uso de
semiconductores para la memoria principal. Este periodo en el
desarrollo de las computadoras vio el surgimiento de *sistemas multiusuario* y de las *minicomputadoras*. Vea *first generation computer*,
second generation computer y *fourth generation computer*.

third generation programming language *lenguaje de programación de
tercera generación*   Lenguaje de programación de alto nivel que
permite la escritura en un lenguaje que los humanos comprenden
con mayor facilidad que los *lenguajes de programación de segunda
generación* (es decir, *el lenguaje ensamblador*) o de *primera generación* (*código de máquina*).

third-party vendor *vendedor de terceros*   Compañía que distribuye
comercialmente accesorios de *hardware* de determinada marca de
equipo de computación. Muchas empresas actúan como vendedores
de terceros de accesorios de *Macintosh*.

thirty-two bit computer *computadora de treinta y dos bits*   Vea *32-bit
computer*.

thread *cadena, subproceso*   1. En un *grupo de noticias* de Usenet,
cadena de envíos acerca de un solo tema. La mayoría de los
programas *lectores de noticias* incluye un comando que permite
seguir la cadena (es decir, saltar al siguiente mensaje del tema en
vez de mostrar cada mensaje en serie). 2. Parte de un *programa* que
puede funcionar independientemente. En una *aplicación con
múltiples subprocesos*, un programa en ejecución puede tener dos o
más subprocesos que se ejecutan al mismo tiempo. El sistema
operativo decide cuál de los subprocesos debe recibir la atención del
procesador. De esta manera, una operación como imprimir o
descargar un archivo puede ocurrir en segundo plano, sin interferir
con otros subprocesos o aplicaciones. A esto se le llama *multitareas
por preferencias*. Vea *cooperative multitasking*.

threaded newsreader *lector de noticias con cadenas*   Programa *lector
de noticias* de *Usenet* que puede agrupar artículos por tema de
discusión y después mostrar el lugar que determinado artículo
ocupa en la cadena de discusión. A menudo esto se hace mediante
sangrías. Vea *thread selector*.

thread selector *selector de cadenas*   En un *lector de noticias* de
Usenet, modo de programa en que el usuario ve los artículos ordenados por *cadenas*. Muchos lectores de noticias utilizan sangrías
para indicar que el artículo con sangría es una respuesta al artículo
que se encuentra arriba. Vea *subject selector* y *threaded newsreader*.

three-dimensional graph *gráfico tridimensional*   Gráfico de negocios
o científico que presenta información mediante tres ejes: ancho (*eje*
X), altura (*eje* Y) y profundidad (*eje* Z). En *Microsoft Excel*, al eje

vertical, que cuantifica los componentes de información, se le conoce como eje de valores (Y), y al horizontal como eje de categorías (X). El eje que presenta la profundidad (que parece "hundirse" en la página) es el eje de series (Z). Los gráficos tridimensionales son útiles cuando se desea exhibir más de una *serie de datos*.

three-dimensional spreadsheet *hoja de cálculo tridimensional* *Programa de hoja de cálculo* capaz de crear un archivo de *libro de trabajo* compuesto de varias páginas apiladas, cada una de las cuales parece una hoja de cálculo independiente.

three-gun tube *tubo de tres cañones* *Tubo de rayos catódicos (CRT)* a color. Cada uno de los tres *cañones de electrones* emite electrones que pintan uno de los colores primarios en la *pantalla*. Los llamados tubos de un cañón en *monitores a color* en realidad tienen tres cañones, pero éstos se encuentran ensamblados dentro de una unidad. Un monitor *monocromático* sólo tiene un cañón.

throughput *velocidad real de transporte* 1. Medida del desempeño general de una computadora que se cuantifica por su capacidad para enviar información a través de todos los componentes del sistema, incluidos los dispositivos de almacenamiento como las unidades de disco. La velocidad real de transporte es un indicativo más importante del desempeño del sistema que las velocidades de las *pruebas comparativas* que se reportan comúnmente en los anuncios sobre computadoras. 2. En *módems*, velocidad a la que se mueven los datos de un módem a otro, incluyendo los efectos de la *compresión de datos* y los *protocolos de corrección de errores*.

thumbnail *miniatura* Versión reducida de una imagen, suficientemente grande para mostrar lo que contiene la versión de tamaño real, pero suficientemente pequeña para abrirse o transmitirse a través de una red sin exigir demasiado al sistema. En una página Web, los usuarios pueden hacer clic en una miniatura para ver una versión más grande de la imagen.

thunking Medios por los que un *sistema operativo de 32 bits*, como *Microsoft Windows 95* o el *Operating System/2* (OS/2), se comunica con un *programa de aplicación de 16 bits*. Un sistema de computación disminuye su velocidad de manera significativa cuando debe hacer una pausa para establecer este tipo de comunicación, razón por la cual los programas de aplicación de 32 bits pronto se volverán la norma.

TIF *Extensión* que se asocia por lo general a un archivo que contiene *gráficos* en *Formato de Archivo de Imagen Etiquetada (TIFF)*. Los archivos TIF a menudo se utilizan para guardar imágenes fotográficas digitalizadas.

TIFF Vea *Tagged Image File Format*.

tiled windows *ventanas en mosaico* En una *interfaz gráfica de usuario (GUI)*, modo de despliegue en el cual todas las ventanas ocupan una parte igual del espacio de la pantalla. Si el usuario abre ventanas adicionales, el tamaño de las demás se ajusta automáticamente para mostrarse todas en conjunto. Vea *cascading windows y overlaid windows*.

time bomb *bomba de tiempo*   *Programa*, ya sea independiente o integrado en un programa más grande, que espera hasta un día y una hora específicos para salir de su escondite y causar destrozos. El famoso *virus* Miguel Ángel se activaba por sí mismo el día del cumpleaños del artista. Vea *Trojan horse*.

timed backup *copia de seguridad programada*   Característica de *programas de aplicación* que guarda el trabajo en determinado lapso; por ejemplo, cada cinco minutos. El término es sinónimo de *guardado automático*. Si la energía eléctrica se *interrumpe* o si se *cae* el sistema y el usuario realizó una copia de seguridad programada, la próxima vez que arranque el programa recibirá un aviso de que existe una copia disponible y se le preguntará si desea conservarla. Los mejores programas de procesamiento de texto incluyen este tipo de guardado automático y además permiten especificar el intervalo.

time division multiplexing *multiplexión por división de tiempo*   En *redes de área local (LAN)*, técnica para transmitir dos o más señales en el mismo cable, para lo cual se alternan una después de la otra. La división de tiempo se usa en redes de *banda base* (digitales). Vea *frequency division multiplexing*.

time out *tiempo fuera*   Interrupción que provoca el congelamiento del *teclado* mientras la computadora intenta acceder a un dispositivo (o una computadora remota) que no responde como debiera. La computadora continúa intentando durante un tiempo, pero después se da por vencida y regresa el control al usuario.

time-sharing *compartición de tiempo*   Técnica para compartir los recursos de un *sistema multiusuario* en la cual cada usuario piensa que es el único que usa el sistema. En los sistemas de *mainframes* más grandes, cientos o incluso miles de personas pueden usar el sistema al mismo tiempo sin darse cuenta de que otros también lo hacen. Sin embargo, en determinados momentos de uso máximo, el tiempo de respuesta del sistema tiende a bajar notablemente.

tin   *Programa lector de noticias* de Usenet para computadoras Unix. Desarrollado por Iain Lee, este *lector de noticias con encadenamiento* ofrece poderosas características similares a las de otros lectores de noticias para Unix, pero es mucho más fácil de usar. Vea *nn* y *trn*.

title bar *barra de título*   En *interfaces gráficas de usuario (GUI)*, como la del *Operating System/2 (OS/2)*, barra que se prolonga a lo largo de toda la parte superior de una *ventana* e indica el nombre del documento exhibido en la misma. El color de la barra de título indica si la ventana está activa.

toggle *alternar, conmutar*   Pasar de un modo o estado a otro. Por ejemplo, en los *teclados de las computadoras compatibles con la PC de IBM*, la tecla Bloq Mayús se utiliza para conmutar. Al presionar la tecla por primera vez, se activa el modo de mayúsculas. Al volver a presionar la tecla, el teclado regresa al modo normal, en el cual tendrá que presionarse la tecla Mayús para escribir letras mayúsculas.

toggle key *tecla de conmutación*   *Tecla* para pasar de un modo a otro. Vea *Caps Lock key*, *Num Lock key*, *Scroll Lock key* y *toggle*.

token *señal, token*   1. En sistemas de *autenticación*, cierto tipo de dispositivo físico (como una tarjeta con banda magnética, una *tarjeta inteligente* o un dispositivo parecido a una calculadora que genera una contraseña) que debe estar en posesión del individuo para tener acceso a una red. El dispositivo por sí solo no basta; el usuario también debe proporcionar algo memorizado, como un *número de identificación personal (PIN)*. La combinación de "algo que tiene" con "algo que sabe" proporciona una *autenticación fuerte*. 2. En *redes Token Ring*, el token es una configuración de bits que circula entre estaciones de trabajo; éstas no pueden difundir información a la red a menos que posean el token.

token passing *paso de token*   En *redes de área local (LANs)*, *protocolo de red* en el cual una configuración especial de *bits*, llamada token, circula entre las *estaciones de trabajo*. Un *nodo* sólo puede transmitir información a través de la red cuando obtiene un token libre, en cuyo caso el nodo convierte el token en una trama de datos que contiene un mensaje para la red. Las estaciones de trabajo vigilan la red de forma constante para atrapar los tokens destinados a ellas. Como las reglas de paso de tokens evitan la posible colisión de datos cuando dos dispositivos comienzan a transmitir al mismo tiempo, las grandes redes, con volúmenes elevados, prefieren este método de acceso de canal. Vea *Carrier Sense Multiple Access with Collision Detection (CSMA/CD)*, *contention*, *local area network (LAN)* y *polling*.

token-ring network *red token ring*   En *redes de área local (LANs)*, arquitectura que combina el *paso de token* con una topología híbrida de estrella/anillo. Desarrollada por *IBM* y anunciada en 1986, la red token ring usa una Unidad de Acceso a Multiestaciones en su concentrador. Esta unidad está conectada con cable de *par trenzado* en una configuración tipo estrella con hasta 255 estaciones de trabajo, pero la red final es en realidad una red de anillo descentralizada.

toner *tóner*   Tinta cargada eléctricamente que se usa en *impresoras láser* y fotocopiadoras. Para formar una imagen, se aplica tóner a un cilindro cargado electrostáticamente para que una resistencia térmica lo fusione en el papel. Vea *toner cartridge*.

toner cartridge *cartucho de tóner*   En *impresoras láser*, cartucho que contiene el tóner que la impresora funde en el papel.

toolbar *barra de herramientas*   Barra con botones, cada uno con un *icono* particular, que cruza la parte superior de una *ventana*, a veces con algún texto a manera de explicación. Estos iconos representan comandos de acceso frecuente. El término es sinónimo de *barra de iconos*.

toolbox *cuadro de herramientas*   1. Conjunto de *programas* que ayuda a los *programadores* a desarrollar *software* sin tener que crear *rutinas* básicas de la nada. Algunos editores de software llaman kit de herramientas del programador a este conjunto de programas. 2. En programas como las aplicaciones de dibujo y de *gráficos para presentaciones*, a la barra de *iconos* en pantalla para las herramientas de dibujo se le conoce como cuadro de herramientas.

toolkit *kit de herramientas*   Vea *toolbox*.

top-down programming *programación descendente*   Método de diseño y desarrollo de *programas* en que el proceso de diseño comienza con el enunciado (en español) del propósito fundamental del programa. Este propósito se divide en un conjunto de subcategorías que describen los aspectos de las funciones anticipadas del programa, y cada una de las subcategorías corresponde a un módulo de programa específico que se puede codificar de forma independiente. Los lenguajes de *programación estructurada* (como *Pascal*, *C* y Modula-2) y los de programación orientada a objetos (como *C++*), son especialmente adecuados para el enfoque de la programación descendente.

topic drift *desvío del tema*   Vea *subject drift*.

topology *topología*   Vea *network topology*.

TOPS   Programa servidor de archivos para *redes de área local (LANs)* que permite enlazar computadoras *compatibles con la PC de IBM* con computadoras *Macintosh* en *redes AppleTalk y Ethernet*. TOPS permite que usuarios de ambos sistemas compartan *archivos* de manera más o menos limpia. El software servidor de archivos proporciona una transferencia de archivos de igual a igual en la que cada usuario tiene acceso a los archivos públicos ubicados en las estaciones de trabajo de los demás usuarios de la red. Cuando un usuario de TOPS decide hacer público un archivo, lo coloca en la red. Por lo tanto, cada *nodo* de la red es, en potencia, un *servidor de archivos*.

touch screen *pantalla sensible al tacto* Vea *touch-sensitive display*.

touch-sensitive display *pantalla sensible al tacto* *Monitor* diseñado con un panel sensible a la presión montado sobre la pantalla. Para seleccionar las opciones, basta con que el usuario presione la pantalla en el lugar correcto. Hewlett-Packard impulsó el concepto de pantalla sensible al tacto a mediados de la década de los años 80, pero ésta no agradó a los usuarios porque la pantalla pronto se empaña y se vuelve ilegible. Estas pantallas se usan en general para que el público tenga acceso a información en determinados lugares, como museos, tiendas de autoservicio y aeropuertos.

tower case *gabinete tipo torre* Gabinete de la unidad de *sistema* diseñado para ocupar una posición vertical en el suelo en vez de quedar de forma horizontal sobre un escritorio. En general, el gabinete tipo torre tiene más espacio para accesorios que el de *escritorio* y permite alejar los componentes ruidosos, como ventiladores de enfriamiento y discos duros, del área de trabajo inmediata.

tpi Vea *tracks per inch*.

track *pista* En un *disco flexible* o uno *duro*, uno de los varios anillos concéntricos que es codificado en el disco durante el formateo de bajo nivel y que define un área particular de almacenamiento de información en el disco. Vea *cluster* y *sector*.

trackball *trackball* Dispositivo de entrada, diseñado como sustituto del *ratón*, que mueve el puntero sobre la pantalla cuando el usuario usa el pulgar o los demás dedos para girar una bola integrada en el *teclado* o en un estuche adyacente al teclado. A diferencia de un ratón, un trackball no necesita una superficie plana y limpia para funcionar; por ello, los trackballs se usan por lo general en computadoras portátiles. Vea *built-in pointing device, clip-on pointing device, freestanding pointing device* y *snap-on pointing device*.

track buffering *guardado de pista en el búfer* Característica de diseño de un *disco duro* en que todo el contenido de una *pista* se lee en el área de memoria, sin importar cuánta información de la pista requiera el *controlador de disco duro* y el *adaptador host*. Esta característica elimina la necesidad de *intercalación*, de modo que todos los discos con pistas en búfer (todos los discos duros modernos y la mayoría de las unidades de *Interfaz Mejorada para Dispositivos Pequeños [ESDI]*) deben tener *factores de intercalación* de 1.

trackpad *trackpad*   Dispositivo apuntador que permite mover el puntero del ratón al desplazar un dedo sobre una superficie sensible al tacto. Para hacer clic, el usuario golpea su dedo sobre la superficie u oprime un botón.

tracks per inch (tpi) *pistas por pulgada*   Medida de densidad de almacenamiento de datos de los discos magnéticos, como los discos *flexibles*. Mientras más pistas por pulgada tenga un disco, mayor será la información que pueda guardar. En *DOS*, los *discos flexibles de 5 1/4 pulgadas de doble densidad* están formateados a 48 tpi y los de *5 1/4 pulgadas de alta densidad* a 96 tpi. El formateo de los *discos de 3 1/2 pulgadas de alta densidad* es a 135 tpi.

track-to-track seek time *tiempo de búsqueda entre pistas*   Tiempo que una unidad de disco duro o flexible requiere para mover la *cabeza de lectura/escritura* de una *pista* a la siguiente. El tiempo de búsqueda entre pistas es mucho menos importante que el *tiempo de acceso* al comparar unidades de disco.

tractor feed *alimentación por tracción*   Mecanismo de *impresora* para alimentación de papel en el cual las hojas de *papel de forma continua* recorren la impresora mediante una rueda dentada. Los dientes de la rueda se ajustan a las perforaciones de las tiras laterales del papel. Las *impresoras de matriz de puntos* por lo general vienen con mecanismos de alimentación por tracción. Un inconveniente de este tipo de mecanismo es que, una vez que termina la impresión, el usuario debe arrancar las tiras laterales de las hojas de papel y separar estas últimas.

traffic *tráfico*   Volumen de mensajes enviados a través de una *red*.

transactional application *aplicación de transacciones*   En una *red de área local (LAN)*, programa que crea y mantiene un registro maestro de todas las transacciones en que participan los usuarios de la *red*, como llenado de facturas o de notas por cobrar. Si una caída del sistema produce una pérdida de datos, se puede usar este registro para restaurar los archivos de datos al estado anterior. Vea *nontransactional application*.

transceiver *transceptor*   Unión de transmisor y receptor. 1. En *redes de área local (LANs)*, adaptador que permite que una estación de trabajo se conecte al cableado de la red. 2. En *redes de área amplia (WAN)* inalámbricas, *módem* capaz de transmitir y recibir datos de una computadora por medio de frecuencias de radio. Vea *personal digital assistant (PDA)*.

transducer *transductor*   Dispositivo que convierte un fenómeno físico perceptible, como un sonido, una presión o una luz, en señales electrónicas que una computadora puede procesar.

transfer rate *tasa de transferencia, velocidad de transferencia*
Número de *bytes* de datos que pueden transferirse por segundo
del disco al *microprocesador* una vez que la *cabeza de lectura/
escritura* llega al sitio donde están los datos. La tasa máxima de
transferencia es controlada por la rapidez con que gira el disco y la
densidad de área de los datos que contiene (o la rapidez con que
pasan los datos debajo de la cabeza de la unidad). Estas limitaciones
inflexibles del hardware pueden superarse guardando los datos del
disco en caché. Vea *access time, Enhanced System Device Interface
(ESDI), hardware cache y Small Computer System Interface (SCSI).*

transient *oscilación momentánea*   Vea *surge.*

transient command *comando transitorio*   Vea *external command.*

transistor *transistor*   Dispositivo electrónico, con tres conectores,
que puede utilizarse para conmutar o amplificar. Inventados en los
Bell Laboratories en 1947, los transistores son simples dispositivos
semiconductores que proporcionan un reemplazo barato y de bajo
consumo eléctrico para los voluminosos tubos al vacío que se
usaban antes para amplificación y conmutación en circuitos
electrónicos, los cuales además gastaban enormes cantidades de
energía y eran poco confiables.

transistor-transistor logic (TTL) monitor *monitor de lógica transistor-transistor*   Tipo obsoleto de *monitor monocromático* que
acepta *señales de video digitales.* Estos monitores sólo funcionan
con *adaptadores de video Hercules y MDA,* y han sido reemplazados por monitores que cumplen con los estándares *VGA* y
SuperVGA.

translate *traducir*   Convertir un *archivo de datos* de un *formato de
archivo* a otro, o convertir un *programa* de un *lenguaje de programación* o *sistema operativo* a otro.

Transmission Control Protocol (TCP) *Protocolo de Control de
Transmisión*   En *Internet,* protocolo (estándar) que permite
que dos computadoras conectadas a Internet establezcan una
conexión confiable. TCP asegura el envío confiable de datos con
un método conocido como Confirmación Positiva con Retransmi-
sión (PAR). La computadora que envía los datos sigue haciéndolo
hasta que recibe la confirmación de que éstos se han recibido
intactos por parte de la computadora de destino. Vea *Internet
Protocol* y *TCP/IP.*

Transmission Control Protocol/Internet Protocol *Protocolo de Control
de Transmisión/Protocolo Internet*   Vea *TCP/IP.*

transmitter *transmisor*   En *medios de actualización automática,*
programa que envía información actualizada a suscriptores. Un

ejemplo es el Transmitter de Castanet, que descarga automáticamente actualizaciones de programas *Java* instalados en las computadoras de los suscriptores.

transparency *transparencia*   Pieza transparente de acetato que puede mostrarse en las presentaciones con proyectores. Las *impresoras láser* y de *inyección de tinta* pueden imprimir transparencias, pero asegúrese de tener el tipo correcto de transparencia (las transparencias para impresoras de inyección de tinta se fundirán dentro de una impresora láser).

transparency adapter *adaptador de transparencias*   Anexo de un escáner que permite digitalizar diapositivas y *transparencias*.

transparent *transparente*   En computación, operación o entidad que los programadores ocultan para que el usuario no tenga que tratar con ellas. Una función transparente de computación está presente, pero el usuario no puede verla; por otra parte, una función de computación *virtual* no está presente, pero el usuario puede verla. Por ejemplo, *Microsoft Word* inserta códigos de formato en el documento, pero éstos son transparentes; el usuario sólo ve el texto formado. En contraste, una unidad de disco de *memoria de acceso aleatorio (RAM)* no es una unidad de disco; sólo es parte de la memoria de la computadora que se aparta para funcionar como una unidad de disco.

transport layer *capa de transporte*   En el *Modelo de Referencia OSI* de arquitectura de red de computadoras, la cuarta de siete *capas* en la cual los datos se dividen en unidades, llamadas *paquetes*. Cada paquete se envía a la computadora de destino y se numera para que ésta pueda unirlos al recibirlos. Los protocolos de esta capa determinan el formato preciso para los paquetes de datos y, además, los procedimientos que habrán de seguirse para dividir los que se transmitirán y volver a ensamblarlos al recibirlos.

transpose *transponer*   Modificar el orden en que aparecen en pantalla caracteres, palabras u oraciones. Algunos *programas de procesamiento de texto* incluyen comandos que transponen texto.

trap *trampa*   En *programación*, excepción a la ejecución de un programa que le permite recuperarse de una situación no prevista o inusual. Vea *error trapping*.

trap door *puerta trasera*   1. En redes de computadoras, punto de entrada integrado que permite que un empleado o ex empleado tenga acceso a la red sin *autenticación*. 2. En programación, *función* que toma valores de entrada y produce una serie de valores de salida con muy poco esfuerzo de cálculo; sin embargo, es imposible (por lo menos en la práctica) derivar los valores originales de entrada a partir de un examen de los valores de salida. Las puertas traseras tienen aplicaciones importantes en *autenticación fuerte* y *criptografía*. Vea *hash function*.

trapping *captura de errores*   Vea *error trapping*.

trash can *papelera*   En *MacOS*, icono que puede utilizarse para deshacerse de archivos no deseados. Los archivos en realidad no se eliminan, a menos que el usuario elija el comando Vaciar Papelera del menú Especial.

tree *árbol*   Representación conceptual o gráfica de datos organizados en una *estructura de árbol*.

tree structure *estructura de árbol*   Modo de organizar la *información* en una estructura jerárquica con una raíz y varias ramas, como un árbol genealógico. Sólo hay una ruta posible entre dos elementos de una estructura de árbol. Vea *directory* y *subdirectory*.

trellis-code modulation (TCM) *modulación de código enrejado*   Técnica de *modulación de codificación de grupo* empleada en *módems de alta velocidad*. Al permitir que un módem altere la *portadora* de varias maneras, TCM propicia que los módems se comuniquen a *tasas de transferencia de datos* de 9,600 *bits por segundo (bps)* o más rápido.

trigger *activador, disparador*   En un programa de computación, evento (como hacer clic en el ratón) que inicia en forma automática un procedimiento.

Trinitron   Diseño de *tubo de rayos catódicos (CRT)* que, en lugar de *máscara de sombra*, tiene una *rejilla de apertura* para asegurar que los electrones de los *cañones* golpeen los *pixeles* apropiados en la *pantalla*. Invención de Sony, los monitores Trinitron son uniformemente brillantes, a diferencia de otros diseños de monitor que son menos brillantes cerca de las orillas. Como desventaja, los monitores Trinitron tienen *alambres de tensión* que a veces arrojan sombras sobre la pantalla.

Triple DES   En *criptografía*, método de encriptación que encripta tres veces los mismos datos con el algoritmo *DES*. El resultado es una encriptación muy fuerte que es *computacionalmente imposible* de descifrar si no se tiene la clave.

triple-pass scanner *escáner de triple pasada*   *Escáner a color* que reúne datos sobre uno de los colores primarios en cada una de las tres *pasadas de digitalización*. Los escáneres de triple pasada no necesariamente son más lentos que los de *una sola pasada*, pero las pasadas adicionales pueden ocasionar un desgaste extra en el mecanismo de digitalización.

Triton   *Conjunto de chips* para computadoras IBM y compatibles basadas en *Pentium* que (en las versiones más recientes) proporcionan soporte a chips *EDO RAM* y *SDRAM*, adaptadores *Plug and Play (PnP)*, puertos de impresora bidireccionales *ECC* e interfaces de disco duro *IDE* de alta velocidad.

trn   *Lector de noticias* de *Usenet* para *sistemas de computación Unix*. trn, *lector con encadenamiento* que puede mostrar la cadena de discusión en un grupo de noticias, es el sucesor del ampliamente utilizado *rn*. Un poco difícil de aprender y utilizar, trn es un programa con muchas opciones que ofrecen muchas características avanzadas (como la capacidad de decodificar publicaciones binarias).

troff   En *Unix*, programa de formateo de texto que, en los días anteriores a *PostScript*, *TeX* y el software de *autoedición*, se utilizaba mucho para preparar documentación de programación para salidas de dispositivos de composición tipográfica.

Trojan horse *caballo de Troya*   *Programa* de computación que aparentemente realiza una función válida pero que contiene, ocultas en su código, instrucciones que provocan daños (a veces graves) a los sistemas en que se ejecuta. A diferencia de los *virus*, los caballos de Troya no se reproducen a sí mismos; sin embargo, esto no sirve de consuelo para quienes acaban de perder días o semanas de trabajo.

trolling *broma*   En *Usenet*, envío de mensajes graciosos que contienen una exageración obvia o un error evidente. El bromista espera engañar a una persona crédula para que envíe una respuesta señalando el error.

troubleshooting *resolución de problemas*   Proceso para determinar el motivo por el cual funciona mal un *sistema de computación* o un dispositivo de *hardware* específico. Cuando una computadora falla, la mayoría de las personas siente pánico y supone que les espera el pago de una factura abultada. Sin embargo, en casi todos los casos el problema es menor; por ejemplo, una conexión floja. Por ello, desconecte el sistema y revise todos los cables y conexiones. Retire el *gabinete* de la computadora y presione las tarjetas de *adaptadores* para asegurarse de que estén bien asentadas en las *ranuras de expansión*. Revise también las conexiones de los *periféricos*.

True BASIC   Versión moderna y estructurada del *lenguaje de programación BASIC*, desarrollada por sus autores, John Kemeny y Thomas Kurtz, como respuesta a la crítica que pesaba sobre las versiones anteriores de BASIC. Con estructuras de control actuales y números de línea opcionales, True BASIC es un lenguaje bien estructurado empleado para enseñar los principios de la *programación estructurada*. Este lenguaje, que es interpretado en vez de ser compilado, se usa poco con propósitos de programación profesional.

TrueType Tecnología de *fuentes*, incluida en *MacOS* y *Microsoft Windows 95*, que proporciona *fuentes escalables* para pantallas e *impresoras* de sistemas *Macintosh* y Windows. Desarrollada conjuntamente por Apple Computer y Microsoft Corporation, TrueType ofrece una alternativa costeable a la tecnología *PostScript*. TrueType no requiere un *programa de utilerías* adicional ni un costoso *intérprete* controlado por el *microprocesador*. Las fuentes TrueType que el usuario ve en pantalla son exactamente iguales a las que verá cuando imprima su documento.

truncate *truncar* Separar parte de un número o de una cadena de caracteres.

truncation error *error de truncamiento* Error de redondeo que se presenta al omitir el almacenamiento de parte de un número, porque rebasa la capacidad de *memoria* destinada para dicho almacenamiento. Vea *floating-point unit*.

truth table *tabla de verdad* En lógica, tabla formada para mostrar todas las permutaciones posibles cuando dos proposiciones están conectadas por un *operador booleano*. Por ejemplo, considere dos proposiciones, P y Q. Pueden ser verdaderas o falsas. Si las dos proposiciones se unen con el operador Y, la proposición compuesta es verdadera sólo si P y Q son verdaderas. La tabla de verdad resultante presenta cuatro opciones: P es verdadera y Q es verdadera (por lo tanto, P y Q es verdadera); P es verdadera y Q es falsa (por lo tanto, P y Q es falsa); P es falsa y Q es verdadera (por lo tanto, P y Q es falsa); y P es falsa y Q es falsa (por lo tanto, P y Q es falsa). Las tablas de verdad se utilizan mucho en programación y diseño de sistemas de computación.

TSR Vea *terminate-and-stay-resident (TSR) program*.

TTL monitor *monitor TTL* Vea *transistor-transistor logic (TTL) monitor*.

TTY Vea *teletype (TTY) display*.

Turbo Pascal *Compilador* de alto rendimiento desarrollado por Borland International para *Pascal*. El compilador viene acompañado con un *editor de texto* de pantalla completa y crea programas ejecutables (*código de objeto*). Superando el desempeño de compiladores que cuestan hasta 10 veces más, Turbo Pascal tomó por sorpresa al mundo de la programación en DOS cuando salió al mercado en 1984, y hoy día es uno de los compiladores más populares que se hayan escrito. Turbo Pascal se usa en ambientes de esparcimiento y académicos y algunos *programadores* profesionales lo emplean para preparar programas pequeños o medianos. Vea *interpreter*.

turnkey system *sistema integral* *Sistema de computación* desarrollado para una aplicación específica, como una terminal de punto de venta, y enviado para funcionar de inmediato con todos los *programas de aplicación y periféricos* necesarios.

tutorial *tutorial* Tipo de enseñanza en el cual, a través de la aplicación de un programa, se guía al estudiante paso a paso hacia una tarea específica, como la creación de un presupuesto o la redacción de una carta mercantil. Algunos *programas* incluyen tutoriales en pantalla.

tweak *afinar* Ajustar ligeramente un programa o sistema de computación para mejorar su desempeño. Por ejemplo, un investigador poco ético podría modificar ligeramente una variable para que la salida de un *programa* se aproxime más a lo que se esperaba.

twisted-pair *par trenzado* Medio físico mejorado para *redes de área local (LANs)* y para el servicio telefónico en casas y oficinas. Los cables de par trenzado se componen de dos cables de cobre aislados que se entrelazan como una trenza, con lo que se vuelve aleatoria la interferencia de otros circuitos eléctricos. A diferencia del cable de cobre sencillo, usado en las instalaciones telefónicas anteriores a 1970, el par trenzado puede manejar datos de computadora y cumple con la *Interfaz de Servicios Primarios (BRI)*. Vea *ISDN*.

two-way set-associative cache *caché de conjunto asociativo de dos vías* Diseño de memoria de *caché secundario* más rápido que el diseño de *caché de mapeo directo*, pero menos caro que el *caché de conjunto asociativo de cuatro vías*, que es el más rápido de los tres.

TXT *Extensión de archivo* de *MS-DOS* asociada por lo general a un archivo que contiene texto *ASCII*.

Type 1 font *fuente Type 1* Fuente compatible con *PostScript* que incluye la tecnología de escalamiento de tipos propiedad de Adobe Systems, y mejora la legibilidad del tipo en resoluciones bajas y tamaños de tipo pequeños. Vea *PostScript font*.

typeface *tipo de letra* Diseño característico de un conjunto de tipos que se distinguen por su peso (*negritas*, por ejemplo), posición (como las *cursivas*) y *tamaño*. Numerosas *impresoras láser* vienen acompañadas con una docena o más tipos de letra disponibles en la *memoria de sólo lectura (ROM)* de la impresora, y es posible transferir otros cientos. Tenga en cuenta que los diseñadores gráficos profesionales pocas veces usan más de dos tipos de letra en un documento. Seleccionan uno para los títulos y otro para el *cuerpo del texto*. Vea *font* y *font family*.

typeover *sobreescribir*   Vea *overtype mode*.

typeover mode *modo de sobreescritura*   Vea *overtype mode*.

typesetter *fotocomponedora*   Vea *imagesetter*.

typesetting *fotocomposición*   Producción de *originales mecánicos* en una *fotocomponedora* de alta tecnología como la Linotronic o la Varityper. La mayoría de las *impresoras láser PostScript* para oficina de la actualidad genera una salida de 1,200 *puntos por pulgada (dpi)*, que es burda según las normas de fotocomposición profesional, pero que puede ser aceptable para aplicaciones como folletos, libros de texto, instructivos y propuestas. Vea *resolution*.

type size *tamaño de tipo*   Tamaño de una *fuente*, medida en *puntos* (aproximadamente 1/72 de pulgada) de la parte superior del rasgo *ascendente* más alto a la parte inferior del rasgo *descendente* más bajo. Vea *pitch*.

type style *estilo de tipo*   Peso (negrita, por ejemplo) o posición (como itálica) de una fuente, a diferencia del *tamaño* y *tipo de letra* de ésta. Vea *attribute* y *emphasis*.

typography *tipografía*   Ciencia y arte del diseño de *tipos de letra* que, desde un punto de vista estético, sean agradables y legibles.

UART   Vea *Universal Asynchronous Receiver/Transmitter*.

UDP   Vea *User Datagram Protocol*.

ultra-large scale integration (ULSI) *integración a ultra-gran escala*   En tecnología de *circuitos integrados*, fabricación de un chip con más de un millón de transistores. Por ejemplo, el microprocesador *Pentium* de Intel tiene más de tres millones de transistores.

Ultra SCSI   *Estándar SCSI* que emplea un bus de datos de ocho bits para proporcionar tasas de transferencia de datos de hasta 20 MBps.

Ultra Wide SCSI *SCSI Ultra Ancho*   *Estándar SCSI* que emplea un bus de datos de 16 bits para proporcionar tasas de transferencia de datos de hasta 40 MBps.

unauthorized access *acceso no autorizado*   Acceso clandestino a una computadora, hecho por un *cracker* de la computación con propósitos criminales o de interés personal. El acceso no autorizado es un delito en la mayoría de los estados de la Unión Americana.

undelete utility *utilería para restaurar*   *Programa de utilería* mediante el cual se puede recuperar un archivo eliminado del disco en forma accidental.

Undernet   Una de las diferentes redes *Internet Relay Chat (IRC)* internacionales, independiente de otras redes IRC.

underscore *subrayado*   El carácter de subrayado del teclado estándar. Se utiliza a menudo para conectar las palabras de una frase cuando un programa no permite espacios en una *cadena* de caracteres ("Esta_es_una_frase").

undo *deshacer*   Comando que restaura el *programa* y la información a la etapa en que estaban antes de que se ejecutara el último comando o que se iniciara la última acción. El comando deshacer permite revertir los efectos catastróficos de un comando aplicado en forma incorrecta.

undocumented feature *característica no documentada*   Característica de un programa que está presente en el software pero que no se explica en la documentación para el usuario y no es accesible a través de los menús del programa, porque el comportamiento de la característica fue insatisfactorio o errático durante la etapa de pruebas.

unformat utility *utilería para restaurar el formato*   *Programa de utilería* que restaura la información de un disco formateado de manera accidental.

unformatted text file *archivo de texto sin formato*   Vea *plain text document*.

Unicode   *Conjunto de caracteres* de 16 bits que tiene la capacidad de representar todos los lenguajes del mundo, incluyendo caracteres distintos a los romanos, como el chino, japonés e hindi.

Uniform Resource Identifier (URI) *identificador uniforme de recursos*   En el *Protocolo de Transferencia de Hipertexto (HTTP)*, cadena de caracteres que identifica un recurso de Internet, incluyendo el tipo de recurso y su ubicación. Hay dos tipos de URI: los *localizadores uniformes de recursos (URL)* y los *URLs relativos*.

Uniform Resource Locator *localizador uniforme de recursos*   Vea *URL*.

uninterruptible power supply (UPS) *sistema de alimentación ininterrumpida*   Batería capaz de suministrar energía eléctrica continua a un *sistema de computación* en caso de interrupción eléctrica. La batería, que se carga mientras la computadora está encendida, se activa cuando ocurre una interrupción eléctrica y suministra energía durante 10 minutos o más, tiempo suficiente para guardar los archivos y apagar la computadora para preservar la integridad de los datos.

Universal Asynchronous Receiver/Transmitter (UART) *Receptor/Transmisor Universal Asíncrono*   Circuito integrado que transforma el flujo de información paralelo dentro de la computadora en un flujo de información serial, secuencial, empleado en *comunicaciones asíncronas*. La comunicación serial requiere, además del UART, un puerto serial y un módem. Vea *modem*, *motherboard* y *serial port*.

Universal Serial Bus *Bus Universal Serial*   Vea *USB port*.

Unix   *Sistema operativo* para una amplia variedad de computadoras, desde *mainframes* hasta *computadoras personales*, que soporta multitareas y resulta especialmente apropiado para aplicaciones multiusuario. El término Unix no es un acrónimo (y por lo tanto no se pone en mayúsculas), sino que se derivó del nombre de un antiguo sistema operativo complejo llamado Multics. Unix es un sistema operativo muy flexible, hecho a la medida de las necesidades de los usuarios avanzados de computadoras. Sin embargo, con más de 200 comandos, mensajes de error inadecuados y una *sintaxis* de comandos sumamente críptica, Unix impone una carga muy pesada a los usuarios ocasionales o con poca preparación técnica. Con el desarrollo de *shells* de Unix, como NeXTStep, el sistema operativo puede jugar un papel más amplio en computación. Como se le prohibió a Bell Laboratories comercializar Unix debido a la legislación antimonopolio vigente en aquel entonces para AT&T, Unix fue suministrado sin costo a colegios y universidades de todo Estados Unidos, a partir de 1976. En 1979, la Universidad de

California en Berkeley desarrolló una versión de Unix para las computadoras VAX. A principios de la década de los años 80, AT&T ganó el derecho de comercializar el sistema y sacó a la venta el System V en 1983. Vea *Berkeley UNIX, Linux, System V Interface Definition (SVID), Rhapsody* y *Wide Area Information Server (WAIS)*.

Unix-to-Unix Copy Program (UUCP) *Programa de Copiado Unix a Unix*   Red que permite *cargar* y *descargar* información a través de llamadas telefónicas de larga distancia. UUCP permite a los usuarios de *Unix* intercambiar archivos, *correo electrónico* y artículos de *Usenet*. En la década de los años 80, cuando era difícil conseguir una conexión con *Internet*, UUCP desempeñó un papel importante porque proporcionaba soporte para el *sistema operativo* Unix.

unmoderated newsgroup *grupo de noticias no moderado*   En un *sistema de boletines electrónicos* como EchoMail (*FidoNet*) o Usenet (Internet), grupo de discusión sobre un tema cuyas publicaciones no están sujetas a revisión antes de su distribución. Los grupos de noticias no moderados se caracterizan por su espontaneidad, pero algunas de las publicaciones pueden ser provocativas o desconsideradas, y pueden conducir a *guerras de mensajes incendiarios*. Vea *moderated newsgroup* y *newsgroup*.

unordered list *lista sin ordenar*   En HTML, lista con viñetas creada con etiquetas <UL>_</UL>. El texto etiquetado como lista sin ordenar a menudo aparece con viñetas.

unsubscribe *cancelar la suscripción*   En *Usenet*, eliminar un *grupo de noticias* de la lista de grupos que el usuario sigue activamente. También se puede cancelar una suscripción a una lista de correo. Vea *subscribe*.

update *actualizar*   En *administración de bases de datos*, manipulación básica de datos que comprende acciones como agregar, modificar o borrar registros de datos para que la información esté al día.

upgrade *actualizar, escalar*   Adquirir una nueva versión de *programa* o una versión más reciente o poderosa de un *microprocesador* o *periférico*.

upload *cargar, subir*   Enviar un archivo a través de *telecomunicaciones* a otro usuario de computadora o a un *sistema de boletines electrónicos (BBS)*.

upper memory area (UMA) *área de memoria superior*   En una computadora *compatible con IBM* que ejecute *MS-DOS*, memoria entre el límite de 640 KB de *memoria convencional* y 1024 KB. En el diseño original del sistema de una PC, parte de la memoria de esta área se reservaba para uso del sistema, pero casi toda permanecía sin usarse. Los programas de administración de memoria, como *HIMEM.SYS* de MS-DOS 6.2, pueden configurar el área de memoria superior a fin de que esté disponible para las utilerías de sistema y los programas de aplicación. El área de memoria superior es distinta al *área de memoria alta (HMA)*, que son los primeros 64 KB de memoria extendida. Vea *Microsoft Windows 95*.

upper memory block (UMB) *bloque de memoria superior*   Colección de localidades de memoria no contiguas del *área de memoria superior (UMA)* que pueden combinarse para proporcionar memoria adicional a programas de *MS-DOS*. Las partes de esta memoria que no se pueden asignar a los programas de usuario se reservan para las funciones del sistema.

UPS   Vea *uninterruptible power supply*.

upward compatibility *compatibilidad hacia adelante*   Programa que funciona sin modificación en versiones posteriores o más poderosas de un *sistema de computación*.

URL   Siglas de localizador uniforme de recursos. En *World Wide Web (WWW)*, uno de los dos tipos básicos de *identificadores universales de recursos (URI)*, cadena de caracteres que identifica con precisión el tipo y ubicación de los recursos en *Internet*. Por ejemplo, el siguiente URL ficticio identifica a un documento Web (http://), indica el nombre de dominio de la computadora en que se almacena (www.wolverine.virginia.edu), describe completamente la ubicación del documento en la estructura de directorios (~toros/ winerefs/) e incluye el nombre y extensión del documento (merlot.html):

```
http://www.wolverine.virginia.edu/~toros/winerefs/merlot.html
```

Vea *Relative URL (RELURL)*.

USB port *puerto USB*   Abreviatura de puerto de Bus Serial Universal (USB). Bus externo para conectar periféricos, desarrollado recientemente, que tiene la capacidad de transferir información a 12 Mbps.

Usenet   Sistema de discusión mundial basado en computadoras, que utiliza Internet y otras redes de transmisión de medios. Las discusiones se canalizan en más de 30,000 *grupos de noticias* designados por tema que contienen contribuciones originales llamadas *artículos*, además de comentarios sobre esos artículos llamados *publicaciones de seguimiento*. Cuando siguen apareciendo publicaciones de seguimiento sobre un tema determinado, surge una *cadena* de discusión; un *lector de noticias con* *encadenamiento* va intercalando esos artículos para que los lectores puedan seguir el flujo de la discusión. Más de 15 millones de personas de más de 100 países tienen acceso diario a Usenet. Vea *Network News Transfer Protocol (NNTP)*.

Usenet site *sitio Usenet*   *Sistema de computación* (con gran capacidad de almacenamiento en disco) que recibe una alimentación de noticias y permite a docenas o cientos de personas participar en Usenet. Hoy en día existen aproximadamente 120,000 sitios Usenet que proporcionan acceso a los grupos de noticias a un estimado de cuatro millones de personas.

user *usuario*   Vea *end user*.

user agent (UA) *agente de usuario*   En la terminología establecida por el *Modelo de Referencia OSI*, programa cliente que se ejecuta en la máquina del usuario y ayuda a ponerse en contacto con un servidor. Este término es común para referirse a clientes de correo electrónico (como Eudora o Pegasus Mail).

User Datagram Protocol (UDP) *Protocolo de Datagrama de Usuario*   Uno de los protocolos fundamentales de *Internet*. UDP opera al mismo nivel que el *Protocolo de Control de Transmisión (TCP)*, pero tiene menos *sobrecarga* y es menos confiable. A diferencia de TCP, no intenta establecer una conexión con una computadora remota, sino que simplemente baja la información al protocolo *IP* que no requiere conexión. UDP entra en acción cuando es posible preservar el *ancho de banda* de la red sin establecer ninguna conexión (por ejemplo, cuando se responde a una solicitud de *ping*).

user default *predeterminado por el usuario*   Preferencia definida por el usuario sobre la manera de operar de un programa; por ejemplo, los márgenes predeterminados para todos los *documentos* nuevos que se generen con un *programa de procesamiento de texto*. En diversas aplicaciones el término es sinónimo de preferencias, opciones o configuración.

user-defined *definido por el usuario*   Selección hecha por el usuario en un *sistema de computación*.

user-friendly *amigable para el usuario*   *Programa* o *sistema de computación* concebido para que personas inexpertas o poco capacitadas en computación puedan usar el sistema sin confundirse o frustrarse.

user group *grupo de usuarios*   Asociación voluntaria de usuarios de un *programa* o *sistema de computación* específicos que se reúnen con regularidad para intercambiar sugerencias y técnicas, escuchar presentaciones *de especialistas en computación y obtener software* de dominio público y *shareware*.

user interface *interfaz de usuario*   Todas las características de un programa o computadora que rigen la forma en que los usuarios interactúan con la computadora. Vea *command-driven program* y *Graphical User Interface (GUI)*.

utility program *programa de utilería, utilería, utilidad*   Programa que ayuda a mantener y mejorar la eficiencia de un *sistema de computación*.

UUCP   Vea *Unix-to-Unix Copy Program*.

uudecode   *Programa de utilería* de *Unix* que decodifica un *archivo ASCII codificado con uuencode*, restaurando el archivo binario original (como un programa o un *gráfico*). Se necesita una utilería uudecode para decodificar los archivos binarios publicados en *Usenet*. Hay programas uudecode para sistemas *Macintosh* y *Microsoft Windows 95*, y con frecuencia se encuentran integrados en los *lectores de noticias* Usenet.

uuencode   *Programa de utilería* de *Unix* que transforma un *archivo binario*, como un programa o un *gráfico*, en *texto ASCII* codificado. Este texto puede transferirse a través de *Internet* o publicarse en un *grupo de noticias Usenet*. En el extremo receptor, la utilería *uudecode* decodifica el mensaje y restaura el archivo binario. Hay programas uuencode para sistemas *Macintosh* y *Microsoft Windows 95*, y con frecuencia se encuentran integrados en los *lectores de noticias* Usenet.

V.17 *Protocolo de modulación* de la *ITU-TSS* para transmisión y recepción de *faxes* a velocidades de hasta 14,400 *bits por segundo (bps)*.

V.21 *Protocolo de modulación* de la *ITU-TSS* para *módems* que transmiten y reciben datos a 300 *bits por segundo (bps)*. V.21 compite con el estándar *Bell 103*A que alguna vez fue muy utilizado en Estados Unidos y Canadá.

V.22 *Protocolo de modulación* de la *ITU-TSS* para *módems* que transmiten y reciben datos a 1,200 *bits por segundo (bps)*. V22 compite con el estándar *Bell 212A* que alguna vez fue muy utilizado en Estados Unidos y Canadá.

V.22bis *Protocolo de modulación* de la *ITU-TSS* para *módems* que transmiten y reciben datos a 2,400 *bits por segundo (bps)*. Los módems V.22bis pueden *retroceder* a tasas de transferencia de datos más lentas si es necesario, pero son obsoletos (fueron reemplazados por el estándar *V.32bis* que cuesta, si acaso, un poco más).

V.27ter *Protocolo de modulación* de la *ITU-TSS* para *fax módems* y *máquinas de fax* que transmiten y reciben información de fax a 4,800 *bits por segundo (bps)*. Los módems V.27ter pueden retroceder a 2,400 bits, si es necesario.

V.29 *Protocolo de modulación* de la *ITU-TSS* para *fax módems* y *máquinas de fax* que transmiten y reciben datos a 9,600 *bits por segundo (bps)*. Los módems V.29 pueden *retroceder* a 7,200 bps si es necesario hacer este cambio debido al *ruido en la línea*.

V.32 *Protocolo de modulación* de la *ITU-TSS* para *módems* que transmiten y reciben datos a 9,600 *bits por segundo (bps)*. Los módems que cumplen el estándar V.32 pueden *retroceder* a 4,800 bps, si es necesario, pero V.32 sólo utiliza *modulación de código enrejado* a 9,600 bps.

V.32bis *Protocolo de modulación* de la *ITU-TSS* para *módems* que transmiten y reciben datos a 14,400 *bits por segundo (bps)*. Los módems que utilizan el estándar V.32bis son muy comunes y pueden transferir datos a 12,000, 9,600, 7,200 y 4,800 bps, si es necesario.

V.32terbo Protocolo de modulación *propietario* desarrollado por AT&T para regular los *módems* que transmiten y reciben datos a 19,200 *bits por segundo (bps)* y *retroceder*, si es necesario, a las *tasas de transferencia de datos* que soporta el estándar *V.32bis*. A pesar de su nombre, V.32terbo no es reconocido por la *ITU-TSS*. El estándar *V.34* ha reemplazado al V.32terbo.

V.34 *Protocolo de modulación* de la ITU-TSS para *módems* que transmiten y reciben datos a 28,000 *bits por segundo (bps)*. Los módems V.34 se ajustan al cambio de condiciones en la línea para conseguir la *tasa de transferencia de datos* más alta posible. Una adición reciente al protocolo permite tasas de transmisión de hasta 33.6 Kbps.

V.42 *Protocolo de corrección de errores* de la ITU-TSS diseñado para contrarrestar los efectos del *ruido en la línea*. Un par de *módems* que cumplen con el protocolo V.42 revisan cada porción de datos para asegurar que lleguen libres de errores, y retransmiten cualquier dato defectuoso. El estándar V.42 utiliza *el Protocolo de Acceso a Enlaces para Módems (LAPM)* como método predeterminado de corrección de errores, pero cambia a *MNP4* si es necesario.

V.42bis *Protocolo de compresión* de la ITU-TSS que aumenta la *velocidad real de transporte* de los *módems*. V.42bis es una técnica de *compresión sobre la marcha* que reduce la cantidad de datos que necesita transmitir un módem.

vaccine *vacuna* *Programa* diseñado para ofrecer protección contra *virus*. Mediante la adición de una pequeña cantidad de código a los archivos, sonará una alarma cuando un virus trate de cambiar un archivo. A las vacunas también se les conoce como programas de inmunización.

validation *validación* En *programación*, prueba de que un programa hace su trabajo. Muchos programadores prefieren el término "validación" en lugar de "prueba" o "depuración", porque tiene un tono más positivo.

value *valor* En un programa de *hoja de cálculo*, entrada numérica de una celda. Hay dos tipos de valores. El primero, llamado constante, es un valor que el usuario introduce directamente en la *celda*. El segundo, aunque parece una constante, es generado por una *fórmula* oculta colocada en la celda. Debe tenerse cuidado para distinguir ambos valores y no escribir una constante sobre una fórmula. Vea *cell protection* y *label*.

value-added network (VAN) *red de valor agregado* *Red pública de datos (PDN)* que proporciona servicios de valor agregado a clientes corporativos, incluyendo líneas dedicadas de extremo a extremo con seguridad garantizada.

value-added reseller (VAR) *revendedor de valor agregado* Organización que mejora y vuelve a empacar *hardware* producido por un *fabricante de equipo original (OEM)*. Por lo general, un revendedor de valor agregado mejora el equipo original en los aspectos de *documentación*, empaquetado, integración del sistema y acabados exteriores. No obstante, lo único que hacen algunos VARs es colocar su nombre en el dispositivo.

vanilla *común*   Llano y sin adornos, sin bombos ni fanfarrias o *componentes* avanzados. Vea *bells and whistles.*

vaporware *vaporware*   *Programa* que, a pesar de seguir aún en desarrollo, ya está en el mercado aunque nadie sepa si se resolverán sus problemas de desarrollo.

variable *variable*   En *programación*, área de *memoria* con nombre que guarda un valor o cadena de caracteres.

VBA   Vea *Visual Basic for Applications.*

VDT   Siglas de terminal de despliegue de video. El término es sinónimo de *monitor.*

VDT radiation *radiación de VDT*   Vea *cathode ray tube (CRT)* y *extremely low-frequency (ELF) emission.*

VDU   Iniciales de unidad de despliegue de video. El término es sinónimo de *monitor.*

vector font *fuente vectorial*   Vea *outline font.*

vector graphics *gráfico vectorial*   Formación de una imagen con objetos independientes, cada uno de los cuales puede seleccionarse, cambiarse de tamaño, moverse y manipularse de otras maneras individualmente. Las imágenes vectoriales son mucho más fáciles de editar que las *de mapa de bits* y son preferibles para propósitos de ilustración profesional.

vector-to-raster conversion *conversión de vector a trama*   *Utilería* incluida en numerosos programas de dibujo profesionales, como CorelDRAW!, que transforma imágenes orientadas a objetos (vector) en *gráficos de mapa de bits (trama).* Vea *object-oriented graphic.*

vendor *distribuidor*   Vendedor o proveedor de *sistemas de computación*, periféricos o servicios relacionados con computadoras.

Vendor Independent Messaging (VIM) *Mensajería Independiente del Distribuidor*   En programas de *correo electrónico, interfaz de programación de aplicaciones (API)* que permite a programas de correo electrónico de diferentes fabricantes intercambiar correo entre sí. El consorcio de desarrolladores que diseñó VIM no incluye a *Microsoft Corporation*, que utiliza la *Interfaz de Programación de Aplicaciones de Mensajería (MAPI).* Un archivo *de biblioteca de* *vínculos dinámicos (DLL)* de VIM a MAPI permite el intercambio de mensajes entre las dos interfaces.

verify *verificar*   Determinar la precisión y terminación de una operación de computadora.

Veronica   En *Gopher*, servicio de búsqueda que explora la base de datos de títulos y recursos de un directorio Gopher (como *documentos*, *imágenes*, películas y sonidos) y genera un nuevo menú Gopher con los resultados de la búsqueda. Vea *Jughead*.

version *versión*   Lanzamiento específico de un producto de *software* o *hardware*. Un número mayor de versión indica la liberación (o lanzamiento) de la versión más reciente del producto. Por ejemplo, MS-DOS 6.22 es más reciente que MS-DOS 5.0. En muchos casos se omiten números de versión, como del 3.4 al 3.9 en el ejemplo de MS-DOS. Las revisiones que reparan errores menores, llamadas corrección de errores o *versiones corregidas*, a menudo tienen números intermedios menores, como Versión 1.02 o 1.2a.

verso *vuelta*   Página del lado izquierdo (con folio par) en una impresión de dos lados. Vea *recto*.

vertical application *aplicación vertical*   *Programa de aplicación* creado para un mercado muy bien definido, como los miembros de una profesión o un tipo específico de tiendas de venta al menudeo, que se diseña por lo general para proporcionar funciones completas de administración, como planificación, facturación, control de inventarios y adquisiciones.

vertical centering *centrado vertical*   Centrado automático vertical de imágenes o texto en una página. Por ejemplo, *WordPerfect* incluye el comando Centrar de arriba abajo para centrar texto verticalmente.

vertical frequency *frecuencia vertical*   Vea *vertical refresh rate*.

vertical justification *justificación vertical*   Alineación de *columnas tipo periódico* mediante *ajuste de interlínea* (esto es, adición de espacio vertical), para que todas las columnas terminen de forma uniforme en el margen inferior. Un *programa de diseño de páginas* con capacidad de justificación vertical inserta espacios en blanco entre los bordes de recuadros y el texto, entre párrafos y entre líneas para igualar las columnas en el margen inferior.

vertically flat *verticalmente plano*   Diseño de *monitor*, utilizado en monitores tipo *Trinitron* y otros, que reduce la distorsión de la imagen. Las pantallas verticalmente planas están curvadas como cilindros, en lugar de como esferas, al igual que la mayoría de los *tubos de rayos catódicos (CRT)*. Vea *flat-square monitor* y *flat tension-mask monitor*.

vertical market program *programa de mercado vertical*   *Vea vertical application.*

vertical refresh rate *frecuencia de actualización vertical, velocidad de actualización vertical*   Velocidad a la que un *monitor* y *adaptador de video* pasan los *cañones de electrones* de un *tubo de rayos catódicos (CRT)* de la parte superior de la pantalla a la parte inferior. La velocidad de actualización, que se mide en *Hertz (Hz)*, determina si una pantalla *parpadea*. A una resolución de 1280 *pixeles* por 1024 líneas, una velocidad de actualización de 72 Hz o más eliminará el parpadeo visible.

vertical retrace *redibujado vertical, retraso vertical*   Proceso en que el haz de electrones de un *tubo de rayos catódicos (CRT)* es dirigido por el *yugo* del final de una pasada vertical al principio de la otra. Los *adaptadores de video* deben permitir tiempo para el retraso vertical al preparar la señal digital. Durante el retrazo vertical, el blanqueo es un efecto.

very high-level language (VHL) *lenguaje de muy alto nivel*   *Lenguaje declarativo* que se utiliza para resolver un tipo particular de problema. Casi todos los VHL *son propietarios* y se utilizan para generar *informes* en *hojas de cálculo* y *programas de administración de bases de datos.*

very large scale integration (VSLI) *integración a muy grande escala*   Nivel de complejidad tecnológica en la fabricación de *chips* semiconductores que permite colocar unos 100,000 (y hasta un millón de) transistores en un chip.

VESA   Siglas de Asociación de Estándares Electrónicos de Video. Vea *video standard* y *VL bus.*

VESA bus *bus VESA*   Vea *local bus* y *VL bus.*

VESA local bus *bus local VESA*   *Bus local* concebido para trabajar con el *Intel 80486* que proporciona un estándar para competir con los *buses locales propietarios* incompatibles. Por lo general, los *adaptadores* de bus local VESA se utilizan para conectar *adaptadores de video* y de *red* al *bus de expansión.*

VESA local bus slot *ranura de bus local VESA*   Receptáculo para *adaptadores* que se encuentra en *buses de expansión* compatibles con el estándar de *bus local VESA*. Este tipo de ranuras proporciona comunicación de 32 bits entre el *microprocesador* y los *adaptadores*, y era común en las computadoras que utilizaban varias versiones del microprocesador 486. No obstante, las ranuras *PCI* son mucho más flexibles y se espera que se conviertan en el estándar en los próximos años. Vea *Industry Standard Architecture (ISA)* e *ISA slot.*

V.Fast Class (V.FC)   Protocolo de modulación *propietario* utilizado por varios fabricantes de módems antes de que se publicara el estándar *V-34*. Es posible actualizar casi todos los módems V.FC para que cumplan con el protocolo V.34.

V.FC   Vea *V.Fast Class*.

VGA   Vea *Video Graphics Array*.

VHL   Vea *very high-level language*.

vi   Editor de texto configurado para ser el *editor predeterminado* en muchos sistemas *Unix*. Su aprendizaje es muy difícil porque tiene muy poco en común con los programas de procesamiento de texto de *Macintosh* y *Microsoft Windows 95*. Para evitar el uso de vi, muchos usuarios de Unix prefieren utilizar aplicaciones que tienen sus propios editores de texto integrados, como el programa de *correo electrónico pine*. Vea *emacs*.

video accelerator *acelerador de video*   Vea *graphics accelerator board*.

video adapter *adaptador de video*   *Adaptador* que genera la salida necesaria para presentar texto y *gráficos* en un *monitor*.

video amplifier *amplificador de video*   Parte de la circuitería del *monitor* que amplifica las débiles señales recibidas del *adaptador de video* a un nivel lo suficientemente alto para dirigir el *cañón de electrones*. Los monitores *monocromáticos* tienen un amplificador de video, en tanto que los de color tienen tres, calibrados cuidadosamente para que funcionen de manera conjunta.

video board *tarjeta de video*   Vea *video adapter*.

video capture camera *cámara de captura de video*   Dispositivo de cámara de video que registra los datos en forma de imágenes digitalizadas. Las imágenes se guardan en *archivos* que después pueden recuperarse mediante el *software* adecuado, con el fin de reproducirlos en pantalla.

video capture card *tarjeta de captura de video*   *Adaptador* que se conecta al *bus de expansión* de la computadora y permite controlar una cámara de video o una videograbadora (VCR) y manejar su salida. Las tarjetas de captura de video por lo general *comprimen* la entrada de video a un tamaño manejable y son útiles para desarrollar presentaciones *multimedia*.

video card *tarjeta de video*   Vea *graphics accelerator board*.

video controller *controlador de video*   *Microprocesador* del *adaptador de video* que lee la información de la *memoria de video*, la organiza en un flujo continuo y la envía al *monitor*.

videodisk *videodisco*   Vea *interactive videodisk*.

video driver *controlador de video*   *Programa* que indica a otros
programas la manera de trabajar con un *adaptador de video* y un
monitor en particular. Los controladores de video a menudo
cuentan con opciones para definir la *resolución*, la *velocidad de
actualización* y la *profundidad de color*.

Video Graphics Array (VGA) *Matriz de Gráficos de Video*   Estándar
de presentación de *gráficos de mapa de bits* a color introducido
por IBM en 1987 con sus computadoras PS/2. Los *adaptadores
de video* VGA y los *monitores analógicos* muestran al mismo
tiempo hasta 256 colores de variación continua, con una resolución de 640 *pixeles* en posición horizontal por 480 líneas en
posición vertical. La circuitería VGA es compatible hacia atrás
con todos los estándares de video anteriores, como *CGA*, *MDA*
y *EGA*.

video memory *memoria de video*   Conjunto de *chips* de memoria en
los cuales la *unidad central de procesamiento (CPU)* escribe información de pantalla, y de los cuales el *controlador de video* lee la
información antes de enviarla al *monitor*. La memoria de video a
menudo utiliza chips de *memoria dinámica de acceso aleatorio
(DRAM)*, pero los adaptadores de video de *alta calidad* utilizan
RAM de video (VRAM) más rápida.

video monitor *monitor de video*   Vea *monitor*.

video noise *ruido en el video*   Puntos aleatorios de interferencia
en una *pantalla*. El término es sinónimo de "nieve". Los monitores modernos rara vez tienen problemas de ruido, pero sí le
causaba problemas a los usuarios de *adaptadores de video* y
monitores CGA.

video RAM (VRAM) *RAM de video*   Chips de *memoria dinámica de
acceso aleatorio (DRAM)* especialmente diseñados para aumentar al
máximo el rendimiento de los adaptadores de video. La *unidad
central de procesamiento (CPU)* carga la información de pantalla en
la VRAM, de donde la lee posteriormente el sistema de video. La
VRAM de *alta calidad*, llamada VRAM de doble puerto, permite la
lectura y escritura simultánea de datos. Vea *random-access memory
(RAM)* y *video adapter*.

video standard *estándar de video*   Estándar para *monitores*
desarrollado para que los creadores de *programas* puedan
anticipar cómo se verán éstos en pantalla. Los estándares de video,
como *CGA*, *EGA* y *VGA*, son definidos por grupos de la industria
e incluyen especificaciones sobre resolución de pantalla y capacidad de color, entre otras cosas. Por ejemplo, el estándar VGA
permite una resolución de 640 *pixeles* por 480 líneas y 256

colores simultáneos. Vea *eXtended Graphics Array (XGA)*, *Hercules Graphics Adapter* y *Super VGA*.

videotext *videotexto*   Transmisión de información (como titulares de noticias, síntesis bursátil y reseñas de películas actuales) a través de un sistema de televisión por cable. Vea *online information service*.

view *vista*   En *programas de administración de bases de datos*, presentación en pantalla de la información de una *base de datos* que cumple con el criterio especificado en una *consulta*. La mayoría de los programas permite que el usuario guarde una vista; los mejores programas actualizan cada vista siempre que se añaden o editan *registros*. También, permiten desplegar una imagen en pantalla desde una perspectiva diferente, en particular con los dibujos de *diseño asistido por computadora (CAD)* tridimensionales.

VIM   Vea *Vendor Independent Messaging*.

virtual *virtual*   Que no es real; representación en una computadora de algo que no existe.

virtual 8086 mode *modo 8086 virtual*   Modo disponible en los *microprocesadores* 80386 y posteriores, donde el chip simula un número casi ilimitado de máquinas *8086 de Intel*.

virtual community *comunidad virtual*   Grupo de personas que, aunque quizá nunca se han visto, comparten intereses y preocupaciones y se comunican a través de *correo electrónico* y *grupos de noticias*. Las personas que se consideran parte de tales comunidades adquieren un sentido de integración y desarrollan profundos lazos emocionales con los demás participantes, aunque las relaciones desarrolladas estén mediadas por la computadora y quizá nunca lleven a un encuentro frente a frente.

virtual corporation *corporación virtual*   Medio para organizar un negocio en el que varias unidades están geográficamente dispersas, pero activa y fructíferamente vinculadas con el uso de *Internet* o una *red de área amplia (WAN)*.

virtual device *dispositivo virtual*   Simulación de un dispositivo o *periférico* de computadora (una *unidad de disco duro* o una *impresora* que no existe o que, por lo menos, no se encuentra cerca). Una computadora de una *red de área local (LAN)* podría aparentar tener un disco duro de gran capacidad, pero quizá éste en realidad se encuentre en el servidor de archivos.

Virtual Device Driver (VxD) *Controlador de Dispositivo Virtual*   En *Microsoft Windows 95*, programa de 32 bits que maneja un recurso específico del sistema, como una tarjeta de sonido o una impresora. A diferencia de los controladores de dispositivos utilizados en

Windows 3.1, los controladores virtuales se ejecutan en el *modo protegido* del procesador, donde hay menos posibilidades de que tengan conflictos con otras aplicaciones o causen caídas del sistema. La abreviatura "VxD" cubre un amplio rango de dispositivos, incluyendo dispositivos de impresoras virtuales (VPD), dispositivos de pantalla virtuales (VDD) y dispositivos virtuales de control de tiempo (VTD).

Virtual Library *Biblioteca Virtual*   En *World Wide Web (WWW)*, árbol de temas en el cual usuarios voluntarios toman la responsabilidad de mantener la rama del árbol dedicada a un tema específico, como astronomía o zoología. La Biblioteca Virtual es un buen lugar para buscar información académica en Web. Vea *subject tree*.

virtual machine *máquina virtual*   1. En los *microprocesadores* 80386 y posteriores, espacio de memoria protegida creado por la capacidad de *hardware* del microprocesador. Cada máquina virtual puede ejecutar sus propios *programas*, totalmente independiente de las otras máquinas. Las máquinas virtuales también pueden acceder, sin conflictos, al *teclado*, la *impresora* y otros dispositivos. Estas máquinas virtuales son posibles mediante una computadora con la circuitería de procesamiento necesaria y mucha *memoria de acceso aleatorio (RAM)*. Vea *Virtual 8086 mode*. 2. En *Java*, espacio de memoria protegida en el cual se ejecuta un *applet* de manera segura, sin acceso al sistema de archivos de la computadora. El término es sinónimo de *caja de arena*.

virtual memory *memoria virtual*   Método para extender el tamaño aparente de la *memoria de acceso aleatorio (RAM)* de una computadora mediante el uso de parte del *disco duro* como si fuera una extensión de la RAM. Numerosos programas de aplicación, como *Microsoft Word*, usan de forma rutinaria el disco en vez de la memoria para guardar parte de la información o las instrucciones de programa mientras el usuario ejecuta un programa. Vea *virtual memory management*.

virtual memory management *administración de memoria virtual* Administración de operaciones de *memoria virtual* al nivel del *sistema operativo*, más que al nivel de *programas de aplicación*. Una ventaja significativa de fijar la memoria virtual al nivel del sistema operativo más que al de las aplicaciones consiste en que cualquier programa puede aprovechar la memoria virtual, lo cual da por resultado que la memoria se extienda de forma inadvertida de la RAM al almacenamiento secundario de la computadora. *Microsoft Windows 95* puede aprovechar al máximo las capacidades de memoria virtual. En el ambiente de *Macintosh*, el *System 7.5 de Apple* pone la administración de memoria virtual al alcance de los usuarios de computadoras Macintosh con microprocesadores 68030.

virtual private network (VPN) *red privada virtual* Red muy segura para transmisión de datos confidenciales (incluyendo transacciones electrónicas comerciales) que utiliza *Internet* como medio de transmisión. Para asegurar que los datos siguen siendo confidenciales y mantener su integridad, las VPNs utilizan encriptación y *creación de túneles entre protocolos.* Vea *PPTP.*

virtual reality (VR) *realidad virtual* *Sistema de computación* que puede introducir al usuario en la ilusión de un mundo generado por computadora y permitirle recorrer ese mundo a voluntad. Por lo general, el usuario se coloca un *dispositivo de visualización (HMD),* que despliega una imagen estereoscópica, y se enfunda un *guante sensor,* que le permite manejar objetos en el ambiente virtual. Vea *cyberspace, electrocutaneous feedback, second-person virtual reality, sensor glove* y *stereoscopy.*

virus *virus* *Programa,* diseñado como broma o sabotaje, que se copia a sí mismo adjuntándose a otros programas y lleva a cabo operaciones indeseables y en ocasiones dañinas. Los efectos de la acción de un virus varían, desde mensajes llamativos hasta un desempeño errático del software del sistema o la eliminación de toda la información del *disco duro.* Jamás suponga que un mensaje llamativo es todo lo que hace un virus. Vea *antivirus program, Trojan horse* y *vaccine.*

Visio Programa popular de gráficos para negocios, desarrollado por Visio, que crea diagramas de flujo, organigramas, diagramas de bloque y líneas de tiempo para proyectos. Las versiones profesionales incluyen soporte para acceso a bases de datos externas y símbolos técnicos.

Visual Basic *Lenguaje de programación de alto nivel* para el desarrollo de aplicaciones diseñadas para ejecutarse bajo *Microsoft Windows 95.* En Visual Basic, el *programador* coloca controles (*botones de comando,* cuadros de lista, etc.) en una ventana, arrastrándolos desde un *cuadro de herramientas,* y a continuación escribe los procedimientos para los controles mediante una versión moderna de *BASIC.*

Visual Basic for Applications (VBA) *Visual Basic para Aplicaciones* Versión del lenguaje de programación *Visual Basic* incluida con las aplicaciones de *Microsoft Windows 95,* como *Excel.* Visual Basic para Aplicaciones se usa para crear procedimientos tan sencillos como una *macro* elemental o tan complejos como *programas de aplicación* personalizados, con *cuadros de diálogo, menús, botones de comando* y comandos únicos. Vea *event-driven environment.*

Visual Café *Ambiente de programación,* creado por *Symantec,* para desarrollo de aplicaciones en Java. Entre las características avanzadas del paquete están las siguientes: un editor de clases para edición general de versiones de objetos (clases); desarrollo visual de aplicaciones mediante la técnica de arrastrar y colocar, que permite a los programadores elaborar rápidamente interfaces de usuario; un intérprete y un depurador en tiempo real, y un compilador que crea aplicaciones de Java independientes que se ejecutan hasta 25 veces más rápido que con el código anterior de Java.

VL-bus *bus VL*   Vea *VESA local bus*.

VLSI   Vea *very large scale integration*.

voice actuation *actuación vocal*   Reconocimiento y aceptación de comandos hablados como instrucciones que se deben procesar por parte de la computadora. Vea *speech recognition*.

voice-capable modem *módem de voz*   *Módem* que, como un *conmutador de fax*, distingue entre las transmisiones de *fax* y de *datos* y las llamadas telefónicas de voz, y luego envía cada una al dispositivo apropiado. Los módems con reconocimiento de voz pueden servir como sistemas de *correo de voz* en oficinas pequeñas.

voice coil actuator *actuador de bobina de voz*   Vea *servo-voice coil actuator*.

voice mail *correo de voz*   En *automatización de oficinas*, sistema de comunicación en el cual los mensajes de voz son convertidos a formato digital y guardados en una *red*. Cuando la persona a la que se envía el mensaje se conecta al sistema y descubre que hay un mensaje para ella, el sistema lo reproduce. El término es sinónimo de almacenamiento y envío de voz.

voice recognition *reconocimiento de voz*   Vea *speech recognition*.

voice store and forward *almacenamiento y envío de voz*   Vea *voice mail*.

voice synthesis *síntesis de voz*   Salida audible de texto basado en computadora bajo la forma de sonidos vocales sintetizados que la gente puede reconocer y entender. La síntesis de voz es más fácil de conseguir que el reconocimiento de voz; es posible equipar prácticamente cualquier computadora personal para que lea *texto ASCII* en voz alta y con un mínimo de errores. Esta capacidad ha permitido que numerosos invidentes tengan acceso a trabajos escritos que no están grabados en audiocasetes. Vea *speech recognition*.

volatility *volatilidad*   Susceptibilidad de la *memoria de acceso aleatorio (RAM)* de una computadora a perder toda la información guardada en caso de una interrupción repentina de la energía eléctrica.

volume *volumen*   En *MS-DOS*, unidad de almacenamiento que normalmente es un disco (flexible o duro); sin embargo, es posible asignar volúmenes a más de un disco; de igual manera, un disco puede contener más de un volumen.

volume label *etiqueta de volumen*   En *MS-DOS*, nombre asignado a un disco y presentado en la primera línea de un *directorio*. El nombre no debe tener más de 11 caracteres y se asigna al *formatear* el disco.

von Neumann bottleneck *cuello de botella de Von Neumann*   Limitación de la velocidad de procesamiento impuesta por la arquitectura de una computadora que vincula un solo *microprocesador* con la *memoria*. John von Neumann descubrió que un programa ocupará más tiempo recuperando datos de la memoria que procesándolos. Una de las posibles soluciones al cuello de botella de Von Neumann es el *procesamiento paralelo*, en el cual las tareas del programa se dividen entre dos o más microprocesadores. No obstante, los *lenguajes de programación* y las técnicas existentes no manejan muy bien el procesamiento paralelo. El microprocesador *Pentium* ayuda a reducir esta limitación porque incorpora *cachés* separados para datos e instrucciones. Vea *stored program concept*.

VR   Vea *virtual reality*.

VRAM   Vea *video RAM*.

W3   Vea *World Wide Web (WWW)*.

W3C   Vea *World Wide Web Consortium*.

WAIS   Vea *Wide Area Information Server*.

wait state *estado de espera*   Ciclo de reloj del microprocesador durante el cual no ocurre nada. En un *sistema de computación*, un estado de espera es programado para permitir que otros componentes, como la *memoria de acceso aleatorio (RAM)*, se pongan en contacto con la *unidad central de procesamiento (CPU)*. El número de estados de espera depende de la velocidad del procesador en relación con la velocidad de la memoria. Los estados de espera pueden eliminarse y dar lugar a una máquina con cero estados de espera mediante rápidos (pero costosos) chips de *memoria caché*, *memoria intercalada*, RAM en modo de página o RAM estática.

wallpaper *tapiz*   Vea *desktop pattern*.

warm boot *arranque en caliente*   Reinicio del sistema cuando se encuentra en funcionamiento. El arranque en caliente se aplica utilizando una combinación especial de teclas u oprimiendo un *botón de reinicio*, mientras que para un *arranque en frío* se apaga y se vuelve a encender el sistema. Vea *programmer´s switch*.

warm link *vínculo activo*   En *Vinculación e Incrustación de Objetos (OLE)* e *intercambio dinámico de datos (DDE)*, vínculo dinámico que sólo se actualiza cuando el usuario selecciona de manera explícita un comando para actualización de vínculos. Este tipo de vinculación también está disponible en *Lotus 1-2-3* desde la versión 2.2, y en *Quattro Pro* desde la versión 1.0. Vea *hot link*.

WAV   Formato de archivo de sonido desarrollado en conjunto por *Microsoft* e *IBM* que se convirtió en una característica importante de los accesorios de *Microsoft Windows 95* para almacenar sonidos de onda. Las especificaciones de formato incluyen formatos de almacenamiento de 8 y 16 bits, monoaural y estereofónico, pero la mayoría de los sonidos WAV que se encontrarán en Internet serán sonidos monoaurales de 8 bits.

waveform audio *audio de forma de onda*   Vea *waveform sound*.

waveform sound *sonido de forma de onda*   Al igual que el sonido MIDI, tipo de información de audio digitalizada. El sonido de forma de onda, sobre todo cuando se guarda con una *resolución* de 16 bits, puede producir una sorprendentemente buena fidelidad, pero ocupa enormes cantidades de espacio de almacenamiento; por ejemplo, cada minuto de sonido grabado en el formato WAV de *Microsoft Windows 95* ocupa 27 MB.

wave sound *sonido de onda*   Uno de los dos tipos de sonido grabados en archivos legibles para la computadora, que contiene grabación digitalizada de un sonido real. Los archivos de sonido de onda son voluminosos; en el formato *.WAV de Windows, por ejemplo, se necesitan hasta 5 MB de espacio para guardar una melodía de cuatro minutos. Entre los formatos de archivo populares en *Internet* se encuentra AU, AIFF y MPEG. Vea *MIDI sound*.

wave table synthesis *síntesis de tabla de onda*   Método, muy superior a la *síntesis FM*, para generar y reproducir música en una *tarjeta de sonido*. La síntesis de tabla de onda utiliza una muestra pregrabada de docenas de instrumentos orquestales para determinar la manera en que deben sonar determinadas notas tocadas en esos instrumentos.

web *web*   Vea *Web site*.

Web browser *explorador Web, navegador Web*   Programa que se ejecuta en una computadora conectada con *Internet* proporciona acceso a las riquezas de *World Wide Web (WWW)*. Existen dos tipos de navegadores Web: de texto y gráficos. Los dos navegadores más populares son *Microsoft Internet Explorer* y *Netscape Navigator*, el navegador incluido en *Netscape Communicator*. Los navegadores gráficos son preferibles porque el usuario puede observar *imágenes en línea*, fuentes y diseños de documentos.

WebCrawler   *Máquina de búsqueda* que localiza documentos en *World Wide Web (WWW)*. Se encuentra ubicada en la Universidad de Washington y recibe soporte de DealerNet, Starwave Corporation y Satchel Sport. Depende de una rutina de búsqueda automática (llamada *araña*) que indiza todas las palabras de los documentos que encuentra. WebCrawler es lenta para compilar su base de datos (que sólo contenía 300,000 documentos al momento de escribir este diccionario). No obstante, el hecho de que recupere e indice todas las palabras del documento le da una exactitud poco común cuando el usuario busca palabras que tal vez no aparezcan en los títulos ni demás encabezados del documento.

Web server *servidor Web*   En *World Wide Web (WWW)*, *programa* que acepta solicitudes de información que cumplen con el *Protocolo*

de Transferencia de Hipertexto (HTTP). El servidor procesa las
solicitudes y envía los documentos solicitados. Se han desarrollado
servidores Web para la mayoría de los sistemas de computación,
entre ellos las estaciones de trabajo *Unix,* sistemas *Microsoft
Windows 95, Microsoft Windows NT* y *Macintoshes.* Vea *HyperText
Transfer Protocol Daemon (httpd), MacHTTP, Netscape Commerce
Server* y *Netscape Messaging Server.*

Web site *sitio Web*   En *World Wide Web (WWW), sistema de*
computación que ejecuta un *servidor Web* y que se ha configurado para publicar documentos en Web.

weight *peso*   Grosor de un *tipo de letra* o los grados de claridad
u oscuridad dentro de una familia de fuentes. El estilo de un tipo
puede ser ligero o pesado, y dentro del estilo puede haber
diversos pesos: extralight, light, semilight, regular, medium,
semibold, bold, extrabold y ultrabold. Vea *book weight.*

Weitek coprocessors *coprocesadores Weitek*   Coprocesadores
numéricos creados para computadoras que usan los microprocesadores *80386* u *80486* de *Intel.* Estos coprocesadores ofrecen
un desempeño más rápido que los *80387* y 80487SX de *Intel* y
son muy usados en aplicaciones profesionales de *diseño asistido
por computadora (CAD).* El Weitek 4167 puede realizar operaciones de punto flotante de tres a cinco veces más rápido que un
486, pero los programas a menudo requieren modificaciones
especiales para utilizar un coprocesador Weitek.

welcome page *página de bienvenida*   Documento accesible a
través de *World Wide Web (WWW),* que tiene la intención de
servir como punto de entrada a una serie de documentos
relacionados, llamados *sitio Web.* Por ejemplo, la página de
bienvenida de una empresa incluye el logotipo de éstas, una
breve descripción del propósito del sitio Web y vínculos con los
documentos adicionales que se pueden encontrar en él. A las
páginas de bienvenida también se les llama *páginas de inicio*
porque son las primeras páginas (el documento de nivel superior) de una serie de documentos relacionados que integran el
sitio Web.

well-known port *puerto bien conocido*   Dirección de puerto de
Internet que ha estado vinculada permanentemente con cierta
aplicación por la *Autoridad de Números Asignados en Internet
(IANA).* Una *dirección de puerto* permite al software *TCP/IP*
dirigir los datos entrantes a una aplicación específica. Por
ejemplo, la dirección de puerto 80 dirige los datos entrantes a un
servidor Web. Como la IANA fija los números de puerto para
aplicaciones de Internet de uso frecuente (como *Telnet, el*

Protocolo de Transferencia de Archivos [FTP] y *World Wide Web [WWW]*), por lo general no es necesario incluir las direcciones de puerto al tratar de localizar datos; basta con el *nombre de dominio*.

well-structured programming language *lenguaje de programación bien estructurado*   Lenguaje de programación que estimula a los programadores a crear programas organizados de manera lógica, que sean fáciles de leer, depurar y actualizar. Los lenguajes de programación mal estructurados ocasionan que los *programadores* creen programas organizados de manera ilógica, con *código en espagueti*, que impiden casi por completo su depuración o modificación. Los lenguajes de *programación modular* fomentan la *programación estructurada*: códigos claros y lógicos que permiten al programador dividir el programa en módulos independientes, cada uno de los cuales realiza una sola función. Más recientemente, los *lenguajes de programación orientada a objetos (OOP)*, como SmallTalk y C++, han introducido otro concepto de modularidad. Los lenguajes están estructurados mediante una jerarquía de objetos, como botones de opción, *cuadros de diálogo* y *ventanas*.

what-if analysis *análisis ¿qué pasaría si...?*   En programas de *hoja de cálculo*, forma importante de exploración de datos en la que el usuario cambia variables clave para ver el efecto en los resultados del cálculo. El análisis ¿qué pasaría si...? proporciona a los empresarios y los profesionales un vehículo eficaz para explorar el efecto de estrategias alternas.

what-you-see-is-what-you-get (WYSIWYG) *lo que ve es lo que obtiene*   Filosofía de diseño para los *programas de procesamiento de texto* en la cual los comandos de formato afectan directamente el texto mostrado en pantalla, de manera que lo que aparece en pantalla corresponde a la apariencia que tendrá el texto impreso. Vea *embedded formatting command*.

white pages *sección blanca*   Versión en computadora de la sección blanca del directorio telefónico. Diferentes organizaciones (como corporaciones o universidades) proporcionan secciones blancas para ayudar a las personas a buscar el número telefónico o la dirección de correo electrónico de una persona. En *Internet* hay muchos servicios de sección blanca accesibles. Vea *X.500*.

white space *espacio en blanco*   Parte de la página que no se imprime. En un buen diseño de página se utilizan espacios en blanco para balancear las áreas con texto e imágenes y mejorar la legibilidad del documento.

white-write technique *técnica de escritura en blanco*   Vea *print engine*.

whois *whois*   Utilería de *Unix*, ejecutada por un *servidor whois*, que permite a los usuarios localizar la dirección de *correo electrónico* y a menudo el número telefónico e información adicional de personas que tienen una cuenta en el mismo sistema de computación. En *redes* Novell, comando que despliega una lista de todos los usuarios conectados a la red en un momento determinado.

whois server *servidor whois*   Programa de *Internet* que acepta solicitudes de direcciones de *correo electrónico* y números telefónicos, y trata de proporcionar esta información buscándola en una base de datos de personas registradas en el servicio. Vea *whois*.

Wide Area Information Server (WAIS) *Servidor de Información de Área Amplia*   Sistema basado en *Unix* y enlazado a *Internet*. También, programa que permite al usuario, con una serie de *palabras clave*, revisar archivos de todo el mundo en busca de recursos. Los usuarios familiarizados con los programas de *bases de datos* para computadoras personales probablemente consideren a WAIS como una herramienta de búsqueda poco satisfactoria. WAIS genera una lista de documentos que sin lugar a dudas contiene muchos resultados irrelevantes (es decir, documentos irrelevantes que no están relacionados con el tema de búsqueda). Vea *anonymous FTP*.

wide area network (WAN) *red de área amplia*   *Red* de computadoras que usa redes o satélites de comunicación de larga distancia y alta velocidad para conectar computadoras a distancias mayores que las recorridas por las redes de área local (LAN), que es de aproximadamente tres kilómetros. Vea *ARPANET, Fidonet* e *Internet*.

wide SCSI *SCSI amplio*   Especificación SCSI-2 que permite el uso de un bus de datos de 16 bits, duplicando la *tasa de transferencia de datos* de las unidades y dispositivos SCSI.

widow *viuda*   Irregularidad de formato en la cual la última línea de un párrafo aparece sola en la parte superior de una nueva columna o página. La mayoría de los programas de procesamiento de texto y de diseño de páginas suprime las viudas y las *huérfanas*; los mejores programas permiten activar y desactivar el control de viudas y huérfanas para elegir el número de líneas al principio o final del párrafo que el usuario desea mantener juntas.

wild card *comodín*   Caracteres (por ejemplo, asteriscos y signos de interrogación) que representan a otros caracteres que podrían aparecer en el mismo sitio. *DOS* y *Microsoft Windows* emplean dos comodines: el asterisco (*), que representa cualquier carácter o número de caracteres, y el signo de interrogación (?), que representa un solo carácter.

Win32 *Interfaz de programación de aplicaciones* de 32 bits de Windows. Los programas escritos con estas directrices sólo se ejecutarán en *Microsoft Windows 95 y Microsoft Windows NT.*

Win32s Utilería de *freeware*, desarrollada por *Microsoft Corporation*, que actualiza Windows 3.1 y Windows para trabajo en grupos 3.11 para que puedan ejecutar *aplicaciones de 32 bits.*

Winchester drive *unidad Winchester*   Vea *hard disk.*

window *ventana*   Marco rectangular en pantalla dentro del cual el usuario puede ver *documentos,* hojas de cálculo, *bases de datos,* dibujos o un *programa de aplicación.* En la mayoría de los programas sólo se exhibe una ventana, que funciona como un marco en el cual se puede ver un documento, una base de datos o una hoja de cálculo. Un ambiente de ventanas va más allá de la presentación de múltiples ventanas y permite ejecutar dos o más aplicaciones al mismo tiempo, cada una en su propia ventana. Vea *application program interface (API), Graphical User Interface (GUI)* y *Microsoft Windows 95.*

windowing environment *ambiente de ventanas*   Interfaz de *programación de aplicaciones (API)* que proporciona las características asociadas comúnmente con una *interfaz gráfica de usuario (GUI)* (como ventanas, menús desplegables, fuentes para pantalla, y barras y cuadros de desplazamiento) y que pone estas características al alcance de programadores de paquetes de aplicaciones. Vea *Graphical User Interface (GUI)* y *Microsoft Windows 95.*

window menu *menú de la ventana*   En *Microsoft Windows 95,* sinónimo de *menú de control.*

Windows   Vea *Microsoft Windows 3.1, Microsoft Windows 95* y *Microsoft Windows NT.*

Windows 3.1   Vea *Microsoft Windows 3.1.*

Windows 95   Vea *Microsoft Windows 95.*

Windows 95 keyboard *teclado para Windows 95*   Teclado que además de la teclas comunes contiene teclas especiales que activan menús y comandos específicos de Windows 95.

Windows accelerator *acelerador para Windows*   Vea *graphics accelerator board.*

Windows application *aplicación de Windows*   Aplicación que sólo se puede ejecutar en el ambiente de ventanas de Microsoft Windows para aprovechar por completo la *interfaz de programación de aplicaciones (API)* de Windows, además de su capacidad para mostrar *fuentes y gráficos* en pantalla y su potencial para intercambiar información de manera dinámica entre aplicaciones. Vea *non-Windows application*.

Windows Explorer *Explorador de Windows*   En *Microsoft Windows 95*, programa de administración de archivos que reemplaza al Administrador de archivos de Windows 3.1. A la mayoría de los usuarios les resulta más fácil manejar archivos y programas haciendo clic en el icono *Mi PC*.

Windows Metafile Format (WMF) *Formato de Metarchivo de Windows*   *Formato de archivos* gráficos orientados a objetos (vectoriales) para aplicaciones de *Microsoft Windows 95*. Todas las aplicaciones que soportan *gráficos orientados a objetos* pueden leer archivos gráficos guardados en formato WMF.

Windows NT   Vea *Microsoft Windows NT*.

Windows printer *impresora Windows*   Vea *Graphical Device Interface (GDI) printer*.

WinFax Pro   Programa popular de fax, creado por Delrina y ahora comercializado por *Symantec*, que permite a los usuarios de Windows enviar y recibir faxes de aplicaciones de Windows.

Winsock   Estándar abierto que especifica la manera en que una biblioteca de vínculos dinámicos (DLL) debe escribirse para proporcionar soporte de *TCP/IP* para sistemas de *Microsoft Windows 95*. Surgido a partir de una sesión informal en una conferencia de *Unix*, el estándar Winsock (actualmente en la versión 2.0) recibe soporte activo de *Microsoft Corporation*.

Winstone   *Prueba comparativa* desarrollada por los PC Labs de Ziff-Davis Publishing que trata de simular condiciones reales y probar todos los aspectos del desempeño de un sistema. Al hacer que un sistema de computación ejecute *scripts* en más de una docena de *programas de aplicación* populares, Winstone demuestra el desempeño del sistema.

WinVN   *Lector de noticias* de *Usenet* respetado y del dominio público para *Microsoft Windows 95* y versiones anteriores de Windows. Originalmente desarrollado por Mark Riordan, ahora el Centro Espacial Kennedy de la NASA desarrolla y da soporte a este *lector de noticias con encadenamiento*.

wireless wide area network *red inalámbrica de área amplia*   Red de radio para computadoras equipadas con *transceptores* que se usan para recibir (o, en los sistemas de doble vía, para enviar y recibir) mensajes de *correo electrónico*, difusiones de noticias y *archivos*. La cobertura está limitada actualmente a unas cuantas áreas metropolitanas grandes, pero los sistemas de satélites futuros, que ofrecen una cobertura por saturación, quizá vuelvan más común la comunicación inalámbrica de datos.

wizard *asistente*   Utilería de ayuda interactiva desarrollada originalmente por Microsoft para sus aplicaciones de Windows, y ahora ampliamente imitada. Los asistentes guían al usuario a través de una operación de varios pasos, ofreciendo información útil y explicando opciones en el camino.

WMF   Extensión de archivo que indica que éste contiene un gráfico guardado en Formato de Metarchivo de Windows (WMF).

word *palabra*   Unidad de información compuesta por caracteres, *bits* o *bytes*, considerada como una entidad y que puede almacenarse en una localidad. En los *programas de procesamiento de texto*, una palabra se define incluyendo el espacio, en caso de que lo haya, al final de los caracteres.

Word   Vea *Microsoft Word*.

WordPad   En *Microsoft Windows 95*, pequeño *programa de procesamiento de texto* que puede leer directamente los archivos creados por *Microsoft Word* y Microsoft Write. El programa reemplaza a los accesorios Bloc de notas y Write que se incluían en Windows 3.1.

WordPerfect   *Procesador de texto* muy completo, publicado por Corel y que forma parte de la *Corel WordPerfect Suite*. Alguna vez, las versiones de WordPerfect para *MS-DOS* dominaron el mercado del procesamiento de textos, pero el programa llegó tarde a la transición hacia Microsoft Windows y dejó abierto el mercado para *Microsoft Word*. El programa aún prevalece en ciertos nichos del mercado, como oficinas legales, debido a su provisión de funciones de procesamiento de texto con propósitos especiales.

word processing *procesamiento de texto*   Uso de la computadora para crear, editar, corregir, formar e imprimir documentos. Por mucho, el procesamiento de texto es la aplicación más común de las computadoras y probablemente sea la causa del enorme crecimiento de la industria de la computación. A diferencia de las máquinas de escribir, los programas de procesamiento de texto por computadora permiten a los usuarios cambiar texto antes de imprimirlo y proporcionan importantes herramientas de edición. Los programas más populares de este tipo son *WordPerfect* y *Microsoft Word*.

word processing program *programa de procesamiento de texto*   Programa que transforma una computadora en una herramienta para crear, editar, corregir, formar e imprimir documentos, como *Lotus Word Pro*, *Microsoft Word* o *WordPerfect*. Los programas de procesamiento de texto están en los primeros lugares de ventas por una simple razón: de todas las aplicaciones de computadora, la gente ha encontrado que ésta es la más útil. Los modernos procesadores de texto incluyen muchas características para facilitar el trabajo de los escritores y los editores. La función de búsqueda y reemplazo ayuda a la revisión de documentos, mientras que los revisores ortográficos y los diccionarios de sinónimos aseguran una salida limpia y legible. Varias herramientas de formato hacen que los textos resulten gráficamente atractivos. Con la aparición de los sistemas con *interfaz gráfica de usuario (GUI)*, como el de *Macintosh* y el de las computadoras compatibles con la PC de IBM que ejecutan *Microsoft Windows 95*, los programas adquirieron la capacidad de presentar opciones en pantalla para elegir fuentes y su tamaño. El software de procesamiento de texto actual es capaz de realizar sencillos trabajos de autoedición, como la producción de boletines. Vea *what-you-see-is-what-you-get (WYSIWYG)*.

word wrap *ajuste de texto*   Característica de *programas de procesamiento de texto* y de otros programas que incluyen características de edición de texto, que pasa las palabras al inicio de la siguiente línea cuando éstas rebasan el margen derecho.

workaround *rodeo*   Una manera de evitar un *bug* sin corregirlo en realidad. Los rodeos pueden ser efectivos cuando hay poco tiempo o cuando los *programadores* no están disponibles.

workbook *libro de trabajo*   En un *programa de hoja de cálculo*, colección de *hojas de cálculo* relacionadas que se conservan en un solo archivo. Los libros de trabajo facilitan la creación de *vínculos activos* entre hojas de cálculo.

workgroup *grupo de trabajo*   Pequeño grupo de empleados asignados a laborar conjuntamente en un proyecto específico. En las grandes compañías, gran parte de las tareas se realizan en grupos de trabajo, y para que éstas salgan bien y de manera oportuna, el grupo necesita comunicarse eficientemente y compartir recursos. La tecnología de las *computadoras personales*, en especial cuando están enlazadas a una *red de área local (LAN)*, se concibió para mejorar la productividad de los grupos de trabajo, a través de la implementación de canales adicionales de comunicación (en forma de *correo electrónico*), características para la edición de *documentos* en grupo (como *subrayado* y *tachado*) y acceso compartido a una *base de datos* común.

working model *modelo de trabajo*   Vea *crippled version*.

worksheet *hoja de trabajo*   En *programas de hoja de cálculo*, matriz bidimensional de filas y columnas en la cual el usuario introduce encabezados, *valores* y fórmulas. La hoja de trabajo es parecida a la que se usa en contabilidad. El término es sinónimo de hoja de cálculo.

worksheet window *ventana de la hoja de trabajo*   En *programas de hoja de cálculo*, parte de la hoja que aparece en pantalla. Con la posibilidad de incluir hasta 8,192 filas y 256 columnas, las modernas hojas de cálculo electrónicas son más grandes que una cochera para dos autos. La ventana de una hoja de trabajo muestra sólo una pequeña parte del área potencialmente disponible.

workstation *estación de trabajo*   En una *red de área local (LAN)*, computadora de escritorio que ejecuta *programas de aplicación* y sirve como punto de acceso a la red. Vea *file server, personal computer (PC)* y *professional workstation.*

World Wide Web (WWW)   Sistema mundial de *hipertexto* que utiliza *Internet* como mecanismo de transporte. En un sistema de hipertexto, el usuario navega con sólo hacer clics en hipervínculos, lo que presenta en pantalla otro documento (que también contiene hipervínculos). La mayoría de los documentos de Web se crean utilizando *HTML*, un lenguaje de marcación que es fácil de aprender y que pronto será sustituido por herramientas automatizadas. Con la incorporación de *hipermedios* (imágenes, sonidos, animaciones y video), Web se ha vuelto el medio ideal para publicar información en Internet. Vea *Web browser.*

World Wide Web Consortium (W3C) *Consorcio World Wide Web*   Cuerpo independiente de estándares, compuesto por investigadores universitarios e industriales, dedicado a establecer estándares efectivos para promover el crecimiento ordenado de World Wide Web. Albergado en el Instituto Tecnológico de Massachusetts (MIT), el W3C establece estándares para *HTML* y muchos otros aspectos del uso de Web.

worm *gusano*   *Virus* de computadora diseñado para encontrar todos los *datos* ubicados en la memoria o un disco y alterar lo que encuentre. La alteración puede consistir en cambiar ciertos caracteres por números o intercambiar bytes de la memoria almacenada. Quizá algunos programas sigan ejecutándose, pero por lo general los datos se corrompen de forma irremediable.

WORM   Vea *write-once, read-many.*

wrap-around type *escritura envolvente*   Texto continuo que rodea un *gráfico.* Como este tipo de texto es más difícil de leer que uno no envolvente, conviene usarlo poco.

write *escritura*   Operación fundamental de procesamiento en la cual la *unidad central de procesamiento (CPU)* registra información en la *memoria de acceso aleatorio (RAM)* de la computadora o en un medio de *almacenamiento secundario*, como una unidad de disco. En computación personal, el término casi siempre se refiere a guardar información en discos.

write-back cache *caché de postescritura, caché de retroescritura*   Tipo de *memoria caché* que guarda información escrita en la memoria además de información leída de ésta. Este tipo de caché, sobre todo el utilizado en *cachés secundarios*, es considerado técnicamente superior a los *cachés de escritura directa*.

write-black engine *mecanismo de escritura en negro*   Vea *print engine*.

write head *cabeza de escritura*   Vea *read/write head*.

write-once, read-many (WORM) *escribir una vez, leer muchas*   Unidad de disco óptico con capacidad de almacenamiento de hasta un *terabyte*. Después de escribir la información en el disco, éste se convierte en un medio de almacenamiento de sólo lectura. Las unidades WORM pueden guardar grandes cantidades de información y se han vendido como una excelente tecnología a organizaciones con necesidades internas de distribución de grandes *bases de datos* (como colecciones de dibujos de ingeniería o información técnica). Sin embargo, la aparición de las unidades ópticas con capacidad de lectura/escritura ha disminuido en gran medida el atractivo por la tecnología WORM. Vea *CD-ROM* y *erasable optical disk drive*.

write precompensation *precompensación de escritura*   Incremento del campo magnético de un *disco duro* mediante el cual la *cabeza de lectura/escritura* guarda datos cerca del *eje*, donde deben empaquetarse de manera más compacta. La *geometría* del disco incluye el *cilindro* donde empieza la precompensación de escritura.

write-protect *proteger contra escritura*   Modificar un *archivo* o disco para que nadie pueda editar o borrar la información que contiene.

write-protect notch *ranura de protección contra escritura*   En un *disco flexible de 5 1/4 pulgadas*, pequeña ranura en la cubierta de protección del disco que, cuando se cubre con un pedazo de cinta, evita que la unidad de disco realice operaciones de borrado o escritura en éste.

write-protect tab *seguro de protección contra escritura*   En un *disco flexible de 3 1/2 pulgadas*, seguro localizado en la esquina superior izquierda del disco, cuando el usuario mantiene el disco con la etiqueta al revés. Al deslizar el seguro para descubrir el orificio, el disco queda protegido contra escritura.

write-through cache *caché de escritura directa*   Esquema de *memoria caché* en el cual las operaciones de lectura de la memoria se guardan en caché, pero no las operaciones de escritura en la memoria. Las operaciones de escritura se guardan en la *memoria de acceso aleatorio (RAM)*, que es mucho más lenta que la memoria caché. Los expertos consideran a los cachés de escritura directa inferiores a los *cachés de retroescritura*, que guardan operaciones de lectura y escritura.

write-white engine *mecanismo de escritura en blanco*   Vea *print engine*.

WWW   Vea *World Wide Web*.

WYSIWYG   Iniciales de *lo que ve es lo que obtiene*.

x2 *Protocolo de modulación* no ratificado para *módems* que transfieren datos a 56.6 Kbps. Al momento de escribir esto, hay un protocolo que compite con él, pero que no es compatible, llamado *K65Plus*.

X.25 Estándar internacional para *redes de conmutación de paquetes* que se utiliza ampliamente en *redes públicas de datos (PDN)*.

X.400 Estándar internacional, mantenido por la *ITU-TSS,* para *correo electrónico* y transmisiones de fax.

X.500 Estándar internacional para directorios de *correo electrónico*, mantenido por la *ITU-TSS*, que puede utilizarse en organizaciones para facilitar la búsqueda de las direcciones de correo electrónico de los usuarios. Vea *white pages*.

X.509 Estándar internacional para *certificados* digitales, mantenido por la *ITU-TSS*, que puede utilizarse para *autenticación fuerte*. La última versión, X.509V3, ayuda a asegurar la interoperabilidad entre software que emplea certificados.

x86 Arquitectura de microprocesador, desarrollada por *Intel Corporation*, que tiene compatibilidad binaria con programas de *MS-DOS* y *Microsoft Windows 95*.

x-axis *eje X* En un gráfico, el eje X corresponde al eje de las categorías, que en general es el horizontal. Vea *bar graph*, *column graph*, *y-axis* y *z-axis*.

Xbase Término genérico que denota cualquiera de los ambientes de *programación* derivados del *lenguaje de programación dBASE* original, creado por Ashton-Tate, Inc. Como la palabra dBASE es una marca registrada, el término Xbase se utiliza para describir cualquier lenguaje de programación basado en el lenguaje de programación dBASE. Algunos ejemplos del lenguaje Xbase son FoxPro, dBASE, Clipper, Arago y Force.

XCFN Vea *external function*.

XCMD Vea *eXternal CoMmanD*.

XENIX *Sistema operativo* desarrollado por *Microsoft Corporation* que cumple con la Definición de Interfaz del System V (SVID) de UNIX y se ejecuta en computadoras *compatibles con la PC de IBM*.

XGA Vea *eXtended Graphics Array*.

x-height *altura de x*   En *tipografía*, altura de las *letras* minúsculas, medida desde la *línea base*. Como los rasgos *ascendentes* o *descendentes* de la mayoría de las fuentes tienen diferentes tamaños, la altura de x es una mejor medida del puntaje de una fuente que el tamaño del tipo, medido en puntos.

XMODEM   *Protocolo de transferencia de archivos (ftp)* asíncrono para *computadoras personales* que permite la transmisión de archivos libre de errores a través del sistema telefónico. El protocolo XMODEM, desarrollado por Ward Christiansen para computadoras de 8 bits que ejecuten el *Programa de Control para Microprocesadores (CP/M)* y puesto bajo el dominio público, se incluye en casi todos los *programas de comunicación* de computadoras personales y en general se usa para descargar archivos provenientes de *sistemas de boletines electrónicos (BBSs)*.

XMODEM-1K   *Protocolo de transmisión de datos* que retiene las capacidades de verificación de errores de *XMODEM/CRC* pero muestra una mejor *velocidad real de transporte*. Al realizar una *verificación de redundancia cíclica (CRC)* sólo en *bloques de 1024 bytes*, se reduce la sobrecarga en la transmisión. Vea *YMODEM* y *ZMODEM*.

XMODEM/CRC   Versión del *protocolo de transmisión de datos* XMODEM que reduce la *velocidad real de transporte* pero que también reduce los errores. Realiza una *verificación de redundancia cíclica (CRC)* cada dos *bytes* transmitidos (esquema más confiable que la técnica de *suma de verificación* empleada en *XMODEM*). Vea *XMODEM-1K*, *YMODEM* y *ZMODEM*.

XMS   Vea *eXtended Memory Specification*.

XON/XOFF handshaking *acuerdo de conexión XON/XOFF*   Vea *handshaking*.

X Windows   *Ambiente de ventanas* para *red* empleado por lo general en *estaciones de trabajo* basadas en *Unix*. X Windows es una *interfaz de programación de aplicaciones (API) independiente del dispositivo* que puede ejecutarse bajo diferentes *sistemas operativos*, los cuales van desde sistemas operativos de disco hasta sistemas operativos de *mainframes*. Sin embargo, se usa con mayor frecuencia en máquinas Unix. A diferencia de *Microsoft Windows 95* y otros ambientes de ventanas para PCs, X Windows está diseñado para redes de *minicomputadoras*.

x-y graph *gráfico X-Y*   Vea *scatter diagram*.

Yahoo En *World Wide Web (WWW)*, popular árbol de temas creado por David Filo y Jerry Yang, del Departamento de Ciencias de la Computación de la Universidad de Stanford. Con la mirada puesta en la popularidad, además de la utilidad, Filo y Yang han creado un directorio de recursos de Web que actualmente incluye casi 35,000 documentos de Web. En 1995, Yahoo se mudó de Stanford a www.yahoo.com, donde obtiene ingresos por publicidad. Yahoo reporta que realiza 10 millones de búsquedas cada semana.

y-axis *eje Y* En gráficos, eje de valores que corresponde por lo general al eje vertical. Vea *bar graph*, *column graph*, *x-axis* y *y-axis*.

Yellow Book *Libro Amarillo* Estándar de la *Organización Internacional de Estándares (ISO)* que describe la manera de codificar datos en CD-ROMs. El estándar Yellow Book incluye especificaciones CD-XA.

YMCK Vea *CMYK*.

YMODEM *Protocolo de transferencia de archivos (ftp)* que es una versión mejorada de *XMODEM-1K*. Transfiere datos en *bloques de 1024 bytes* y realiza una *verificación de redundancia cíclica (CRC)* en cada *trama*. Además, YMODEM soporta el envío de más de un archivo en secuencia. Vea *YMODEMg* y *ZMODEM*.

YMODEMg *Protocolo de transferencia de archivos (ftp)* que deja la verificación de errores a protocolos codificados en el hardware del módem, como *V.42* y *MNP4*, y se utiliza mejor en *módems de alta velocidad* en condiciones de bajo *ruido en la línea*. Por lo general, *ZMODEM* es una mejor elección que *YMODEMg*.

yoke *yugo* Colección de electromagnetos organizados de manera precisa alrededor de un *tubo de rayos catódicos (CRT)*. El yugo, controlado por la circuitería del *monitor* y el *adaptador de video*, conduce los electrones de los *cañones* a los *pixeles* apropiados de la *pantalla*. Si el yugo se desajusta el monitor queda inservible. Asegúrese de que cualquier monitor que compre tenga una garantía de 30 días, sobre todo si lo compra por correo.

Z39.50   Protocolo para la recuperación de datos bibliográficos en *red*, desarrollado por la Organización Estadounidense de Estándares de Información (NISO), unidad del *Instituto Estadounidense de Estándares Nacionales (ANSI)*. Con el uso de una aplicación compatible con Z39.50, un usuario puede enmarcar una consulta que puede procesarse en cualquier computadora conectada a una *red*, aunque esté hecha por un fabricante diferente. El protocolo especifica con precisión el formato de la consulta de una manera ideal para la búsqueda en bases de datos bibliográficas, como en los catálogos de tarjetas de una biblioteca. Están en desarrollo aplicaciones de Z39.50 que permitirán a las aplicaciones de Internet recuperar información de bases de datos almacenadas en *mainframes* de IBM, los cuales albergan la mayoría de los catálogos de bibliotecas en línea existentes.

Zapf Dingbats   Conjunto de símbolos decorativos desarrollado por Herman Zapf, diseñador alemán de tipografía. Dingbats era originalmente un conjunto de símbolos ornamentales utilizados entre columnas o, más comúnmente, entre párrafos a manera de separadores.

z-axis *eje Z*   En un gráfico tridimensional, dimensión que corresponde a la profundidad. Vea *three-dimensional graph, x-axis* e *y-axis*.

zero insertion force (ZIF) package *paquete de cero fuerza de inserción*   Conexión para *chips* grandes, como *microprocesadores*, que facilita el retiro y la instalación de partes sin doblar los pines. Al levantar una palanca al lado del paquete ZIF, los pines se liberan y el chip puede retirarse fácilmente. Cuando se instala otro chip, puede regresarse la palanca a su sitio para fijar los pines en su lugar.

zero-slot LAN *LAN sin ranuras*   *Red de área local (LAN)* diseñada para usar el *puerto serial* de una computadora, lo que evita que el usuario tenga que comprar una *tarjeta de interfaz de red*.

zero wait state computer *computadora sin estados de espera* *Computadora compatible con la PC de IBM* con una velocidad de memoria optimizada mediante el uso de un esquema como *memoria caché, memoria intercalada, memoria de acceso aleatorio (RAM) en modo de página* o chips de *memoria estática de acceso aleatorio (SRAM)*, para que el microprocesador no tenga que esperar (entrar en un *estado de espera*) a que la memoria lo alcance en las operaciones de procesamiento.

ZIF   Vea *zero-insertion force (ZIF) package*.

ZIF socket *zócalo ZIF*   Vea *zero-insertion force (ZIF) package*.

ZIP   *Extensión de archivo de MS-DOS* asociada a un archivo generado por PKZIP, que contiene varios archivos comprimidos. Los archivos ZIP a menudo se encuentran en los *sistemas de boletines electrónicos (BBSs)*.

Zip drive *unidad Zip*   Popular medio de *almacenamiento removible*, creado por *Iomega Corporation*, que proporciona 100 MB de almacenamiento en discos relativamente económicos y portátiles. No más grandes que los discos flexibles, los cartuchos Zip se transportan, envían por correo postal o almacenan fácilmente. En la actualidad las unidades Zip están estableciéndose como el estándar de facto en dispositivos de almacenamiento para computadoras personales, y quizá lleguen a reemplazar a los *discos flexibles* de 3½ pulgadas, que no ofrecen suficiente espacio para ser útiles en los ambientes de computación de hoy en día.

ZMODEM   *Protocolo de transferencia de archivos (ftp)* asíncrono para computadoras personales que facilita la transmisión libre de errores a través de *módems*. ZMODEM es un protocolo muy rápido que permite el uso de nombres de archivo con comodines para las transferencias. También se le aprecia porque puede reanudar la transferencia de un archivo si ésta se interrumpe antes de terminar. Junto a *XMODEM*, ZMODEM es el protocolo de transferencia de archivos más popular y se incluye en la mayoría de las aplicaciones de comunicaciones.

zone *zona*   En *redes de área local (LANs)*, subgrupo de computadoras que el administrador de la red separa y denomina para que funcionen como un grupo. Por ejemplo, si un administrador establece zonas a las que llama Mercadotecnia, Diseño y Manufactura, un usuario de manufactura puede enviar un mensaje de *correo electrónico* a todos los usuarios de mercadotecnia transmitiendo el mensaje a la zona de Mercadotecnia.

zone-bit recording *grabación en zona de bits*   *Grabación en múltiples zonas (MZR)*, en la terminología de Seagate Technologies.

Zoned Constant Angular Velocity (ZCAV) *velocidad angular constante por zonas*   Vea *multiple zone recording (MZR)*.

zoom *zoom*   Ampliación de una ventana o parte de un documento o imagen para que llene la pantalla.

zoom box *cuadro de zoom*   En una *interfaz gráfica de usuario (GUI)*, recuadro colocado por lo general en la esquina superior derecha de la ventana, el cual se selecciona con el ratón para agrandar la ventana a tamaño completo o restablecerla a tamaño normal. El término es sinónimo de *botón para maximizar*.

MAY

PROGRAMAS EDUCATIVOS, S. A. DE C.V.
CALZ. CHABACANO No. 65, LOCAL A
COL. ASTURIAS,DELEG. CUAUHTEMOC,
C.P. 06850, MÉXICO, D.F.

EMPRESA CERTIFICADA POR EL
INSTITUTO MEXICANO DE NORMALIZACIÓN
Y CERTIFICACIÓN A.C., BAJO LA NORMA
ISO-9002: 1994/NMX-CC-004: 1995
CON EL No. DE REGISTRO RSC-048

1999

PRENTICE
HALL

le ofrecen:

✓ Administración
✓ Computación
✓ Contabilidad
✓ Divulgación Científica
✓ Economía

✓ Electrónica
✓ Ingeniería
✓ Mercadotecnia
✓ Negocios
✓ Nueva Tecnología
✓ Textos Universitarios

Gracias por su interés en este libro.

Quisiéramos conocer más a nuestros lectores. Por favor complete y envíe por correo o fax esta tarjeta.

Título del libro/autor: _____

Adquirido en: _____

Comentarios: _____

❏ Por favor envíenme su catálogo de libros de computación, estoy interesado en libros de las áreas:

    ❏ Hardware
    ❏ Sistemas operativos
    ❏ Redes y telecomunicaciones
    ❏ Internet
    ❏ Bases de datos
    ❏ Lenguajes y programas

    ❏ Aplicaciones de oficina
    ❏ Paquetes Integrados
    ❏ Diseño
    ❏ Nuevas tecnologías
    ❏ Diccionarios
    ❏ Cliente/Servidor

Mi nombre: _____

Mi compañía: _____

Puesto: _____

Domicilio casa: _____

Domicilio compañía: _____

Teléfono: _____

Tenemos descuentos especiales para compras corporativas e institucionales.

Para mayor información de nuestros títulos llame al (525) 358-8400
Por favor, llene esta tarjeta y envíela por correo o fax: (525) 357-0404,
Página Web http://www.prentice.com.mx

Prentice-Hall Hispanoamericana, S.A.
División Computación / Negocios
Calle Cuatro No. 25, 2º Piso
Col. Fracc. Alce Blanco
Naucalpan de Juárez
Edo. de México C.P. 53370
MÉXICO